JOHN KNITTEL

THERESE ETIENNE

Roman

1957

IM BERTELSMANN LESERING

Vom Verfasser autorisierte Lizenzausgabe für den Bertelsmann Lesering
Einband S. Kortemeier. Überzugpapier G. Ulrich. Gesamtherstellung
Mohn & Co GmbH Gütersloh. Printed in Germany

Kurz vor Einbruch der Dunkelheit erschien in der Nähe des Gamshofs ein junges Weib. Es blieb stehn und blickte mit neugierigen Augen einen schmalen holprigen Feldweg entlang, der zu etlichen großen Scheunen führte. Reiche Leute wohnten in diesem Tal – so hatte man ihr erzählt –, Leute, die weite Landstriche ihr eigen nannten und hundert, zweihundert Kühe oder vielleicht noch mehr; Leute, die nie erfahren haben, was es heißt: hungrig sein oder durstig; Leute, die üppig aus dem vollen lebten.

Ein Weilchen stand die junge Frau sinnend da. Sie blickte zurück durch das Tal, aus dem sie gekommen war. Wohlgeschützt lag es zwischen den breiten grünen Hängen, die sich wellig an die Tannenwälder schmiegten und an die bleichen ragenden Felsen der zackigen Berge des Oberlands. Man hatte ihr weiter oben im Tale erzählt, es werde sich kaum jemand finden lassen, der Arbeit zu vergeben habe; am ehesten sei Anton Müller der Mann, an den sie sich um Arbeit wenden müsse.

Sie schritt den Feldweg hinab auf eine der Scheunen zu. Eine große Herde fetter Simmentaler Kühe drängte sich saufend um lange steinerne Tröge, die bis zum Rande mit kristallklarem Wasser gefüllt waren. Etwas weiter unten wurde gebuttert; bläulichweiße Milch sickerte aus den Kübeln. Von den Heudielen schollen die Stimmen der Knechte, die das Futter in die Ställe gabelten. Das Gesumm einer elektrischen Maschine begleitete die lärmende Geschäftigkeit der zahlreichen Arbeitsleute.

„Joggi!" rief jemand. „Gang und lueg, was sie will!"

„Was wer will?" rief eine dünne alte Stimme aus einem der Ställe.

„Hast du keine Beine, fauler Chaib? Wo sind Cosimo und Leonhard, zum Teufel! Soll ich denn alles auf einmal machen? Diese katzenjämmerliche Karoline einreiben und dann noch dies und das?"

„Ich muß mit Christian einmal ein Wörtchen über dich reden!" rief die erste Stimme zurück.

Und dann wurde plötzlich die Sackleinwand von einer der Stalltüren beiseite geschoben, und ein Mann trat auf den gepflasterten Hof heraus. Es war ein alter Kerl, nackt bis an die Hüfte, hager und schweißbedeckt. An seinem Hinterteil hing festgeschnallt ein Melkstuhl. Mit Augen, die von Natur aus zornig funkelten, starrte er den Mann an, der zu ihm gesprochen hatte.

„Dabei hat sie das Fieber im Leib, und ich muß ihr das Euter mit Dreck salben! Muß ich sie durchbringen oder nicht?" fragte er verdrossen.

„Ha! Die alte Karoline ist so gut wie tot!" grölte der Jüngere.

„Tot? Ich bring' sie durch, sobald die Blähung heraus ist!"

„So gut wie tot unter deinen Händen, Joggi."

Der Melker wies mit einem Ruck seines Kopfes nach dem jungen Weib. „Wer bist du?" rief er ihr zu.

Sie nannte sich Therese Etienne.

„Was willst du?"

„Arbeit, wenn es gibt."

Joggi reckte seinen dünnen Hals.

„Nun, sie gehört nicht zu uns", erklärte er. „Und stammt auch nicht aus dem Oberland."

„Nein", sagte das Mädchen, „ich bin Walliserin."

„Oho!" schrie Joggi von der andern Seite her. „Herr Jesses! Eine Katholische! Eine Welsche!"

„Ah, ja, eine Welsche", sagte der Jüngere, „aber nach ihrem Reden würde man's nicht merken."

„Eine Katholische?" versetzte nun das Mädchen. „Ich bin nicht katholisch."

„Protestantisch also?"

Therese antwortete nichts.

Die beiden Männer traten näher, und Joggi fuhr etwas verlegen fort:

„Puh! Wallis! Das ist auf der andern Seite vom Wildstrubel und von der Blümlisalp. Noch näher bei Italien als bei Bern."

Der Jüngere trat dicht an sie heran.

„Was für Arbeit willst du tun? Siehst nicht so aus, als könntest du viel leisten."

„Ich bin seit dem frühen Morgen auf dem Weg."

„Da kommt der Röthlisberger!" rief Joggi und ging in den Stall zurück, während ein hochgewachsener schwarzhaariger Mann sich Therese Etienne näherte.

„Was ist los?" fragte er. „Was lungert ihr da herum? Wer ist das Mädchen?"

„Sucht Arbeit", erklärte der Jüngere und zog seine Bluse hoch.

„Hab' keine zu vergeben", sagte der Mann namens Röthlisberger. Sein Blick überflog aufmerksam Thereses Gestalt, und trotz der hereinbrechenden Dunkelheit sah er, wie sie bei seiner Bemerkung schmerzlich zusammenzuckte.

„Was willst du?" fragte er in verändertem Ton. Und seine Stimme klang fast entschuldigend.

„Ist dies hier der Gamhof?" fragte sie.

„Das Gut von Alt-Regierungsrat Anton Müller, jawohl."

„Die Leute sagen, er habe immer Arbeit für überzählige Hände."

„Was kannst du?"

„Ich habe in Sitten gearbeitet."

„Warum bist du weggezogen?"

„Mein Vater ist gestorben."

„War er Bauer?"

Sie schien einen Augenblick zu zögern. – „Ja, das war er."

„Hatte er einen eigenen Besitz?"

„Nein, sonst würde ich jetzt nicht Arbeit suchen."

„Du hast einen flinken Verstand, Meitschi."

„Und auch flinke Hände. Ich melke meine Kuh schneller als irgendeiner von euch."

Röthlisberger und der jüngere Mann lachten. Einen Augenblick lang standen sie schweigend da und sahen Therese an, und dann rief Röthlisberger: „Frieda, Frieda!"

Aus einem benachbarten Wohnhaus erschien eine Frau. Sie war blond, dick, und ihre Bluse stand offen.

„Da ist eine Magd für dich", sagte Röthlisberger, „nimm sie mit und schau, was sie kann."

Frieda stand da mit verschränkten Armen.

„Die da?" fragte sie nach einem schnellen, musternden Blick.

„Die da? Trägt einen grauen Schal und Knöpflischuhe. Wir brauchen keine Hoffart im Hause."

„Oho, hast du nicht gesagt, du brauchst eine?"

„Ein Mädchen in ihrem Alter, das herumbettelt, das kann ich nicht gebrauchen."

„Wie alt bist du jetzt?" fragte Röthlisberger und drehte sich zu Therese um.

„Einundzwanzig", sagte Therese fast unhörbar.

„Erst einundzwanzig, und aus dem Welschland her!" rief Frieda aus. „Das hat uns gerade noch gefehlt!"

„Wenn du sie nicht haben willst, Frau, dann nehme ich sie und lasse sie Adrians Arbeit machen, wenn er zum Militär einrückt."

„Da – hab' ich nicht gesagt, daß es immer die Welschen sind, die den Männern den Kopf verdrehen?" rief Frieda mit einem sauren Blick auf Therese. „Keine zwei Tage wird es dauern, und sie lungert mit Leonhard oder Cosimo in allen Ecken und Winkeln herum."

„Mich wird man mit keinem herumlungern sehn!" erwiderte Therese prompt. „Ich will arbeiten, und ich nehme, was ihr mir gebt."

„So, das ist recht!" sagte Röthlisberger. „Komm mit ins Haus." Mit diesen Worten winkte er ihr und ließ seine Frau unter dem Dach des Viehhofs bei den Kühen stehn.

Anton Jakob Müller war ein Mann, in dem fast alle patriarchalischen Tugenden seiner Vorfahren vereinigt waren. Obgleich er ein beträchtliches Vermögen besaß, dessen Zinsen allein schon genügt hätten, um ihm die Freuden und angenehmen Zerstreuungen einer städtischen Lebensführung zu gestatten, hegte er keinen höheren Ehrgeiz, als ein bodenständiger Bauer zu sein, einen schwarzen Tuchanzug zu tragen, die Äcker seiner Vorväter zu pflügen und inmitten seiner Kühe, seiner Stiere, seiner Gäule und seines Federviehs zu leben; kurz, er war der geborene Bauer, und er wollte Bauer bleiben. Viele Jahre hindurch hatte er den Bauernstand im Berner Regierungsrat vertreten und dort die zähen Anschauungen des Bergvolkes in einer Weise zum Ausdruck gebracht, die ihm eine gewisse Berühmtheit eintrug. Er war im Rat der Schirm und Schutz seiner Landsleute gewesen, und mehr als einmal hatte er dem Neuen mit seinem breiten Bauernfuß den Weg vertreten. Auch als Gemeindepräsident von Gam waltete er eine Zeitlang.

Aber trotz Würden und Ämtern hatte er sich die althergebrachten einfachen Sitten bewahrt.

Gastfreundlich nach altem Brauche, verweigerte er selten irgendeinem Menschen seine Hilfe. Den Armen gab er mit offener Hand, und oft empfing er den hungrigen Wanderer, der um Arbeit oder um Unterstützung bat, ohne sich nach seiner Person zu erkundigen oder ihn mit peinlichen Fragen nach den näheren Umständen seines Lebens zu belästigen. In den Schlössern der zahlreichen Türen seiner Heimstatt war kein Schlüssel zu finden; nur hölzerne Riegel gab es, die sich von innen vorschieben ließen. Diese Riegel hielt er für nötig; denn, sagte er, es sei einem dann und wann nicht genehm, von Fremden überrascht zu werden. Auch sei es vonnöten, daß die vielen weiblichen Dienstboten auf seinem Gut den gewöhnlichsten Schutz vor den Zudringlichkeiten des Männervolkes genössen.

Anton Jakob Müller hegte über die meisten Dinge, die das Leben betrafen, seine eigenen festen und strengen Ansichten. Der Tod war vielleicht das einzige und beunruhigende Rätsel, das ihm Kopfzerbrechen machte. Nachdem er die Fünfzig überschritten hatte, gestand er offen, daß er, je mehr sich dieser „seltsame Kunde" näherte, desto weniger an die Wahrheit all dessen glauben könne, was die Kirche und andere Leute von ihm zu erzählen wüßten.

Hunderterlei Geschichten verschiedener Art wurden über Anton Müller erzählt. Einige ließen sich öffentlich kaum wiedergeben. Aber alle zeigten seinen seltsamen, unberechenbaren Charakter. Er war eine Mischung aus Heftigkeit, gesundem Menschenverstand und Wohlwollen.

Jedermann wußte, daß Anton Müller reich war. Reichtum entströmte seinen Äckern. Reichtum entströmte seiner Wohnung. Dennoch besaß er eine haushälterische Ader, er hatte den unbeugsamen Willen, nichts zu vergeuden, sondern sorgsam, sparsam und gerecht zu sein. Nie wollte er die geringste Verschwendung dulden. „Wo Verschwendung herrscht, gibt es keine Nächstenliebe", pflegte er zu sagen, und was er behauptete, dem lebte er auch nach. Obwohl er bei vielen Gelegenheiten freigebig Geschenke verteilte, besaß er einen besonders entwickelten Sinn für das Eigentum. Stehlen war für ihn, den reichen Mann, ein fluchwürdiges Verbrechen, und sooft er von einem Diebstahl vernahm, geriet er in Wut. Aber noch nie hatte er einen Dieb der Gerechtigkeit ausgeliefert. Nicht daß er die Gerechtigkeit mißachtet hätte; im Gegenteil! Aber er haßte die Polizei, und die Tatsache, daß er den Missetäter, falls er Anzeige erstattete, der Polizei übergeben müßte und nicht imstande sein würde, auf seinem eigenen Grund und Boden selber Recht zu sprechen, diese Tatsache genügte, um ihn jeden Diebstahl vertuschen zu lassen. Andererseits aber trug er kein Bedenken, mit einem Stock in der Faust in einen seiner Ställe hinabzustapfen oder auf den Heuboden zu steigen, um dem Dieb auf den Leib zu rücken. Und mit eigenen Händen verabreichte er auf der Stelle jenes Maß von Züchtigung, das er für passend und angemessen hielt. Niemals aber jagte er einen dieser Unglücklichen, denen er auf seine eigene Weise heimzahlte, zum Teufel. Gar keine Rede, daß sie seinen Hof verlassen mußten. „Jetzt, wo ich dich kenne", pflegte Anton Müller zu sagen, „mach weiter mit der Arbeit. Sei ein ehrlicher Dieb, und das nächste Mal, wenn dich die Finger jucken und du das Gefühl hast, daß du was stibitzen mußt, dann komm zu mir und rede erst mit mir."

Auf dem Gamhof gab es eine Menge von Dieben. Joggi, Cosimo, Leonhard, Ida, Matthias, alle hatten sie ein bißchen gemaust, und alle hatten sie ihre Prügel eingesteckt; aber seltsam, wenn irgend jemand wagte, diese Leutchen Diebe zu nennen, zog er sich eine noch härtere Bestrafung zu, als die Diebe selbst erlitten hatten, nämlich unverzügliche Entlassung.

Einen Diebstahl zu melden, hielt Müller für eine Tugend, einen Diebstahl zu bestrafen, für eine Notwendigkeit, aber einen Dieb Dieb zu nennen, betrachtete er als bodenlose Gemeinheit. Hatte man ihn doch sagen hören: wenn einer auf dem Gamhof sei, der noch nie in seinem Leben etwas gemaust habe, so wolle er ihm den Platz räumen.

So war es nicht verwunderlich, wenn die Leute vom Gamhof vor dem Alt-Regierungsrat einen gesunden Respekt hatten, einen Respekt, in dem sich Furcht und Verehrung mischten, oder daß sie ihn in einer gleichen Stunde oder im gleichen Augenblick abwechselnd lieben und hassen konnten.

Daß er sehr reich war und großmütig, hatte Therese Etienne an diesem Morgen erfahren. Nie aber hätte sie gedacht, daß sie noch an demselben Abend einen Vorgeschmack von seiner Freigebigkeit erhalten würde. Sie folgte Röthlisberger zu einem etwas abseits gelegenen Gebäude, halb Scheune, halb Wohnhaus. Dort trat Röthlisberger auf ein junges Weib zu.

„Hedi", sagte er, „dieses Meitschi kommt aus Sitten. Es sucht Arbeit. Ich will sehen, was morgen für sie zu tun ist. Bring sie unter für die Nacht!" Hedwig, ein hochgewachsenes Geschöpf mit einem ziemlich schön geformten Kopf, aufrechter, straffer Haltung, blauen Augen und einer Fülle blaßblonden Haares, betrachtete Therese mit scharfen Blicken.

„Na ja", bemerkte sie, „jede Woche kommt etwas Neues. Jetzt eine Walliserin. Heiliger Sebastian! Und diesmal ein so dünnes Ding! Was soll sie denn tun, wenn ich fragen darf?"

„Die Milchkannen ausschwenken, weil Adrian nächste Woche in die Rekrutenschule muß."

„Und was wird der Herr Müller sagen?"

„Das ist meine Sache; wenn er weg ist, wird nach meiner Pfeife getanzt. So, nimm sie jetzt mit und gib ihr Quartier!"

Nach diesen Worten stülpte er den schwarzen, abgetragenen Filzhut auf den Hinterkopf, so daß sein roter kräftiger Nacken fast ganz bedeckt war, und entfernte sich polternd in seinen eisenbeschlagenen Stiefeln.

Hedwig richtete sich auf. An der Art, wie ihr der Rock um die Hüften hing, sah Therese sogleich, daß sie in der Hoffnung sein mußte.

„Na ja, aber wo sind deine Sachen?" fragte Hedwig.

„Ich habe keine!" sagte Therese flüsternd.

„Wie heißt du?"

„Therese Etienne."

„Ist das alles, was du bei dir hast?"

„Alles", gestand Therese.

Hedwig fand Unterkunft für Therese. Es war ein kleiner Wohnraum mit ungehobelten Brettern, an eine Scheune angebaut. An der äußeren Wand, in beträchtlicher Höhe, befand sich ein einzelnes Fenster. Zwei Betten standen drin, zwei Holzstühle, ein Schrank und ein Tisch aus Tannenbohlen. Therese bedankte sich, und Hedwig ließ sie allein. Therese setzte sich nieder. Für eine Weile entschwand ihr jedes Zeitgefühl. Das Tageslicht begann zu verblassen. Schließlich raffte sie sich auf und ging ans Fenster, um hinauszusehen. Unter ihr lag ein Bauernhof, umringt von Gebäuden. Ein Stückchen weiter oben, durch einen Obstgarten vom Bauernhof getrennt, stand ein schönes altes Haus mit steilem Giebel und riesigem Holzdach und zahlreichen kleinen Fenstern, deren grüne Läden sich eng unter das vorspringende Dach schmiegten. Steinstufen führten zu einer geschnitzten Holztür, und die hölzernen Täfelungen am oberen Teil des Hauses waren fein modelliert und mit Zierat geschmückt. Rechter Hand stand eine riesige Linde, mit Bänken in ihrem Schatten. Das war das Haus der Reichen. In der trüben Ferne sah Therese die flackernden Lichter Gams, des langen Dorfes mit seinen zerstreuten Häusern.

In der Ferne läuteten die Glocken von Gam. Therese verspürte Hunger. Sie hatte an diesem Tag noch keinen Bissen gegessen. Sie hatte kein Geld, um etwas zu kaufen, und betteln wollte sie nicht. Sie war auf der Suche nach Arbeit. Ein Mann namens Röthlisberger hatte ihr Arbeit versprochen; gut, dachte sie, denn ohne Nahrung ging es nicht mehr weiter.

Röthlisberger saß diesen Abend in seinem gewöhnlichen Stuhl an der Spitze des Tisches. Joggi saß zusammengekauert über den Tisch gebeugt, seine zornigen alten Augen starrten verloren nach der Hängelampe. In seiner verkrümmten linken Hand hielt er den Mostkrug.

Auf dem Gamhof pflegten stets die Männer am obern Ende des Tisches zu sitzen und die Weiber am untern Ende, ohne Rücksicht auf ihre Beziehungen. Cosimo, jener Bursche, der zuerst mit Therese gesprochen hatte, plauderte jetzt von ihr, und ein rotwangiger Junge, Adrian, saß seitlings über den Tisch gelehnt, den Kopf in die Hand gestützt, und hörte zu.

„Was ist mit ihr?" fragte Röthlisberger. „Will sie nicht essen?"

„Vielleicht hat sie keinen Hunger", sagte seine Frau.

„Oh, hungrig ist sie schon", bemerkte Hedwig. „Ich glaube, sie wird bald kommen."

Zwei junge Mädchen, Emma und Hanneli, die am Ende des Tisches saßen, begannen nun über den neuen Ankömmling zu klatschen.

„Ah, mit einem Schal ist sie gekommen."

„Und Knopfstiefel!"

„Von Sitten! Heiliger Sebastian! Über den Lötschberg! Wer würde ihr das glauben! Diesen weiten Weg!"

„Vielleicht hat sie die Bahn genommen", deutete Emma an.

„Ah bewahre!"

„Leonhard", sagte Röthlisberger, feierlich ein Stück Schwarzbrot zerschneidend, „geh und hol sie."

Therese war immer noch in ihrem Zimmer. Sie saß im Dunkeln auf dem Bett. Plötzlich hörte sie das Gepolter schwerer Stiefel und eine Männerstimme. „He, wo steckst du denn? Komm, Theresli, wir essen."

Sie legte den Schal beiseite, zog ihre Schuhe und Strümpfe aus, dann öffnete sie die Tür.

„Komm, Theresli."

„Ich komme!" sagte sie.

Barfüßig verließ sie den Raum und folgte Leonhard.

„Komm und setz dich!" sagte Röthlisberger, als sie in der Tür erschien. „Setz dich und iß. Ida, Emma, Hanneli, macht ihr Platz!"

Therese setzte sich, und eine plötzliche Stille trat ein. Alle starrten das Mädchen an. Die Männer betrachteten ihre schlanke Gestalt und ahnten ihre zarten Brüste, die sich unter der schwarzen schäbigen Bluse hoben und senkten. Die Weiber schauten auf das zerrissene Spitzenwerk, das die Bluse umsäumte, und auf ihr tiefdunkles braunes Haar mit seinem rötlichen Schimmer, das straff emporgekämmt war und in großen Wellen von der schmalen bleichen Stirn zurückwich.

„Dein Vater war Bauer, sagtest du?" fragte Röthlisberger.

Therese errötete und sagte: „Ja!"

„Hatte er eigenen Besitz?" – „Ja."

„Und jetzt nicht mehr?"

„Nein, er hat ihn verkauft."

„So hat er außer Haus gearbeitet?"

„In den Reben."

„Was tut er jetzt?"

„Er ist tot."

Nach einer kurzen Pause fragte Röthlisberger: „Wann ist er gestorben?"

„Vorige Woche."

„Mein Gott! Wie traurig!"

Therese gab keine Antwort mehr. Stumm aß sie ihre Mahlzeit und bemühte sich sehr, nicht allzu hungrig zu erscheinen. Die andern kümmerten sich nicht mehr um ihre Anwesenheit. Es schien das natürlichste Ding von der Welt, daß sie an diesem Tische saß; ja, es schien fast, als seien sie nicht nur ihre Landsleute, sondern als gehörte Therese zu derselben Familie. Sie lauschte ihren Gesprächen. Sie sah, daß einige von ihnen sich gerne leiden mochten, während andre wieder in gespannten Beziehungen standen. Sie erfuhr, daß Anton Müller zu einer Viehprämiierung nach Thun gefahren sei, wo er einige seiner Rinder zur Schau stelle; ferner, daß er in wenigen Tagen zurückkehren würde. Sie sprachen über den jungen Gottfried, Gottfried Sixtus Müller, Anton Müllers Sohn, der auf der Universität Basel studierte.

„Ah, als er hier war, der Gottfried Sixtus, was war das für ein Heidenspaß!" sagte der junge Adrian. „Er wollte uns glauben machen, daß aus ihm ein Advokat werden soll; er kann aber kaum ein Bündel Heu auf den Schober heben."

„Was er nicht in den Armen hat, das hat er eben im Hirn", sagte Cosimo.

Therese hatte ihre Mahlzeit beendet. Sie stand auf und fragte, ob sie sich entfernen dürfe. Hedwig gab ihr zu verstehen, daß sie eine Kerze in das finstere Zimmer mitnehmen müsse, und sagte ihr, wo diese zu finden sei. Frieda ermahnte sie, die Kerze auszublasen, sobald sie im Bett liege. Und Röthlisberger fügte hinzu: „Fünf Uhr morgens! Gute Nacht!"

„Gute Nacht", sagte sie zu allen, und ein wirrer Chor gab Antwort. Dann entfernte sie sich, während die andern am Tische sitzenblieben.

Sie ging an den Brunnen, um zu trinken und um sich zu waschen. Dann legte sie sich zu Bett. Sobald ihr warm wurde, schlief sie ein.

Therese Etiennes bisheriges Leben war mühsam und schmerzlich gewesen. Als sie siebzehn Jahre zählte, kehrte ihr Vater aus dem Gefängnis zurück; fünfzehn Jahre hatten sie ihm gegeben, weil er auf der Gemsenjagd im Val d'Hernon seinen Nachbar vorsätzlich niedergeschossen hatte. Bald nach seiner Heimkehr machte ihn die Gicht zum völligen Krüppel. Eine Mutter fehlte im Hause, Thereses Geburt hatte ihrer Mutter das Leben gekostet. Nur Therese war da, und sie verließ ihren Posten bei einer entfernten Verwandten, um ihrem Vater zu Hilfe zu kommen. Sie, Therese, mußte die Arbeit machen. Nicht ihr Vater ging in die Reben, wie sie den Leuten beim Abendbrot erzählt hatte, sondern sie selbst. Und wenn sie nicht in den Reben arbeitete, dann war es auf den Feldern, in Wäschereien, ja sogar in Hotels, und stets so weit wie möglich von ihrem elenden Heim bei Sitten weg, so weit wie möglich von jenen Leuten entfernt, die sie fürchtete, die nach ihr mit dem Finger zeigten, die ihr manchmal nachriefen: „Therese, das Kind des Mörders Etienne!"

Der alte Etienne hielt sich eine Kuh und zwei Ziegen, die er mit dem im Gefängnis verdienten Geld gekauft hatte. Therese besorgte diese Tiere, bis sie schließlich verkauft werden mußten.

Die Liebe zum Vater flößte dem Mädchen eine Standhaftigkeit ein, die den gewöhnlichen Mut eines Menschen von ihrem Alter und ihrem Geschlecht weit übertraf. Sie besorgte dem alten Etienne die Abreibungen, die der Doktor verordnet hatte, sie trug ihn auf den Schultern aus dem Bett und wieder zurück, und die Mühsal erschöpfte Tag für Tag ihre Kräfte. So war ihr die Jugendzeit verstrichen bis zu ihrem zwanzigsten Jahr, in Finsternis, fern von jedem Spiel ihrer Altersgenossinnen, ohne Hoffnung, ohne Trost. Die erzwungene Demut und Selbstverleugnung prägten sich in ihrem Charakter aus.

Als der Mörder Etienne sein Ende nahen fühlte, schickte er Therese nach dem Priester. Als dieser kam, galten die letzten Worte des alten Etienne nicht seinem Glauben an die heilige Kirche, sondern es waren Dankesworte an den Himmel, daß er ihm eine gute Tochter gegeben habe. Er bat den Priester, Therese vor der Gemeinde als ein Musterbeispiel der Tugend und Liebe hinzustellen, wenn auch er ein Mörder gewesen sei und zu Lebzeiten alle Rechte des ehrlichen Bürgers eingebüßt habe.

Mit dem Vater verlor Therese auch ihren einzigen Freund, das letzte Band, das sie ans Leben knüpfte. Als sie in ihr Heim zurückkehrte, fand sie den Gemeindeammann und den Weibel dort. Sie teilten ihr mit, daß sie den Auftrag hätten, ein Inventar aufzunehmen. Der Alte hatte nie seine Steuern bezahlt. Die beiden Räume, die er bewohnt hatte, wurden versiegelt. Dem verwaisten Mädchen überließ man ein leeres Zimmer. Therese wußte aus Erfahrung, daß ihr Vater seit jeher dem Gesetz und seinen Vollstreckern verfallen war. Mehrere Tage lebte sie in diesem leeren Zimmer, allein mit ihrem Kummer; dann ganz plötzlich warf sie einen Schal um die Schultern, zog ihre Knöpfelschuhe an und begab sich auf die Wanderschaft. Unwillkürlich schlug sie die Richtung nach dem Oberland ein. Mühsam überquerte sie die Berner Berge, und nach etlichen Tagen schleppender Wanderschaft und quälender Mühsal erreichte sie das Dörfchen Gam.

Die alte Stadt Thun, die am unteren Ende des Sees liegt, dem sie seinen Namen gegeben hat, war heiter herausgeputzt für die große landwirtschaftliche Ausstellung. Wie üblich bei solchen außerordentlichen Anlässen, waren die Straßen beflaggt und die Leute in gehobener Stimmung. Der schweizerische Bundespräsident selbst traf ein, um die Ausstellung zu eröffnen. Nach einem offiziellen Empfang, der in einem der ersten Hotels stattfand, nach reichlichem Essen und Trinken und sanftem Redefluß legten die Regierungsgewaltigen des Landes die kleine Strecke vom Hotel zur Ausstellung zu Fuß zurück, geführt von einer Blechmusik.

Inmitten der wogenden Besuchermenge schritt Anton Müller aus Gam. An seiner Seite ging Sophie, seine einzige Tochter, die sich mit Dr. Naef, einem ortsansässigen Advokaten, verheiratet hatte. Sie war jung, schlank, sah sehr lebhaft aus, kannte viele Leute und trug ihr Köpfchen ziemlich hoch. Sie wirkte in keiner Weise bäurisch, und ihr Vater hatte sie auch durchaus nicht als Bauernmädchen erzogen. Im Gegenteil, sie hatte eine höhere Mädchenschule besucht, spielte leidlich Klavier, konnte häkeln, malte mit lieblichen Wasserfarben kleine Bilder von Berghütten, Kiefernwäldern und grünen blumigen Wiesen, sprach fließend Französisch und hatte französische Romane gelesen. Ihr Gesicht war nachdenklich und zuweilen stolz, ja manchmal hart. Sie hatte zwei dunkelblaue Augen, denen durchaus zuzutrauen war, daß sie ihre Untergebenen mit grausamen Blicken zu mustern verstanden.

Da ihr Vater in Thun zu Besuch weilte, hatte sie sich ihm angeschlossen, um die Ausstellung zu besichtigen. Als sie so Seite an Seite dahinschritten, ließ sich kaum eine Ähnlichkeit zwischen Vater und Tochter entdecken. Er war von mittlerer Größe, breitschultrig und starkgliedrig. Aus seinem niedrigen gestärkten Kragen ragte ein Hals von beträchtlicher Dicke. Seine Nase war gerade und kräftig, in einer Linie mit der Stirn, die sich hoch in den runden, grauen, stoppelhaarigen Kopf zurückwölbte. Zahlreiche Runzeln umgaben seine Augen, aber sie erweckten nicht den Eindruck des Alters, während die leichten Grübchen unter den runden Backenknochen, die sich bis in den kurzen, eckig gestutzten Bart hinzogen, eine gewisse verborgene Lüsternheit verkündeten. Er trug einen flachen schwarzen Tellerhut auf dem Kopf, seinen gewöhnlichen Tuchanzug und genagelte Schuhe. Nur ein einziges Zeichen feinerer Lebensart ließ sich an ihm gewahren – ein weißes Leinentaschentuch, das aus der äußern Rocktasche lugte und gerade genügte, um ihn über den gewöhnlichen Bauersmann hinauszuheben. „Komm!" sagte er ungeduldig zu seiner Tochter, die häufig stehenblieb, um mit Bekannten zu sprechen. „Natürlich kennst du alle Welt, aber ich will nicht, daß du jetzt mit den Leuten sprichst. Vorwärts!"

Und sie schlenderten weiter, ohne die Ausstellung recht zu beachten. Erst als sie die Viehabteilung erreichten, schien sein Interesse zu erwachen, und er begann an den Lippen zu nagen und kleine Bartbüschel zwischen die Zähne zu schieben.

„Morgen fahre ich nach Bern", sagte er zu Sophie, aber seine Gedanken galten völlig andern Dingen. „Gottfried kommt für einen Tag aus Basel herüber. Ich will ihn sehen."

Er blieb vor einem Stand stehen und betrachtete den riesigen Stier.

„Da steht der Herzogli", sagte er unvermittelt.

„Eh! Wie groß er geworden ist!" rief Sophie und vergaß, daß sie die Frau eines Advokaten war. „Eh! – Komm, Herzogli!"

Sie ging in den Stand und trat an den Kopf des Stieres heran.

„He, Herzogli! Wie groß du geworden bist!" rief sie voll Erstaunen.

Der Herzog, ein furchtgebietender, makelloser weißbrauner Riese, drehte langsam den Kopf, leckte seinen kupfernen Nasenring und zeigte das Weiße seiner Augen. Anton Müller begann unterdessen ein Gespräch mit Konrad, seinem Knecht, der die ausgestellten Tiere betreute, und zu gleicher Zeit griff er ganz unbewußt nach einer Mistgabel und wendete das Stroh unter dem Hinterteil des Tieres.

„Sind die Herren vom Preisgericht schon vorübergekommen?" fragte er.

„Nein, Herr Müller."

„Oh! Aha!"

Nach einer kurzen Pause fuhr er fort: „Alle stehen sie vor Indens Stall. Möchte doch wissen, was der zu zeigen hat!"

Er klopfte Herzog auf die mächtigen Hinterschenkel. Sophie ging hinaus. Anton Müller strich mit seiner großen Hand über den geraden Rücken des Tieres, der so breit war wie ein Tisch, auf dem ein Pärchen tanzen könnte. Dann packte er des Stieres wulstigen, dicken Nacken und die geblähte Wamme und bemühte sich vergeblich, sie zu schütteln. Herzogli drehte den mächtigen Kopf und rieb seine blasse, feuchte Schnauze an dem Rock seines Herrn.

Von Zeit zu Zeit warf Müller einen Blick zu den Preisrichtern hinüber, die einige Dutzend Meter entfernt standen. Allmählich wurde er immer ungeduldiger.

Möchte wissen, was Inden zu zeigen hat! fragte er sich selbst.

Sein Zweijähriger hat einen roten Fleck, der bis an die mittleren Rippen geht. So oder so, ist das in Ordnung? Sein Schädel ist ein paar Daumen länger als beim Herzogli.

Nicht länger fähig, seine Ungeduld zu zügeln, lenkte er seine Schritte auf die Preisrichter zu. Als diese Persönlichkeiten den Alt-Regierungsrat erblickten, zogen sie die Hüte. Anton Müller tat desgleichen, und dann wechselte man herzliche Begrüßungen.

„Das ist Indens Stier aus Meiringen?" begann Müller. „Feiner Kerl und verkäuflich. – Meiner nicht."

„Sofort werden wir Ihren Stier besichtigen", sagte Herr Oswald im Amtston. „Ich glaube und hoffe, er wird ebensogut abschneiden wie Herrn Indens Gotthard."

„Sie glauben und hoffen?" versetzte Anton Müller. „Ich weiß und behaupte es!"

„Herr Alt-Regierungsrat, Sie versuchen uns zu beeinflussen. Kommen Sie jetzt", sagte Oberst Zumbein und brach in ein schallendes Gelächter aus, um zu zeigen, daß er nur einen Witz reißen wollte.

„Ja, dazu bin ich da, Herr Oberst", entgegnete Anton Müller. „Ich hoffe, keiner von den Herren wird diesen roten Fleck auf Gotthards Kopf übersehen, dicht unter dem linken Auge, wenn Sie so freundlich sein wollen, einen Blick hinzuwerfen. Nicht größer als ein Frankenstück. Und dann sehen Sie sich Herzog an, dort werden Sie nichts dergleichen bemerken. Sein Kopf ist weiß."

Anton Müller hatte sich ziemlich erhitzt, und die Preisrichter betrachteten ihn mit gelinder Verblüffung.

„Da hört man wieder unsern Müller aus Gam", sagte Dr. Zeisig, der Herausgeber der Ortszeitung. „Versucht ehrliche, unparteiische Meinungen zu beeinflussen." Müllers Gesicht wurde rot. „Meine Herren, ich bin immer bereit, den Unwissenden die Augen zu öffnen."

Und nachdem er so unvermittelt den Handschuh hingeworfen hatte, lupfte er den Hut und ging seiner Wege.

Sophie wußte, daß ihr Vater wütend war. Sie haßte ihn, wenn er sich so benahm. Aber sie schluckte ihren Ärger und blieb stumm.

„Herzogli", sagte Müller nach einer Weile, „kriegt den ersten Preis, kein Zweifel."

„Wir wollen das Beste hoffen", sagte sie.

In Bern stieg er, wie es seine Gewohnheit war, in dem alten „Gasthof zur Traube" ab. Dort traf er seine Freunde aus verschiedenen Gegenden der Schweiz, alte Parteikameraden und Geschäftsfreunde, saß mit ihnen im Winkel der alten Gaststube und spielte bis in die frühen Morgenstunden Karten. Hier kochte Frau Vogt für ihre Gäste die würzigsten Plättchen, die appetitlichsten Croûtes au fromage und Fondus, und Herr Vogt stieg jeweils persönlich in den Keller hinab, um für die Herren von seinem alten Spezialfendant abzuzapfen.

Anton Müller kam oft nach Bern. Er war hier wie zu Hause, seitdem er als Regierungsrat hier gewohnt hatte. Seit dem Tode seiner Frau (sie starb vor ungefähr zehn Jahren) kamen ihm Gam und sein Heimattal oft leer und verödet vor. Er zählte nun dreiundfünfzig Jahre und wurde alt und grau. Ganz in Ordnung, daß er versuchte, sein Leben aufs beste auszunützen. Endlich hatte er all seine Verantwortlichkeiten von sich abgewälzt. Er war der politischen Zänkereien müde, aber Bern, der Mittelpunkt des öffentlichen Lebens, übte immer noch seinen Reiz auf diesen tatkräftigen Geist aus. Droben in Gam gab es nur Kühe und Felder, das stumpfsinnige, stille Bauernleben – freilich auch mehr als nur ein Wirtshaus, ja sogar Hotels für die Fremden. Aber einerlei, Bern war Bern. Und wenn er wieder Wochen oder sogar Monate am Fuß seiner Berge verbracht hatte, kam oft ein Augenblick, da Anton Müller es müde wurde, sich ewig von denselben alten Gesichtern umgeben zu sehen, ewig die weißen Wolken zu betrachten, wie sie sich um die Felsen des Oberlands ballen; und dann war rasch ein Vorwand gefunden, um nach Bern zu fahren.

Am Sonntagmorgen ging Anton Müller auf den Bahnhof, um den Schnellzug aus Basel abzupassen. Nachdenklich stand er auf dem Perron. Sein kurzer, graugesprenkelter Bart war frisch gestutzt, seine Hände staken in den Hosentaschen und schoben den Rock zurück, und eine riesige Goldkette war in das oberste Knopfloch seiner Weste eingehakt, von wo sie in weitem Bogen über die behagliche Rundung, die sich unter seiner breiten Brust wölbte, hinabbaumelte. Seine schwarzen Stiefel glänzten hell, und sein niedriger Kragen, sein gestärktes Vorhemd und seine Manschetten waren fleckenlos. Er stand fast regungslos, ohne Interesse an dem

Leben und Treiben ringsumher. Erst als die Lokomotive des Basler Zuges dampfend und schnaubend in den Bahnhof einfuhr, hielt er scharfe Ausschau, um seinen Sohn nicht zu verfehlen.

Gottfried Sixtus aber sah seinen Vater viel früher, als dieser ihn erspähte. Er trat von rückwärts an ihn heran.

„Tag, Vätti", sagte er. Anton Müller drehte sich um, ohne eine Miene zu verziehen, und reichte ihm herzlich die Hand.

„Tag, Bueb, wie geht's?"

Einen Augenblick lang musterte er den gutgeschnittenen Anzug des Burschen, seinen hohen Kragen und die blaue Krawatte, die glitzernde Studentenmütze und das farbige Band über der Weste, musterte das alles mit einem Blick, in dem Stolz und Enttäuschung sich mischten.

„Hm! Komm jetzt, Bueb, wir wollen zusammen ein Glas Bier trinken. Diesmal nicht in der ,Traube'. Komm in den Kornhauskeller."

Sie schritten miteinander durch die Stadt. Gottfried Sixtus war wie eine schlanke, zarte Nachbildung seines Erzeugers. Die Stirne sanfter als die des Vaters, die Nase ein wenig adlerschnäblig und fein geformt, der Mund reiner geschnitten. Um seine Lippen spielten unablässig wechselnde Empfindungen. Seine Haare waren dunkel, seine Brauen sogar noch dunkler, und sie wölbten sich über zwei weichen graublauen Augen, aus denen ein helles Licht strahlte. Ein flaumiger kleiner Schnurrbart schmückte seine Oberlippe.

Anton Jakob liebte seinen Jungen, er hatte seiner Laufbahn zugestimmt, er hatte ihm sogar den Weg geebnet; aber in der Erscheinung dieses etwas geckenhaften Studenten war ein Zug, der sein Bauernherz mit tiefer Rührung erfüllte. Eine Traurigkeit überkam ihn bei dem Wiedersehn mit Gottfried, eine Traurigkeit, die ihn, wie er fühlte, für den Rest seiner Tage nicht mehr verlassen würde. Und dennoch regte sich ein Triumph in seiner Seele.

Ich bin der Letzte der alten Gam-Müller! rief eine schicksalsschwere Stimme in seinem Innern. Vielleicht ist er der erste unter den neuen.

Munter schritt er nun weiter, und fest setzte er seine Stiefel auf das Pflaster der alten Stadt.

„Komm, Bueb, da ist der Keller! Jetzt wollen wir hören, was du zu erzählen hast."

Gottfried Sixtus berichtete seinem Vater allerlei Neuigkeiten, aber es gab noch viel mehr Dinge, die er nicht erzählte, weil er fühlte, daß der Vater sie nicht verstehen oder gar mißbilligen würde. Anton Jakob hingegen hatte seinem Sohne kaum etwas mitzuteilen. Er erwähnte nur beiläufig die Ausstellung in Thun, dann ein paar Dinge, die sich droben in Gam ereignet hatten, daß er Sophie gesehen und daß er einen Doktor aufgesucht habe wegen einer Verdauungsstörung, die ihm seit kurzem ein wenig Beschwerden machte, aber es sei nicht der Rede wert. Die Angelegenheiten, die seine Gedanken beherrschten, würde Gottfried nicht verstehn – das fühlte der Vater. Er war zu jung, zu sehr versunken in seine neue Umgebung, lebte ein neues Leben, das er mit allen Poren gierig in sich aufnahm. Zu einem Manne von seinem eigenen Schlag konnte Anton frisch drauflosreden, mit einem Manne seines Alters und Standes konnte er politische Fragen diskutieren, konnte er sich auf jedes Thema werfen, das die Wohlfahrt der Bauern im Oberland betraf. Was aber sollte er zu seinem Sohne sagen? Was verstand Gottfried von den Streitfragen, die einen älteren Mann erregten? Seine Interessen waren pedantisch klein, unbedeutend, auf den Umkreis der Schule beschränkt. Zuweilen überschlich den Vater ein seltsames Gefühl der Einsamkeit, und er versuchte es dadurch zu ersticken, daß er sich zu einer leichteren Stimmung zwang.

Vor Anbruch der Dämmerung ging Therese in den Hof hinunter. Sie wusch sich am Brunnen, während Joggi, Leonhard, Cosimo, Emma und Hanneli ihre Kühe molken. Als sie fertig war, fragte sie, wo Röthlisberger zu finden sei. Ida stellte den Melkkübel beiseite.

„Komm, ich werde ihn suchen."

Mit klappernden Holzschuhen lief sie voraus, und sie fanden Röthlisberger in einem Nebengebäude.

„Da ist die Welschi", sagte sie, „sie sucht dich, Meister."

„Schön, ich komme."

Er legte ein paar leere Säcke beiseite, und dann ging er auf Therese zu.

„Es gibt jetzt nichts weiter zu tun, als die Eimer und Milchkannen zu waschen", sagte er, „Adrian ist zum Bahnhof gefahren, um die Kannen zu holen. Er wird dir zeigen, wie man's macht."

„Muß ich von jetzt an selbst die Kannen holen?"

„Warum? Verstehst du mit Pferd und Wagen umzugehen?"

„Ja."

„Ich weiß nicht. Ich seh' es lieber, wenn diese Sachen das Mannsvolk besorgt."

„Ich tue alles, was Ihr von mir verlangt."

Er sah sie nachdenklich an.

„Du kannst nicht ohne Strümpfe und Schuhe arbeiten", sagte er dann.

„Ich habe bloß Knöpfelschuhe. Sie taugen nichts. Ich will mich nicht auslachen lassen. Ich will arbeiten, und ich will meinen Lohn bekommen."

„Lohn – hm. Wieviel?"

„Was Ihr mir gebt."

„Dreißig bis vierzig Franken im Monat? Nimm vierzig, Meitschi, und Essen und Wohnung wie die andern."

„Und auch Schuhe für die Arbeit? Ihr sagt doch, ich könne nicht barfuß herumgehen."

„Nun, siehst du, Therese, das ist eine dumme Sache. Alle die andern haben sich nämlich ihr Zeug selber mitgebracht."

„Ja, aber ich habe nichts, als was ich am Leibe trage."

„Wollen sehn. Wollen sehn. Schlüpf inzwischen in diese Schuhe dort unter den Stufen, sie gehören Emma. Sie macht jetzt Hausarbeit und wird sie nicht brauchen."

„Und sie wird nicht aufbegehren, wenn ich ihre Schuhe nehme?"

„Aufbegehren? Warum?"

Wieder sah er sie an. Diesmal ein wenig forschend.

„Ich weiß nicht, du scheinst mir nicht die Richtige für solche Arbeit", sagte er dann. „Du solltest irgendwo in eine häusliche Stellung gehn."

„Ich mag Häuser nicht", erwiderte sie. „Aber wenn sie dann später die Kühe auf die Alp treiben, darf ich mit?"

„Auf die Alp?" rief er erstaunt. „Und mit den Kühen? Willst du denn nicht lieber unter Menschen sein? Zur Kilbi gehn und zum Tanz? Auf der Alp gibt's nichts dergleichen.

„Ich bin gern allein."

Röthlisberger lachte.

„Leonhard treibt im Sommer das Vieh auf die Alp. Er nimmt Mietsleute mit als Hütervolk."

„Wer ist Leonhard?"

„Leonhard? Da drinnen sitzt er jetzt und melkt."

„Der mit dem kleinen blonden Schnurrbart?"

„Das ist er. Gerade das Gegenteil von mir..." Er lachte von neuem. „Aber jetzt muß ich dir ein Paar Strümpfe von Frieda besorgen. Ich bezahle sie, und ich werde es dir am Ende des Monats nicht abziehen. Sicher nicht."

Therese sah ihn voll Verwunderung an. Er ging seiner Wege, und auch sie entfernte sich.

Etwas später am Tage mußte sie ihren Namen in Röthlisbergers Buch eintragen. Er forderte sie auf, so bald wie möglich nach Gam zum Gemeindeschreiber zu gehn, um ihre Ankunft zu melden. Sie wollte wissen, warum.

„Weil es das Gesetz verlangt."

Das Wort Gesetz erschreckte sie. Gesetz bedeutete für sie Polizei. Sie fürchtete die Polizei. Sie hatte ein reines Gewissen, hatte nie ein Verbrechen begangen, aber die Wörtchen „Gesetz" und „Polizei" jagten ihr stets einen Schauder durch die Adern. Sie kümmerte sich nicht um Blitz und Donner, sie ängstigte sich nicht vor der Einsamkeit wüster Bergtäler, sie fürchtete sich nicht einmal vor den Aufmerksamkeiten der Männer, aber sobald sie mit Regierungsbeamten in Berührung kam, ergriff sie stets ein seltsam schwindliges Gefühl. So, im Schatten dieser Angst, war sie vom kleinen Mädchen zum Weibe herangewachsen. Diese Angst hatte ihren moralischen Charakter beeinflußt und sie in die Einsamkeit getrieben. Während sie diesen schlaffen, gequälten Körper ihres Vaters herumschleppte, während sie schuftete und schwitzte und Opfer um Opfer brachte, um diesen Körper am Leben zu erhalten, erstarb in ihr allmählich aller Stolz, aller Ehrgeiz, ihr Glaube an eine Gerechtigkeit. Sie fühlte, daß das Maß von Strafe, das ihrem

Vater und ihr selber zugemessen wurde, zu groß war, zu schwer, um gerecht zu sein, und daß es folglich ungerecht sein mußte.

Wenn nur die Strafe mit ihres Vaters Entlassung aus dem Gefängnis zu Ende gewesen wäre! Unseliger Tag, an dem er zurückkehrte! Denn die Herzen der Menschen waren noch unversöhnlicher als das Gesetz.

Da der folgende Tag ein Sonntag war, saß der Schreiber nicht in der Kanzlei. Die Gamhofer hatten sich alle in die Kirche begeben. Nur Therese blieb zu Hause. Die Kirche hatte nie etwas für sie getan. Nie hatte Therese um Barmherzigkeit gebettet – nicht einmal bei der Kirche. Der Vater sagte ihr, daß die Priester lauter Lügner seien. Vielleicht sind die Protestanten besser? Aber auch diese hatten nie etwas Gutes getan. Während die Gamhofer Gott dem Herrn ihre Lobgesänge sangen, setzte sie sich in ihr Zimmer und begann mit einem Knäuel schwarzer Wolle, den sie von Hedwig geborgt hatte, ihre Strümpfe zu stopfen.

Am Montag ging sie auf die Gemeinderatskanzlei. Sie schreckte zusammen, als sie Herrn Blasers Zimmer betrat, und über den muffigen Dünsten des Archivs wurde ihr ganz schwach zumute. Sie erklärte Herrn Blaser, der sie anstarrte – zuerst durch die Brillengläser, dann über diese weg, dann unter ihnen durch –, daß sie gegenwärtig im Gamhof beschäftigt sei, und gab Namen und Alter an.

Als er ihren Geburtsschein sehen wollte, erklärte sie, daß sie keinen besitze.

„Ah, aber Sie müssen einen haben. Aus welcher Gemeinde kommen Sie?"

„Sitten."

„Sie müssen sich eine Heimatsurkunde oder einen Geburtsschein aus Sitten besorgen. Schreiben Sie an das dortige Gemeindeamt."

„Muß das sofort sein?"

„Noch diese Woche."

„Ich werd's besorgen. Ist sonst noch etwas zu tun?"

„Nein. Das ist alles."

„Ich danke Ihnen."

Sie kehrte auf den Gamhof zurück. Dann schrieb sie einen Brief nach Sitten, adressiert an den Gemeindeschreiber, und ersuchte um ihren Geburtsschein. Von diesem Augenblick an fand sie keine Ruhe mehr. Sie machte sich auf neue Wanderfahrten gefaßt, denn sie zweifelte nicht, daß der Fluch ihres Lebens auf irgendeine Weise ihr nachschleichen werde, sogar über die Berge, die sie mühsam überklettert hatte, um ihm zu entrinnen. Aber keiner sollte es wagen, sie noch einmal als Kind eines Mörders zu beschimpfen! Davon hatte sie genug. Finsteren Gesichts ging sie an die Arbeit, und ihre Augen blickten fast wild und zornig.

In derselben Woche sollte Anton Müller aus Bern zurückkehren. Ida und Hanneli wurden in das große Haus hinaufgeschickt, um das Schlafzimmer ihres Herrn herzurichten. Therese erhielt Befehl, die Treppen und den inneren Flur aufzuwaschen. Sie ging zu dem Bauernhaus hinauf, und jetzt sah sie es zum erstenmal von innen. Dicht hinter der Tür lag eine riesige Küche mit offenem Herd und langen Reihen sauberer Kupferpfannen und Kessel, Spülbecken und Geschirr. Eine Treppe mit geschnitztem Geländer lief zu dem oberen Stock des Hauses. Von der Küche führten nach links und rechts schmale Korridore. Während Therese umherwanderte, spähte sie in die jenseits gelegenen Zimmer, wo ungeheure, altväterische Kachelöfen standen und braune schwerhölzerne Möbel, die ihr wunderschön erschienen. Die Fußböden waren mit Parkett belegt, und die Sonne funkelte durch schmale tiefliegende Fenster, die halbverdeckt waren durch dichte Girlanden knospender Geranien und wilder Rosen. Die Wände waren mit riesigen Glaskästen geschmückt, und diese bargen bebänderte und andere Dokumente, Lorbeerkränze, Medaillen, Silberpokale. An den Wänden hingen goldumrahmte Diplome, offenbar die Trophäen der verschiedenen Generationen von Müller-Schützen, Müller-Turnern und Müller-Ringern, und die Zertifikate für Preisstiere, Preiskühe und allgemeinlandwirtschaftliche Leistungen. Die stolze Geschichte der Gam-Müller. Da und dort waren geschnitzte Truhen und riesenhafte alte Kleiderschränke zu sehen.

Wie wunderbar mußte es sein, Reichtum und Bücher zu besitzen! Oft hatte sie darüber nachgedacht, was für eine Unmenge reicher Leute es auf der Welt geben mußte. Der Vater hatte ihr erzählt, daß die Etienne-Mariano früher einmal reich gewesen seien. Sie seien sogar Grafen gewesen. Das mußte wohl mehr als dreihundert Jahre her sein. Warum hieß sie nicht Mariano? Warum nur Etienne? Mariano klang viel schöner!

Anton Müller oder der „Herr", der „Alte", wie er von seinem Gesinde genannt wurde, kam in schlechter Laune nach Hause. Er brachte kaltes Wetter aus dem Unterland mit. Am folgenden Morgen, in aller Frühe, kam er in seiner Arbeitsbluse herunter und entdeckte, daß eines der Jauchefässer geleckt und längs der ganzen Straße seine Spuren hinterlassen hatte.

„Leonhard!" schrie er laut. „Die ganze Straße so versauen! Die Leute brauchen keine Bschüttespur, um den Gamhof zu finden. Verdammi!"

Leonhard sah bei des Herrn Worten seltsam betroffen drein. Er stand still und steif, wie verzaubert. Sein Gesicht nahm die Farbe einer knallroten Geranie an, und sein kleiner blonder Schnurrbart sah aus wie ein phosphoreszierender Strich von einer Backe zur andern.

Nun stürmte Anton Müller in einen der Ställe, wo der alte Joggi frische Strohbunde unter die Tröge schob. Als Joggi den Herrn erblickte, unterbrach er seinen Gesang.

„Tagwohl, ah!" krächzte er mit seiner dünnen Greisenstimme. „Wieder zurück aus Bern, das ist gut. Karoline rappelt sich auf."

„Joggi", sagte Anton Müller, während er zwischen den Kühen auf den alten Mann zuschritt und Fleurette, die ihn mit ihrem schmutzigen Schwanz über die Wange geschlagen hatte, einen derben Puff versetzte, „Joggi, Herzog kommt heute zurück. Konrad bringt ihn nach Hause. Er hat einen Preis gekriegt."

„Das wußte ich schon und wußte es immer, und ich war überzeugt davon."

„Ja, aber nicht den ersten Preis der Simmentaler und nicht Preisstier aller Klassen."

Der alte Joggi legte die Mistgabel beiseite und richtete seinen alten Körper in den Knien auf. Verständnislos starrte er seinen Herrn an. Inzwischen erschien Röthlisberger in der Tür am andern Ende des Stalles, da er von draußen die Stimme seines Herrn gehört hatte. Er kam gerade zurecht, um die Neuigkeit zu vernehmen.

„Den Zweiten, aha, das ist auf jeden Fall etwas!" sagte Joggi über den Rücken seiner Kuh.

Etliche vierzig Kühe standen in diesem Stall, feine, schöne, gradrückige Tiere.

„So, jaja!" sagte Anton Müller mit einer leisen Trauer in der Stimme. „Für ewige Zeiten wird in den Zeitungen stehen, daß der Herzog aus Gam kein erstklassiger Muni ist. G'ts Dünderwetter nanamal!"

Im Lauf des Morgens erkundigte sich dann Anton Müller am Bahnhof, um welche Zeit er den Frachtwagen mit seinen Rindern erwarten dürfe. Man teilte ihm mit, er würde wahrscheinlich mit dem Dreiuhrzug eintreffen. Am Abend brachten Kasimir und Adrian das Vieh auf den Gamhof zurück. Zuerst wollten sie den ganzen Zug durch das Dorf hindurchführen, um den Leuten die preisgeschmückten Hörner zu zeigen. Es befand sich eine mit dem ersten Preis gekrönte Kuh unter den Tieren, Krone II. Sicherlich ein schönes Exemplar. Aber der Herr hatte ihnen befohlen, die Tiere geradeswegs nach Hause zu treiben.

Die Gamhofer waren unter dem riesigen vorspringenden Dach der Mittelscheune versammelt, um die Heimkehr des Viehs zu erwarten. In ihrer Mitte stand Anton Müller. Zuerst schritt Krone II durchs Tor, einen Blumenstrauß um die Stirne geschlungen und eine bebänderte Rosette am rechten Ohr. Sie stieß ein vertrauliches Muh aus und stapfte unverzüglich zum Brunnen, um das heimatliche Wasser zu saufen. Ihr folgte eine zweite Kuh, Blume, ein junges Tier, das eine besondere Anerkennung erhalten hatte. Dann, ein Stückchen weiter hinten, kam Konrad gegangen und führte Herzog an einem festen Strick, der am Nasenring des Stieres befestigt war. Nie noch hatte Herzog stolzer und selbstbewußter ausgesehen. Majestätisch schritt er dahin, und leicht trug er den riesigen Körper auf seinen kurzen Beinen. Sein langer Schwanz baumelte hin und her, nicht unwillkürlich, sondern mit merklicher Energie, und seine Augen rollten in wilder Erwartung von der Stalltür zu den saufenden Kühen am Brunnen, während lange Fäden glitzernden Schaums von der Schnauze troffen. Konrad brachte ihn unter der Linde zum Stehen. Herzog scharrte die Erde mit seinen Vorderbeinen und schüttelte den massigen Kopf, als wolle er die Blumen loswerden.

„Halt ihn unter der Linde fest", sagte Anton Müller.

Die Knechte und Mägde wichen vor ihm zurück, als sie seine Stimme hörten.

„Ida!" sagte er dann. „Lauf in mein Zimmer und hol mir den Karabiner, der unten in dem braunen Schrank liegt. Bring ihn hierher, und schnell, sag' ich!"

Ida starrte erstaunt die Versammelten an und lief dann eilig ins Haus, um den Befehl zu vollziehen. Röthlisberger, den plötzlich eine seltsame Unruhe packte, stellte sich dicht neben seinen Herrn.

„Herr", sagte er, „nur ruhig jetzt!"

Anton Müller warf ihm einen kalten, entschlossenen Blick zu, so daß er mit den Zähnen knirschte. Die Gamhofer zogen sich unwillkürlich von ihrem Brotherrn zurück. Und dann erschien Ida mit einer kurzen Flinte.

„Vorsicht, den Lauf nach unten", sagte Anton Müller. „Sie ist geladen. Her da! Gib sie mir! Jetzt tritt zurück. Geh beiseite, Konrad! Laß Herzog stehen!"

„Herr!" schrie Konrad. „Ich lasse ihn nicht los, ich nicht!"

„Dann steh still. Was glaubst du denn, was ich bin! Bin ich der Tell?"

Konrad zuckte unter diesem kalten Spott zusammen. Er wandte das Gesicht ab, während Anton Müller das Gewehr auf Herzog anschlug. Herzog sah seinen Herrn an und blinzelte hinter den weißbewimperten Augenlidern, als erwarte er jeden Augenblick, daß etwas passiere. Müller schmiegte seine Wange an den Kolben.

„Eh! Du lieber Gott im Himmel!" schrie eines der Weiber, während sich die andern die Ohren mit den Händen zuhielten.

Er schien selber bewegt, nicht etwa durch ein sanfteres Gefühl, sondern durch den Willen, der unerträglichen Spannung ein Ende zu machen.

Ein Knall, ein Schrei aus vielen Kehlen, Konrad ließ die Leine los, und Herzog sank in die Knie. In dieser Haltung verharrte er einige Sekunden, dann taumelte er zur Seite, und sein riesiger Leichnam reckte sich unter dem Lindenbaum.

Dann löste Anton Müller langsam den Flintenkolben von seiner Schulter.

„Das ist Mord!" hörte man Therese sagen.

„Wer ist das Mädchen? Wer will da von Mord reden?" fragte er und sah sich in der Runde um. „Tragt ihn zu Bühler hinüber. Bühler soll das Fleisch verkaufen. Erster Preis für Herzog, sag' ich. Nie hat's eine größere Schande gegeben, als Herzog den zweiten Preis zu erteilen. Der Teufel soll die Preisrichter holen! Ihr könnt dem ganzen Tal erzählen, daß ich, Anton Müller, meinen eigenen zweitklassigen Stier mit meinen eigenen Händen und meiner eigenen Flinte getötet habe und daß ich mich nicht scheue, das Rindfleisch zu verfüttern. Ich dulde keinen Zweitklassigen auf meinem Hof. Sagt den Leuten auf der Alp, sie sollen sich diesen Sommer nach einem besseren Zuchtstier umsehen."

Er lachte.

Die Gamhofer entfernten sich stumm, nur Röthlisberger wagte leise vor sich hin zu murmeln, daß der Herr Alt-Regierungsrat heute völlig verrückt sei.

Therese blieb. Sie stand an die Wand der Scheune gelehnt, noch immer entsetzt. Anton Müller sah sie. Er blieb ein paar Sekunden stehn, bemerkte ihre Jugend und die unerwartete Zartheit ihres Körpers.

„Lauf an deine Arbeit!" sagte er zu ihr. „Und steh nicht hier herum."

Er ging zu ihr hin, umspannte mit der rechten Hand ihren Hals und drehte ihren Kopf herum, um ihr ins Gesicht zu sehn.

„Hm. Ein Mörder. Ich?"

Er ließ sie plötzlich los und entfernte sich, um Röthlisberger aufzusuchen und ihn zu fragen, wer diese Therese sei und woher sie komme.

Therese war nun fest überzeugt, daß sie ihren Posten verlieren werde. Sie, der Neuling, hatte den Ärger ihres Brotherrn erregt. Sie wußte nichts von den Beweggründen, die Müller veranlaßt hatten, seinen besten Stier zu töten. Nichts andres wußte und erkannte sie, als daß in wenigen Sekunden ein kleines Vermögen verschleudert worden war, verschleudert durch einen wütenden Mann, von dem niemand Barmherzigkeit oder Mitleid erwarten durfte. Es trieb sie nun zu Röthlisberger.

„Ich nehme an", sagte sie zu ihm, „daß ich jetzt gehn muß."

„Gehn? Wohin? Was meinst du?"

„Ich meine, ich war unvorsichtig."

„Weiß ich nicht", erwiderte er, die Worte langsam dehnend. „Was du getan hast – nun, ich hatte das Gefühl, daß eigentlich ich es hätte tun sollen. Aber schließlich hat hier der Herr zu befehlen, nicht ich."

„Werde ich ohne jeden Lohn gehen müssen? Ich bin erst ein paar Tage hier."

„Weshalb willst du gehn?"

„Hat Euch nicht der Herr soeben gesagt, daß Ihr mich wegjagen sollt?"

„Na, Meitschi, du bist recht argwöhnisch. Der Alte war bei mir, um mich zu fragen, wer du bist. Er hat dich noch nie gesehn und kennt dich nicht."

„Sonst sagte er nichts?"

„Nein, und steh jetzt nicht herum und frag nicht unnützes Zeug. Ich hab' schon übergenug im Kopf von andern Dingen."

Röthlisberger rollte seine dunklen Augen, und sie verließ ihn, am ganzen Leibe zitternd.

Aber sie sprach mit niemandem mehr über die Sache. Als sie dann später eine Kanne spülte, kam Leonhard zu ihr und berührte sie sanft mit der Hand.

„Theresli", sagte er, „es heißt, der Alte sei wütend auf dich. Kümmere dich nicht um ihn. Auf mich ist er immer wütend, und immer geht's wieder vorbei. Er hat seine Launen. Nächsten Monat geh' ich mit den Kühen auf die Alp für den Sommer. Ich hab' gehört, wie du Röthlisberger fragtest, ob er dich mitgehn läßt. Komm, Theresli, 's ist fein droben auf der Alp, und wenn er's nicht will, gehst du auf eigene Faust, ich mach's dir wie zu Hause dort oben in den Bergen. Hab' über tausend Franken auf der Bank. Wir könnten zusammenbleiben. Willst du?"

Er errötete bis über die Ohren und sah nachdenklich zur Seite. Therese lächelte ungewiß. Ein blasser Lichtschimmer glänzte vor ihr auf und füllte ihr Herz mit Wärme. Hier war ein Freund. Endlich ein Freund! Einer, der schenken wollte. Der nicht fordernd, sondern schenkend zu ihr kam. Geistesabwesend schob sie die beiden Zipfel ihrer halboffenen Bluse übereinander.

„'s ist noch keine zwei Wochen, seitdem mein Vater starb", sagte sie.

Sie stutzte und wunderte sich, warum sie das gesagt habe.

„Da kommt Röthlisberger", sagte Leonhard rasch. „Überleg's dir, Theresli, eh?"

Er entfernte sich, und sie fuhr fort, den Boden der Kanne zu scheuern.

Lang und ernst dachte Therese über Leonhards Antrag nach. Schweigend saß sie des Abends am Eßtisch. Ihre Blicke ruhten auf dem dünnen Zinnteller, der vor ihr stand, und nur selten schweiften sie weiter. Leonhard bemühte sich nicht, seine ehrlichen Absichten zu verbergen. Mehr als nach Suppe, Brot, heißer Wurst und Kartoffeln hatte er Hunger nach ihrem Anblick.

„Die Welschi hat Leonhard schon den Kopf verdreht!" rief Frieda aus.

„Kannst du nicht die Welschi für eine Minute in Ruhe lassen, Leonhard?" fragte Hedwig.

„Dreh jetzt ein bißchen den Kopf weg", spottete nun Ida. „Du machst ein Loch in den Tisch mit deinem Ellbogen!"

Therese blieb ruhig. Aber Leonhard fuhr auf:

„Darf ich nicht schauen, wohin ich Lust habe? Deine rote Nase, Ida, hab' ich jetzt schon sechs Monate anschauen müssen und bin froh, daß ich bald wieder auf die Alp komme und echte Alpenrosen sehe."

„Heiliger Sebastian! Sie zanken sich schon wieder", grollte Hedwigs tiefe Stimme. „Ida, du bist eifersüchtig. Sei kein Narr. Hast du nicht jede Woche einen Neuen im Kopf?"

Und nun fuhr noch Emma, mit ihrem ungeheuerlich fetten Kopf wackelnd, dazwischen, während die Äuglein zur Decke blickten.

„Du bist die Rechte zum Mitreden."

„Halt das Maul, du fette Ente!"

„Ruhe da unten!" rief Röthlisberger, mit dem Knauf seines Messers auf den Tisch klopfend. „Laßt die Welschi in Ruhe, sag' ich. Sie hat mehr Courage als ihr alle."

Er füllte seinen Mund mit Schwarzbrot und Käse und goß einen Schluck Wein hinterher.

Therese heftete ihren Blick scharf und eindringlich auf Leonhard. Er schnappte fast nach Luft. Therese fühlte, daß es unrecht war, ihn so anzusehn, und verwirrt starrte sie in ihren Teller. Er konnte ihre Gefühle nicht kennen. Wie schwer, ihm alles zu sagen. Er gefiel ihr. Ja, sein Anblick, seine Worte hatten sie im tiefsten Innern berührt, aber es war nicht jenes Etwas, das in jäher Hingabe dem Rufe des Herzens gehorcht, das auflodert und mit einemmal von dem ganzen Körper, von der ganzen Seele Besitz ergreift. Es war eher ein Gefühl der Dankbarkeit. Und zu gleicher Zeit wurde sich Therese der vielfältigen Grübeleien bewußt, die ihren Kopf beschäftigten. Bisher hatte sie sich für einfältig gehalten, ein Geschöpf wie diese alle, unter denen sie saß. Nun blickte sie plötzlich in einen seltsamen Abgrund, der sich in ihrer Seele auftat. Was barg dieser Abgrund? Sie konnte sich selbst nicht mehr verstehn. Sie fühlte nur – und zwar ganz deutlich –, daß sie von all den Gefährten ringsumher unendlich verschieden war, daß eine Mauer zwischen ihnen stand, daß sie einer andren Klasse angehörte. Wie konnte das möglich sein? Diese Männer da sagen es den Frauen rundheraus, wenn sie sie begehren, und dann nehmen sie sie. Diese Weiber da lassen sich nehmen, und damit hat die Sache ein Ende. Einige von ihnen sind glücklich, andre nicht. Aber was fühlen sie? Können sie wohl so scharf und deutlich empfinden, wie sie eben jetzt empfindet? Unmöglich! dachte Therese. Sie war in Wirklichkeit die ärmste und niedrigste unter ihnen. Sie hatte sich von Hedwig Wolle geborgt, um ihre Strümpfe zu stopfen. Sie fühlte sich armselig in ihren verschiedenen wunderlichen Kleidern, in ihrer halbabgetragenen Leibwäsche und ihren Schnürschuhen. Ja, sogar zehn Rappen hatte sie geborgt von dem fünfzehnjährigen Hanneli, einem Kind, das weder Vater noch Mutter kennt und nichts andres versteht, als seine roten Hände an ein Kuheuter oder einen Gabelstiel zu legen. Und doch, statt Demut und Dankbarkeit stieg ein verwirrendes Gefühl großen Stolzes in Therese auf. Aber sie saß mit niedergeschlagenen Augen an ihrem Platz, und ihr

Blick folgte den Umrissen ihrer wohlgeformten Hand, die auf dem Brettertisch neben dem Zinnteller ruhte.

Nach dem Essen kam Leonhard zu ihr.

„Und du meinst es wirklich ernst?" fragte er sie.

„Ich habe mich falsch benommen, Leonhard. Es tut mir leid. Ich wollte nur sagen: ich bin dir sehr dankbar für deine Worte, weil sie mir zeigen, daß ich jetzt einen Freund besitze."

„Einen Freund!" sagte er mit plötzlicher Niedergeschlagenheit.

„Ja, es ist besser, wenn du's gleich erfährst. Nur nicht böse sein. Ich komme trotzdem auf die Alp hinauf, wenn mich Herr Röthlisberger gehn läßt."

„Du kommst!" rief er, und sein Gesicht hellte sich wieder auf.

„Wenn ich kann. Viel lieber bin ich oben in den Bergen als hier unten in den muffigen Ställen."

Leonhard schien für den Augenblick zufriedengestellt, und ein wenig später setzte er sich auf die Stufen seines Zimmers und spielte auf der Ziehharmonika ein Dutzend Liedchen, eins nach dem andern und eins wie das andre.

Noch brannte im Hause ein Licht. Anton Jakob saß in seinem Lieblingsraum vor einem großen eingelegten Mahagonischreibtisch und erledigte die geschäftlichen Dinge, die sich während seiner Abwesenheit angehäuft hatten. Es war ein seltsamer Anblick, wie er die Feder in seiner breiten Hand hielt: eine Hand, die eher dazu geschaffen schien, eine Mistgabel anzupacken. Auf dem Tisch stand eine Lampe mit grünem Glasschirm, und über der Platte erhob sich ein Aufbau zahlreicher Fächer, die mit dickbestaubten Briefen gefüllt waren. Anton Jakob kannte den tieferen Sinn dieser Staubdecke. Unter ihr lag der tätige Teil seines Lebens begraben – ja, fast schien es das ganze wertvolle Leben. Diese vielen Fächerreihen bargen die Archive seiner öffentlichen Laufbahn, seiner Kämpfe, Siege und Niederlagen. Er lehnte sich in den Stuhl zurück und überschaute alles nachdenklich. Ja, die Zeit der Bauern ist dahin, das Zeitalter der städtischen Kultur ist angebrochen. Nie wieder wird er als Regierungsrat kandidieren. Es gibt jetzt zumindest drei bis vier Männer im Bezirk, die seinen Namen

von der Liste verdrängen können. Es sind Männer mit Universitäts-
bildung, Männer, die von städtischen Eltern geboren und erzogen
wurden, die ins Oberland kamen, um ihrem Beruf als Rechts-
anwälte, Notare, Ingenieure und weiß der Teufel was nachzu-
gehen. Als ob es darauf ankäme, was einer ist oder was er für einen
Beruf hat! Er, der Anton Jakob, hat keinen Beruf. Er ist situiert.
Niemand kann zu ihm hingehen und gegen Bezahlung seine Person und seine Dienste dingen. All seine Dienste sind freiwillig
geleistet worden. Auf seinem Hinterkopf befindet sich ein Höcker,
von der Natur und vom Schicksal gebildet, und in diesem Höcker
sitzt sein Gefühl für die Interessen des öffentlichen Wohls, sein
Pflichtgefühl gegenüber den Mitmenschen, der soziale Instinkt,
der all diesen Advokaten und Geschäftsleuten zu mangeln scheint.
Sie haben sich dadurch ihr Vermögen gemacht, daß sie sich nur
um sich selber kümmerten. Er hat sich überhaupt nie ein Vermögen
gemacht. Er war und ist lediglich der Diener seines Stammes, der
Bewahrer all dessen, was den Gam-Müllern gehörte, der Treuhänder eines Geschlechts, das weder spekuliert noch seinen Weg
nach oben gewaltsam erobert hat, sondern ganz einfach die Dinge
nahm, die es gerade in diesem Augenblick brauchte, und dann
an ihnen festhielt von Jahr zu Jahr. Wenn die Industrie geholfen
hat, das Vermögen der Müller zu vergrößern, so war das nur recht
und billig, und ein dreifacher Fluch auf den Sozialismus und auf
jedermann, der anders denkt.
Ida unterbrach Anton Müller in seinen Grübeleien. Sie kam ins
Zimmer und brachte ein Glas heißes Wasser mit einer Zitronen-
scheibe und etwas Zucker darin. Der Doktor hatte dieses Getränk
für die Verdauung des Herrn verordnet und zugleich erklärt, daß
Anton Jakob keinen Tropfen Wein anrühren dürfe. Diesen
letzteren Rat aber hielt Anton Jakob für durchaus unnütz und
unmaßgeblich. In seinem Keller lagen zahlreiche Weinfässer.
Wozu? Zum Trinken! Vielleicht ein wenig mäßiger als früher; ja,
das ist vernünftig. Aber die Spundlöcher gänzlich versiegeln?
Übertreibung! Er war stets ein Feind von Übertreibungen gewesen.
„So, Ida, he?" sagte er zu dem Mädchen. „Du bringst mir meine
Medizin. Ich könnte sie heute abend entbehren. Aber warum gibt

man einem Doktor zehn Franken, wenn man sein Mittel nicht will, he?" Ida sagte nichts.

„Meinst auch du, daß ich heute einen Mord begangen habe?" fragte er ganz beiläufig.

„Nein, Herr, aber es war ein Jammer, nicht wahr?"

„Es ist geschehen. Hätte ihn verkaufen und das Geld für etwas Besseres gebrauchen können. Mag sein, aber dafür wird diese Kugel für ewige Zeiten allen Rindviehpreisrichtern eine zünftige Warnung bleiben. Ja." Dann schwieg er. Ida sagte noch: „Gute Nacht, Herr", und verließ das Zimmer.

Anton Jakob versank mit offenen Augen in Träumerei. Er sah Therese Etienne vor sich. Eine seltsame Reizbarkeit hatte ihn gepackt, seitdem er so nahe in jenes unerwartet zarte Gesicht mit den geschlossenen Augen geblickt hatte. Es war ihm, als hätte er ein Haus mit herabgelassenen Jalousien betrachtet. Wer war sie? Eine Walliserin, aber doch sicherlich kein Bauernmädchen?

Anton Jakob fand an diesem Abend keine Ruhe, er fühlte sich viel zu lebendig und aufgeregt.

Hä, ein alter Mann. Bin ich alt? Ich habe noch dreißig Jahre vor mir, wenn ich auf meinen Magen aufpasse! – Er erhob sich, setzte den Hut auf und verließ das Haus. Er machte einen Rundgang durch die Ställe, drehte einige Lichter aus und sah nicht ohne Stolz, daß all seine Rinder, Pferde, Ziegen und Schweine zufrieden waren. Dann schlenderte er unter die Linde und setzte sich ein Weilchen nieder. Aus den Fenstern des Gesindes kam kein Licht mehr.

Sie muß irgendwo da oben sein, dachte er, die Hände über dem krummen Griff seines Spazierstockes verschränkend.

„Sie gehört zu meinen Leuten", fuhr er fort. „Das ist sicher. Und sie wird hierbleiben, dafür will ich sorgen!"

Dann wanderten seine Gedanken zu seinem Sohne Gottfried Sixtus. – Ja, im Juni kommt er für einige Zeit nach Hause, sagte er zu sich selber.

Und es überschlich ihn ein leises Unbehagen. Er stand auf und entfernte sich in der Richtung nach Gam. Ein wenig später öffnete er die Gaststubentür des „Bären", donnerte seinen „Guten Abend" hervor und ließ sich in seinem angestammten Eichenstuhl in der altgewohnten Ecke nieder, inmitten der andern Würdenträger von Gam, die beim Kartenspiel saßen. Und er saß im Wirtshaus bis in die frühen Morgenstunden.

Eines Abends stand Therese unter einer Scheunentür. Die fernen Wälder schienen sie zu locken. Sie lagen jenseits der Wiese, in lilafarbene Schatten gehüllt, und der Windhauch trug ihr den lieblichen Föhrengeruch wie einen Gruß herüber. Sie erhob sich und spazierte einen schmalen Pfad entlang, durch hohes Gras, das ihr fast bis an die Hüften reichte. Am Saum des Waldes setzte sie sich nieder und ließ ihre Blicke über das Tal schweifen: der Gamhof, Gam, die Eisenbahnstation, die Sägemühle und ein wenig abseits das Grand Hôtel. Der Gletscher der Wildfluh schimmerte himmelwärts in roten und orangenen Farben. Rings in der Runde herrschte tiefe Stille. Therese empfand ihre unendliche Kleinheit. Sie ließ den Kopf auf die Arme sinken und brach in stumme Tränen aus.

Die einsame Gestalt eines Mannes in mittleren Jahren näherte sich dem Mädchen. Er kam aus dem hohen Kiefernwald, und das Moos dämpfte den Schritt seiner schweren Stiefel. Da er sah, daß das Mädchen sein Nahen nicht gewahrte, und nicht wußte, wer sie sei, hüstelte er wie zufällig. Therese erhob das Gesicht und stand auf. „Guten Abend", stammelte sie und wischte sich mit den Fingerspitzen die Tränen ab.

Diese ungewöhnliche Gebärde entging nicht Anton Jakobs Aufmerksamkeit.

„So! Aha! Du weinst, Meitschi. Worüber? Eh?"

„Ich weiß nicht. Weil ich so armselig bin."

Er faßte sie beim Kinn, ein hartes, festes, seidenglattes Kinn. Er wollte etwas sagen, aber diese Berührung verwirrte ihn. Er schüttelte ein wenig den Kopf.

„Du bist ein kleines – ein kleines..." Er wußte nicht, was er sagen sollte, ließ sie los und entfernte sich. Er war sichtlich verwirrt.

Aber nach wenigen Schritten drehte er sich um.

„Ich glaube nicht, daß es dir wohl ist hier", sagte er, „und deine

Hände sehen rauh aus. Das gefällt mir nicht. Theresli, du bist ein Tüfeli."

Nach diesen Worten schritt er mit langsamer Würde davon. Therese blieb bis Sonnenuntergang allein im Freien. Ihr Herz war bewegt durch Anton Jakobs wunderliches Gebaren. Sie wußte kaum, warum. Aber er schien Mitleid mit ihr zu haben.

Als Therese am nächsten Tag von Röthlisberger erfuhr, daß der Herr mit ihm über sie gesprochen und bestimmt habe, daß sie von nun an keine Milchkannen mehr scheuern dürfe, sondern ins Haus hinaufkomme, um den Herrn zu bedienen, packte sie eine seltsam verwirrende Unruhe.

„Muß ich?" fragte sie.

„Der Herr hat's gesagt, und 's ist am besten, du gehst gleich. Du sollst Emma helfen", sagte er.

Anton Müller hatte sich nie eine eigene Haushälterin genommen. – Wenn sie ein altes häßliches Scheusal ist, wird sie mein Auge beleidigen, sooft ich sie sehe, und wenn sie jung und hübsch ist, so wird sie mir unfehlbar eine Quelle endloser Scherereien sein, dachte er. Er ließ sich von den Mädchen bedienen, die in den Gebäuden des Gutshofs schliefen. Alle hatten sie in der Runde bei ihm gedient, Hedwig, Ida, Hanneli, ja sogar das idiotische Kätterli; jetzt war Therese an der Reihe. Kein Wort hatte man über irgendeine der Frauen gesagt, die von Zeit zu Zeit zur Aufwartung ins Haus befohlen wurden, aber sowie Therese hinaufging, steckten sämtliche Weiber im Gamhof die Köpfe zusammen. „Aha! Da! Wußten wir nicht, daß er sie eines schönen Tages hinaufholen wird! Natürlich hat sie die ganze Zeit darauf hingearbeitet. Sooft der Herr vorüberging, warf sie den Kopf in die Höhe. Sie hat sich ein neues Kleid und Schuhe gekauft, um ihm in die Augen zu stechen."

„Da – was hab' ich immer gesagt!" triumphierte Frieda. „Nicht nur dem Leonhard hat sie den Kopf verdreht, schnurstracks ist sie zum Alten aufgestiegen." Von diesem Tage an hatte Therese ein schweres Leben unter den Weibern des Gamhofs. Sie zettelten fast eine Verschwörung gegen sie an und belauerten sie auf Schritt und Tritt. Der Herr blieb fast jede Nacht sehr spät außer Haus. Kaum je kehrte er vor Mitternacht aus dem „Bären" zurück, und manchmal brachte er ein rotes Gesicht und vom Wein erhitzte Augen mit nach Hause. Ida, die bisher stets gebrummt hatte, weil es ihre Aufgabe gewesen, das heiße Zitronenwasser zu so später Stunde für den Herrn zu bereiten, begann nun Therese zu beschimpfen, weil die Aufgabe an diese überging. Wenn der Herr zu Hause aß, hatte ihm für gewöhnlich Emma das Essen aufgetragen. Nun wurde sie durch Therese abgelöst. Emma mußte erfahren, daß sie den Küchenboden zu fegen und Böden zu blochen hatte, während Therese mit einem flaumigen Staubwedel umherspazierte, dem Herrn das Bett machte, ihm den Anzug bürstete und sich sogar zuweilen ein Buch von der Wand holte, um einen Blick hineinzutun. Anton Müller konnte die Signale des Frontwechsels in den verdrossenen Mienen seines Gesindes lesen. Er sah sogar, daß Therese unter der neuen Lage zu leiden schien. Aber was ging es ihn an? Die Eifersüchteleien seiner Dienstboten berührten ihn nie. Er war Herr und Meister, sein Wille mußte jedermanns Wille sein. Was immer sie besaßen, besaßen sie von ihm. Als er ihre Eifersucht bemerkte, begann er die weiblichen Mitglieder seines Hofstaats zu verhöhnen, etwas, was er bisher nur sehr selten getan hatte.

„Seht ihr?" sagte Frieda zu ihrem Mann. „Sie hat ihm hübsch den Kopf verdreht! Bald wird sie anfangen, mit uns herumzukommandieren."

„Dumm's chaibe Züg!" pflegte Röthlisberger in seiner schwerfälligen Art und mit einer fast erhabenen Gleichgültigkeit auf ihre Predigten zu erwidern. „Ihr redet alle Blödsinn." Aber selbst in Gam erwiesen sich die weiblichen Instinkte als richtig.

Anton Jakob wurde sehr vorsichtig. Die Flamme der Leidenschaft hatte in seiner Seele zu lodern begonnen, aber es gelang ihm, sie vor Therese verborgen zu halten, indem er eine väterliche und patriarchalische Taktik einschlug. Sein Betragen ihr gegenüber überschritt nie die Grenze gewöhnlicher Freundlichkeit, und sie, die seine wirklichen Gefühle nicht kannte, ging fröhlich und unbefangen an ihre Arbeit. Sie sah zu dem strengen Mann wie zu einem väterlichen Beschützer oder einem älteren Verwandten auf.

Ihr Herz flog dem rechtschaffenen Witwer voll Dankbarkeit entgegen. Dennoch entging ihr nicht die Zwietracht und Eifersucht, die ihre Beförderung veranlaßt hatte.

„O Herr Müller", sagte sie eines Abends zu Anton Jakob, „ich weiß wirklich nicht, was ich tun soll. Alle fangen an, mich zu hassen."

„Oh! Aha! Wer sind diese alle?"

Sie nannte ihm eine Kette von Namen.

„Sakrament nanamal!" sagte er. „Ich werde sie zusammentrommeln und ihnen die Meinung sagen, der ganzen Bande."

„Nein, bitte, machen Sie das nicht!"

„Warum denn nicht?"

„Ich bin doch unter allen die Jüngste im Dienst, und ich könnte es nicht ertragen, sie alle gegen mich zu haben. Aber ich möchte auch nicht meinen Platz verlieren. Wenn Ihr sie meinetwegen auszankt, Herr, dann müßte ich wohl gehen."

Er sah sie etwas betroffen an.

„Ich will nicht, daß du ihn verlierst, Theresli", sagte er. Er nahm sie am Arm und schüttelte sie sanft. Ein jugendliches Lächeln milderte den strengen Ausdruck seiner Augen. Therese lächelte zurück. Sie fühlte eine stille Neigung für ihn, aber es war nicht mehr als die Neigung, die ein verirrtes Tier für den Menschen fühlen mag, der ihm behagliches Obdach gewährt.

In diesem Augenblick kämpfte Anton Jakob einen sonderbaren Kampf mit sich aus. Sie wäre nicht die erste gewesen, die er küßte oder noch schlimmer behandelte. Häufig hatte er sich Freiheiten erlaubt allen möglichen Weibern gegenüber. Therese aber gehörte nicht zu diesem Schlag. Sie war allerdings eine ganz süße Frucht, aber keine, die mit einem einzigen Ruck vom Baum gerissen werden konnte.

„Theresli", sagte er schlicht, „jetzt sprich einmal: Gibt es etwas, das ich für dich tun kann? Ich würde es gerne tun, du weißt. Heraus damit!"

Er ließ ihren Arm los.

„Ich bin eine Dienstmagd. Ich bin zufrieden, Herr!"

„Dummes Züg! Ich bin nicht dein Herr."

„Ich verstehe Euch nicht."

„So? Aber du wirst mich noch verstehen."

Verwirrt schlich sie fort. Unmöglich, ihn nicht zu verstehen. Seine Stimme hatte ihr etwas verraten, das sich wie eine Last mit jäher Wucht auf ihr Herz legte. Es konnte nicht möglich sein. Er! Der ehemalige Regierungsrat! Der reiche Mann mit erwachsenen Kindern! Die Walliserin, dieses dunkle Tiergeschöpf, erwachte in ihr; von diesem Augenblick an begann sie insgeheim ihren Herrn zu fürchten.

Aber sie nahm sich sorgsam in acht, ihre Furcht zu zeigen. Im Gegenteil; sie schien von nun an stolzer denn je und ihres eigenen Wertes tiefer bewußt.

Leonhard erinnerte sie eines Tages in sanften Worten, daß sie ihm vor mehr als einem Monat versprochen habe, mit ihm tanzen zu gehen.

„Leonhard", sagte sie mit abgewandtem Gesicht, „ich kann nicht. Ich kann nicht."

„Aber warum kannst du nicht?"

„Oh! Ich hab' an so vieles zu denken."

Auch er hatte an vieles gedacht, und er machte sich jetzt erbötig, ihr hundert Franken zu leihen.

„Hundert Franken!" rief sie aus. „Nie wäre ich imstande, dir soviel Geld zurückzuzahlen!"

„Macht nichts!" meinte er.

„Nein!" sagte sie wieder. „Aber ich würde sehr gern auf die Alp gehn."

„Was sagt Röthlisberger dazu?"

„Ich habe ihn nicht wieder gefragt."

„Dann warte. Ich werde abpassen, bis er bei guter Laune ist. Und ich will auch mit seiner Frau reden, ob du auf die Alp mit darfst, jawohl!"

Ein schlaues Leuchten stahl sich in seine Augen. Aber er wußte nicht, daß auch der Herr seine Pläne für den Sommer machte.

Anton Jakob hatte von seinem Sohne einen Brief erhalten, der ihn insgeheim beunruhigte. Gottfried Sixtus erklärte, daß er über die Sommerferien mit ein paar Universitätskollegen nach Gam komme.

„Oh! Aha! Gottfried Sixtus!"

Was blieb ihm übrig, als ihn nach Gam kommen zu lassen; als Vater konnte er seinem Sohn nicht verbieten, nach Hause zu kommen.

„Aber natürlich, komm nur, komm!" schrieb er nach Basel zurück. „Bring alle deine Freunde mit!"

Eines Nachts kam der Herr sehr spät aus dem „Bären" zurück. Obgleich er ein ziemliches Quantum Waadtländer im Leibe hatte, fand er festen Schrittes seinen Weg in der Finsternis und ging die Haustreppe hinauf, ohne auch nur im mindesten zu schwanken. Er tastete sich in sein Arbeitszimmer, das sich im Verlauf der Zeit in eine wahre Trödelkammer verwandelt hatte. Hier warf er seinen Hut beiseite, ließ sich in den gepolsterten Stuhl fallen, und eine Zeitlang starrte er geistesabwesend um sich, die Züge bar jeden Ausdrucks, fast wie diejenigen der Ochsen in seinem Stalle.

Therese war noch im Hause. Kurz darauf kam sie herein und schloß leis die Tür hinter sich.

„Ja, du bist wie ein Kätzchen", sagte er. „Immer so sanft. Das bist du, Theresli!"

„Da ist Euer Zitronenwasser."

„Zitronenwasser? Heiliger Borromäus, wozu? Ich bin doch kein Krüppel. Der Allmächtige weiß, daß ich so stark bin wie ein Stier. Komm, stell dieses heiße Wasser beiseite und schau mich einmal an. Bin ich ein so alter Mann, oder wie?"

„Ihr seht gut aus, Gott sei Dank!"

Er blickte ihr fest in die Augen, die gleich blauen Lichtern unter den dunklen, seidigen Brauen hervorschimmerten. Er konnte sich eines sehnsüchtigen Gefühles nicht erwehren, wie sie so demütig vor ihm stand, gleich einer Barmherzigen Schwester, in den schlanken Fingern ein Glas Wasser, dessen Spiegelung die Zitronenschnitte und das zerfallene Stück Zucker wunderlich vergrößerte. Ein trauriger Klang zog durch sein patriarchalisches Herz. Ist es nicht jammerschade, daß solch ein Wesen Nacht um Nacht allein in seinem Bette schlafen soll, wenn in nächster Nähe ein Kerl wie er ist? Das Blut der Gam-Müller stieg ihm in die Schläfen. Er war auch nicht zu alt, nicht einmal für sie.

„Willst du nicht dieses Glas beiseite stellen und ein bißchen näher kommen?" fragte er mit ruhiger Stimme. „Ich werde dich nicht fressen!"

Sie gehorchte. Er nahm ihre Hand und hielt sie sanft in der seinen. Sie wunderte sich über die Weichheit seiner großen Pranke.

„Schau mal, Theresli", sagte er, „ich möchte dich glücklich sehen. Jetzt sag mir die Wahrheit. Ich interessiere mich für alle meine Leute auf dem Gamhof. Nun, wann willst du Leonhard heiraten?"

„Aber Herr! Ich habe zu Leonhard kein Wort vom Heiraten gesagt."

„Hat er dich nicht gefragt?"

Sie konnte sich eines Errötens nicht erwehren.

„Ja, doch!"

Er ließ ihre Hand los und lehnte sich zurück.

„Warum heiratest du nicht, bevor du auf die Alp gehst?"

„Ich kann nicht!"

„Kannst nicht? Aber er will es!"

„Ich kann Leonhard nicht heiraten. Ich weiß nicht, wieso Ihr auf den Gedanken kommt!"

„Theresli! Theresli! Ich weiß alles, was auf dem Gamhof geschieht!"

„O Herr! Das könnt Ihr nicht wissen. Er ist nur gut zu mir, gewiß, aber ich möchte auf die Alp, nicht weil er hinaufgeht, sondern weil es mir dort oben so gut gefällt. Dort ist das Leben ganz anders!"

Anton Jakob konnte seine Befriedigung kaum verbergen.

„Und willst du noch immer gehn?"

„Ja."

„Nun, ich werde mit Röthlisberger darüber sprechen. Jetzt fort ins Bett, Theresli! Deine Augen sehen ganz heiß aus. Das gefällt mir nicht."

„Gute Nacht, Herr Müller!"

„Gute Nacht, Theresli! Du wirst es mir sagen, wenn du heiraten willst. Ich mach euch beiden ein schönes Geschenk. Das wird euch für lange Zeit reichen."

„Danke, Herr!"

Sie wischte sich mit den Fingerspitzen die Tränen aus den Augen und verließ das Zimmer. Anton Jakob saß sinnend da.

Aha! Leonhard wollte sie haben, aber sie sagt, daß sie ihn nicht will. Ist das wahr?

Am nächsten Morgen ließ er Leonhard heraufholen. Leonhard erschien und sah erschrocken aus. Er hatte weder gestohlen noch geraubt, noch gemordet, trotzdem zitterte er an Händen und Füßen. Dies war das erste Mal, daß ihn der Herr nach oben rief.

„Leonhard", sagte Anton Jakob rasch, „du hast mich noch niemals angelogen. Manchmal gab es ein paar rässe Worte zwischen uns, aber nichts, was hängenbleibt. Ich weiß alles, was im Gamhof geschieht. Jetzt heraus mit der Sprache! Ist die Welschi mit dir keck gewesen?"

„Aber Herr!" stammelte Leonhard in plötzlicher Verwirrung.

„Steh nicht so da, sag die Wahrheit! Was hast du mit ihr gemacht?"

„Herr Müller . . .!"

Anton Jakob runzelte die Stirn wie ein alter Löwe und richtete sich kerzengerade auf.

„Ich dulde diese Dinge nicht länger. Du hast's getan, und du mußt sie heiraten!"

„Ich habe nichts getan. Ich schwöre, beim heiligen Gott, ich habe Therese nichts getan. Es wäre auch gar nicht möglich!"

„Oh, nicht möglich?" grollte Anton Jakob. „Ich sage bloß, daß ich weder dir noch irgendeinem Menschen erlaube, mein Haus in Verruf zu bringen. Da ist schon diese Hedwig. Und jetzt kommt die Welschi an die Reihe. Ich schicke sie weg. Wir haben hier keine Kinderzüchterei, verstanden? Und auch dich jage ich weg!"

„Herr Müller, mein Vater ist in Eurem Dienst gewesen!"

„Einerlei! Er hat niemals unschuldige Mägde verführt."

„Herr Müller!" rief er blindlings drohend. „Ihr werdet alles zurücknehmen müssen, was Ihr gesagt habt, das brauche ich mir nicht gefallen zu lassen!"

Anton Jakob packte ihn plötzlich an der Gurgel und schüttelte ihn.

„Ist es so, oder ist es nicht so?"

„Bringt mich um!" keuchte Leonhard und starrte auf seinen Brotherrn. „Aber ich schwöre vor Gott, daß ich Therese nichts zuleide getan habe, außer daß ich sie fragte, ob sie meine Frau werden wolle. Und sie mag mich nicht. So steht die Sache."

Anton Jakob löste seinen Griff.

„Jetzt glaube ich dir", sagte er fast leichten Herzens.

Er trat zurück und setzte sich nieder.

„In diesem Fall", fuhr er fort, „lasse ich die Welschi mit dir auf die Alp gehen. In diesem Fall kann niemand ein schlechtes Wort über den Gamhof sagen, ohne zu lügen. Und es ist an dir, Leonhard, dafür zu sorgen, daß es nie so weit kommt. Geh jetzt! Wenn ich im Unrecht war, so tut es mir leid. Aber versprich mir, daß du mich's wissen läßt, wenn dir die Welschi ihr Jawort gibt. Du versprichst mir, daß du mir's augenblicklich meldest, wenn sie ja sagt!"

„Ich verspreche es, Herr."

„Das ist vernünftig, ich werde es nicht vergessen. So vergiß auch du es nicht. Es wird dein Vorteil sein."

Leonhard rückte seine Bluse zurecht, zog seine zerlumpten Hosen hoch und trampelte davon mit seinen mistbeschmierten Stiefeln, die abscheuliche Spuren auf dem Parkett hinterließen.

Emma, die in der Küche arbeitete, schleuderte ihm einen Fluch nach, als sie dies sah.

Bevor die Sonne aufging, um ihren goldenen Schimmer auf die Alpen des Oberlandes zu gießen, regten sich schon die Hirten und Sennen auf den Höhen. Die Täler lagen noch in tiefe Schatten und sommerliche Nebel gehüllt, während die fernen Gipfel der Blümlisalp, der Jungfrau, des Finsteraarhorns, des Schreckhorns, die scharfen gezahnten Zinnen der Urner Berge und all die einsamen Felsspitzen, die wie ein ungeheures Heer eisstarrender Riesen dastanden, langsam aus der Dämmerung hervortauchten und jeder einzelne Gipfel eine seltsam unirdische Färbung gewann.

Eine Schar von Sennen brach talwärts von der Gamalp auf, in einer Reihe marschierend, schwere Käselasten und Milchkessel auf die Rücken geschnallt. Es waren ihrer acht, geführt von Mahder Fritz, einem Manne von etwa fünfzig Jahren und herkulischem Körperbau. Sanschi Jakob, ein hochgewachsener Mann in den Dreißigern, kam als letzter. Mit langsamen Schritten stiegen sie bergab; schweigend legten sie ihren Weg zurück. Bald darauf verschwanden ihre dunklen Gestalten in den Schatten des Waldes.

Plötzlich brach im Osten eine Flammenglut hervor, und Fluten blendenden Lichts fielen auf die grünen welligen Hänge. Vor diesem Glanz wichen die Schatten alle zurück, und gleich geheimnisvollen Vorhängen versanken sie langsam in die tiefen Schluchten des Unterlandes. Am Rande eines abschüssigen Felsens stand ein junger Stier von makellosem Geblüt, Herzog II. Vor ihm gähnte ein Absturz von mehr als dreihundert Metern, und viel tiefer noch lag Gam in einem Winkel des Tals. Die Arna schlängelte sich silbrig durch die schmalen Furten der Tiefe. Dieser Anblick war dem Herzog offenbar vertraut. Er streckte seinen massigen Hals und Kopf aus, bis sein Körper von der Schnauze bis zum Schwanz eine schnurgerade Linie bildete. Dann holte er tief Atem und brüllte dreimal dumpf in die weite Luft. Wie eine Dampfwolke brach der warme Atem aus seinem Maul hervor. Einen Augenblick verharrte er reglos, dann senkte er die zottige weiße Stirne und beschnüffelte mit seinen glitzernden Nüstern den Boden, um das taubedeckte Gras zu kosten.

In einiger Entfernung von dem grasenden Tier trotteten aus einem niedrigen, plumpen Gebäude, das aus Felsen und Baumstämmen gefügt war, in großer Zahl die hochgebauten kraftvollen Kühe des Stammes; gemächlich schlenderten sie nach verschiedenen Richtungen, einige von ihnen truppweise, andere eigensinnig allein, aber alle mehr oder weniger ohne Ziel und Zweck, gleichsam willenlos.

Ein junger Mann erschien im Eingang einer Hütte, die nicht weit von dem Kuhstall entfernt war. „Chaib!" schrie er eine Kuh an.

„Sauchaib! Immer auf die andern losgehn. Kannst du sie nicht in Ruhe lassen? Paß auf, du!"

Unbarmherzig sauste der Stock auf den Rücken der Brändel nieder.

„Und du, du bekommst auch eins. Du bist auch so ein Luder!"

Zwei kräftige Klatscher landeten auf Luises Hinterteil. Die beiden Kühe trennten sich sogleich, und jede ging ihres Weges. Kasimir schickte ihnen einen wütenden Blick nach und kehrte in die Hütte zurück.

„Ein Luder ist sie", sagte Leonhard, der mit Therese und Emma auf einer Bank an einem rohgezimmerten Tannentische saß, Kaffee trank und große Brotschnitten mit Käse aß. „Und niemals steht sie still. Man sollte glauben, das Gewicht ihrer Milch würde das Vieh ruhiger machen."

Ein uralter Mann namens Karli, ein von Sehnen bewegtes Skelett mit einem Mumiengesicht, stieß aus seinem zahnlosen Mundwinkel ein wunderliches Gelächter hervor.

„Eh! Eh! Hü! Man muß ihr einen großen Stein an den Schwanz hängen. Hü! Hü! Und einen zweiten noch größeren auf ihren Buckel und ihr die Beine zusammenbinden."

Ein Sonnenstrahl brach zur Tür herein und erleuchtete die Hütte. Sie saßen still. „Horcht! Was ist das?" sagte Leonhard plötzlich.

Er stand auf und ging hinaus. Therese, Emma und ein drittes Weib, Hermine, die Frau des Mahder Fritz, ein großes starkknochiges Frauenzimmer von ungefähr vierzig Jahren mit einem säuerlichen Gesicht, folgten ihm. Aus weiter, weiter Ferne kam der Klang oder vielleicht das Echo eines Waldhorns, das einen Choral spielte.

„Ja, Himmel, wie schön das ist!" rief Therese.

„Es kommt aus dem Wald!" bemerkte Emma.

„Richtig", sagte Leonhard. „'s ist: Nun danket alle Gott."

Leonhard hörte andächtig zu, die Augen träumerisch auf das scharfgeschnittene ProfilThereses geheftet, die mit leicht geöffnetem Munde dastand, während das helle Sonnenlicht durch ihre zarten Nasenflügel schimmerte; er fühlte sein Herz geteilt zwischen der Liebe zu Gott und der Liebe zum Weib.

Die Person, die diese Störung des majestätischen Alpenfriedens verursacht hatte, war ein hochgewachsener junger Mann, der etliche dreihundert Meter tiefer am Rand eines Felsens stand, mit rotem Gesicht und aufgepusteten Backen, und sein Blechinstrument mit der Gelassenheit eines Virtuosen handhabe. Er hieß Paul Werdemann. Er war Student der Universität Basel. Hinter ihm standen zwei andre junge Männer: Der eine, Theodor Straub, ein dunkelhaariger, munter blickender Bursche mit großem Kopf, schmächtigem Körper und scharfsinnigen, freundlichen Augen, der andre Gottfried Sixtus Müller. Als Paul Werdemann den Choral beendet hatte, drehte er sein Waldhorn um und ließ den Speichel herausfließen, während die beiden Freunde mit energischem Kopfnicken murmelten: „Bravo! Bravo!" – „Nun, Paul", sagte Theodor Straub, „jetzt ein patriotisches Lied."

„Jetzt nichts mehr. Ich sagte, ich würde euch jede Stunde etwas spielen. Jede Stunde, die uns dem Gipfel der Gamfluh näher bringt, soll durch ein musikalisches Intermezzo bezeichnet werden."

„Was für ein herrliches Wetter!" rief Theodor. „Nun danket alle Gott! Unserm allgegenwärtigen Herrn."

„Daß du immer so verdammt theologisch sein mußt!" spottete Paul. „Wir haben uns aufgemacht, um diesen Berg zu bezwingen, nicht, um von deinen Beziehungen zum lieben Gott zu erfahren."

„Du kannst der Gottheit nicht entrinnen", mahnte Theodor.

„Höchst salbungsvoll!" sagte Gottfried Sixtus leichten Tones. „Wir wollen weiter!"

Sie schulterten ihre Rucksäcke, und langsam kletterten sie aufwärts durch die riesige Kathedrale der Föhren, die sie mit ihren lebensvollen Säulen umschloß. Gottfried Sixtus schritt voraus, den Berg hinan, an dessen Fuß seine Wiege gestanden hatte. Von Zeit zu Zeit blieb er stehn, und seine scharfen blauen Augen spähten voll Stolz durch das Geäst der Bäume. Es war ihm zumute, als zeige er den Freunden seinen Privatbesitz. Der Morgen war noch nicht sehr weit vorgeschritten, als die drei Studenten aus dem Wald ins Freie tauchten und vor sich die weiten Alpweiden erblickten.

„Gaudeamus!" rief Paul. „Juhu!"

Er hob sein Waldhorn an die Lippen und blies einen Weckruf.

„Nun schaut mal gradaus", sagte Gottfried Sixtus. „Da sind unsre Küh'!"

Sie gingen auf die Hütte zu.

Nach einigen Schritten kamen sie an eine kleine Schlucht. Ein Gebirgsbach gluckste durch ihre Tiefen und stürzte in fröhlichen Kaskaden von Fels zu Fels. An den Ufern wuchsen weiches, schönes Moos und blühende Primeln. Zahllose Enziane öffneten ihre blauen Sterne, und hier und dort lugte ein schüchternes Vergißmeinnicht hervor.

Ein wenig weiter oben lag ein großer, flacher Felsblock, der vor Jahrhunderten von den Wänden des Gebirgs losgebrochen war. Auf diesem Felsen saß Therese und ließ ihre sonnverbrannten Beine baumeln. Ihr dunkles Haar war in ein rotes Taschentuch zusammengefaßt, dessen Zipfel sie am Hinterkopf verknotet hatte. Ihre Hände ruhten im Schoß und hielten ein Buch. Ihre Lippen waren aufgeschürzt wie eine Rosenknospe, und ihre Augen betrachteten in rundem, verständnislosem Erstaunen die drei Wanderer. Der junge Theologe war der erste, der sie erblickte.

„Seht!" sagte er.

Paul und Gottfried rissen die Augen auf.

„Tag, Fräulein, wie geht's?" sagte Paul jovial, mit einem starken Basler Akzent. Sie gab keine Antwort. Gottfried Sixtus sah zu ihr auf und begegnete ihren Blicken.

„Kommt jetzt!" rief Paul. „Vorwärts!"

„Ja, vorwärts", sagte Gottfried Sixtus abwesend. „Vorwärts! Adieu, Fräulein!" Sie gingen auf die Hütte zu. Aber plötzlich blieb Gottfried zurück. Zögernd schlenderte er hinter seinen Freunden her. Irgend etwas schien ihn zu locken.

„Was ist los, Gottfried?" fragte Paul.

„Ich will mal eine Sekunde mit ihr sprechen", sagte Gottfried Sixtus. „Einen Augenblick, und ich hole euch wieder ein."

Er machte kehrt und schritt geradeswegs auf Therese zu. Sie sprang auf, zog ihren Rock herunter und schwang sich vom Felsen zur Erde.

„Wer sind Sie?"

„Therese Etienne."

„Ah! Sie sind die aus Sitten!"

„Ja, die bin ich. Woher wissen Sie es?"

„Ich hab's in Gam gehört."

„In Gam? Kommen Sie aus Gam?"

„Ich bin Gottfried Müller."

„Sie haben von mir in Gam gehört?" wiederholte sie mit leiser Stimme.

Plötzlich schien sie wie von Atem zu sein. Gottfried betrachtete ihre seidige braune Haut und den blassen rötlichen Schimmer auf ihren Wangen. Dann senkten sich seine Augen zur Erde. Ihre Blicke blieben fest auf ihn geheftet.

„Und was haben Sie gehört?"

„O nichts, Mademoiselle Etienne. Rien du tout."

„Sie sprechen Französisch?"

„Oui."

Sie fuhr in französischer Sprache fort; es war ein kurioses, italienisch gefärbtes Französisch. „Ich möchte wissen, was Sie über mich gehört haben", sagte sie fast befehlend.

„Nun – daß Sie jetzt auf der Alp sind. Das ist alles, was ich gehört habe; daß Sie in Vaters Dienst stehen und auf der Alp sind."

„Wer hat das erzählt?"

„Nun, Röthlisberger und die andern."

„Ist das alles, was sie über mich zu sagen wußten?"

„Ja, das ist alles. Es freut mich, daß ich Sie gesehen habe, aber jetzt muß ich laufen und meine Freunde einholen."

Mit flüchtigem Blick erhaschte er den Titel des Buches, das sie in der Hand hielt. „Les Misérables" von Viktor Hugo! Er war völlig verblüfft. Er verbeugte sich vor ihr, nur eine ganz kleine Verbeugung, wie es allen Menschen gegenüber seine Gewohnheit war, seit er Student geworden. Dann entfernte er sich mit schnellen Schritten.

Therese lehnte sich gegen den Felsen und folgte ihm mit ihren Blicken, bis er entschwand.

Eine Zeitlang verharrte sie in stillem Sinnen. Dann stieg sie wieder auf ihren Felsblock, warf sich der Länge nach hin und fuhr in der Lektüre fort, wobei sie mit dem Zeigefinger langsam den Druckzeilen folgte.

Aber sie schien das Interesse an der Erzählung verloren zu haben, denn sie starrte über das Buch weg auf eine kleine Enzianblüte, die aus einer Felsenspalte hervorwuchs.

„Theresli", hörte sie plötzlich Leonhards Stimme. „Theresli, komm! Der junge Herr ist da mit zwei Freunden. Sie sitzen im Haus und trinken Milch. Er hat uns ein Päckli Stumpen gebracht. Zuerst wollte er noch heute auf den Gipfel der Gamfluh, aber jetzt haben er und die Freunde ihre Absicht geändert. Einer von ihnen spielt auf meiner Ziehharmonika. Komm mit, Theresli!"

„Ich will nicht", sagte sie kurz.

„Was ist los? Hab' ich dir etwas getan?"

„Nein, nicht, aber ich mag nicht mitkommen."

Leonhard ging zur Hütte zurück.

Als Gottfried seine Freunde einholte, erzählte er ihnen, daß Fräulein Etienne in seines Vaters Diensten stehe. Paul sagte, daß er sie für eine Zigeunerin gehalten habe. Mehr sagte er nicht, denn er war mit einer Baslerin verlobt und hütete sich mit äußerster Sorgfalt, für irgendeine Frau Interesse oder gar Neugier zu zeigen, es sei denn für die einzige, die er heimzuführen hoffte. Theodor äußerte überhaupt keine Bemerkung. Er war von Natur aus ein ernster Mensch. Sein theologisches Schlußexamen lag dicht vor ihm. Er träumte bereits von seiner Einsetzung in eine behagliche Pfarrei. Infolgedessen gestattete er nicht, daß weltliche Gedanken an Weiber seinen Geist durchkreuzten. Aber bei Gottfried Sixtus stand die Sache anders. Und Therese hatte ihn behext.

Bis zum Mittag blieben die drei Studenten bei der Hütte. Paul unterhielt die andern mit seinen musikalischen Talenten. Er versuchte sogar, das Alphorn zu blasen, aber er brachte nur ein paar wilde Töne hervor, die beim Hirtenvolk schallende Heiterkeit hervorriefen.

„Ich fürchte", sagte Theodor, „wir müssen unsre Bergbesteigung aufschieben. Mein irdischer Adam bedarf einer Erholung. Wir wollen hier verweilen, Freunde, bis zwei Uhr, essen, trinken und uns lustig machen und dann ins Tal zurückkehren."

„Der allerhochwürdigste Pastor hat gesprochen", sagte Paul, „laß ihn jetzt das Öl aus den Sardinenbüchsen schlürfen, auf daß seine Stimme ihre Salbung nicht verliere und unsern Humor noch weiter fördere."

Es war am späten Nachmittag, als die drei Studenten ihren Rückweg antraten. Gottfried ging voraus. Sie kamen an dem Felsen und an der Schlucht vorüber. Suchend spähte er in die Runde. Sein

Blick irrte über die weiten grünen Flächen, hinab in die Wälder und empor zu den Gipfeln der schroffen Klippen. Aber Therese war nirgends zu sehen. Mit schwerem Herzen kehrte er nach Gam zurück.

Bisher hatten noch keinerlei Gerüchte über Therese die Ohren des pläneschmiedenden Anton Jakob erreicht. Offenbar scheuten sich die Leute, zu ihm über eine seiner eigenen Mägde zu schwatzen.

Aber ganz Gam wußte von den Gerüchten. Das Kind eines Mörders lebte unter ihnen! Mit unschuldigem Gesicht hatte sie sich in ihre Mitte gestohlen. Phereses tragische Erbschaft war zuerst Herrn Blaser, dem Gemeindeschreiber von Gam, bekannt geworden. Er wußte es schon seit langem, seit damals, als er ihre Geburtsurkunde erhielt. Einer der Bürokraten im Wallis hatte es für seine Pflicht gehalten, den Kollegen in Gam über Phereses Familienverhältnisse zu unterrichten.

Röthlisberger und Herr Blaser trafen sich oft bei einem Glase Wein; Joggi traf manchmal den Bühler Fritz, und Bühler Fritz traf manchmal Röthlisberger. Frieda traf die Schlächtersfrau und Frau Blaser die Frau des Landjägers und die gesamte Gemeindebevölkerung. Ah, diese Welschi! Nie hat sie ein Wort davon gesagt. Sie hat sich in Anton Müllers Dienste gedrängt! Stets hat sie die Aristokratin gespielt in ihren schwarzen Lumpen und alten Knöpfelschuhen. Sie hat Leonhard den Kopf verdreht. Jetzt sitzt sie mit ihm oben auf der Alp. Jetzt, in dieser Stunde!

Im Lande der Lawinen wachsen die Gerüchte schnell. Einige sagten bereits, daß Therese selbst im Gefängnis gesessen habe. Andre wieder wußten, daß sie einen lockeren Lebenswandel geführt habe und aus dem Kanton Wallis ausgewiesen worden sei.

Wer wird endlich die Gegend von diesem schwarzen Engel befreien, von dieser Therese Etienne?

Als Phereses Geschichte, das heißt eigentlich ihres Vaters Geschichte, auch die Ohren der Leute auf der Gamalp erreichte, steckten sie die Köpfe zusammen und begannen zu flüstern. „Aha! Soso! Jetzt wissen wir's ja!" Ihre lauwarme Geselligkeit verwandelte sich plötzlich in offenes Mißtrauen und mürrischen Widerwillen gegen jede Berührung mit Therese. Einige der Leutchen fürchteten sich sogar vor ihr und sagten:

„Es wird noch etwas passieren, solange sie bei uns ist."

„Die Person", erklärte der alte Karli, „wird uns alle behexen. Sie liest jetzt ein Buch."

„Sie ist ein Hurenmensch", sagte die fette, junge Emma. „Sind nicht Leonhard, Kasimir, Sanschi, Jakob, Abel und Christian Tschludi alle auf einmal wie der Teufel hinter ihr her? Nein, sie ist noch schlimmer als ein Hurenmensch!"

Marianne, eine Hilfsmagd aus Steffiswald, kam mit ihrer verheirateten Schwester Trudel aus einer benachbarten Sennhütte herüber, nur um sich zu erkundigen, ob es wahr sei, daß eine Welschi, die ihr Kind umgebracht habe, unter den Gamhofern lebe.

„Eh! Was du nicht sagst!" rief Hermine. „Ihr Kind hat sie umgebracht? Heilige Maria, davon wissen wir noch gar nichts!"

„Ja, aber Jakob Steiger ist aus Gam dagewesen und hat's erzählt. Er weiß es vom Bühler."

„Warum sitzt sie nicht im Gefängnis?"

„Es heißt, daß man ihr nichts beweisen konnte. Es heißt, daß ihr Vater immer noch in Sitten im Gefängnis sitzt, auch wegen Mord."

„Gott sei uns gnädig! Das ist ja schrecklich!"

„Der Alte müßte das alles erfahren und dieses Geschöpf zum Teufel jagen."

„Ah, der Alt-Regierungsrat! Jesses, Jesses! Wie kann er's bloß dulden?"

„Was tut sie denn hier?" wollte die Hilfsmagd wissen.

„Sie liest Bücher. Sie geht mit nackten Beinen und Füßen herum und bindet ihr Haar in ein rotes Taschentuch."

„Rot! Jesses! Jesses!"

„Ja, und das ganze Mannsvolk schleicht hinter ihr her und macht ihr Komplimente und tut alle Arbeit für sie. Leonhard läßt sie nicht in den Stall, weil er fürchtet, ihre Beine könnten schmutzig werden, und Sanschi Jakob scheuert die Kannen für sie. Auch meinem Mann hat sie so ziemlich den Kopf verdreht, jawohl."

„Jesses! Jesses!"

„Sie sitzt unter uns und redet kaum ein Wort, meistens starrt sie so vor sich hin."

„Herr Jesses! Die besessene Hexe!"

„Und ist noch nie in der Kirche gewesen, soviel ich weiß."

„Schickt sie doch ins Tal hinunter!"

„Jawohl! Wir wollen sie nicht mehr länger hier bei uns haben."

„Wo ist sie jetzt?"

„Mit ihrem Buch spazierengegangen."

„Eines Tages sag' ich ihr die Meinung!" rief Emma und ließ das Kinn hängen. „Ja, das tue ich."

Leonhard, der in der Nähe stand, hörte alles mit an, was über Therese gesagt wurde. Er war der einzige, der diesen Gerüchten nicht glauben wollte. Irgendein Geheimnis steckte hinter Therese, das fühlte er, aber er fühlte auch, daß es nichts Schreckliches, nichts Schandhaftes sein konnte. Er erinnerte sich noch an Anton Müllers Worte. „Ich sage bloß, daß ich weder dir noch einem andren Menschen erlauben werde, mein Haus in Verruf zu bringen." – „Mein Haus!" Leonhard fühlte, daß er zu diesem Haus gehöre. Sein Vater hatte in vergangenen Tagen diesem Hause gedient. Nun war er an der Reihe, und auch er würde ihm treulich dienen.

Je toller und übertriebener die Gerüchte wurden, desto ruhiger und entschlossener wurde Leonhard. Er stand auf der Lauer: „Gewehr bei Fuß", und wartete auf eine Gelegenheit, um die Luft zu reinigen, um den bösen Schatten zu zerstören, der sich auf die Alp und auf das „Haus" herabgesenkt hatte.

Eines Nachts brach in einer benachbarten Hütte ein Feuer aus, und die Hütte brannte völlig ab. Ein paar Leute hatten Therese in früher Abendstunde gerade dort vorübergehn sehen, und folglich war diese Hütte nur deswegen niedergebrannt, weil die Hexe sie mit einem bösen Zauber beworfen hatte. Eines Tages stürzte ein junges Kalb von einer überragenden Felsplatte in den Abgrund; ein andermal wieder lösten sich Steinblöcke und polterten in den Talgrund. Zweifellos war an all diesen Ereignissen Therese schuld. Nie noch hatte sich ein Stier oder eine Kuh oder ein Rind oder ein Kalb mir nichts, dir nichts in den Abgrund gestürzt. Die Steine, sagte der alte Karli, seien mehr als dreißig Jahre lang nicht losgebrochen. Auch war da eine Magd namens Christine, von sehr einfältiger Geistesart, die beteuerte sogar, sie habe gesehen, wie Therese zu diesem jungen Kalb hinaufblickte, und daß das Tier den Blick erwiderte und dann einen Sprung tat und fünfzig Meter tief hinabstürzte, wie ein gehörnter Teufel, just zu Thereses Füßen.

„Ja, was du nicht sagst! Der Teufel schaut ihr aus den Augen, das ist nun mal sicher. Ganz sicher."

Eines Tages kam Röthlisberger aus Gam herauf, um zu sehen, wie die Sachen stünden. Anton Müller hatte ihn geschickt, damit er die Kühe inspiziere, die Dienstleute bezahle und nachsehe, ob sie alle in Frieden lebten.

Röthlisberger verbrachte längere Zeit im Gespräch mit Leonhard und Mahder in einer der Hütten. Am Abend, als die Kühe hereingetrieben wurden, zählte er sie, besichtigte sie Stück für Stück, legte ab und zu die Hand auf eines der Tiere und war allem Anschein nach zufrieden. Dann schickte er Emma nach Therese. Nach einiger Zeit kehrte Emma mit Therese zurück.

„Das ist die Welschi", sagte sie mit unverhohlener Verachtung. „Sie saß mit dem Rücken gegen einen Baum, ihr Buch in der Hand und halb eingeschlafen! Und das nennt man Arbeit!"

Röthlisberger heftete seine dunklen Augen mit den buschigen Brauen auf Emma und sagte, daß es nicht ihre Sache sei, andre zu kritisieren.

„Mach dich selber an deine Arbeit, fettes Ding!" rief er heftig.

„'s fällt einem schwer, mit dir ein anständiges Wort zu reden!"

„Ah, aber bei ihr ist es sicher recht leicht! Aller Respekt ist nur für sie! Die Heilige! Hahaha!"

„Pack dich fort, sag' ich!" schrie Röthlisberger, und der rote Zorn stieg ihm ins Gesicht. „Oder ich komme dir zünftig!"

Emma blies verächtlich den Atem durch die Zähne und entfernte sich.

„Ich habe hier einen Brief für dich, Therese", sagte Röthlisberger und überreichte ihr einen Umschlag.

Ruhig heftete sie ihre dunkelblauen Augen auf sein ehrliches Gesicht und nahm den Brief. Aber mit einem kurzen gemurmelten „Tag" wandte er sich von ihr ab und ließ sie stehn. Therese fühlte sich verletzt. Sie hätte gern ein paar freundliche Worte zu dem Manne gesprochen, der sich als erster ihrer angenommen hatte. Aber er wich ihr aus, er ließ sie stehn. Von diesem Augenblick an wußte sie alles. Aber seltsam genug, sie fühlte sich keine Sekunde lang verzweifelt. Sie hatte sich in das Leben dieser Menschen eingelebt. Sie hatte unter ihnen Wurzel gefaßt und beurteilte sie nach ihrem Wert. Und sie würde ihnen die Stirn bieten. Sie würde nicht davonlaufen, nein, diesmal nicht! Ein für allemal würde sie sich von dem Fluche ihres Lebens befreien. Komme, was da wolle! Sie hatte ein Recht, zu leben!

Dann ging sie beiseite, um den Brief zu lesen. Die Handschrift kannte sie nicht. Auf dem Umschlag war ein Stempel: Gam. Von wem konnte der Brief sein? Wußte es Röthlisberger? Wohl nicht. Sie riß den Brief auf und las:

Liebes Fräulein Etienne!

In wenigen Tagen verlasse ich Gam. Ich habe viel nachgedacht, seit ich Sie auf der Alp sah, und ich fühle, daß ich Sie noch ein einziges Mal sehen muß, bevor ich abreise. Aus gewissen Gründen, die ich Ihnen später erklären will, kann ich nicht bei Tage kommen. Seien Sie also bitte um ein Uhr nachts am achten August bei dem Felsen, wo ich Sie neulich getroffen habe. Bitte strengste Verschwiegenheit! Ich werde alles mündlich erklären, sobald wir uns sehen.   G. S.

Gottfried Sixtus! Die Alp schien vor ihren Augen zu tanzen. Ein Uhr nachts! Was wollte er?

Viele Male überlas sie den Brief in seltsamer Erregung. Dann zerriß sie ihn plötzlich mit heftiger Gebärde. Ärger sprühte aus ihren Augen. Wofür hielt sie dieser Student? Für eine Emma? Eine Marianne? Eine Ida? Sie beschloß, Gottfried Sixtus nicht zu treffen. Doch von diesem Augenblick an wollte eine wunderliche Glut nicht mehr aus ihrem Herzen weichen. Tausend Kämpfe focht sie mit sich aus, alle hatten das gleiche Ergebnis: sie würde nicht zu dem Stelldichein kommen.

Es kam die Nacht, die Gottfried Sixtus bestimmt hatte. In wilder Flammenglut ging die Sonne unter. Dämmerung sank auf die welligen Rasenflächen herab.

Von allen Seiten kamen die singenden Kadenzen der Kuhglocken, unterbrochen von dem Peitschenknall, dem zeitweiligen Hallo und Gejodel der Männer und Weiber, die das Vieh zu den Ställen trieben.

Zuweilen huschte der ferne Klang der Lindbacher Kirchenglocken aus dem obersten Arnatal die Felswände der Gamfluh entlang und verlor sich in den steilen Wäldern.

Leonhard und Therese schritten Seite an Seite hinter der Rinderschar und sprachen über Gottfried Sixtus.

„Ja, gelt", fragte er, „der junge Herr ist ganz und gar nicht so wie der Alte, he?"

„Nein", sagte sie mit tiefer Betonung. „Er sieht mehr wie ein Bueb aus."

„Ein Bueb? Er ist schon seit zwei Jahren Student."

„Ja, aber mit seinem kleinen schwarzen Schnurrbart sieht er aus wie ein Bueb", fuhr sie lächelnd fort. „Der Herr ist so groß und stark und sein Sohn so schmächtig und jung. Doch merkwürdig, so ein Unterschied!"

„Seine Mutter, die hat ihm und seiner Schwester viel ähnlicher gesehen", erklärte Leonhard. „Sie war eine Sängerin, sehr reich, aus dem Emmental, die selige Frau Müller. Sie starb an Lungenschwindsucht."

„Ah! So ist seine Mutter jung gestorben?"

„Fünfunddreißig, als sie starb."

„Ja, das ist traurig."

Sie sah ihn an. Sein Herz war voll von andren Dingen, aber noch war die Zeit nicht reif, um ihnen Raum zu geben. In seinem Innern ruhten viele Geheimnisse und Gefühle, und er sorgte treulich, daß sie tief verborgen blieben.

„Ja", sagte er, „es ist traurig, Theresli. Viel traurige Dinge gibt es im Leben."

Mehr brachte er nicht über die Lippen.

Nach dem Abendbrot, als es dunkel wurde in der Hütte, hockten sich die Männer hin und rauchten ihre Pfeifen. Mahder zündete eine Lampe an, setzte sich nieder, breitete den „Oberländer" über seine Knie und begann zu lesen. Therese hielt sich im Hintergrund, fast völlig im Finstern.

Warum ist sie hier? Es scheint so wunderlich, dieses Leben zu leben. Wozu? Um hier zu sitzen? Um den muffigen Rauch einzuatmen, neben Kasimir, Christian, Tobias, die sich der Länge nach rekeln? Wie riesenhaft ihre Stiefel im Schein der Lampe erscheinen, wie ungefügig ihre Körper, wie fremd und sonderbar ihre Köpfe, die tief im Schatten außerhalb des Lichtkreises lehnen. Und Mahder, der die Zeitung liest. Oder vom kommenden Schützenfest in Burgdorf erzählt. Er wird dabeisein, jawohl. Und auch der ganze Verein aus Gam, zu dem er gehört. Er wird ihnen zeigen, wie man schießt! Ob wohl der Alte dieses Jahr auch hingeht? Er glaubt nein. Der Herr wird kurzsichtig. Er sieht nicht einmal mehr, was um ihn vorgeht. Vor seiner Nase passieren Dinge, von denen er nichts ahnt. Tobias hebt den Kopf und sieht Therese an. Und in einer andren Ecke Emma, das fette junge Monstrum. Der Lukas neben ihr, ganz eng, ohne ein Wort zu sprechen, unbekümmert um die andern.

Alle mürrisch, schlecht gelaunt, in einer Stimmung, die sie im nächsten Augenblick zu Wutanfällen treiben kann. Schlummernde Bestialität. Therese kommt es so vor, als sitze sie in einem Stall voll menschlichen Viehs. Bedrückt und unruhig zog sie sich zurück und stieg in den Heuboden hinauf, wo sie die Tür verschloß und verriegelte. Bisher hatte sie die Männer kaum beachtet. Sie behandelte den einen wie den andern, ohne Unterschied, und sie empfingen ihre Zurückweisungen mit einem wunderlichen Gleichmut. Ob er nun Tobias hieß oder Kasimir oder Peter, keiner konnte vor seinem Nebenbuhler behaupten, daß er von ihr größere Gunst genossen habe als irgendein andrer. In dieser Nacht aber empfand sie die Nähe dieser Menschen fast unerträglich. Es lag jetzt in der Luft eine heimliche Wildheit, vor der es Therese schauderte. Sie beschloß, der bösen Sache ein Ende zu machen, bei der ersten Gelegenheit, und zwar durch eine offene Aussprache.

Dieser Vorsatz erleichterte sie ein wenig. Auf einmal kehrten ihre Gedanken zu Gottfried Sixtus zurück. Sie sah zum Fenster hinaus. Sterne blinkten am Himmel. Der Mond war noch nicht über die

ragenden Gipfel der Berge emporgeglitten. Sie konnte den Felsblock nicht sehen, an den er sie bestellt hatte. Er lag ein wenig abseits, hinter der Böschung einer Wiese. Aber sie geht nicht, sie
legt sich schlafen!

Der Schlaf wollte nicht kommen. Sie hörte, wie unten die Männer
das Haus räumten. Mahder und Hermine kamen herauf. Sie
schliefen gleichfalls auf dem Boden. Wie lieblich die Nachtluft
durchs offene Fenster wehte und ihre Wangen streichelte! Sie
lauschte dem Brunnen im Hofe; kein schwächliches Träufeln,
sondern ein Sturzbach kristallenen Wassers, den der Berg ausspie.
Wie die großen Kiefern im Nachtwind rauschten und seufzten!
Wird der Mond heute nacht überhaupt noch kommen? Eine Zeitlang lag Therese sehr still, mit geschlossenen Augen. Dann schlug
sie die Augen auf. Jetzt war der Mond da. Wie eine blasse Laterne
sah er aus auf dem Grat der Wildfluh. Warum konnte er nicht genau
auf dieser Stelle haftenbleiben? Er sah so wunderlich aus, schöner
als je! Nun riß sie sich los und setzte sich auf. War das Schnee da
draußen? Was sollen diese bleichen Wiesen? Die dunklen Schatten?
Mitternacht jetzt. Sie wälzt sich herum. Warum will der Mond sie
nicht schlafen lassen? Oh! Still – du darfst nicht so laut seufzen.
War sie das, die sich jetzt im Bett aufrichtete? Therese schauderte.
Sie stellte den einen Fuß auf den Boden. Pst – keinen Lärm! Wo
sind die Strümpfe, ihre einzigen schwarzen Strümpfe? Wo die
Schuhe? Das Hemd, der Unterrock, die Bluse, der graue Schal?
Hier – dort. Aber wie schwarz sie jetzt aussah und wie düster!

Sie schlich sich hinaus. Die bleich erhellte Wildnis zu ihren
Häupten lag still und tot. Sie sah sich um. Schon lagen die Hütten
ein gut Stück zurück. Was tut sie hier draußen? Vorwärts! Nun
sind die Hütten dem Blick entschwunden. Und hier der Felsen.
Gottfried Sixtus steht auf ihm. Er springt herunter, er kommt auf
sie zu.

„Sie sind gekommen. Es ist gütig von Ihnen, Fräulein Etienne."

„Was wollen Sie von mir, Herr Müller?"

„Setzen Sie sich auf diese kleine Felsplatte. Ich will mit Ihnen
sprechen."

Seite an Seite ließen sie sich nieder.

„'s ist jetzt freilich wie am hellen Tag", sagte Gottfried. „Aber ich hatte es schwer, meinen Weg durch den finstern Wald zu finden. Trotz dieser Laterne, die mir half. Der Rückweg wird leicht sein im Mondlicht."

Sie sah ihn an. Seine Augen glitzerten, und seine Mundwinkel kräuselten sich in einem Lächeln.

„Warum kamen Sie nicht bei Tag?" fragte sie.

„Warum?" sagte er. „Weil meine Freunde noch im Gamhof sind, und wär' ich bei Tag gegangen, so hätten sie's gemerkt."

„Warum sollen sie's nicht merken?"

„Ah – sehen Sie, das ist es. Ich wollte nicht, daß irgendwer davon erfährt."

„So? Warum?"

„Als ich Sie neulich sah, da wunderte ich mich, wie Sie es fertigbringen, hier oben unter dem groben Bergvolk zu leben."

„Die Leute sind nicht grob, Herr Müller."

„Nun, vielleicht nicht; aber Sie scheinen nichts mit ihnen gemein zu haben. Sie sehen so vornehm aus, Fräulein Therese, und schön!"

„Nein . . ."

„Ja, doch. Darf ich's nicht sagen? Ehrlich, ich glaube, Sie sollten nicht hier oben bleiben, sondern sich einen Platz in einer Stadt suchen. Sie sollten in einer Stadt leben, wo Sie nicht von allen Menschen abgesperrt sind."

Sie sah ihn seinen flaumigen Schnurrbart streichen. Unvermittelt sagte sie:

„Wie jung Sie eigentlich aussehen, Herr Müller!"

„Finden Sie? Hm – ich hoffe bald meinen Doktor zu machen."

„Man sagt, Sie studieren in Basel?"

„Ja, die Rechte, aber es gibt noch andre Dinge, die ich studiere. Und vor allem die Natur, die Natur, wie sie sich im Menschenleben zeigt. Ich liebe alles, was schön ist. Und deshalb bin ich noch einmal gekommen, um Sie zu sehen."

Sie errötete. Er bemerkte ihr Erröten, nahm ihre Hand.

„Ich bin sehr unglücklich", sagte er, „übermorgen muß ich Gam verlassen. Ich reise mit meinen Freunden nach Italien. Wir wollen Mailand, Venedig und Florenz besuchen. Oh, wenn nur Sie mich begleiten könnten statt meiner Freunde! Ich würde Ihnen alle die Wunder zeigen."

„Aber auch auf der Alp ist es schön, Herr Müller."

„Ich weiß. Aber es ist eine Schönheit, an die ich von Kind auf gewöhnt bin. Und sie wird eintönig. Ich finde die Städte viel interessanter. Das Leben in den Städten ist intensiver, aufregender. Oh, ich wollte, Sie würden mich begleiten!" – „Sie sagten", bemerkte sie nach einer beträchtlichen Pause, „daß Sie unglücklich sind, weil Sie Gam verlassen müssen. Wenn Sie die Stadt lieben, wie kann Sie die Trennung von Gam unglücklich machen?"

„Ich habe eben einen Grund. Ich bin Ihnen begegnet!"

„Mir begegnet, Herr Müller?"

„Ihnen – ja."

Er blickte sie an. Sie starrte unverwandt zum Mond empor. Er näherte seine Lippen ihrem Gesicht und küßte sie auf die Wange. Dann küßte er ihre Lippen. Sie rührte sich kaum.

„Du bist nicht böse?" fragte er beklommen. „Ich konnte nicht anders."

„Ich bin nicht böse", sagte sie. „Aber – aber warum?"

„Ich weiß nicht. Ich fühlte ganz einfach, daß ich nicht anders kann."

Er küßte sie von neuem.

„Sie sind ein merkwürdiger Mensch", erwiderte sie. „Warum tun Sie das?"

„Ich weiß nicht. Ich habe gestern nacht von dir geträumt."

Zögernd legte er seinen Arm um sie. „Wie schlank und weich du bist! Ich kann dich mit einem Arm umfassen." Er zog sie dicht an sich. „So könnte ich stundenlang sitzen."

Sie wandte ihr Gesicht zur Seite.

„Du weißt, Theresli", sagte er mit einem seltsamen Klang in der Stimme, „du bist die Schönste, die ich je in meinen Armen hielt, du machst mich völlig verrückt."

„Nein, das will ich nicht, Herr Müller." Sie wehrte sich mit einem kleinen Schrei. „Lassen Sie mich jetzt los!"

„Ich kann nicht!" flüsterte er ihr ins Ohr. „Warum liebst du mich nicht ein bißchen?"

„Ich will nicht."

Er aber geriet in Eifer.

„Ich schwöre dir, ich habe jede Sekunde an dich gedacht, seitdem ich dich sah. Ich habe voll Sehnsucht auf diese Stunde gewartet! O Thresli, du hast doch nicht einen andern, den du liebst?"

„Dann wäre ich nicht hier", sagte sie kurz und schob seine Hand von ihrer Bluse weg.

„Therese, verlaß die Alp! Komm nach Basel. Ich werde eine Stellung für dich finden."

„Ich will nicht nach Basel!"

„Wie kalt du bist, Thresli!"

Sie sprang plötzlich auf und zog ihren Rock gerade. „Lassen Sie das! Sie müssen mich nicht als etwas nehmen, das ich nicht bin."

Auch er erhob sich.

„Nein, das tue ich nicht!" rief er verzweifelt. „Ist es denn eine Sünde, zu lieben? Sag!"

„Herr Müller, ich verstehe Sie nicht!"

Plötzlich riß er sie in seine Arme. Aber sie befreite sich rasch, drehte ihm den Rücken und lief auf die Hütte zu.

Gottfried Sixtus stand voll Erstaunen da. Die Wut packte ihn.

„Therese! Therese!" schrie er mit heftiger Stimme ihr nach.

Sie hielt nicht inne. Er ging ihr nach zur Hütte und blickte zu ihrem Fenster hinauf, das offenstand. Einen Augenblick lang sah er ihre bleichen Arme, die sich in den Mondschein hinausstreckten, um die dicken Holzläden zu schließen.

Dann setzte er sich nieder und starrte lange Zeit zu der Hütte hinauf. Seine Augen hingen an den Läden, voll Hoffnung, Therese könnte vielleicht durch die Spalten lugen. In sehnender Glut und dennoch voll Reue saß er da. Schließlich zog er seine Uhr heraus. Und da entdeckte er, daß er seinen Bierzipfel verloren hatte. Er war von der kleinen silbernen Kette abgerissen. Er ging zu der Schlucht zurück, um nachzusuchen, konnte ihn aber nicht mehr finden. Schließlich griff er nach der Laterne und machte sich an den Abstieg nach Gam.

Zwei Tage darauf stand Therese am späten Nachmittag vor der Hütte und betrachtete voll Erstaunen eine flache weiße Wolke, die völlig vereinzelt in der Mitte des Tales heraufzog. Geheimnisvoll rückte sie vor wie ein himmlisches Kriegsschiff auf Patrouille. Eine lange Reihe flockiger Hilfstruppen folgte in einiger Entfernung ihrer Fährte. Der Hauch eines heißen Windes traf Thereses Wange, und sie fühlte, wie ihr der Schweiß ausbrach. Herzog II erschien plötzlich neben der Hütte, und einer der Männer band ihn fest. Ein wenig später kamen von allen Seiten die Kühe herbeigetrottet und standen in der Nachbarschaft der Ställe umher, eine Herde trübseliger Wiederkäuer.

Dann trat der alte Karli auf die Schwelle.

„Ja, da kommt es endlich, das Donnerwetter", sagte er. „Die Jungfrau legt sich einen Kragen um, seht! Und wie das Finsteraarhorn dampft! Das gibt eine Sauerei, und noch heute abend. Aber es war verdammt nötig, muß ich sagen."

Er nahm die Pfeife aus dem Mund. „Hü! Hü!" Und er spuckte einen Speichelfladen fast drei Meter weit.

„Schaut nur, wie dieser chaibe Muni die Augen rollt, hü hü hü!" Und er zeigte auf den jungen Stier.

„Seit gestern braut es sich zusammen", bemerkte Hermine. „Schau mal dort nach Lindbach hinunter! Uh! Uh! Jede Sekunde wird's schwärzer und schwärzer."

„Hui! Jetzt kommt es!" rief Christine. „Gottes Zorn zieht herauf. Seht das Wetterleuchten dort in der Ferne!"

„Ja, und seht!" fuhr der Karli fort und zeigte mit seiner Pfeife die Wiese hinunter. „Dort hockt die Welschi. Ich erkenne sie von hinten, mit ihrem roten Tuch auf dem Kopf! Der Zorn unsres Herrgotts, sie bringt ihn über uns! Und Jaköbli ist mit Kasimir auf die Fluh hinaufgestiegen! Jaja, vor Abend wird es nicht losgehen, behaupte ich, aber wenn es kommt, Kinder, dann holt die Bibel hervor und betet zu Gott!"

Das tiefe, langgezogene Geroll eines fernen Donners widerhallte rund um die Hütten.

Eine in die Länge geblähte Wolke kroch jetzt die schroffen Wände der Wildfluh entlang. Eine zweite erhob sich aus den Tiefen des Tales und stieg langsam empor. Sie dehnte sich aus, zog sich zusammen, leckte und brandete an den Felsen, durchschlängelte die Schluchten und die schwarzen Wälder. Die Sonne erlosch. Ein wenig später fegte ein finstrer Schatten über die Alp.

„Jesses, Jesses! In der sitzt der liebe Gott!" rief Christine. „Das weiß ich."

„Was steht ihr da alle herum?" rief Leonhards scharfe helle Stimme. „Bringt das Vieh in den Stall! Sanschi, halt den Herzog fest, verdammi! Er ist fast los, gleich wird er unter die Kälber springen! Und Hermine, lösch alles Feuer in der Hütte. Bald fängt der Wind zu stürmen an."

Christian Tschludi, Lukas Steiger und noch ein paar andre tauchten auf, um mitzuhelfen. Die Kühe wurden in die Ställe befördert. Dort standen sie nun in der Finsternis, lange Reihen, und schüttelten ihre Glocken. Herzog II, prustend und brüllend, riß sich plötzlich los und sprang unter die Kühe. Flüche und Schimpfworte schollen durch den Stall. Stöcke hagelten auf seinen Rücken nieder. Sie verdammten ihn zu ewigem Höllenfeuer, aber zu spät! Das Verbrechen war geschehen. Freiwillig trottete er wieder in seinen Stand zurück. Ein paar schwere Tropfen platschten auf das niedrige Dach. Das Holzwerk der Hütten ächzte.

„Jetzt kommt es! Himmel! Donnerwetter! Sakrament!"

Plötzlich war alles wie fortgewischt. Ein finsterer, wuchtiger Vorhang umschloß die Alp, und ein tiefes Brüllen erfüllte die Luft.

Therese kehrte in die Hütte zurück. In schweigenden Gruppen saßen die Älpler umher. Ein paar von ihnen warfen mißtrauische Blicke auf Therese.

„Ja", sagte schließlich der herkulische Mahder, „wenn der Allmächtige zuschlagen will, dann soll er den Schuldigen treffen, der unter uns ist."

Therese setzte sich in den Hintergrund der Hütte. Ein Gefühl grenzenlosen Elends stieg in ihr auf. Es erstickte sie fast. Leonhard saß in ihrer nächsten Nähe.

„Fürchte dich nicht", sagte er, „hier schlägt es nicht ein."

„Ich fürchte mich nicht", sagte sie.

Einen Augenblick lang beleuchtete der Blitz die Gesichter. Durch die offene Tür und die schmalen Fenster sahen sie die Alp in grellem Licht erstrahlen. Ein paar Sekunden später kam der Donnerschlag.

„Herrgott!" rief Sanschi aus. „Das hat in den Tannen eingeschlagen."

„Du sollst nicht den Namen Gottes mißbrauchen", sagte Leonhard.

„Ja. Hü, hü! Der Tüfel ist hier!" zeterte der alte Karli. „Und einen von uns will er holen. Eben hab' ich durch die Tür seine Hörner gesehen und seinen gebogenen Schwanz. Er sitzt vor der Tür, eine rote Mütze auf dem Kopf und Feuer in den Augen, und sein Atem stinkt wie ein Kuhfladen."

Wieder zuckte ein Blitz über den Himmel, und augenblicklich folgte ein wüster Donnerschlag, der sogar die Steine, die das Dach beschwerten, ins Wanken brachte. Alle blieben einen Augenblick stumm.

„Werft sie hinaus! Werft sie hinaus!" schrie Emma. „Wir kommen noch alle um, wenn sie bei uns bleibt! Schmeißt die Welschi hinaus!"

„Was willst du von mir?" sagte Therese und sprang auf. „Bin ich schlechter als du?"

„An meinen Händen klebt kein Blut!" rief Emma.

„Und an meinen Händen?" Therese richtete sich auf.

„Halt das Maul, fettes Ding!" rief Leonhard. „Oder ich jage dich hinaus! Verstanden?"

„Jetzt hört mal diesen frommen Leonhard!"

„Halt das Maul, sag' ich! Ich bin hier der Herr."

„Ohohoho!" erscholl es von Mahder und einigen andern Burschen.

„Jawohl!" wiederholte Leonhard mit kreidebleichem Gesicht. „Und ich will nicht, daß hier jemand Unfrieden stiftet."

Ein Blitz schlug in den Wipfel einer Kiefer ein. Der Berg erzitterte. Emma erlitt einen plötzlichen Anfall. Schaum trat ihr auf die Lippen, sie hämmerte sich gegen die Brust. Dann warf sie sich zur Erde und schlug um sich.

„Das ist die Welschi diesmal!" rief Hermine aus. „Sie hat Emma behext. Sie hat den Teufel zu uns hereingerufen. Die ganze Zeit starrt sie Emma an. Ich hab's gesehn!"

Alle sprangen auf.

„Wie kann ich schuld sein", rief Therese, „wenn sie einen ihrer Anfälle hat? Sie kommen nicht vom Teufel, sondern von ihrer eignen Bosheit und von ihrem schlechten Gewissen."

Mahder ging auf sie zu.

„Hinaus mit dir!" sagte er heftig. „Hinaus, sag' ich!"

„Sie bleibt hier!" fuhr Leonhard auf und stellte sich zwischen Mahder und Therese.

„Oho!" grinste Mahder. „Ich aber sage, sie geht jetzt! Wir brauchen keine Kindsmörderinnen und Huren bei uns. Sie muß hinaus, sag' ich."

„Sie wird bleiben!" wiederholte Leonhard.

Die beiden Männer packten einander beim Kragen, als wollten sie zuerst ihre Kräfte messen, aber Therese trat an sie heran.

„Hört auf!" rief sie. „Ich gehe, ich gehe und lasse euch alle in Frieden. Ich bleibe nicht mehr länger bei euch, und ich will euch jetzt auch sagen, daß ich keine Kindsmörderin bin. Ich habe nie ein Kind gehabt, ich habe nie mit einem Mann zu tun gehabt, und jedermann von euch soll das wissen."

„Eine chaibe Heilige!" ertönte es aus dem Winkel.

„Schäm dich!" erwiderte Therese. „Zwei solche Worte in einem Atem zu nennen! Nein, ich bin keine Heilige, aber ich bin auch kein gottloser Mensch. Ihr alle sollt endlich auch wissen, daß mein Vater wegen Mordes im Gefängnis gewesen ist. Das ist wahr, aber soll ich in alle Ewigkeit für sein Verbrechen büßen müssen? Ich werde keinem erlauben, mich länger zu verfolgen oder mich zu verfluchen. Schämt euch, schämt euch alle! Ich will nichts mehr mit euch zu tun haben."

Sie schritt zur Tür und trat in die Nacht hinaus; schweigend blickten ihr die Zurückbleibenden nach. Leonhard folgte ihr. Er sah ihre Gestalt in dem Sturm verschwinden. Er kehrte um, schlüpfte in seine Bluse und ließ seine Blicke über die Knechte und Mägde schweifen, die stumpfsinnig einander anglotzten.

„Jetzt geh' ich ins Tal und rede mit dem Herrn", sagte er. Dann verließ er sie, und mit raschen Schritten lief er über die Wiese in der Richtung, die Therese eingeschlagen hatte. Er rief ihren Namen. Aber seine Stimme verlor sich in dem Wüten der Elemente. Er sah sofort, daß es unmöglich war, sie zu finden, sofern sie nicht auf dem Pfade blieb, der nach Gam führte. Hagelkörner prasselten auf seinen Hut und peitschten sein Gesicht. Die Luft war voll von dem Geruch der Blitze, der Sturm heulte über die Berghänge, trieb die Wolken vor sich her und pfiff ächzend durch die Felsen. Aber Leonhard war ein Kind der Alpen und gewohnt, mit dem Wetter zu ringen. Festen Schrittes verfolgte er seinen Abstieg, und nach einiger Zeit erreichte er die Grenze des Waldes. Rund um ihn brüllte und krachte es, aber was ihn vorwärts trieb, war stärker als die Blitzschläge, die Baum um Baum zu Boden schmetterten, und ungestümer als die schwellenden Güsse, die über seinen gefährlichen Weg stürzten. In später Nacht sah er die Lichter von Gam durch die treibenden Nebel schimmern, und schließlich erreichte er den Gamhof. Hier fand er seinen Herrn, und fast in einem Atemzug erzählte er ihm alles, was geschehen war, und alles, was über Therese vorgebracht wurde.

Anton Jakob geriet in Zorn. Alle hatten sie dies und jenes über Therese gewußt und ihm nie etwas gesagt! Er ließ Röthlisberger holen.

„Warum hast du mir nichts gesagt, he?"

„Wir dachten, Ihr wüßtet Bescheid."

„Dachtet ihr, so!"

„Es war nicht unsre Sache, davon zu reden."

„Aha, so!"

„Und wir wußten nicht, ob es wahr ist, Herr!"

„Ob was wahr ist?"

„Nun, Herr, alles, was man sich über die Welschi erzählt."

Anton Jakob erlitt einen Wutanfall, der sich fast wie Blitz und Donner über Röthlisberger und Leonhard entlud. Er machte ihnen bittere Vorwürfe. Schließlich unterzog er sie einem Kreuzverhör.

Was wußten sie über Therese?

Sie konnten nichts Genaues sagen, sie hatten es selber nur gehört. Dies und das, und sie berichteten alles.

Aber wer hat das alles erzählt?

Alle Welt, sie konnten sich an keinen Gewährsmann erinnern.

„Wer ist alle Welt?"

„Nun – Gam."

„So – aha – Gam! Nur ich hörte nichts von all den Dingen! Na, wartet nur!"

Als seine Wut sich gelegt hatte, starrte er seine Dienstleute verdrossen an.

„Wo ist sie jetzt?" fragte er plötzlich.

Leonhard wiederholte, was er dem Herrn bereits berichtet hatte.

„Also Mahder Fritz und sein Weib und die andern! Aha! Wer gibt ihnen das Recht, jemand hinauszuwerfen, der in meinen Diensten steht und mein Brot ißt? Diese Lumpen! Diese bigotten Dummköpfe! Diese abergläubischen Idioten! Macht euch jetzt beide auf die Strümpfe und sucht das Mädchen allüberall! Und wenn ihr es nicht findet, schwöre ich, daß ich euch alle zum Teufel jage!"

„Ja, Herr Müller", sagte Röthlisberger.

„Diese Herzlosigkeit!" schnaubte Anton Jakob. „Wenn alles wahr ist, was Leonhard sagt, dann ist es die häßlichste Sache, von der ich je gehört habe."

Ein schwerer Donnerschlag ließ das Haus erzittern.

„Macht euch auf die Beine! Sucht sie!" schrie Anton Jakob. „Oder ich gehe selber!"

„Herr, es ist Nacht!"

„Sucht sie! Nehmt Tobias mit, verdammt! Wie denn, wenn sie irgendwo abgestürzt ist oder sich verirrt hat? Ich zahle Tobias seinen Führerlohn, und mehr als die blöden Ausländer, die er über die Fluh gängelt. Bis morgen abend muß Therese hier im Hofe sein, oder ich feuere euch alle hinaus. Vorwärts jetzt!"

Er dreht ihnen den Rücken.

Röthlisberger ging zu seiner Frau, um sich mit ihr zu besprechen. Er war kein junger Mann mehr und auch kein erfahrener Bergsteiger, und er hatte den ganzen Tag hart gearbeitet. Dennoch entschloß er sich zu gehorchen. Sobald er und Leonhard gerüstet waren, liefen sie zum Bergführer Tobias, dem sie Herrn Müllers Botschaft ausrichteten. Tobias packte seinen Sack, nahm Seil und Pickel, und bald waren die drei Männer unterwegs auf der Suche nach Therese.

Die ganze Nacht hindurch fegte der Wind mit unverminderter Wut das Tal entlang. Die kleinen Nebenflüsse waren nun Ströme geworden, die sich ungestüm in die wildschäumende Arna ergossen. Die Sägemüller des Tales eilten in ihre Mühlen und hatten alle Hände voll zu tun, um zu verhüten, daß ihr Holzvorrat weggeschwemmt würde. Bei den Brücken standen Wächter und mußten machtlos zuschauen, wie die entwurzelten Bäume gegen die Pfeiler prallten, wie die Steine brüllend durch das Flußbett tanzten und die brodelnden Wirbel das Ufer bespülten und benagten. Die Bauern saßen in Hemdärmeln um die Tische und dachten an die Ernte. Auf mehr als einem dieser Tische lag die aufgeschlagene Bibel. Die Weiber und Kinder hockten zusammengekuschelt auf den Bänken, horchten hinaus oder sprachen im Flüsterton von diesem und von vergangenen Gewitterstürmen.

Während dieses nächtlichen Tumultes saß Anton Jakob in seinem Schreibzimmer, seltsam losgelöst von der Außenwelt. Gedanken an Theresli beherrschten ihn. Ein tiefes Erstaunen bemächtigte sich seiner Seele. Wie war es möglich, daß er, der reife Mann, der Vater erwachsener Kinder, ein so unbändiges Verlangen nach dieser Walliserin empfinden mußte? Wie war es möglich, daß er an nichts andres mehr denken konnte als nur an sie? – Nein, nein, Anton Jakob, komm! Du wirst ein bißchen schafsköpfig. Du näherst dich deiner zweiten Kindheit. – Aber alle Selbstermahnungen fruchteten wenig. Der Teufel der Jugend rumorte immer noch in ihm.

Mein Gott, warum sollte er sie nicht begehren? Oh, er hatte ein großes Herz, ein großes Haus und ein großes Vermögen, ein Theresli war das einzige, was ihm fehlte, um jetzt das Maß irdischen Glückes vollzumachen. Nie hatte er sich vor der öffentlichen Meinung gebeugt, nie hatte er mit andersdenkenden Leuten paktiert. Ihn kümmerte nicht, was Gam dachte oder schwatzte! Diese Gamer Schafsköpfe!

Während der Donner dröhnte und der Regen gegen die heimeligen, tiefliegenden Fenster klatschte, lief ein Lächeln über Anton Jakobs Züge, ja, er stand sogar auf und ging in seinen Keller zu einem der großen Fässer, zapfte vom blaßgoldenen Wein und trug ihn in sein Schlafzimmer hinauf. Mein Gott, ja, er konnte sich auch selbst bedienen.

Ohne das Haus zu versperren, ging er ins Bett. Dann schob er sich die Kissen unter den Kopf, rauchte eine Zigarre, las den „Bund" und trank sein Glas.

Aber freilich, da stand dieses zweite Bett, und niemand war drin. Sakrament! Manche wäre froh, wenn sie hinein dürfte. Oft hatte er über dieses leere Bett nachgedacht, aber wie wenige waren es doch, die er sich hineingewünscht hätte!

Die Männer kämpften sich durch die tobende Nacht. Nach Stunden mühsamen Aufstiegs suchten sie Zuflucht unter einer Felswand an einer trockenen Stelle und warfen sich auf den Boden nieder.

„Der Müller muß verrückt sein, daß er uns in eine solche Nacht hinausschickt", sagte Tobias, der sich die Hände über der Windlaterne trocknete.

Röthlisberger zog eine Flasche mit Schnaps hervor und gab sie seinen Gefährten weiter.

„Die chaibe Welschi! Die chaibe Welschi!" brummte er in einem fort, während Leonhard in einem Zustand völliger Erschöpfung vor sich hinstarrte.

Nach einiger Zeit erhoben sich die Männer, um ihren Kampf mit der Sturmnacht wiederaufzunehmen. Schritt für Schritt rückten sie vorwärts auf dem steilen Pfad, der sich im Zickzack durch den Wall hinzog, und schließlich erreichten sie in einem Schwall von Wolken und Wasser die freie Alp.

Noch vor Anbruch der Dämmerung kamen sie zur Hütte.

Sie fanden den alten Karli in tiefem Schlummer unter einer rauhen Decke. Im äußersten Winkel des Raumes schliefen Peter und Emma in enger Umarmung. Leonhard begann sogleich mit äußerster Sorgfalt ein Feuer anzuzünden. Dann weckte er Peter und Emma mit schweren Fußtritten.

„Auf!"

Emma fuhr mit einem Fluch aus ihrem Schlummer auf. Peter starrte wie ein Betrunkener um sich. Der alte Karli begann zu schnarchen und drehte sein Gesicht der Wand zu. Röthlisberger kauerte sich neben das Feuer, die schwarzen Brauen finster gerunzelt; Tobias, der Bergführer, versuchte sich zu trocknen, während Leonhard seinen Kittel auszog und zusammenfaltete, den Kopf drauflegte und fast augenblicklich einschlief.

Grau und kalt kam der Morgen. Jeder Ausblick auf die Umwelt war durch treibende Wolken verhängt. Von Zeit zu Zeit fuhr von den nahen Gletschern ein kalter Windstoß herab und fegte um die Hütten. Mahder erschien mit seinem Weib. Sanschi, Jakob, Lukas und Christine machten sich in den Kuhställen zu tun. Kein „Guten Morgen" ließ sich vernehmen. Kalt und finster waren alle Gesichter. Röthlisberger hatte noch kein Wort gesprochen. Sein drohendes Schweigen erfüllte Anton Jakobs Dienstleute mit Furcht. Der große Mahder begann zu pfeifen, wohl um seine Unabhängigkeit zu betonen. Es lag auf der Hand, daß er die Absicht hegte, Röthlisberger Trotz zu bieten; aber dieser schenkte ihm keinerlei Beachtung.

Bald darauf öffnete Leonhard seine blauen Augen. Rote Ränder zogen sich um ihre Lider. Er fragte nach der Uhr, ging zu den Kühen hinaus und machte sich ans Melken, um warm zu werden. Inzwischen wuchs die Helligkeit des Tages. Sobald die Kühe ausgemolken waren, rief Röthlisberger die Leute zusammen.

„Nun", sagte er trocken, „hier oben hat es eine Zänkerei abgesetzt. Also, Leute, wer hat angefangen?"

„He! Natürlich die Welschi!" behauptete Emma prompt.

„Nein, sie hat nicht angefangen!" rief Leonhard. „Du warst es, und du, Mahder Fritz, hast sie aus dem Haus gewiesen!"

„Oho! Wirklich? Irr dich nicht, Leonhard, sie ging auf eigne Faust."

„Sie ging, um zu verhindern, daß du und ich einander in die Haare gerieten."

„Verdammt günstig für dich!"

„Ich habe keine Angst vor dir!"

„Sakramänt nanamal", sagte Röthlisberger gebieterisch. „Das geht uns jetzt alles nichts an. Ich sage nur soviel: Ihr alle, wie ihr da steht, werdet euch jetzt auf die Beine machen und die Welschi suchen. Jeder einzelne von euch, sage ich, und sofort, und sie muß gefunden werden. Ich will nichts mehr hören. Kein Wort mehr. Wer nicht tut, was ich sage, kann sein Bündel schnüren! Kann augenblicklich sein Bündel schnüren! Sakramänt nanamal!"

Er richtete sich auf, verschränkte die Arme über der Brust und blickte mit gelassenem Grimm von einem Gesicht zum andern. Einem Menschen in solcher Verfassung wagte nicht einmal der Mahder Widerstand zu bieten; es schien gefährlich, einer so meisterlich beherrschten Wut den Gehorsam zu verweigern. Mahder setzte seinen Hut auf und verließ die Hütte. Die andern folgten ihm. Röthlisberger schickte sie in verschiedene Richtungen. Hermine wurde geheißen, in der Zwischenzeit Thereses Habseligkeiten in ein Bündel zu packen. Den ganzen Morgen über durch-

suchten sie die überschwemmten Wüsteneien und die tiefer-
gelegenen Wälder. Sie drangen in das Gewirr der Felsen und in die
Schluchten, durchforschten Bett und Geschiebe eines jeden der
reißenden Bergströme. Therese war nicht zu finden.

„Das habe ich geahnt", sagte Leonhard. „Sie sah uns so sonderbar
an, bevor sie wegging. Dort hinaus ist sie verschwunden. Wir
wollen noch einmal suchen."

„Recht verzweifelt muß sie gewesen sein", bemerkte Röthlisberger. „Wer kann sagen, was ein Mensch in seiner Verzweiflung
beginnt? Es gibt hunderterlei Stellen, wo sie vielleicht zusammen-
gebrochen ist."

„Nun, laßt uns mal überlegen", sagte Tobias. Er fuhr sich mit den
Fingern durch seinen langen Bart. „Ich habe die Erfahrung gemacht, daß in solchen Nächten die Menschen nie sehr weit
kommen. Wenn es auch scheint, als würden sie fortgetrieben, gibt
es immer noch irgendeinen andern Einfluß, der sie zurückhält
und sie im Kreise laufen läßt. Ich habe das an mir selbst erfahren.
Hatte dieses Meitschi vielleicht einen Lieblingsplatz, den einer von
euch kennt?"

„Eh, vielleicht!" meinte Leonhard. „Der St.-Fridolins-Felsen?
Eh?"

„Das wäre ja nicht gar so weit."

„Und dort haben wir noch nicht gesucht. Kommt!"

„Wenn wir sie nicht beim Fridolinsfelsen finden, müssen wir's
wohl aufstecken", meinte Leonhard.

Sie überquerten eine Strecke sumpfigen Bodens, wo ihre Stiefel
einsanken und die Erde unter ihnen ächzte und quietschte. Jede
Fußtapfe füllte sich sogleich mit Wasser.

„Hier", sagte Tobias, „da ist jemand vor uns gegangen. Ein Frauen-
fuß!"

„Lieber Gott! Und in solcher Nacht!"

Leonhard knirschte mit den Zähnen. Sie erreichten den Felsen
St. Fridolins. Er glich einem riesigen Zahn, der aus dem Berge
ragte, und auf seiner Spitze stand ein hölzernes Kreuz. An schönen
Tagen konnte man vom Felsen weit ins Land hinausblicken, denn
er befand sich an einer Kante der Fluh und eröffnete die Aussicht
nach Süden auf ein neues Meer gewaltiger Bergriesen. Durch

jeden Riß und jede Spalte tröpfelte das Regenwasser. Schwarz und feucht glitzerte das Gestein, an dessen Fuß eine dunkle Pfütze entstanden war. Neben diesem Tümpel fanden sie die hingestreckte Gestalt Thereses in nassen, an der Haut klebenden Kleidern.

„So ein dummes Geschöpf", sagte Tobias, als er sie gewahrte. „Ist das menschenmöglich!"

Leonhard kniete nieder und hob ihren Kopf.

„Sie lebt", sagte er. „Wir wollen ihr etwas Schnaps geben."

Therese lebte, aber sie war ohne Bewußtsein.

In aller Morgenfrühe schlug Anton Jakob die Augen auf. Oh! Aha! Ein neuer Tag! Immer wieder kommt ein neuer Tag.

Am Vormittag begab er sich ins Gemeindehaus, um mit Herrn Blaser zu sprechen. Er hatte beschlossen, herauszubekommen, was die Leute wirklich über Therese schwatzten. Er klappte seinen schwarzen Regenschirm mit der Krücke zu, stampfte den Kot von den Stiefeln und betrat die Gemeinderatskanzlei. Fünfzehn Jahre lang hatte er hier als Präsident gethront. Nun hieß der Präsident Niederregger, aber das änderte nichts an der Sache. In Anton Jakobs Augen war immer noch Anton Jakob der Präsident.

„Tag, Blaser, Sauwetter! Eh?"

„Tag, Herr Alt-Regierungsrat", sagte Herr Blaser und legte seine Feder beiseite. „Jaja! 's ist traurig. In Speuz und Arnisboden hat der Hagel schweren Schaden angerichtet."

„Oh, aha! Das dachte ich mir."

„Unten in Speuz hat es geschneit."

„Ja! – Ich habe Scherereien auf der Alp", fuhr Anton Jakob fort, „'s gab eine Zänkerei. Ich habe da eine junge Person in meinen Diensten, eine Welsche. Weiß der Teufel, was man alles über sie erzählt! Sie war der Anlaß zu dem Zank. Jetzt bin ich zu Ihnen gekommen, um mich zu erkundigen, ob Sie Näheres über das Meitschi wissen."

„Eh! Wohl kaum!" rief Herr Blaser anscheinend sehr erstaunt. „Was für eine Welschi sollte das sein?"

„Die Magd Etienne."

„Ich muß ihren Geburtsschein nachsehen! Nur einen Augenblick!"
Mit unschuldiger Amtsmiene schlug er ein großes Buch auf.
Anton Jakob sah ihm zu, wie er den Hals vorreckte und die
Brille über seiner langen dünnen Nase zurückschob, während er
mit seinem blauen Fingernagel eine Reihe von Namen entlang-
fuhr.

„Scheint ein recht falsches Ding zu sein", sagte Anton Jakob.
„Ist im Loch gesessen, wie es heißt, hat ihr Kind umgebracht, und
weiß der Teufel was noch alles. Oder war es vielleicht ihr Vater,
der als Mörder ins Gefängnis kam? Mein Pech, daß ich sie aufgenommen habe! Man sollte nie einen Dienstboten dingen, ohne
Zeugnisse zu verlangen."

„Richtig, hier! Therese Etienne-Mariano! Hab's schon gefunden.
Aus Sitten. Einundzwanzig Jahre alt."

„War sie im Gefängnis?" fragte Anton Jakob.

Herr Blaser blickte auf.

„Nein, nein! Ich müßte es wissen, wenn sie eine strafbare Handlung begangen hätte."

„Aber alle Welt ist überzeugt, daß sie etwas auf dem Kerbholz
hat", fuhr Anton Jakob fort. „Und deshalb bin ich zu Ihnen
gekommen."

„Ganz zweifellos ist es nicht halb so schlimm, wie die Leute es hin-
stellen."

„Nun schlimm? Was sagt man denn Schlimmes von ihr? Ich nehme
an, daß Sie es wissen, Herr Blaser", sagte Anton Jakob mit einem
kalten Lächeln.

„Ach, Sie wissen ja, Herr Müller, die Leute lassen sich's nicht
nehmen, allen erdenklichen Unsinn zu schwatzen."

Dabei schien Herr Blaser sich etwas unbehaglich zu fühlen.

„So mir nichts dir nichts schwatzt man nicht. Meistens steckt
irgend etwas Wahres hinter dem Tratsch. Aber ich will die eigentliche Wahrheit erfahren. Könnten Sie mir nicht ein wenig behilflich sein?"

„Ich? Ich? Wie sollte ich, Herr Müller?"

„Könnten Sie nicht nach Sitten schreiben und sich nach dem moralischen Ruf des Mädchens erkundigen?"

„Das könnte ich allenfalls."

„Ich zahle die Gebühren; aber einen Menschen, über den solche Dinge gesagt werden wie über diese Therese, will ich nicht in meinen Diensten haben."

„Ich werde das besorgen, Herr Müller. Unfehlbar."

„Nun, guten Tag, Blaser. Nächstens komme ich wieder."

Anton Jakob verließ das Gemeindehaus.

An diesem Tage machte er sich viel auf dem Hofe zu tun und ertränkte seine Besorgnis um Therese ab und zu in einem Glas Wein. Den ganzen Nachmittag saß er im „Bären", spielte Karten und plauderte mit den Leuten. Mit großer Schlauheit veranlaßte er sie, über Therese zu sprechen, und verlockte sie, all die gang und gäben Verleumdungen zu wiederholen. Es schien ihm Spaß zu machen, wenn sie ihre Lippen an sein Ohr legten und ihm dies oder jenes anvertrauten, was man ihnen über die Welschi erzählt hatte.

„Es überrascht mich nicht", gab er dann zur Antwort, „es überrascht mich nicht. Ich muß die Sache untersuchen. Wenn es stimmt, lasse ich sie aus der Gemeinde ausweisen. Wir befördern sie per Schub in ihren Heimatkanton zurück. Ja, bei Gott, das machen wir."

Als der Abend kam, erzählte sich ganz Gam, daß Anton Müller die Welschi der Polizei übergeben habe und ihre Verbannung aus dem Kanton fordern werde.

Den Abend verbrachte Anton Jakob zu Hause. Seine Unruhe hatte sich zu einer fieberhaften Angst um Therese gesteigert. Immer wieder spähte er aus den Fenstern, ob nicht jemand von der Fluh komme und Nachricht bringe. Am späten Abend erschienen Tobias, Leonhard und Röthlisberger und brachten Therese mit. Sie hatten sie den ganzen Weg getragen. Als sie im Gamhof anlangten, legten sie sie in Röthlisbergers Wohnung auf ein altes Sofa. Ida wurde hinaufgeschickt, um den Herrn zu benachrichtigen.

Anton Jakob kam unverzüglich herunter. Therese lag still mit offenen Augen da und hörte den Männern zu, die Herrn Müller erzählten, wie und wo sie sie gefunden hatten.

„Du hast dir doch nichts gebrochen, dummes Meitschi? Eh?"

Damit näherte sich Anton Müller ihrem Lager.

Sie gab keine Antwort.

„Nun sag doch etwas, Theresli!" sprach er auf sie ein. „Ist dir schlecht?"

„Ich – ich kann nicht", flüsterte sie.

„Wie ihre Augen fiebern! Heiliger Sebastian!" sagte Hedwig.

„Jetzt mach dich auf die Beine, Hedwig, und telefoniere nach Arisboden dem Doktor", sagte Anton Jakob, der kein Auge von Therese wandte. „Er soll sofort kommen."

Hedwig lief hinaus.

„Besser, man bringt sie jetzt zu Bett", meinte Frieda.

„Ja! Hm! Legt sie ins Bett, oben im Haus!" befahl der Herr. Sie trugen Therese ins Haus hinauf, öffneten das Gastzimmer und legten sie ins Bett. Dann erhielt Frieda den Befehl, einen heißen Grog zu bereiten, und Ida mußte zu Bühler laufen; er möge einen Mann bereitstellen, der einen Wagen nach Steffiswald kutschieren könne.

„Warum nach Steffiswald, Herr?"

„Weil dort eine Klinik ist. Hört mir auf mit eurer Fragerei!"

Ein wenig später erschien Dr. Hauser auf seinem Fahrrad. Er maß Thereses Temperatur, fühlte ihr den Puls, horchte ihren Atem ab und erklärte, daß beide Lungen angegriffen seien und man das Schlimmste befürchten müsse, wenn sie nicht richtig gepflegt werde.

„Daran habe ich bereits gedacht", sagte Anton Jakob. „Ich schicke sie unverzüglich in die Klinik."

„Das ist das Beste, was Sie tun können."

Anton Jakob ließ sofort ein Pferd anschirren. Zuerst wollte er, daß Röthlisberger oder Leonhard den Landauer kutschiere, aber die beiden Männer waren völlig erschöpft, Ida kam zurück und brachte Bescheid, Bühler könne niemand schicken, da seine Leute nach Feierabend ausgegangen seien.

„Komm, Hedwig", sagte Anton Jakob. „Wir beide schaffen sie nach Steffiswald."

Therese wurde in Decken gewickelt und in den Wagen getragen. Anton Jakob ergriff die Zügel. Hedwig saß neben Therese und hielt sie an die Brust gebettet. Der Gaul trottete durch das stille Gam, talabwärts auf der kotigen Straße, durch dunkle Tannenwälder, über viele Brücken, immer der Eisenbahn entlang, bis nach einer Stunde die Lichter von Steffiswald in Sicht kamen.

Vor dem Eingang der Privatklinik hielt Anton Jakob an. Therese wurde hineingetragen, und Herr Müller traf die nötigen Anordnungen, daß sie ein Zimmer erster Klasse erhalte und mit äußerster Sorgfalt gepflegt werde. Dann begab er sich auf den Heimweg.

„Ja, Hedwig", sagte er zu seiner Begleiterin, während sie durch die finstere Nacht rollten, „alles scheint drunter und drüber zu gehen. Aber oft kommen die Dinge ganz von selbst wieder ins Geleise. Es wäre jammerschade, wenn die Welschi sterben müßte, meinst du nicht?"

„Für manche Leute ist es besser, wenn sie tot sind", versetzte sie finster.

Anton Jakob legte seinen Arm um ihre umfangreiche Taille.

„Hoffentlich wird das alles dem Kind nicht schaden, das du trägst", sagte er in fast zärtlichem Tone. „Das würde mir leid tun." Nach einer Pause fuhr er fort:

„Wann wird Pauli dich heiraten?"

„Er verspricht es mir unentwegt."

„Aber wann wird er Ernst machen? Er sollte sich beeilen. Das wäre für euch beide besser."

„Er habe einen zu geringen Verdienst, meint er."

„Ah! Nun – du kannst ihm schreiben, daß ich dir an deinem Hochzeitstag fünftausend Franken schenke."

„Herr Müller . . .!"

„Ja, das tu' ich gewiß! 's ist sozusagen Gewissensgeld. Aber das braucht er nicht zu wissen. Ich tu' es gern."

„Jesses! Jesses! Fünftausend Fränkli!"

„Ja, und jetzt kannst du dem Alten einen Kuß geben."

Sie beugte ihr Gesicht zu ihm, und sie küßten einander herzlich.

„Du solltest nicht", sagte er nach einer Weile, „du solltest nicht umhergehen und schmutzigen Tratsch über dieses arme Ding verbreiten. Sie hat keinem von euch etwas zuleide getan."

„Ich habe das alles nie geglaubt, was die Leute über Theresli sagten."

„Wirklich nicht? Auf dein Wort?"

„Nie!"

„Recht so!", und er legte wieder seinen Arm um sie. „Ich glaube, wir alle sind Sünder, aber wir wollen nicht, daß andre es erfahren." In Anton Jakobs Seele regte sich ein Gefühl jäher Freude. Es stieg in ihm hoch wie eine singende Lerche! Die tiefe Überzeugung, daß Therese nicht sterben wird. O ja! Er sagte Hedwig, daß er überzeugt sei, Therese werde nicht sterben, und sie nickte ihm zu: das hoffe sie ebenfalls, weiß Gott! Auch sie war wie Anton Jakob in seltsam gehobener Stimmung. Neben dem Versprechen der fünftausend Franken war es das Gefühl alter Liebe und Verehrung, das ihr die Tränen in die Augen trieb. Anton Jakobs Güte hatte sie völlig überrumpelt.

„O Herr", sagte sie hingerissen, „in uns allen muß etwas Gutes stecken, trotz unsrer Sünden."

„Wer weiß", sagte er. „Hängt alles davon ab, wie wir es nehmen", und „Allohüp!" munterte er das Pferd auf, das anfing, die Stränge baumeln zu lassen.

Einige Tage hindurch stand Thereses Leben auf des Messers Schneide. Dann wurde Anton Jakob eines Morgens benachrichtigt, daß sie außer Gefahr sei. Es war ihm, als erwache er aus einem Alpdrücken zu neuem Leben, geläutert und verjüngt. Sein Geist wurde tatkräftig, seine Sprache wieder wach und frisch. Nein, nein, das ist mehr als die gewöhnliche Begierde des Fleisches, dachte er bei sich. Regelrecht, wie ein junger Gimpel, war er in dieses Theresli verliebt. Anton Jakob, du bist gefangen wie der Mutz im Bärengraben, verspottete er sich.

Er besuchte Therese in der Klinik. Er sah sie in ihrem schneeweißen Bett. Die Sonne drang durch die blanken Scheiben, spiegelte von den hellen Wänden und überstrahlte Thereses bleiches Madonnengesicht. Heiliger Borromäus! Wie schön sie war! Ganz schrecklich, diese blassen jungen Hände in seinen Pfoten zu halten! Und dann, als sie einen sanften Kuß auf eine seiner Hände drückte und ihm mit fast kindlicher Unterwürfigkeit ins Gesicht sah! – Es hatte furchtbare Augenblicke in seinem Leben gegeben. Doch dieser Augenblick! Verdammt! Er verzog sein breites Gesicht, seine Lippen zitterten merkwürdig.

„Nein, nein, Theresli, du hast ganz und gar keinen Grund, dankbar zu sein. Ich bin nur froh, daß es dir besser geht. Ich schwöre dir, du wirst nie wieder Milchkannen scheuern. Nun, was zum Teufel heulst du denn?"

Sie könne nicht anders, klagte sie.

„Ah, bah! Unsinn!"

Dann kam eine Schwester herein und ermahnte Anton Jakob, ihren Pflegling nicht aufzuregen, und er entfernte sich mit knarrenden Stiefeln.

Nach einiger Zeit besuchte er Therese ein zweites Mal und brachte ihr einige Bücher mit. Sie hatte wieder ein Buch von jenem Victor Hugo verlangt. Er gab ihr „Les Travailleurs de la Mer" und etwas von Gottfried Keller und von Balzac, daneben noch vier oder fünf Kalender und einen Stoß illustrierter Zeitungen. Keines der mitgebrachten Bücher hatte er je gelesen.

Es kam der Augenblick, da Anton Jakob seine Gefühle von einem praktischen Standpunkt aus zu erwägen begann. Was wollte er denn eigentlich? Noch wußte er es nicht genau. Therese so ganz im allgemeinen; aber wer war Therese, was sollte er aus ihr machen? Man wußte, daß er sie in eine Klinik gebracht hatte, man wußte sogar, in welche Klinik. Aber was würde er nun beginnen? Zweifellos irgend etwas Tolles, denn der Mann hatte sich verändert. Sein Stuhl im Bären blieb nun meistens leer. Er ließ Röthlisberger die ganze Buchführung besorgen. Für alte Freunde und Bekannte hatte er nur mehr einsilbige Antworten übrig. Und, lieber Himmel, eines Sonntags erschien er in seinem geschnitzten Kirchenstuhl! Nun ließ sich nicht mehr bezweifeln, daß der Teufel sich Anton Jakob Müllers bemächtigt hatte! Der hochwürdige Herr Niederhauser wollte seinen Augen nicht trauen. Die Leute schüttelten die Köpfe, klatschten und schickten dem rätselhaften Alt-Regierungsrat neugierige Blicke nach, wenn er durch die Straßen spazierte. Anton Jakob machte ganz allmählich eine seelische Wandlung durch. Sein Geist gelangte für gewöhnlich sehr rasch zu einem festen Entschluß, doch es dauerte stets eine ziemliche Weile, bis sein schwerfälliger innerer Mensch hinterdrein gehumpelt kam. Aber imstande war er immer noch, sich Hals über Kopf in eine Handlung zu stürzen, ohne die Folgen zu bedenken.

Er fühlte, daß ihm irgend etwas an Therese fehlte. Er wußte nicht, wer sie war. Er hätte sie ja persönlich fragen können, allerdings; aber selbst sein rauher ungestümer Charakter besaß nicht Kraft genug, um diesen Versuch zu wagen, denn er fühlte genau, daß er sie durch seine Fragen verletzen würde. Und wie könnte er sie je verletzen!

Plötzlich entschloß er sich, ins Wallis zu reisen. Freilich war die Sache mit Mahder und den andern Älplern noch zu erledigen. Aber einerlei, Therese kam zuerst.

So brach er eines Morgens auf, nahm den Zug, fuhr nach Lausanne und von dort nach Sitten, wo er sich in einem Hotel einquartierte.

Er war noch nie im Wallis gewesen; seine Geschäfte hatten ihn bisher immer nur nach dem Norden geführt. Nun überraschte ihn die riesige Ausdehnung dieses südlichen Kantons: Ein einziges großes Tal, breit gedehnt zwischen einem grandiosen Gewirr von Felsen und vereisten Gipfeln; die Rhone, mit machtvoller Willkür durch die sonnglühende Tiefe sich wälzend; die zahllosen Bergbäche und Wasserfälle, die aus den Schluchten in die schmalen Seitentäler stürzen und in ihren felsigen Betten dem mütterlichen Strom zustreben. Er sah die Stellen, wo der Mensch den Lauf der Rhone zu korrigieren unternommen hat, wo er vielleicht Jahrhunderte gearbeitet hat, um sich vor den verheerenden Überschwemmungen zu schützen. Ferne Ebenen sah er, voll glitzernder Steine und schimmernden Kieses, und dazwischen blaue Teiche. Schäfer mit ihren Herden rasteten in den grünen Niederungen am Fuß des Gebirges. Weingärten zogen sich über die Hänge hin. Jeder Fleck, jede Terrasse, die nach der Sonnenseite lagen, waren mit Reben bepflanzt. Schloßruinen, auf verblüffenden Gipfeln erbaut, die Mauern zerklüftet und zerschmettert in trauriger Einsamkeit, beherrschten den weiten Ausblick.

Anton Jakob fühlte einen Hauch von Freiheit in all diesen Bildern: Nichts von jenem kalten und stickigen Protestantismus der nördlichen Kantone, nichts von jenem zugeknöpften, ordentlichen, geschniegelten und gekämmten Besitzstolz en miniature. Hier herrschte in allem ein größerer Maßstab, wilder, gewaltiger. Er konnte sich eines romantischen Gefühls nicht erwehren. Und dies also war der Ort, wo Thereses Wiege gestanden hatte!

Gleich am ersten Tag machte sich Anton Jakob auf, um soviel wie möglich über Therese in Erfahrung zu bringen. Er brauchte nicht lange, um der traurigen Lebensgeschichte Thereses auf die Spur zu kommen. Doch damit gab er sich nicht zufrieden. Es gelang ihm, sich einen genaueren Einblick in das Protokoll über ihres Vaters Gerichtsverhandlungen zu verschaffen. Er durchforschte die Geschichte ihres Vaters und stieß von ungefähr auf die Tatsache, daß er der gradlinige Abkömmling eines alten Adelsgeschlechtes war. Eh! Wie merkwürdig! Das machte ihm Spaß. Er schürfte tiefer in die Vergangenheit der Etienne-Mariano. Der Verwalter des kantonalen Archivs, ein gelehrter Historiker, half ihm dabei.

Therese war eine Aristokratin! Ja, natürlich. Aber so ging es auch mit zahlreichen andern Namen im Wallis. Und er entdeckte zu seinem Bedauern, daß sie nun lauter Krämer waren, Schuster, Schmiede, Sägemüller, Gastwirte und verarmte Kleinbauern mit langen Bärten und dicken Kröpfen. Alle führten sie hochtönende Namen. Aber was nützte es? Ein Zufall eben, daß es im Wallis so war; doch der Wein, der auf der Sonnenseite des Tales wuchs, hatte aufs gründlichste manch einen glorreichen Namen von den marmornen Ehrentafeln gelöscht.

Bevor Anton Müller in seine Heimat zurückkehrte, besichtigte er das Grundstück des ehemaligen Sträflings Etienne. Es lag ein wenig abseits von der staubigen Landstraße, ein elendes kleines Steinhaus mit einer kleinen Scheune und einem angebauten Schweinestall.

Armes Theresli! Von einer Burg zu dieser Hütte! Was für ein Abstieg!

In dem Urwald, der diese Behausung umgab, hatte der alte Etienne, bevor man ihn ins Gefängnis steckte, fleißig gewildert. Andrer Leute Hoch- und Vogelwild töten oder widerrechtlich in der Rhone zu fischen, war viel aufregender und unterhaltsamer als der eintönige Trott hinter dem Ochsenpflug und entsprach auch weit besser den Traditionen seiner Familie. Ein Faulenzer war er gewesen. Ein Mörder! Und schließlich ein rheumatischer Krüppel! Einerlei, was er alles angestellt hatte, dieser alte Lump! Möge es vergessen sein! Er hatte eine Tochter gezeugt, und in seltsamer Laune hatte die Natur diese Tochter mit all der Schönheit vergangener Jahrhunderte begabt. Und das war mehr, als manch vortrefflicher Mann geleistet hatte.

Und jetzt, dachte Anton Jakob, jetzt reise ich wieder nach Hause. Keine Lügen mehr über Theresli, keine Verleumdungen mehr! Die Gamer sollen die Suppe auslöffeln, die sie sich eingebrockt haben.

Mit diesem Entschluß im Herzen ging Anton Jakob zum Bahnhof. Festen Schrittes. „Mir gehört die Welt", stand auf seinem kupferbraunen Antlitz zu lesen, stolz verachtete er die ragenden Berge und sogar den Himmel zu seinem Haupt. Er wölbte die Brust heraus, wie einstmals in jüngeren Tagen, wenn er mit einem Lorbeerkranz um die Stirn von einem Schützenfest heimgekehrt war. Barhäuptig schritt er dahin, und seinen schwarzen Schlapphut trug er mit dem schwarzen Regenschirm in der Hand.

Von diesem Augenblick an betrachtete er es als abgemacht, daß Therese völlig zu ihm gehöre. Alles übrige war eine geschäftliche Frage. Zurück nach Gam!

Als Anton Jakob heimkehrte, fand er zu Hause seine Tochter Sophie und ihren Gatten.

„Vätti! Wo bist du gewesen? Wir sind schon seit zwei Tagen hier. Felix hat Ferien, und da dachten wir, wir kommen heraus und verbringen die Ferien bei dir!" rief Sophie, als sie ihn erblickte.

„Oh! Aha! So, so!" sagte Anton Jakob etwas überrascht.

„Aber wo bist du gewesen? Ich habe alle Welt nach dir gefragt; niemand schien Genaueres zu wissen."

„Alle Welt! Habe ich vielleicht aller Welt für meine Schritte Rechenschaft zu geben, Meitschi? Warum habt ihr euch nicht angemeldet?"

„Wir wollten dich überraschen, Vätti."

„Nun, das ist euch gelungen. Seid ihr jetzt zufrieden?"

Dann erzählte er ihr, daß er eines kleinen Geschäftes halber in

Sitten gewesen sei. Sophie sah ihn ungläubig an, aber er schien ihren Blick zu ignorieren, starrte an ihr vorbei durch das offene Fenster ins Freie. Langsam zog sie die Oberlippe ein, und ihre Augen wanderten zu ihrem advokatorischen Ehegatten, der, in grünem Sportanzug, scheinbar teilnahmslos in einem der gepolsterten Mahagonistühle seines Schwiegervaters saß.

„Wie lange wollt ihr bleiben, Sophie?" fragte nun Anton Jakob. „Ich habe keine anständige Bedienung, wie ihr wißt, aber ihr seid mir trotzdem willkommen. Wir könnten vielleicht im ‚Bären' essen."

„Ich habe unser Hausmädchen mitgebracht", erklärte Sophie. „Wir wollten dich nicht belästigen."

„Belästigen! Ihr belästigt mich nicht! Du bist hier daheim. Mach dir's nur bequem."

„Wir haben uns bereits eingenistet", sagte nun Dr. Naef und streckte seine dünnen, grünbestrumpften Beine aus. „Nach all diesen Monaten im Büro tut's ordentlich gut, die frische Bergluft zu schnappen. Laßt euch nur ja nicht von mir belästigen, bitte. Ich werde restlos glücklich sein. Die meiste Zeit bin ich mit der Angel unterwegs."

„Und ich werde das Haus in Ordnung bringen, solange ich hier bin", sagte Sophie. „Alles ist drunter und drüber. Ich habe den Wäscheschrank durchgesehen. Scheint eine Menge zu fehlen. Und ein paar unserer besten Porzellanteller zerschlagen! Und was für ein Staub! Vätti, du bist kein guter Hausvater."

„Nun, Sophie", sagte der Vater scherzend, aber ungewohnten Tones. „Du brauchst nicht das Inventar aufzunehmen, ich gedenke noch nicht zu sterben."

Nach dieser ein wenig bitter klingenden Rede fühlte sich Sophie veranlaßt, ihre Arme um seinen Hals zu schlingen.

„Vätti! Vätti! Nicht so etwas sagen!"

„Nun, mein Haar wird grau, du weißt."

Für Anton Jakob kam dieser Besuch recht ungelegen, aber er versuchte, gute Miene zum bösen Spiel zu machen.

Die Existenz Thereses war Frau Sophie kein Geheimnis geblieben. Gleich am ersten Tag ihrer Ankunft hatte sie brühwarm die ganze Geschichte von der hübschen Walliserin erfahren. Kaum vernahm sie den Namen Therese Etienne, als eine unwillkürliche Angst sich ihrer bemächtigte. Wer war diese verhaßte Fremde, dieses Dienstweib, das ihr Vater in einem Privatsanatorium untergebracht hatte? Und noch dazu ein teures Haus, wie ihr Gatte sagte, der den Direktor kannte. Ja, wer war sie?

„Vätti", fragte sie am folgenden Tag, „was ist aus Müettis Bild geworden, das über der Kommode hing?"

„Sei nicht so neugierig. Ich hab's heruntergenommen; ich will einen neuen Rahmen machen lassen", sagte der Vater. Aber er errötete wie ein Schuljunge, und da wußte Sophie, daß er nicht die Wahrheit gesagt hatte. In ihrer Seele wuchs jählings ein Verdacht, der sie erschreckte.

„Du mußt in diese Sache Einblick nehmen!" befahl sie ihrem gelangweilten Mann, als sie kurze Zeit später unter vier Augen waren. „Du mußt herausfinden, was es mit diesem Ding in der Klinik für eine Bewandtnis hat. Vätti ist ganz anders als sonst. So kalt und sonderbar in seinem Benehmen. Ich fühle, daß er uns nicht gerne hier sieht. Aber wir müssen trotzdem bleiben. Stell dir nur vor, dieses Ding in der Klinik, und was sie alles anrichten könnte!"

„Ja", sagte Felix, „hab' ich dir's nicht immer gesagt? Du hättest Vater schon längst dazu bringen müssen, daß er alle seine Angelegenheiten in meine Hände legt. Dann wären wir zumindest imstande, genau zu wissen, was er vorhat. So aber kann er noch sich und uns alle zugrunde richten, ohne daß wir die leiseste Ahnung haben, bis . . ."

„Sprich nicht so dummes Zeug", schnitt sie ihm das Wort ab. „Vätti weiß genau, was er tut. Selbst wenn er etwas Dummes macht, weiß er es. Du hast gehört, was Frieda Röthlisberger sagte, nicht wahr? Er hat sie persönlich in die Klinik kutschiert, hat ihr ein Kleid gekauft, und weiß der Teufel, was noch. Ich möchte wirklich wissen, was daraus werden soll. Du mußt herausbekommen, wer die Welschi ist."

„Unsinn, Sophie. Du hast den Kopf voller Hirngespinste."

„Ich werde an Gottfried schreiben", sagte sie ärgerlich. „Stell dir nur vor! Fünfundzwanzig Franken täglich zahlt er für dieses Geschöpf! Stell dir nur vor! Wie kommt er dazu?"

„Vielleicht nichts weiter als eine Anwandlung von Großmut."

„Ja, oder eine Anwandlung von etwas andrem! Für eine Dienstmagd würde auch ein gewöhnliches Spital genügen, wenn sie überhaupt ein Spital braucht."

„Ihr Weiber müßt ewig Unfrieden stiften", sagte Felix, ohne jedoch seine unterwürfige Haltung abzulegen, „weil ihr euch ewig in das Leben der Männer einmischt."

„Wenn wir uns nicht einmischten", erwiderte Sophie, „eine nette Schweinerei, wie dann euer Leben aussehen würde!"

„Da es sich so verhält", sagte Felix und erhob sich, „werde ich versuchen, noch vor dem Mittagessen ein bis zwei Forellen zu erwischen."

Er griff nach seinem modischen Hut und verließ das Zimmer. Sophie ging in den oberen Stock, um mit ihrem Hausmädchen die Bettücher, Tischtücher und Servietten zu zählen.

„Kinder", sagte Anton Jakob am nächsten Morgen, „ich fahre in Geschäften nach Bern. In ein bis zwei Tagen bin ich wieder zurück."

„Ah! Du hast immer viel zu tun, Vätti, wie?" bemerkte Sophie.

„Jawohl, das hab' ich."

Sie betrachtete seinen sorgfältig gestutzten Bart, die glattrasierten braunen Wangen, den wohlgebürsteten Anzug und den schneeweißen Kragen.

„Möchte gerne mitkommen, Vätti."

„Nein, Meitschi, das geht nicht. Du würdest mir im Weg sein."

Er blickte seiner Tochter ernst ins Gesicht.

„Gerade bei diesem Geschäft muß ich allein sein", fuhr er fort.

„Vätti!" rief sie aus. „Wie kannst du vor mir Geheimnisse haben?"

„Sophie", und er legte seine breite Hand auf ihre Schulter, „es handelt sich um ein besonderes Geschäft, sag' ich, nicht um ein Geheimnis. Das ist alles."

Er machte kehrt, rief ihr im Fortgehen ein Adieu zurück, und sie blickte ihm nach, wie er durch den Garten zwischen den dichtstehenden Obstbäumen verschwand. Anton Jakob fuhr nicht nach Bern. Er telefonierte vom Bahnhof in die Klinik und meldete seinen Besuch bei Therese an. Dann nahm er den nächsten Zug nach Steffiswald.

Therese saß im Garten in einem Korbstuhl, eine Decke um die Beine gewickelt, und las Gottfried Kellers „Kleider machen Leute". Vor ihr dehnte sich ein grüner Rasenplatz und eine Terrasse, und ein Stückchen weiter hinaus leuchteten die Dächer der Bauernhäuser von dem tiefblauen Wasser des Thuner Sees. Friedlich und ruhevoll war ihr zumute. Friede leuchtete aus ihrem zarten Antlitz, und nur ab und zu, wenn eine unbestimmte Angst vor der Zukunft wie ein flüchtiger Windhauch sie anwehte, stieg aus der Tiefe ihres Herzens ein Seufzer auf. Dann hustete sie ein bißchen und lehnte den Kopf zurück und starrte durch die Zweige des Apfelbaumes. Nie noch war ihr das Dasein so dürftig und flüchtig, so wenig der Mühe wert erschienen. Oft dachte sie an Gottfried Sixtus. Sein Angriff auf sie hatte zuerst ein Gefühl des Zornes in ihr erweckt. Nun aber, da die Krankheit hinter ihr lag und im raschen Flug der Zeit die Dinge ihre scharfen Kanten abgeschliffen hatten, nun blieb nur ein leises Staunen zurück. Sie besaß einen studentischen Bierzipfel, den sie ein oder zwei Tage nach Gottfrieds Besuch in der Nähe des Felsens gefunden hatte. Er war aus schwarzer und malvenfarbiger Seide verfertigt und mit einem silbernen Ornament geschmückt. Offenbar hatte er sich in jener Nacht von Gottfrieds Uhr losgerissen. Oft schon wollte sie ihm das Ding zurückschicken. Aber wie konnte sie's wagen? Sie müßte ihm ja einen Begleitbrief schreiben. Nein, niemals wird sie ihm schreiben. Sie wird dies Bändchen als ein Erinnerungszeichen behalten.

Wie sie nun so in ihrem Stuhle saß, fragte sie sich im stillen, wo denn wohl der Student Gottfried Sixtus in diesem Augenblick sein mochte. Dann dachte sie auch an seinen Vater, der sie seit mehr als einer Woche nicht besucht hatte.

Sie mußte nun so bald wie möglich gesund werden, damit sie ihm keinen Augenblick länger, als unbedingt notwendig war, zur Last falle.

Eine Pflegeschwester kam herbei und teilte ihr mit, Herr Müller habe aus Gam telefoniert und angefragt, ob er sie besuchen dürfe.

„Warum fragt er? Natürlich! Sagen Sie dem Herrn, es wird mich freuen, wenn er kommt."

„Augen wird er machen, wenn er Sie sieht, Therese!" prophezeite die Schwester. „Er wird Sie kaum wiedererkennen in diesem neuen Kleid, und das ganze Haar so hübsch gewellt von den Sonnenstrahlen! Ja, Augen wird der Herr Regierungsrat machen!" wiederholte sie.

Eine Stunde später erschien Anton Jakob.

„Wie geht's, Theresli?"

„Viel, sehr viel besser, danke."

„Oh! Aha!"

Er schob seinen Stuhl ein wenig näher und setzte sich hin. Eine Zeitlang blieben sie beide stumm. Wieder überkam ihn die Schüchternheit beim Anblick dieses jungen Geschöpfes. Er begann zu grübeln. In ihrem schlichten, neuen schwarzen Kleid erschien sie ihm schön wie eine Heilige. Er hatte das Gefühl, als versteige er sich fast zu hoch in seinem Begehren, solch ein Wesen besitzen zu wollen.

„Theresli", sagte er schließlich, „du bist ein ganz andrer Mensch geworden, aber das wundert mich nicht."

„Ich verstehe Sie nicht ganz, Herr."

Er schob sich auf seinem Stuhl hin und her.

„Ja, weißt du, du bist nicht eigentlich, wofür du dich wahrscheinlich hältst. Du solltest keine Dienstmagd sein. Aber ich kann dir's ja gleich erzählen. Bin in Sitten gewesen, um deinetwegen Erkundigungen einzuziehen. Nun, Theresli, sag mir, ob ich mit dir über all diese Dinge sprechen darf. Tu nicht das Gesicht weg, oder ich sage kein Wort mehr. Sag mir, würde es dir weh tun, wenn ich davon spreche?"

„Nein, Herr, aber es ist so traurig und ist alles längst vergangen."

„Das weiß ich und möchte mich auch auf keine Einzelheiten einlassen; ich will dir bloß sagen, daß ich alles weiß, ja vielleicht sogar mehr weiß als du selbst! Ich kenne deine ganze Familiengeschichte und weiß, daß deine Familie viele Jahrhunderte hindurch adlig gewesen ist und daß einige deiner Ahnen in den Ehrengräbern der Kirche begraben liegen. Oh, ich weiß eine ganze Menge, Theresli."

„Das weiß ich auch", bemerkte sie einfach. „Mein Vater hat es mir oft erzählt. Er sagte, das sei sein einziger Trost gewesen während seiner Haft und seiner Krankheit."

„Ja, aber du brauchst nicht ewig für deinen Vater zu leiden. Wenn ich irgendein Unrecht getan hätte, glaubst du, ich wollte, daß meine – meine – Kinder dafür leiden müßten?"

„Herr Müller, Sie werden nie ein Unrecht tun."

„Oh, ich bin schon imstande, unrecht zu tun, Theresli. Ja, im Ernst, ich habe in meinem Leben nicht wenig unrechte Dinge getan, und ich fühle mich noch nicht alt genug, um ein heiliger Büßer zu werden. Nicht im mindesten alt genug!"

Er lächelte mit gesenkten Augen. Zum erstenmal sah sie ihn nicht als seine Dienstmagd an, ohne Unterwürfigkeit, ja sogar ohne ihre gewöhnliche Bescheidenheit. Sie schien ihn mit diesem neuen Blick zu messen und tiefer in ihn hineinzublicken, als versuche sie, die inneren Beweggründe des Mannes, der da vor ihr saß, zu ergründen. Als er plötzlich ihren Blick erwiderte, war er überrascht durch ihre stille Selbstbeherrschung. Nein, natürlich war das keine Dienstmagd. Nie konnte eine Dienstmagd so dreinschauen. Das wußte er. Er wußte auch andre Dinge. Er kannte die Geheimnisse der Rasse, und er war ein Mensch, der die Vollkommenheiten der Natur stets ihren Mittelmäßigkeiten vorzog. Was bedeutete in seinen Augen Bildung, was Kultur und Geschäftsgeist, was alle gesellschaftlichen Errungenschaften im Vergleich mit dem Adel der Schönheit und des Blutes? Nein, in der Tat! Anton Jakob fühlte sich nicht mehr als der Herr. Therese war eine Dame und seine Gebieterin. Das wußte er jetzt.

„Manchmal", sagte sie dann zu ihm, „manchmal fühle ich mich sehr alt. Viel älter als Sie. Ich kann mich nicht klar ausdrücken, aber ich habe dieses Gefühl. Als Sie damals den Stier erschossen haben, da sind Sie wie ein zorniger Schulbub gewesen. Ich hätte es nicht fertiggebracht. Ich hätte mich viel zu alt gefühlt."

„Oh, Herzog! Das ist just eine meiner Sünden. Ich gebe es zu. Ich sage ja immer, daß ich kein Heiliger bin."

„Entschuldigen Sie", fuhr sie fort, „ich sollte nicht so zu Ihnen sprechen. Verzeihen Sie. Die Sache mit Herzog beschäftigt mich nicht mehr. Ich werde Ihnen nie wieder davon sprechen. Ja, ich gelobe, ich werde Ihnen immer dankbar sein für alles, was Sie an mir tun! Aber ist es denn der Mühe wert, überhaupt etwas für mich zu tun? Wenn ich wieder gesund bin, werde ich an die Arbeit gehen, und dann – dann werde ich mir oft meine Krankheit zurückwünschen, um in diesem Garten sitzen zu dürfen und einen Menschen zu haben, der sich um mich kümmert. Das ist das Allerschlimmste."

Schweigend saßen sie da.

„Hast du schon jemals einen Liebhaber gehabt?" fragte er plötzlich.

Ihre Augen öffneten sich weit. „Nein, Herr", sagte sie.

„Ich habe viele Liebschaften hinter mir; aber es war nicht viel Liebe dabei."

„Herr! Warum erzählen Sie mir das?"

„Nenn mich nicht immerfort Herr", sagte er eindringlich. „Ich erzähle dir das alles, weil du ein Recht hast, es zu wissen."

„Ein Recht? Wieso denn?"

„Ja!"

„Dann geben Sie mir ein Recht."

„Nun, so gebe ich dir das Recht, wie ich dir noch viele andre Dinge zu schenken hoffe. Siehst du, Theresli, ich bin ein Witwer in den Fünfzigern. Wenn ich aufpasse, hab' ich noch weitere dreißig Jahre vor mir. Ich bin nicht alt. Verdammt noch mal, ich könnte wohl noch ebenso über die Stränge schlagen wie manch ein junger Kerl, wenn ich nicht meine Erfahrung in solchen Dingen hätte. Nein, das ist nicht der springende Punkt. Der springende Punkt, Theresli – siehst du, das ist es ja gerade! Du bist da, und ich kann ehrlich sagen: ich hab' dich so gern, daß ich sagen würde – wenn ich wüßte, daß du mich nicht auslachst –, daß ich sagen würde: ich bin in dich verliebt! Und da liegt der Hase im Pfeffer, soweit die Sache mich betrifft. Ich will jetzt ganz ehrlich sein, Theresli: ich möchte dich gern zur Frau bekommen, ich möchte, daß du mein eigen wirst und daß ich dir gehöre. Wie denkst du darüber, du?"

„Herrjesses!" rief sie aus. „Und Gottfried und Sophie und alle die Leute in Gam! Herrjesses!"

„Ja, Herrjesses!" sagte er. „An all das hab' ich schon gedacht!"
Er nahm ihre Hand und drückte sie warm.

„Herr Müller", sagte sie, „ich habe und ich bin nichts, und Sie sind ein reicher Mensch. Wie können Sie an so etwas denken!"

„Dran denken? Ich hab' mir's nach allen Seiten überlegt . . ."

„Nein, und Ihr ehrlicher Name! Ach, Herrgott! Nein, nein!" Sie bedeckte ihr Gesicht mit den Händen.

„Na, na, Theresli", sagte er. „Nicht so! Es könnte wer kommen. Nicht weinen! Darfst dich nicht so mitnehmen lassen. Es wird dir noch schaden. Sag einfach ja, dann geh' ich fort. Nun, so sag's, Theresli."

„Ich kann nicht!"

Sie wandte sich ab und saß regungslos da. Ihr Schluchzen verstummte, und mit ihren zarten Fingern wischte sie sich ein paar Tränen ab. Dann trocknete sie sich die Augen mit dem Taschentuch.

„Magst du sonst nichts sagen?" fragte er nach einer kurzen Pause.

„Muß ich jetzt sogleich ja sagen?" fragte sie mit zitternden Lippen.

„Kann es nicht vielleicht ein andermal sein?"

„Je früher, desto besser", erwiderte er in festem Ton. „Und wenn du's gesagt hast, will ich unsre Hochzeit vorbereiten."

Sie faltete die Hände und blickte aufwärts, als bete sie zu Gott. Er saß da, die Hände zwischen den Knien verkrampft, die stämmige Gestalt vorgebeugt und seine Augen auf das Gras geheftet.

„Nein, ich kann nicht, ich muß allein sein", sagte sie. „Ein andermal, Herr Müller. Ein andermal, ich bitte Sie darum."

Er stand auf. Er sah sie an mit einem unsagbaren Gefühl des Elends und der Ratlosigkeit. Dann verließ er sie ohne ein Wort.

Drei Tage lang kehrte er nicht wieder. Während dieser Zeit kam Hedwig zu Therese auf Besuch. Sie kam wie ein Weihnachtsengel mit allerhand Paketen, feiner Wäsche vor allem, und berichtete, der Herr habe ihr aufgetragen, bei einer Stadtschneiderin etliche Kleider für Therese zu bestellen. Anfangs wollte Therese diese Geschenke zurückweisen, aber Hedwig überzeugte sie rasch, daß es töricht und unfreundlich von ihr wäre, Herrn Müllers Wohltätigkeit nicht zur Gänze anzunehmen, da sie doch schon einen so großen Teil davon angenommen habe.

„Mit seinen Kindern", erklärte sie Therese, „hat er immer in vollkommener Eintracht gelebt. Sie lieben ihn, und nichts wünschen sie sich mehr, als ihren Vater glücklich zu sehen. Außerdem ist er nicht alt, der Herr Müller. Du weißt, Männer sind noch jung, wenn gleichaltrige Frauen schon alte Weiber sind. Schau dir den Herrn einmal an! Noch so jung, und schon seit Jahren so einsam! Schau dir Gottfried und Sophie an! Schon die ganzen Jahre her liegen sie ihrem Vater in den Ohren, daß er ihnen eine neue Mutter gebe. Mindestens ein Dutzend hätte er haben können, aber er wollte sie nicht. Nun, Theresli, sei nett zu Herrn Müller. Er ist ein lieber Mensch. Und hab keine Angst. Heiraten tut nicht halb so weh wie das Alleinsein. Denk nur, du wirst Frau Regierungsrat sein. Das kann nicht jede, gelt?"

„Hedi", sagte Therese, „ich war noch nie einem Menschen so dankbar wie Herrn Müller. Aber ich glaube nicht, daß ich ihn liebe."

„Ah bah! Das kommt von selbst!"

„Aber seine erwachsene Tochter? Sein Sohn, der Student ist?"

„Eh, wie schön, wenn sie eine so junge Mutter haben! Sie werden dich viel mehr lieben, als sie jemals ihre eigne Mutter geliebt haben!"

„Wissen sie alle, auch die Dienstleute, daß Herr Müller um mich angehalten hat?"

„Nein, natürlich nicht. Nur ich weiß es. Der Herr hat mit mir gesprochen."

„Er muß sehr viel Vertrauen zu dir haben."

„Es ist nicht das; aber er sagte, daß er dich nie wiedersehen könnte, wenn er nicht sicher wüßte, daß du ihn heiratest, und er bat mich, dir seine Worte auszurichten. Hab Mitleid mit dem einsamen Mann, Theresli."

Therese fühlte sich überwältigt.

„Du weißt, Hedi", sagte sie, „ich fürchte mich vor ihm."

„Ah bah! Er wird dich nicht auffressen."

„Nein, aber ich habe gar nicht das Gefühl, als sollte ich mit ihm glücklich werden, oder als könnte ich ihn sehr glücklich machen."

„Der Tüfel soll mich holen, wenn du jetzt nicht ein gottverlassenes Närrli bist!" rief sie aus. „Da weint sie, und mit ein wenig

Verstand könnte sie das glücklichste Geschöpf von der Welt sein!"

„Ja, aber denk nur! Ich bin einundzwanzig. Er wird bald sechzig."

„Sechzig!" rief Hedwig, und eine Oktave tiefer: „Vierundfünfzig! Und was ist dabei! Ich würde ihn auf der Stelle zum Manne nehmen."

„Die Leute werden sagen, daß ich ihn wegen seines Geldes geheiratet habe. Nein, Hedi, ich kann es nicht tun."

„Soll ich also dem Herrn sagen, daß du nicht willst? Überleg es dir genau, Theresli."

„Sag ihm, er soll zu mir kommen."

„Er wird nicht kommen, wenn du ihm nicht sagen läßt, daß du ihn nehmen willst."

„Sag ihm, er soll kommen, wenn er denn muß."

„Ah, was für eine Geschichte! Heiliger Sebastian! Dann will ich's ihm also sagen."

Hedwig verließ Therese und fuhr geradeswegs nach Bern, wo Anton auf ihre Antwort wartete.

Er brauchte nicht viel Ermunterung. Als er in der Klinik erschien, lud er Therese zu einer Spazierfahrt ein, in einem großen schwarzen Landauer, den er gemietet hatte. Sie war überrascht und unschlüssig, aber der Arzt redete ihr zu, und so setzte sie sich neben Anton Jakob in den Wagen, und sie fuhren am Ufer des Sees entlang. Das Wetter war warm und sonnig, und als sie ins offene Land hinauskamen, nahm Anton Jakob ihre Hand in die seine.

„Theresli", sagte er, „ich habe eine ehrliche Liebe für dich, und jetzt weiß ich es ganz genau: Du wirst meine Frau, nicht wahr?"

„Ich habe darüber nachgedacht, Herr Müller. Oh! Aber ich weiß nicht, was machen."

„Nenn mich nicht immer Herr Müller."

„Wie soll ich Sie also nennen?"

„Toni."

„Hat Ihre Frau Sie so gerufen?"

„Nein: Jakob."

Nachdenklich saß er da und drückte ihre Hand.

„Theresli", sagte er plötzlich, „ich glaube, wenn du's versuchst, du könntest mich lieben."

In seiner Stimme lag etwas Rührendes. Sie holte tief Atem, schloß die Augen, lehnte sich zurück und errötete bis unter die Haarwurzeln.

„Also willst du?"

„Ja."

Eine grenzenlose Freude strahlte aus seinen Augen.

„Nun mußt du mir einen Kuß geben", sagte er. „Dann werde ich wissen, daß du es ernst meinst."

Sie lehnte den Kopf an seine Schulter.

„Nicht weinen", sagte er zärtlich. „Das ist kein guter Anfang."

„Ich muß", stieß sie hervor, „ich kann nicht anders."

„Oh! Aha! So! Ja! Natürlich. Aller Anfang ist schwer!"

Er küßte sie mit größter Verehrung. Ihr war zumute, als sei ihr die Stimme im Hals verdorrt. Der Druck seiner Hand schmerzte sie fast. Sie fragte sich mit bangem Zweifel, ob dies wirklich das glücklichste Schicksal sei, das ihr widerfahren konnte.

Die Spazierfahrt dauerte ungefähr eine Stunde. Als die Klinik in Sicht kam, beugte Anton Jakob sich vor und sah Therese an.

„Nun", sagte er, „wir sind verlobt, Maidi, vor Gott und der Welt. Ich werde es bekanntgeben. – Die Gamer werden das Maul aufreißen! Was meinst du! Das macht ihrem Tratsch ein für allemal ein Ende. Und wir lassen uns kirchlich trauen, Theresli, wie gute Christen und halten große Hochzeit, wie man sie im Oberland seit manchem lieben Jahr nicht mehr gesehen hat."

„Aber", sagte Therese, „ich bin ja Katholikin."

„Einerlei, was du bist. Du wirst, was ich bin: ein Protestant. Das heißt, einer, der glaubt, daß es einen Gott gibt, und weiter nichts."

Therese sah ihn mit schweren, fast krankhaften Blicken an. Eine Sekunde lang war ihr, als verknäuele sich in ihrer Brust ihr ganzes Leben: In tausend Visionen schien ihre Vergangenheit mit Lichtgeschwindigkeit vorüberzuhuschen. Ihr Geschick schlüpfte in eine neue Gestalt und starrte sie an durch die grauen, großmütigen Augen des Mannes an ihrer Seite.

„Toni", sagte sie flüsternd, „ist das alles wirklich wahr? Ist das alles möglich?"

Eine jähe Begierde packte ihn. Seine Pulse hämmerten. „Ja", flüsterte er zurück. „Du bist ein schönes Mädchen. Ich werde dir das Leben leichtmachen."

Der Kutscher drehte sich nach ihnen um. „Soll ich an der Klinik halten?" fragte er.

Therese errötete. „Er hat uns gehört."

„Was liegt daran! Ja, haltet dort."

„Jawohl."

Die Kutsche bremste vor dem Tor. Therese wurde plötzlich froh und heiter. Sie lächelte. Sie drückte Anton Jakobs Hand.

„Du darfst jetzt nicht weggehen", sagte sie. „Du mußt hereinkommen und mit mir Kaffee trinken, Toni."

„Als ob ich mich weigern würde!"

„Ja, komm, Toni, Toni, Toni!" lachte sie. „Wie komisch das klingt. Toni! Und alles so Hals über Kopf!"

Er bezahlte den Kutscher und folgte ihr ins Haus. Sie bestellte Café au lait mit Butterbrot und Honig, für zwei Personen, unter den großen Birnbaum.

Er blieb über eine Stunde bei Therese. Sie spürte, wieviel Herzenswärme von ihm zu ihr herüberströmte. Er war in allem, was er sagte und tat, so geradlinig, so aufrecht und entschieden, daß sie sich einer freundlichen Neigung nicht erwehren konnte. Der Kampf ums Dasein hatte aus ihr einen völlig praktischen Menschen gemacht, und praktische Erwägungen beherrschten nun fast ausschließlich ihren Sinn. Und was nicht zuletzt ins Gewicht fiel: Ein Gefühl heißen Stolzes ergriff von ihr Besitz. Aus der niedrigen Stellung einer Magd sollte sie in die Bezirke des Reichtums und Müßiggangs emporsteigen, nicht durch beschwerliche Mühen, sondern durch eine bloße Laune, eine schiere Wendung des Schicksals. Insgeheim war sie erstaunt über die Gelassenheit, mit der sie diesen jähen Sprung vollführte. Selbst Anton Jakob bestaunte ihre stille Würde. Aber lag denn nicht dies alles in ihrem Blut? War es nicht die natürliche Haltung der schönen Therese?

„Jaja, Theresli", sagte er, „ich freue mich nur, daß ich der erste war, der dich entdeckt hat. Wie viele Nächte hab' ich deinetwegen nicht geschlafen."

„Das sollst du nie wieder tun", scherzte sie. „Und wenn du heute nacht nach Hause kommst, mußt du sofort ins Bett und schlafen wie ein guter Bueb . . ."

Anton Jakob lachte begeistert.

„Und das nächste Mal", fuhr sie fort, „wenn du mir etwas zu sagen hast, mußt du selber kommen und nicht die Hedwig schicken. Ich kann es nicht leiden, daß andre etwas von uns wissen."

Aha, dachte er mit frohem Herzen, sie kann eifersüchtig sein. Das ist kein übles Zeichen.

Als Anton Jakob an diesem Abend in Gam anlangte, nahm er sozusagen den Stier bei den Hörnern und verkündete ohne Umschweife, daß Sophie binnen kurzem eine neue Mutter, Felix eine neue Schwiegermutter, der Gamhof eine neue Herrin und Anton Jakob eine neue Frau erhalten werden. Worauf ein unheildrohendes Schweigen eintrat.

„Man könnte glauben, ich hätte ein Verbrechen begangen, wie du mich anschaust", sagte er zu seiner Tochter.

„Nein, Vätti", sprach sie völlig entgeistert. „Aber das kommt eben etwas plötzlich! Nicht wahr? Dürfen wir fragen, wen du für diese Stellung gewählt hast?"

„Eine meiner Mägde!" sagte er barsch, verletzt durch Sophies kühle Haltung.

„Doch nicht die Welschi?"

„Jawohl, die Welschi!"

„Herrgott! Vätti, hast du überlegt . . ."

„Ich habe alles überlegt", sagte er, noch tiefer verletzt durch den feindseligen Ausdruck in den Augen seiner Tochter. „In einem Monat wird sie Frau Müller sein!"

„Meinen Glückwunsch!" rief Sophie bleich und höhnisch.

Felix saß kerzengerade in seinem Stuhl.

„Gratuliere", murmelte er.

„Eine Dienstmagd also soll meine Stiefmutter werden?! Ich danke dir, Vätti!"

„Ruhig, Sophie!" gebot Anton Jakob. „Wir alle dienen."

„Danke! Ich nicht! Nein, Vätti, es ist nicht möglich! Du kannst es nicht ernst meinen! Jesses, was wird Gottfried sagen? Was werden die Sängers sagen? Die ganze Welt wird ja lachen!"

„Und ich mit ihr!" sagte der Vater.

„Nein, meine Stiefmutter wird sie nie werden!"

„Schau mal, Kind, wenn du so sprichst, verdirbst du mir ganz sinnlos mein Glück! Du kennst sie nicht, du hast sie noch nicht einmal gesehen!"

„Sie ist eine Magd und eine Welschi! Das genügt mir!"

Anton Jakobs Wut kochte auf.

„Du hast dich mit ihr abzufinden! Du und ihr alle!" sagte er gebieterisch. „Und niemand von euch darf auch nur ein einziges Wort mehr gegen sie sagen. Wenn ich noch eine einzige solche Verleumdung höre, bringe ich den Beleidiger vor Gericht! Noch diesen Monat mache ich Hochzeit. Inzwischen wirst du dich an den Gedanken gewöhnt haben. Und du hast die Frau zu respektieren! Was gegen sie gesagt wird, ist gegen mich gesagt. Du müßtest mich heute bereits kennen. Noch immer habe ich die Zügel in der Hand in meiner Familie und in meinen Angelegenheiten! Verstehst du mich?"

„Nun", sagte Felix, „es ist nicht nötig, daß du Sophie in solchem Tone anbrummst."

„Ich bin Sophies Vater", versetzte Anton Jakob, „nicht du!"

„Das ist die eine Art, die Dinge zu betrachten", entgegnete Felix. „Aber Sophie tut weiter nichts, als daß sie ihre sehr natürlichen Einwände vorbringt, und ich gestehe offen, daß ich ebenso überrascht bin wie sie, obgleich ich es nicht für richtig halte, meine Überraschung lang und breit zu äußern."

„Aber natürlich seid ihr überrascht!" unterbrach ihn Anton Jakob. „Ich habe euch eine Überraschung zugedacht. Aber ich hoffte, sie würde anders auf euch wirken!"

Er drehte ihnen den Rücken und polterte zum Hause hinaus. Sophies Mißbilligung bekümmerte ihn sehr. Er ging ein wenig spazieren, in den Wald hinauf, um allein zu sein und nachzudenken. Wenn sich Sophie so betrug, was würde dann Gottfried sagen? Er gab sehr viel auf seine Kinder, ihre Ansichten waren ihm nicht gleichgültig. Und es tat ihm in der Seele weh, daß sein neues Glück Zwietracht und Mißvergnügen in die Familie tragen sollte.

Aber er wußte, daß er in dieser Sache weder Sophie noch irgendeinem andren Menschen auch nur das geringste Zugeständnis machen konnte. Hier stand sein innerster Mensch in Frage, sein ganzes Leben, jede Sekunde seines Daseins. Nein, sie müssen sich ganz einfach mit Therese abfinden.

Sorgenvoll kehrte er nach Hause zurück. Er fand Sophie, wie sie die persönlichen Habseligkeiten ihrer verstorbenen Mutter herauskramte. Und er sah, daß sie geweint hatte.

„Wo ist dein Mann?" fragte er.

„Ausgegangen", sagte sie, ohne ihn anzusehen.

„Was tust du hier?"

„Ich suche Mutters Hochzeitskleid heraus. Ich wollte dir's zeigen."

„Wozu?"

Das Hochzeitskleid seiner verstorbenen Frau ließ ihn kalt.

„Denkst du nicht mehr an Mutter?" Sie blickte zu ihm auf.

„Natürlich, Kind, gewiß."

„Wie kannst du dann an diese Welschi denken? Denk doch bloß, Mutter schaut jetzt auf dich herunter und sieht dich mit der andren!"

Sophie vermochte sich nicht länger zu beherrschen.

„Drei Jahre ist sie jünger als ich, diese andre! O Vätti, ich kann es einfach nicht glauben!"

Er wußte nichts zu erwidern. Tränen der Wut im Auge, lief Sophie aus dem Zimmer.

Ida hatte all diese Sachen, die Sophie aus dem alten Schrank geholt hatte, wieder einzupacken.

Am nächsten Morgen entschuldigte sich Anton Jakob bei Sophie und ihrem Gatten, daß er ihnen den Aufenthalt verdorben habe. Sein Gesicht wirkte sehr ruhig und ausdruckslos, als er ihnen gegenüber am Tisch saß.

„Ihr braucht nicht so sauer dreinzuschauen", sagte er plötzlich. „Ihr werdet finden, daß all meine Sachen in Ordnung sind, wenn ich sterbe. Ihr sollt um nichts verkürzt werden, trotz Fräulein Etienne-Mariano."

Felix putzte gereizt seinen Zwicker. „Für mich", sagte er, „kommt nicht in Frage, was die Welt sagt."

„Oh, wirklich nicht!" betonte Anton Jakob. „Ich kenne euch Advokaten."

„Ich denke nicht daran, deinen Handlungen irgendein Hindernis in den Weg zu legen."

„Das würdest du auch bald bleibenlassen, Felix."

„Das weiß ich." Er fuhr fort, seinen Kneifer zu putzen. „Aber immerhin, da du Sophies Vater bist und zufälligerweise auch der Vater eines erwachsenen Sohnes, könntest du versuchen, auf diese beiden ein wenig Rücksicht zu nehmen und zu bedenken, daß es für all jene Menschen, die sich um dich bekümmern, nicht eben schmeichelhaft ist, wenn du zum Gespött und Gelächter des ganzen Oberlandes wirst."

„Ich schulde dem Oberland nichts, mir schuldet aber das Oberland allerlei. Sonderbar weit sind wir gekommen in diesem Zeitalter. Ein Vater muß seine Kinder fragen, ob er heiraten darf oder nicht!" – „Das ist ganz natürlich", erklärte Felix. „Die ersten Kinder haben die ersten Rechte."

„Oh, aha! Jetzt sehe ich deine Einwürfe in einem klareren Licht. Mein altes Bauernhirn braucht halt ein Weilchen, um deinen Advokatenschlichen zu folgen. Oh! Das ist es also! Jetzt haben wir's! Schön und gut, Herr Advokat, wir werden alles zu Papier bringen, bevor ich dieses Verbrechen, diesen Frevel begehe. Heute noch fahre ich nach Bern."

Er ließ seine Tochter und ihren Mann am Frühstückstisch sitzen und machte sich reisefertig.

Unterwegs besuchte er Therese. Er entwarf allerhand Pläne für sie. Sie verhielt sich still abwartend und stimmte fast allen seinen Vorschlägen zu. Sobald sie völlig wiederhergestellt sei, würden sie beide nach Bern fahren und die Ringe kaufen. Er kenne massenhaft Leute in Bern, darunter eine Frau Weidenhof, eine Dame in seinem Alter, die er kürzlich besucht und der er alles anvertraut habe. Sie sei die Frau eines seiner alten Freunde gewesen. Theresli, hoffe er, werde diese Dame sehr ins Herz schließen. Madame Weidenhof werde ihr die Ausstattung besorgen und ihr in allen Angelegenheiten mit wertvollem Rat zur Seite stehen.

Der einzige Punkt, gegen den Therese etwelchen Einwand erhob, war das Datum der Hochzeit. Es schien ihr ein wenig zu früh. Auch bat sie Anton Jakob, er möge sie bis zur Hochzeit anderswo als in Gam wohnen lassen. Er sagte, sie könne in Bern, bei Madame Weidenhof, bleiben.

Dann fuhr Anton Jakob nach Bern, um seinen Bankier geschäftlich zu sprechen und den Rat seines Rechtsanwalts einzuholen.

Die Hochzeit fand an einem Sonntag statt.

Vor dem Kirchgang versammelten sich die Männer von Gam fast vollzählig unter dem niedrigen Kastanienbaum im Biergarten des „Bären", wo der Wirt Johann Timm, unterstützt von seinen vielen Kindern, das Freibier kredenzte, das Anton Jakob spendiert hatte. Aus dem Wirtshaus scholl Tellergeklapper und Gläsergeklirr; man hörte das emsige Treiben in der Küche: das Schmoren, Braten und Kochen der Schinken, Ochsenzungen und Kalbsbrüste, der Enten und Hühner, die Zurüstung der Gemüse und das Rahmschlagen, alles begleitet von einem leisen Stimmengewirr.

Die Kirche war nur einen Steinwurf vom Wirtshaus entfernt, und als die Glocken zu läuten begannen, fuhren die Männer gemächlich fort, ihren morgendlichen Durst zu stillen. Sosehr sich auch die Glockenstränge plagten, aus aller Mienen sprach die Auffassung, daß der Kirchgang eine Sache freier Wahl sei und weder eine Verpflichtung noch eine Notwendigkeit. „Sie kommen!" rief nach einiger Zeit jemand. Jetzt endlich stellten die Männer ihre Krüge hin, wischten sich ihre Schnurrbärte und schritten in untadeliger Ordnung vom Wirtshaus zur Kirche hinüber. Niemand hatte es eilig. Obgleich der Herr Pfarrer Niederhauser bereits wie eine riesige Dohle im Käfig durch die Sakristei auf und ab schritt, obgleich Herr Sigismund Höfer auf der quietschenden Orgel eine seiner üblichen Improvisationen begonnen hatte, stand die Mehrzahl der Gemeinde immer noch unter der Linde vor der Kirchentür versammelt, um die Ankunft der Brautwagen zu erwarten. Als die Landauer endlich vorfuhren, wurden sie mit Hochrufen empfangen, und alle Blicke richteten sich auf Therese. Die Gamer hatten sie wochenlang nicht gesehen.

„Ja, da lueg einmal!" flüsterten sie. „Nein, so eine Verwandlung! Fast wie ein Märchen. Und vor zwei Monaten war sie noch ein armes hergelaufenes Ding! Herrjesses!" Anton Jakobs Landauer senkte sich schwer zur Seite, als er breitspurig ausstieg. Sowie er seinen neuen Zylinder abnahm und die Hand ausstreckte, um Therese herunterzuhelfen, trat eine seltsame Stille ein. Dann sahen die Gamer, wie der junge Gottfried Sixtus ihr den Arm reichte und sie in die Kirche führte; Anton Jakob, Sophie, Madame Weidenhof, die Freunde und Verwandten folgten. Herr Pfarrer Niederhauser befragte seine Taschenuhr und stellte mit Betrübnis fest, daß der Gottesdienst eine halbe Stunde zu spät begann. Da er mit Weib und Tochter als Ehrengast zu dem Hochzeitsfest geladen war und er sich zudem auf Meister Timms Ermahnung besann, dem Braten zulieb den Gottesdienst nicht allzulange hinauszuziehen, beschloß er, die Sonntagspredigt soviel wie möglich abzukürzen. – Natürlich predigte er über die Tugenden des Ehelebens, aber er wählte seine Worte äußerst sorgfältig, denn er wußte, was für ein welterfahrenes Schäflein Anton Jakob war.

Die Unaufmerksamkeit seiner Herde brachte ihn ein wenig aus der Fassung. Statt zur Kanzel aufzublicken, starrten sie alle nach der Braut und dem Bräutigam, die nebeneinander auf der vordersten Kirchenbank saßen.

Therese war bleich und saß sehr still da. Kein Fältchen ihres Kleides regte sich. Ein- oder zweimal wandte sie ihre Augen dem Prediger zu, und dann sah sie aus wie eine Heilige, die himmelwärts blickt, um Trost und Beistand zu suchen. Eine eisige Starre bedrückte ihr Herz. Ihr Geist schien in dunklen Träumen umherzuirren. Sie fühlte nicht Anton Jakobs Hand, die ihre Hand umschloß. Sie sah ihn nicht an. Niemanden sah sie an.

Gottfried Sixtus, Sophie und die andern Familienmitglieder saßen unmittelbar hinter Therese. Sophies Miene war unenträtselbar. Scheinbar hatte sie sich, wie auch all die andern, in ihre Lage ergeben. Vielleicht versuchte sie sogar, die Dinge von der besten Seite zu nehmen. Schließlich und endlich sollen die Etienne-Mariano seinerzeit Grafen gewesen sein! Gottfried Sixtus war tadellos gekleidet. Kein Restchen bäurischer Art haftete seiner Kleidung an. Er saß unmittelbar hinter Therese, und unablässig starrten seine Augen auf ihren reinen weißen Hals, der stolz aus den schönen Schultern emporstieg.

Als schließlich das feierliche Amen von der Kanzel fiel, durchlief ein tiefer Seufzer die Gemeinde. Pfarrer Niederhauser stieg in die Sakristei hinunter, während Herr Höfer auf seiner Orgel ein kunstfertiges Intermezzo zu spielen begann. Nach einer angemessenen Pause kam der Geistliche in den Säulengang geschritten. Anton Jakob erhob sich und schritt auf den Altar zu. Gottfried Sixtus führte Therese vor den Pfarrer hin, und die Verwandten schlossen sich zu einem engen Kreis um das Brautpaar. Die Gemeinde stimmte eine Hymne an. Gottfried schien es eine Ewigkeit zu dauern, bis sie zu dem letzten Vers gelangten:

Seht, welche Liebe Gott uns gönnt,
Daß er uns seine Kinder nennt!

Und selbst dann hielt der Organist noch nicht inne, sondern fuhr mit einer tremulierenden Fantasie fort, in welcher die etwas heisere Vox Humana lange Solopartien hatte.

Unterdessen ruhte Thereses Hand auf Gottfrieds Arm, und so blieb es fast die ganze Zeremonie hindurch. Schließlich mußte er sie loslassen, und sie trat vor den Altar. Dort blieb sie stehen, neben Anton Jakob, ihr schöner Kopf geneigt mit einer unendlich liebenswerten Demut.

In diesem Augenblick wußte Gottfried, daß er von nun an sein ganzes Leben lang seine Stiefmutter lieben werde. Aufmerksam hörte er der Liturgie zu. Er gab sich nicht für einen kirchengläubigen Menschen aus, aber er war nach kirchlichen Grundsätzen erzogen worden. Er fühlte sich gedemütigt, fast beschämt, daß er dieser heiligen Verbindung zweier Seelen beiwohnen mußte. Er spürte in dieser Heirat eine Ungerechtigkeit, die fast schon frevelhaft war. „Theresli! Theresli!" schrie es in seiner Seele. „Oh, daß ich die Macht hätte, dieser Sünde Einhalt zu gebieten! O Gott! Theresli! Was tust du?"

Das neue Paar kam aus der Kirche, Scharen von Hochzeitsgästen strömten hinterdrein. Während ein Chor sang und die Leute sich durcheinanderdrängten, führte Anton Jakob die zweite Frau Müller zu dem großen schwarzen Landauer. Hinter ihm kamen die Familienmitglieder und nächsten Freunde, die sich auf einige andre Wagen verteilten. Die ganze Gesellschaft kutschierte dann in langer Prozession durch das Dorf bis an die Sägemühle. Dort machten sie kehrt und fuhren in den „Bären" zurück.

„Weißt du", sagte Therese zu ihrem Mann, als sie in das blumengeschmückte Wirtshaus traten, „das ist zuviel. Ich bin das nicht wert. Nein, ich wollte, du hättest es nicht getan. Ich weiß nicht, wie ich das alles ertragen soll."

„Mach dir jetzt keine Sorgen. Laß die Leute gaffen. Ich will ihnen nicht sagen, was ich von ihnen denke. Heute muß man menschenfreundlich sein. Gib ihnen bloß die Hand und danke ihnen, daß sie gekommen sind. Und wirf ihnen hübsche Blicke zu. Das wird ihnen Stiche in die Herzen versetzen. Die meisten sind Heuchler, weißt du. Blaser zum Beispiel! Da kommt er gerade."

„Herzliche Glückwünsche, Frau Müller!" sagte Herr Blaser. „Es war eine schöne Hochzeit, meine Glückwünsche, Herr Alt-Regierungsrat."

„Ich hoffe, Sie haben einen guten Appetit mitgebracht!" rief ihm Anton Jakob zu, und schon hatte er sich umgedreht, um andren Gästen die Hände zu schütteln.

„Nun, Frieda", sagte Röthlisberger zu seiner Frau, „wir wollen auch hingehen und dem Herrn schnell gratulieren."

„Ich aber nicht!" erwiderte Frieda verächtlich. „Wenn ich sie nicht aufgenommen hätte, dann wäre sie jetzt nicht hier."

„Na schön, und wenn ich dich nicht getroffen hätte, so wärst du auch nicht hier, du Gans. Sie ist jetzt Frau Müller, und alles andre haben wir jetzt zu vergessen."

„Ich werde ihr gratulieren", sagte Frieda, „aber sicher nicht vergessen, wer sie war."

Frieda schob ihre schwarze Seidenbluse in den Rock, befingerte ihre Amethystbrosche und folgte ihrem Mann zum Händedruck.

„Herr Röthlisberger", sagte Therese ein wenig bewegt, „wo sind denn all die andren?"

„Welche andren?"

„Leonhard, Kasimir, Christian, Mahder Fritz und seine Frau, Joggi und der alte Karli?"

„Mahder Fritz?"

„Ja, er besonders."

„Sie will wissen, wo Mahder Fritz ist!" sagte Röthlisberger voll Erstaunen zu seiner Frau.

„Ah, dieser grobe Kerl!"

„Er ist nicht so grob, wie ihr glaubt", meinte Therese. „Ich würde ihn gern sehen, auch die Hermine."

„Herrjesses! Jesses! Solches Volk hier auf der Hochzeit!"

„Was ist los?" warf nun Anton Jakob ein, da er seine Frau im Gespräch mit Frieda und Röthlisberger sah.

„Ich habe nach den andren gefragt!"

„Welche andren?"

„Alle die Knechte und Mägde."

„Bei Gott, wo sind sie denn?" rief Anton Jakob überrascht.

„Im Garten", antwortete Röthlisberger.

„Ich werde dann hinausgehen und mit ihnen sprechen. Komm jetzt, Theresli. Da sind Sophie und ihr Advokat und alle die andren."

Er ging zu Sophie hinüber. Ihr Gesicht war noch immer starr und undurchdringlich, ihr Auge immer noch hochmütig und kalt.

„Vätti", sagte sie, und der Klang in ihrer Stimme war nicht mißzuverstehn, „ich habe jetzt eine neue Mutter. Ich weiß nicht, was ich sagen soll."

„Sophie", sprach er mit tiefer Liebe und nahm sie unterm Arm, „hab ein bißchen Mut. Ich gebe zu, die Lage ist nicht ganz alltäglich. Aber komm jetzt, du darfst deinem Vätti sein Glück nicht mißgönnen. Mach Frieden in deinem Herzen. Geh und gib ihr einen Kuß. Schau doch nur! Sieht sie nicht aus wie eine Heilige?" (Er begegnete Gottfrieds Blicken.) „Gottfried! Gottfried! Du auch! Geht alle hin und gebt ihr jetzt einen Kuß."

Sie gingen auf Therese zu, die die Worte ihres Mannes mit angehört hatte.

„Aber sie dürfen mich nicht Mutter nennen, Toni", sagte sie. „Sie müssen mich Theresli rufen."

„Hört ihr, was sie sagt?"

„Dann will ich dich Theresli nennen", sagte Sophie. „Du bist zwei Jahre jünger als ich. Ich könnte dich nicht Mutter nennen. Es würde unnatürlich klingen, nicht wahr?"

Therese zeigte ihre schönen Zähne und Wangengrübchen.

„Lieb bist du, Sophie. Ich werde dich immer liebhaben."

Und sie küßten einander.

Auch Felix gab ihr einen Kuß. Um seine Befangenheit zu bemänteln, machte er beträchtlichen Lärm dabei, so daß alle lachten. Als die Reihe an Gottfried kam, küßte er nicht Thereses Lippen, er hob nur ihre Hand an seinen Mund und sagte: „Meine kleine Mutter." Das war es, was er in diesem Augenblick empfand. Seine kleine Mutter! Seine romantische kleine Mutter! Oh, welche Lieblichkeit, welch unendliche Zärtlichkeit schlummerte in dieser kleinen Mutter! Was brachte sie in sein Leben für einen köstlich neuen Zauber! Das Bewußtsein, eine neue Mutter zu haben, eine schöne Stiefmutter! Die fast peinliche Wunderlichkeit der mit dieser Heirat verknüpften Umstände reizte seinen romantischen Sinn. Es war alles so ungewöhnlich. Therese überließ ihm ihre Hand. Aber sie war mit seiner Zurückhaltung nicht zufrieden.

„Toni!" sagte sie zu ihrem Manne. „Ich will deinen Bueb küssen. Gottfried Sixtus, ich bin stolz auf dich!" Sie legte den Arm um seinen Hals und gab ihm einen herzlichen Kuß, zum großen Entzücken der Zuschauer. Oben an der Treppe stand Johann Timm. Die weißen Hemdärmel über die Ellenbogen aufgerollt und eine saubere Schürze vor seinen riesigen Bauch geknüpft, so wartete er, bis die Gäste in den großen Saal heraufkommen würden.

„Emilia! Emilia!" rief er voll Verzweiflung seiner Frau zu. „Herrgott! Emilia! Worauf warten sie alle denn da unten? Jetzt gehe ich selber hinunter."

Er schleppte seine gigantische Gestalt die Treppe hinunter und schob sich in das Gedränge.

„Würden Sie nicht gefälligst nach oben gehen, meine Damen, meine Herren?" verkündete er mit schallender Stimme. „Ah, Herr Regierungsrat, Frau Regierungsrat! Ah, wie schön Ihr seid, Frau Müller! Wollt Ihr nicht freundlichst nach oben gehn? Herzlichen Glückwunsch! Nein, aber so was! Jetzt ist man Frau Müller! Herzlichen Glückwunsch, Herr Müller! Allerherzlichst!"

Bald darauf betrat der Herr Pfarrer mit seiner Familie den Gasthof.

„Ach, Herr Pfarrer", lamentierte Johann Timm und streckte seine riesigen roten Pranken aus, „eine große Ehre, daß Ihr mein Haus betretet. Ich bin nicht in der Kirche gewesen, es gab hier zuviel zu tun!"

„Ja, es ist allerdings ein höchst ungewöhnlicher Anlaß", fand Herr Niederhauser.

„Kommt, Adelaide und Madeleine, Herr Timm soll uns führen."

„Nur immer die Treppe hinauf, Ihr könnt nicht fehlgehen!" rief Johann Timm. „Ich muß einen Augenblick in die Küche."

Ein Trompetentusch scholl aus dem Saale, wo sich der Gamer Musikverein häuslich niedergelassen hatte.

Bald durchwogte ein lautes festliches Stimmengesumm den großen Raum. In langen Reihen saßen die Gäste an den mit Blumen und Flaschen beladenen Tafeln. Das Festmahl begann, und solange es dauerte, schien der Appetit der Gäste eher zu wachsen als abzunehmen. Unablässig wurden neue Körbe voll Flaschen entkorkt. Anton Jakob und Therese saßen am oberen Ende des Familientisches. Er aß sehr herzhaft, trank jedoch wenig, während sie das Essen und den Wein kaum anrührte. Ihre Blicke irrten von einem Gesicht zum andren. Sie schien ein Freundesauge zu suchen, und wenn sie mitfühlenden Blicken begegnete, war ihre Antwort ein sonniges Lächeln voll Scheu und Schüchternheit. Während Korb um Korb voll leerer Flaschen aus dem Saale verschwand, wuchs der Geist lustiger Tafelfreude. Plötzlich klopfte Herr Niederhauser an sein Glas, erhob sich und hielt die von ihm erwartete Ansprache. Nach beendeter Rede entfernte er sich mit Frau und Tochter. Dann setzte sich Johann Timm an den leergewordenen Platz, und die Lücke, die der dreifache Abmarsch erzeugt hatte, füllte er mit seiner Riesengestalt fast völlig aus.

Immer wieder suchten Thereses Augen Gottfrieds glühendes Gesicht. Sooft ihre Blicke einander begegneten, lächelte sie warm und stolz, und scheu erwiderte er ihr Lächeln.

Sie standen sich jetzt nicht mehr mit einem Gefühl der Fremdheit gegenüber. Anton Jakob sah es, und er legte seine Lippen an Thereses Ohr und sagte scherzend:

„Tut es dir nicht leid, Theresli, daß du nicht lieber ihn geheiratet hast statt meiner?"

„Keine dummen Sprüche, Toni! Aber dein Bueb macht ein so ernstes Gesicht, daß ich ihn immer wieder anschauen muß. Ich bin stolz auf ihn. Ich bin wirklich stolz auf meinen Stiefsohn. Er sieht gescheit und gelehrt aus."

Anton Jakob faßte seine junge Frau um den Hals und küßte sie herzhaft unter dem Jubel der Gäste. Therese errötete. Es schien ihr nicht ganz das Richtige zu sein vor all diesen vielen Leuten. Gottfried wandte sein Gesicht ab; er sah ernst aus und verlegen. Sophie warf ihrem Bruder einen kuriosen Blick zu, als schäme sie sich ihres Vaters. Es war ihr stets verhaßt, wenn der Bauer in ihm die Oberhand gewann.

Riesige Hochzeitskuchen, Berge von Schlagrahm und gigantische Torten bildeten den Abschluß des ersten Festaktes. Die Mitglieder des Orchesters hatten sich zurückgezogen, um sich heimlich zu stärken, und nach einiger Zeit kehrten sie in festlicher Stimmung wieder zurück. Da unter ihnen einige Spaßmacher und Coupletsänger waren, produzierten sie sich abwechselnd, um die Gäste zu unterhalten. Schließlich, am späten Nachmittag, wurde noch Kaffee aufgetragen, und die Saaltöchter räumten ein wenig ab, und dann begann der Tanz. Die wohlgefütterten Gamer walzten höchst vergnügt und beharrlich. Gottfried erlag einem schmerzlichen Gefühl des Überdrusses, ihm kam dies alles gar nicht wie eine richtige Hochzeit vor. Es war nicht genug Jugend dabei. Die meisten Gäste waren ältere Leute, und die paar Jungen verloren sich fast in ihrer Menge. Es schien ihm, als ringe hier die Jugend mit dem Alter, und das Alter trüge den Siegespreis davon. Er verließ für ein Weilchen den Saal und schlenderte im Freien umher. Seine Empfindungen hatten an diesem Tage so viele und schmerzliche Wandlungen erlitten, daß er sich völlig erschöpft fühlte. Eh! Wenn es endlich einmal sechs schlüge! Dann würde sich der Vater mit der Stiefmutter entfernen. Und dann wird auch er die Gesellschaft verlassen. Er konnte es kaum erwarten, Gam so rasch wie möglich den Rücken kehren zu können.

Als er in den Festsaal zurückkehrte, sah er sofort Thereses Augen, die ihm entgegenblickten, als hätten sie auf ihn gewartet, als sei die Stiefmutter um ihn besorgt gewesen. Er lächelte und ging auf sie zu.

„Komm, Gottfried", sagte sie und machte an ihrer Seite Platz. „Komm, setz dich neben mich. Gleich kommt der Fotograf, um uns alle aufzunehmen, und ich will dich neben mir haben."

„Nun, Bueb", fragte Anton Jakob und beugte sich vor, um seinem Sohn ins Gesicht zu schauen, „liebst du jetzt deine neue Stiefmutter?"

„Was für eine komische Frage, Vater! Sie hat mir schon immer gefallen. Immer. Und von heute an werde ich sie lieben."

„So ist's recht", sagte Anton Jakob. „Dann bin ich zufrieden. Und mein Glück wird um so vollständiger sein."

„Du willst, daß Gottfried mich lieb hat, nicht wahr, Toni?" fragte Therese schlicht.

„Ja. Er muß dich sein ganzes Leben lang ehren und lieben."

„Das wird geschehen", sagte Gottfried Sixtus.

„Bueb", begann Anton Jakob, „ich kann nicht tanzen, aber ich will, daß du mit deiner Mutter ein Tänzchen machst. Felix tanzt ja die ganze Zeit mit Sophie. Los also, und tue deine Pflicht! Ich bin überzeugt, Theresli wird gern mit dir tanzen. Gelt, Theresli?"

„Willst du eins tanzen, Stiefmutter?" fragte Gottfried.

„Ich will's versuchen", nickte sie errötend.

Die Kapelle spielte einen Schottisch, und Gottfried legte den Arm um ihre Hüfte.

„Du mußt mir sagen, wie man es macht", flüsterte sie.

„Oh, es ist sehr einfach. Nur immer im Schritt mitgehen. Eins, zwei, eins, zwei – so ist es richtig."

„Du darfst mich nicht Stiefmutter nennen", sagte sie plötzlich während des Tanzes. Sie war unruhig, und ihr Atem ging rasch. „Du mußt mich Therese nennen. Ich nenne dich Gottfried. Ich hab's deinem Vater gesagt, er meint auch, daß es gut klingt. Also, du nennst mich Therese, nicht wahr, Gottfried? Oh, ich kann den Tanz nicht mehr! Wie geht es denn? Eins, zwei, eins, zwei – jetzt bin ich wieder im Takt. Weißt du, Gottfried, sehr unwissend bin ich. Nichts weiß ich. Du aber weißt sehr viel."

Die Nähe dieser Frau, ihr abgerissenes Reden versetzte Gottfried in Verwirrung. Er versprach ihr, daß er alles für sie tun würde, was in seiner Macht stünde. Unwillkürlich umfaßte er ihre Hand fester, und da fühlte er, daß sie etwas in der Hand hielt.

"Was hast du da in der Hand?"

"Kannst du's nicht spüren?" fragte sie lächelnd zurück.

„Nein."

„Dann will ich dir's nicht sagen, aber wenn der Tanz zu Ende ist, mußt du's behalten. Es ist etwas aus der Vergangenheit, es gehört dir. Aber das Vergangene ist dahin. Ich habe keinem Menschen davon erzählt. Ich werde ewig schweigen, Gottfried."

Die Musik verstummte. Therese löste sich aus seinen Armen und ließ den kleinen Gegenstand in seiner Hand zurück. Heimlich sah er ihn an. Es war sein Bierzipfel, den er im Sommer auf der Alp verloren hatte. Und die Erinnerung an jene Nacht tauchte lebhaft vor ihm auf, just so, als wär's die Nacht vor dieser Hochzeit gewesen. Seine Seele litt Folterqualen.

Anton Jakob saß regungslos an der Tafel mit unnachahmlicher, schwerfälliger Würde. Von Zeit zu Zeit warf er einen Blick auf seine Taschenuhr und gähnte. Er wurde ungeduldig. Der Gedanke, daß er dieses weitläufige Fest veranstaltet hatte, erfüllte ihn mit einem leisen Gefühl der Selbstverachtung. Ob es denn wirklich der Mühe wert war, dieses sinnlose Durcheinander anzuzetteln? Und später dann, wenn er weg ist, wenn er mit Therese viele Meilen von all diesem Lärm entfernt ist und ein neues Leben vor ihm liegt, werden diese Leute noch weiterfetieren und wohl die ganze Nacht ihre lustige Laune toben lassen. Ah bah! Was ging es ihn an? Aber er sehnte sich vielleicht noch heftiger als Gottfried nach dem Augenblick, da er die Sache los sein würde.

Eine volle Stunde wurde von dem Fotografen und seinem Gehilfen in Anspruch genommen, sie brannten Blitzlichter ab und füllten den Saal mit Rauch. Aber das gehörte zum Fest. Thereses Kopf begann zu schmerzen. Ihr Herz begann zu schmerzen. Ihr ganzer Körper begann zu schmerzen. In stummer Reglosigkeit wartete sie auf den Augenblick des Aufbruchs.

Endlich war es Zeit für sie, das Brautgewand abzulegen. Bleich und ermüdet ging sie mit Madame Weidenhof die Treppe hinauf. Die Gäste begleiteten ihren Abgang mit lauten Hurrarufen.

Anton Jakob blieb sitzen und wartete auf ihre Wiederkehr. Inzwischen unterhielt er sich mit Gottfried. Er erzählte ihm, daß er mit Therese eine Reise durch die Schweiz machen wolle. Noch heute abend führen sie nach Bern, später dann nach Zürich und Schaffhausen. Therese wolle den Rheinfall sehen. Sie wolle Städte sehen.

Vielleicht würden sie Gottfried in Basel besuchen, aber das wisse er noch nicht sicher. Und dann erschien Madame Weidenhof, um Anton Jakob zu holen. Sie sagte ihm, Therese sei fertig, fühle sich aber nicht ganz wohl, und da der Saal so sehr verräuchert sei, werde sie besser nicht mehr hereinkommen. Anton Jakob erhob sich. Die Aufmerksamkeit seiner Gäste konzentrierte sich auf ihn. Komplimente und Hurras hagelten auf ihn ein. Zahllose Flaschen wurden hurtig geleert, auf seine Gesundheit. Er schüttelte allen die Hände, und dann verließ er den Saal, um zu Therese hinaufzugehen. Sie hatte einen blauen Reisemantel an. Er zog seinen Gehrock aus und warf ihn auf das Bett. Dann nahm er sie in seine Arme und küßte sie ungestüm, bis sie sich losmachte. Er sah nicht die Tränen in ihren Augen. Rasch schlüpfte er in seinen Tuchrock und griff nach der Reisetasche.

„Nun, Theresli, süßes Theresli, wir sind frei!" sagte er. „Auf zum Bahnhof. Unten wartet der Wagen."

Sie gingen die Treppe hinunter. Das Freudengelärm der Gäste folgte ihnen bis in den Wagen. Der Kutscher mühte sich vergeblich, um mit seiner langen blumengeschmückten Peitsche zu knallen. Aber die beiden Rappen trabten auch ohne Peitschenknall los, sobald sie spürten, daß der Wagen beladen war. Neue Hochrufe, winkende Arme in Hemdärmeln, laute Hurras, und der Landauer rollte davon.

Es gab noch einen zweiten jungen Burschen, den an diesem Tag die gleichen Gefühle bewegten wie Gottfried Sixtus. Das war Leonhard! Aber trotz all seiner Traurigkeit verstand er noch immer zu lächeln, er erschien auch auf dem Bahnhof mit einem Strauß von Spätrosen, den er Frau Müller überreichte, und ihr und dem Herrn wünschte er für ihre Reise „Gut Glück und frohe Fahrt".

Im Winter fiel reichlicher Schnee im Oberland. Für den Wintersport wurden die Verhältnisse glänzend, und von nah und fern kamen die Leute herbeigeströmt, um sich in der Bergwelt einem gesunden Zeitvertreib zu widmen.

Gam lag in tiefem Schnee vergraben. Seine großen hölzernen Giebelhäuser in den geräumigen Straßen lockten mit einladender Traulichkeit und Wärme. Dünne graue Rauchsäulen stiegen aus dem Schornstein auf, und riesige Eiszapfen hingen an den Rändern der breiten Dächer. Nach etlichen Tagen harter Arbeit hatten die Knechte der Ortsbehörde die Straßen gesäubert, und die Verbindung mit den höhergelegenen Dörfern, die etliche Zeit unterbrochen gewesen, war nun wiederhergestellt. Das Grand Hôtel „Jungfrau" wimmelte von Menschen, und Tag für Tag konnte man Touristen auf Schiern durchs Dorf stapfen oder die Hänge zwischen dem Wald und der Landstraße herabpurzeln sehen. Viele von ihnen bevölkerten die Schlittschuhbahn des Hotels, und einzelne Trupps unternahmen Schlittenfahrten ins Tal hinab. Jeden Abend erstrahlte das Hotel in tausend Lichtern, und bis in die späte Nacht hinein tanzten die Leute.

Die Schulkinder machten sich wie jedes Jahr ihre eigene Schlittenbahn, und nach den Schulstunden versammelten sie sich scharenweise und schlittelten nach Herzenslust bis zum Sonnenuntergang. Die größern unter ihnen vergnügten sich sogar bis in die Nacht hinein, denn der Schnee bewirkte, daß sie nie ganz dunkel wurde.

Therese ging zuweilen ins Freie, um den Kindern zuzusehen. Sie trug für gewöhnlich einen engsitzenden dunkelblauen Sweater und ein paar Gummischneeschuhe, um die Füße trocken zu halten. Nie aber fuhr sie auf der Schlittenbahn. Sie traute sich nicht. Anton Jakob war der Ansicht, daß es für sie nicht das Richtige wäre. Was Anton Jakob sagte, ja sogar was er dachte, war für sie Gesetz. Mehr als einmal sah sie den Gamhofer Knechten und Mägden zu – nun ihre Knechte und Mägde –, wie sie zu dritt und zu viert auf ihren Schlitten die Bahn hinuntersausten, mit glühenden Backen und kreischend vor Vergnügen, aber sooft man sie einlud, mitzufahren, erwiderte sie ablehnend. Sie habe jetzt keine Lust.

Sie lehnte so häufig ab, daß die Gamhofer untereinander zu flüstern begannen: sie fürchte sich offenbar, weil sie in der Hoffnung sei. Aber auch diesen Gerüchten widersprachen die Tatsachen.

Sie hatte sich seit ihrer Hochzeit nicht allzusehr verändert. Im Gesicht war sie vielleicht ein bißchen rundlicher geworden, sie war jetzt eine nette junge Frau, wie man sie nicht besser finden konnte. Aber gerade diese Frau Müller schien zuweilen ihr wahres Ich zu unterdrücken. Und manchmal bildete sie sich ein, daß sie plötzlich um ein beträchtliches gealtert sei.

Jeder nannte sie nun Frau Müller; die Theresli-Zeit war vorbei. Anton Jakob achtete scharf darauf, daß niemand außer ihm selber den Namen Theresli gebrauchte.

Eines Tages spazierte Therese ins Dorf. Sie wollte die Fremden beim Hotel Schlittschuh laufen sehen. Vielleicht könnte sie versuchen, ein paar Momentaufnahmen zu machen. Diese andre Welt des Hotels übte einen sonderbaren Reiz auf sie. Sie liebte, den Fremden zuzusehen, wie sie anmutig über das Eis schwebten, und stundenlang saß sie da und versuchte sich auszumalen, was für ein Leben diese Menschen wohl führen mochten. Das vertrieb ihr die Zeit. Die Zeit, ja, die Zeit! Wie seltsam ihr Tempo wechselte! Manchmal schien sie rasend schnell zu verstreichen, als sei ein Tag an den andren gekettet wie die Filme in ihrer Kamera. Dann aber gab es wieder andre Tage, da die Stunden müde und langsam dahinschlichen, leer und hoffnungslos. Wie sollte sie sich das erklären? Rückte nicht der Zeiger der Uhr immer im selben Schritte vor?

Therese setzte sich an die Sonnenseite des Eislaufplatzes und dachte an den Abend, an alle die Abende. Diese langen, endlosen, finsteren Winterabende, an denen sie zu Hause saß, nähte, las oder mit Hedwig plauderte. Hedwig war eine gute Seele. Ihr Kind war angekommen, und sie war nun endlich verheiratet. Sie verstand vielerlei vom menschlichen Leben. Vielleicht verstand sie auch ihrer Herrin einsame Abende.

Doch Therese wünschte sich keine Veränderung. Sie hatte nicht das mindeste gegen Anton Jakobs abendliche Besuche im „Bären" und gegen sein Kartenspiel. Vielleicht bis zum Frühling würde das noch dauern. Dann sollte sie ja mit ihrem Mann ins Ausland fahren. Das wird interessant sein; eine große neue Sache wird das sein, in Städten zu leben.

Therese lauschte dem Hotelorchester, das für die Schlittschuhläufer spielte. Ihr Geist wanderte zu ihrem Hochzeitstag zurück, zu ihrer Reise mit Toni nach Bern. Ihre Gedanken irrten nach Zürich, nach Schaffhausen und Luzern, und dann wieder zurück nach Gam. In Basel waren sie nicht gewesen. Toni sagte, es wäre besser, Gottfried Sixtus nicht zu stören.

Vielleicht würde sie ein andermal nach Basel kommen. Sie aber sehnte sich nach einem Wiedersehen mit Gottfried Sixtus, ihrem großen studierten Stiefsohn, der ihr seit damals nur einen einzigen Brief geschrieben hatte – einen einzigen Brief! Und sie hatte ihn so viele Male voller Stolz durchgelesen, diesen einen Brief. „Meine liebe Stiefmutter!" ... Therese runzelte die Stirn. Die Musik hatte aufgehört. Als ihr das Bewußtsein kam, erhob sie sich hastig und eilte nach Gam zurück.

„So, Theresli", sagte Anton Jakob, „wo bist du gewesen?"

„Den Schlittschuhläufern zugesehen." Und sie fügte gleich hinzu, sie würde gerne das Eislaufen lernen, falls er die Erlaubnis gebe.

„Ja, sonst nichts!" sagte er. „Du kannst dir die Beine brechen, laß solche Dinge andre Leute machen."

„Aber als du jung warst, bist du sicherlich auch Schlittschuh gelaufen?"

„Natürlich, aber ich habe mir auch wirklich ein Bein gebrochen. Und überdies, Theresli, ich bin ein Mann. Du bist ein zartes Ding. Komm jetzt, wir wollen essen gehn. Ich rieche Hedis Braten durchs ganze Haus. Hast du ihr gesagt, daß die Erdäpfel nicht genug geröstet waren?"

„Ja."

„Also wollen wir sehn, ob sie diesmal richtig sind."

Sie gingen ins Eßzimmer. Anton Jakob knüpfte sich seine große Serviette um den Hals, lächelte gutmütig und goß sich ein Glas Waadtländer ein.

„Ja, mit dem Magen geht es ein wenig besser", sagte er gelassen. „Der Teufel soll mich holen, wenn von mir ein Doktor noch einen Franken bekommt."

Er schnitt ein Stück Brot auf dem Tischtuch entzwei.

„Ja, zum Teufel", sagte er und hielt plötzlich inne. „Fast hätt'
ich's vergessen. Heute morgen kam ein Brief von Gottfried.
Der Bueb will wissen, ob er uns im Wege ist, wenn er für ein
paar Tage heraufkommt, um sich auszuruhen. Was meinst du
dazu?"

„Was soll ich dazu meinen?"

„Ja, du bist jetzt seine Mutter und die Herrin im Hause."

„Aber, Toni, glaubst du, daß du mich fragen mußt, wenn du
deinen Bueb zu Hause haben willst?"

„Soll ich ihn kommen lassen?"

„Wenn er doch kommen will!"

„Er weiß ja, daß er kommen kann, sooft er Lust hat, 's ist das
erste Mal, daß er um Erlaubnis fragt."

„Das zeigt, daß er mehr denn je auf dich Rücksicht nimmt."

„Wozu Rücksicht nehmen?"

„Weil du eben nicht mehr allein bist, Toni."

„Daran hätte ich wirklich nicht gedacht."

„Eigentlich bin ich froh", sagte sie, „daß er kommen will. Es
macht mich froh. Wenn nur auch Sophie und Felix ehrlich den
Wunsch hätten, zu uns zu kommen! Wie entsetzlich ist mir der
Gedanke, daß ich ihnen im Wege bin."

„Nanu, Theresli, was für ein Unsinn! Du bist niemand im Wege.
Da hast du Gottfrieds Brief, beantworte ihn für mich. Schreib ihm,
daß er selbstverständlich willkommen ist. Schreib ihm, wenn er
nicht kommt und dumm tut, dann verklopf' ich ihm das Hinterteil, wie auch schon. Und du kannst zuschauen, he!" Müller lachte
herzlich und reichte den Brief Therese. Mit hochgezogenen Brauen
schaute sie ihren Gatten an. Dann lachte auch sie hellauf.

Gottfried Sixtus kam mit dem Abendzug. Leonhard
wurde ihm mit einem Schlitten zum Bahnhof entgegengeschickt.
„Und wie geht's?" fragte Gottfried, während er Leonhard das
Gepäck verstauen half. „Wie stehn die Dinge zu Haus?"

„Wie immer; es geht ganz friedlich zu", berichtete Leonhard.
„Seitdem Frau Müller da ist, geht's fast noch besser als
früher."

„Das freut mich, das freut mich sehr."

Sie fuhren durch den Schnee. Gottfried genoß mit Entzücken das lautlose Dahingleiten, und das helle Geläute der Glöckchen am Pferdehals berührte ihn heimelig und angenehm.

„Ist alles gesund?" fragte er nach einer Weile.

„Ja, alles", versicherte Leonhard.

„Wer dient jetzt im Haus?"

„Die Hedwig."

„So! Hat sie ihr Kind bekommen?"

„Ja, und sie ist jetzt mit Frey Pauli verheiratet."

„Und wie geht es meinem Vater?"

„Oh, ausgezeichnet, Herr Gottfried."

Der Schlitten hielt vor dem Gamhof. Gottfried bat Leonhard, das Gepäck noch hinaufzuschaffen, und eilte raschen Schrittes dem Hause zu.

Hedwig war in der Küche, als er hereinstürmte.

„Heiliger Sebastian!" schrie sie. „Der Herr Gottfried!"

Eine Zimmertür sprang auf. Therese stand auf der Schwelle.

„Guten Abend, Stiefmutter!" sagte Gottfried und ging rasch auf sie zu.

„Grüezi, Gottfried!" Sie streckte ihm die Hand hin. „Du kommst gerade zum Essen zurecht."

„Ist Vater da?"

„Er kommt mit dem Abendzug aus Speuz zurück. Er hatte eine geschäftliche Besprechung mit einigen Freunden. Komm, Gottfried, laß dir aus dem Mantel helfen. Hedi, bring alles in sein Zimmer."

Sie half ihm aus dem Mantel.

„A la bonne heure! Schon ganz für den Sport ausstaffiert. Was für ein hübscher Stoff! Davon möchte ich einmal ein Kleid haben. Hast du ihn in Basel gekauft?"

„Ja, den Anzug hat ein englischer Schneider in Basel gemacht, der Stoff kommt aus Schottland."

„Aus Schottland?"

„Jawohl! Und dieses Schottland ist der nördliche Teil von Britannien. Hat viele Berge, fast wie die Schweiz. Die Römer nannten es Kaledonien. Seine Hauptstädte heißen Glasgow und Edinburgh, und aller Whisky – das edle Getränk – kommt aus Schottland. Willst du noch mehr wissen, Stiefmutter?"

Sie lachte und zog ihn am Arm ins Nebenzimmer.

Einen Augenblick lang saßen sie schweigend da, und ihre Blicke schmolzen ineinander. Gottfried wollte schon die Bemerkung machen, wie sehr Thereses Aussehen gewonnen habe und wie reizvoll ihre Haltung geworden sei; aber er besann sich. Sie hob die Schultern und ließ sie wieder sinken.

„Jaja!" seufzte sie mit einem Lächeln, und ihre Blicke ruhten auf ihren Händen, die sie über dem Knie verschränkte. Dann erhob sie sich mit einem Ruck und warf den Kopf zurück.

„Jetzt muß ich aber wirklich an meine stiefmütterlichen Pflichten gehn. Du weißt, wo dein Zimmer ist, nicht wahr? Wirst es wohl auch allein finden. Du mußt es mir sagen, wenn du irgendwelche Wünsche oder Gewohnheiten hast."

Auch er erhob sich.

„Vielen Dank! Angeblich habe ich einige schlechte Angewohnheiten."

„So, und was für schlechte Gewohnheiten?"

„Ich rauche meine Pfeife im Bett. Wenn ich mich wasche, spritze ich das Wasser über den ganzen Boden. Ich ziehe mir nie die schmutzigen Stiefel aus, bevor ich das Haus betrete. Vor dem Schlafengehen singe oder pfeife ich, und manchmal spaziere ich in meinem Zimmer auf und ab und deklamiere großartige Verse, lateinische, oder was mir gerade in den Kopf kommt."

„Du bist der echte Sohn deines Vaters", sagte sie, ihre Grübchen zeigend. „Er raucht seine Zigarre im Bett. Er singt oder pfeift, wenn er sich die Wangen einseift, und planscht und schnaubt, wenn er sich wäscht. Und auch er läuft im Zimmer auf und ab. Nur daß er mir keine Gedichte aufsagt, Gottfried; er erzählt mir von seinen Geschäften."

Hedwig trat ein und unterbrach ihr Geplauder. Das Feuer sei im Zimmer des jungen Herrn angezündet. Gottfried ging hinaus. Der Anblick seines alten Zimmers überraschte ihn. Man hatte die Einrichtung geändert. Es sah viel einladender aus als in früheren Tagen. Ein großer Tisch stand da mit Tintenfaß und Schreibunterlage, davor ein bequemer Eichenstuhl. Und ganz besonders überraschte ihn eine Vase mit einigen Chrysanthemen. Es wurde ihm behaglich warm ums Herz. Diese Blumen atmeten einen wahren Zauber. Er wußte, wer sie hingestellt hatte. Sicherlich nicht sein Vater.

„Herrgott!" sagte er. „Komische Seele, aber es gibt nichts Schöneres, als zu Hause zu sein."

Oh, er hätte seine Gefühle keinem Menschen schildern können! Später einmal wird er sie seinem Tagebuch anvertrauen und sich selber alles beichten, ja, sich selber. Vorläufig aber – lieber aber in vollen Zügen die Lust des Daseins genießen! Jammerschade, daß diese Chrysanthemen nicht duften! Er steckte seine Nase in die Blüten. „Ich möchte nur wissen, warum sie nicht riechen. Sie sind so groß und schön, und es gibt doch andre Blumen, kleinere, powre Dinger, die meine Nase behexen können ... G. S. sei kein Esel!"

Nach dem Abendessen blieben Vater, Stiefmutter und Sohn noch eine Weile beieinander sitzen. Gottfried sprach über das Universitätsleben in Basel, erzählte von Freunden und Professoren und beschrieb allerlei Einzelheiten seines Alltags, von denen er annahm, daß sie interessieren würden. Noch nie war er in seines Vaters Gesellschaft so redselig gewesen wie an diesem Abend.

Anton Jakob hingegen befand sich in einer gleichmütigen und etwas abwesenden Stimmung. Ruhig hörte er den Erzählungen seines Sohnes zu, und die ihm früher so peinliche Wahrnehmung, daß Gottfried den Geist der Gam-Müller und des Oberlandes vollständig eingebüßt habe, plagte ihn durchaus nicht mehr. Er wartete geduldig, bis der Sohn eine Pause machte. Dann legte er bedächtig den Arm um Thereses Schulter, seinen Besitzerstolz offenbarend.

„Jaja! Mein Gottfried wird eines Tages Bundesrat. Das sehe ich kommen. Ihn wird es nicht befriedigen, Regierungsrat zu sein wie sein Vater."

„Ich glaube nicht, daß ich mich jemals mit Politik abgeben werde", sagte Gottfried.

„Ach, das kommt von selber!"

„Das glaube ich nicht. Ich hoffe, der Menschheit auf bessere Weise dienen zu können. Ich habe meine eigenen Gedanken über die Probleme der heutigen Zeit, aber ich mag noch nicht darüber sprechen. Ich will zuerst meinen Weg noch klarer vor mir sehen."

„Oha! Aha! Nur alles schön zurechtlegen! Das ist die solide Art!" sagte Anton Jakob und nahm den Arm von den Schultern seiner Frau. „Theresli", mahnte er, „du solltest jetzt zu Bett gehen." Er küßte sie, und sie erhob sich mit einer Duldermiene, die Gottfried seltsam berührte. Dann ging sie zu Gottfried hin und gab ihm die Hand.

„Gib ihm einen Kuß, warum denn nicht?" sagte Anton Jakob. „Vorwärts, gib ihm einen."

„Aber Toni", sagte sie und sah ihren Gatten an, „er ist denn doch kein Bueb mehr."

„Dumms chaibe Züg! Gib ihm einen Kuß! Einerlei, wie groß er ist. Er wird immer mein Bueb bleiben."

Anton Jakobs Stimme klang prachtvoll sicher und jovial.

Therese küßte Gottfried, und er sagte ihr „Gute Nacht". „Gute Nacht", wiederholte er bei sich selbst, und von neuem dachte er an die Bekenntnisse, die er einmal aufzeichnen wolle, und an seine Beichte.

Vater und Sohn blieben noch bis in die späte Nacht hinein bei einem Glas Wein sitzen.

Am nächsten Morgen schnallte Gottfried seine Schier an und blieb den ganzen Tag im Freien. Am Abend war er todmüde und ging früh ins Bett. In dieser Nacht schlief er sehr gut. Kein Traum störte seinen Schlummer. Des Morgens erwachte er mit der Sonne. Das Tal erglühte in all seiner frischen Winterpracht. Anton Müller fuhr an diesem Tag nach Interlaken, wohin er zu einer Komiteesitzung aufgeboten war.

Gottfried sah sich am Frühstückstisch mit Therese allein. Er fand sie an diesem Morgen außergewöhnlich schön. Ihr stiller Reiz, ihr kluges Wesen entzückten ihn mehr denn je. Plötzlich fragte sie ihn nach seiner Schitour von gestern. Er erzählte, er sei bis nach Arnisboden gefahren und habe nun so steife Beine, daß er heute keinen größeren Ausflug machen könne, sondern nur ein wenig im Sonnenschein herumlungern werde.

„Wollen wir zusammen einen kleinen Spaziergang machen?" fragte sie.

„Das wäre wunderbar!"

Sie gingen ins Freie. Obgleich die Sonne ihre warmen Strahlen überall hinsandte, war der Schnee doch hart gefroren. Er knirschte unter ihren Schritten.

„Ich liebe das spröde Knirschen des Schnees", sagte Gottfried.

„Ich auch!" rief sie. „Als ob es einen heimlich lüpfeln und heben wollte, wenn man so dahingeht, gelt?"

Sie schlenderten durch Gam und grüßten alles, was ihnen begegnete. Vor Bühlers Laden, in dessen Schaufenster ein großer Spiegel hing, erhaschte Therese einen Blick auf ihre Gestalt. Stehenbleibend sagte sie: „Weißt du, Gottfried, ich muß andre Kleider anziehen, wenn ich mit dir ausgehe. Ich muß älter aussehen. Sonst werden die Leute nicht glauben, daß ich deine Stiefmutter bin."

Er lachte. „Das weiß doch alle Welt!"

„Natürlich, aber trotzdem!" Sie drehte sich ihm zu. „Mon Dieu! Que je suis bête! Aber du bist schuld, Gottfried, daß ich immer noch so dumm bin! Ich habe dich gebeten, mich zu erziehen, aber du hast noch gar nichts getan."

„Dich erziehen? Für mich bist du reichlich genug gebildet."

Statt zu antworten, fragte Therese: „Wie kommt es nur, daß es Leute gibt, die so unendlich viel wissen?"

„Wer zum Beispiel?"

„Zum Beispiel Victor Hugo und Balzac und Gottfried Keller. Von diesen habe ich ein paar Bücher gelesen, einige sogar zweimal! Dein Vater sieht es zwar nicht gerne, wenn ich viel lese. Er meint, das Lesen verderbe mir die Augen. Sag jetzt: wie können diese Menschen nur so unendlich viel von uns wissen?"

„Von uns?"

„Ja, mir selber kommt es manchmal vor, als ob sie über uns schrieben, über uns selber!"

Gottfried lächelte. „Das ist nun aber gar keine dumme Bemerkung! Willst du mir's glauben?"

„Nein, und ich bin überzeugt, daß ich nie viel wissen werde im Vergleich zu dir und vielen, vielen andren Menschen auf der Welt."

„Und was, glaubst du, weiß denn ich? Einen winzigen Bruchteil dessen, was man wissen könnte! Je mehr ich die Rechte studiere, desto weniger versteh' ich davon, will mich dünken. Was haben nicht die Menschen schon Gesetze ersonnen, nur um sich voreinander zu schützen! Über jede Handvoll Eigentum, über jeden Hund, jeden Hasen und jeden Kornsack hat man Gesetze verfaßt. Warum das so sein muß? Das hab' ich mich oft gefragt. Aber ich hab's noch nicht herausgefunden."

„Eh!" sagte sie erstaunt. „Sogar du fragst dich solche Dinge?"

„Warum: ,Sogar ich?' Hast du schon darüber nachgedacht?" Gottfried blieb überrascht stehen.

„Oh, ich weiß nicht, wie ich es sagen soll. Nein, eigentlich nicht. Aber jetzt, wo du all das so sagst, da ist mir, als hätte auch ich das immer schon so empfunden."

„Das ist sonderbar", sagte Gottfried.

„Bevor du diesmal abreist, gebe ich dir etwas Geld mit, und du mußt mir Bücher kaufen. Weißt du, ich lese jetzt ziemlich schnell. Ich möchte gern Bücher haben, die für alles, was man wissen muß, eine Erklärung geben. Und dann noch ein paar Romane und Novellen. Ich werde jeden Tag lesen und lernen. Ah! Wie rasch wird mir dann die Zeit vergehen!"

Sie blieb vor Herrn Güggels Fotografenladen stehen.

„Laß mich meine Kamera holen!" rief sie eifrig. „Warte eine Minute, Gottfried, ich laufe rasch hinein." Sie trat in den Laden und kehrte bald mit ihrem Apparat und einem Umschlag voller Kopien zurück.

„Schau! Diese Bilder habe ich vorgestern aufgenommen. Da ist der Zug, wie er aus der Station ausfährt! Das ist die Schlittenbahn. Oh, da ist eins ganz verschwommen. Schau dir's nicht an."

„Du, ich will dich aufnehmen, Gottfried! Ja, das machen wir! Komm aus dem Dorf hinaus. Ich weiß einen Platz, wo ich dich aufnehmen will!"

Sie gingen an der Sägemühle vorbei bis an den Waldrand.

Therese konnte ihre Ungeduld kaum verbergen. Aber was hatte sie schließlich vor Gottfried Sixtus zu verbergen? Vor ihm durfte sie sich gottlob so geben, wie sie war.

„Nun lehne dich an den Baumstamm!" sagte sie. „So ist's recht. Aber schau nicht gar so ernsthaft drein. Lache doch!"

Gottfried gehorchte. Seine Blicke ruhten auf ihrem Gesicht, und sie knipste. Sie knipste ihn ein halbes dutzendmal, und dann verpackte sie mit nachdenklichem Ernst ihre Kamera, als berge dieses Kästchen tiefe Geheimnisse. Auf einem Umweg gingen sie nach Hause. Sie kamen am Fußende der Schlittenbahn vorbei und sahen den Kindern und Erwachsenen zu, die lustig heruntersausten.

„Wir wollen heute nachmittag miteinander schlitteln", sagte Gottfried. „Was meinst du?"

Sie schwieg einen Augenblick.

„Wollen wir? Ich hätte riesige Lust."

„Ich weiß nicht", sagte sie, „ich fühlte mich nicht in der Laune."

„Hast du Angst?"

„Nein."

„Was dann?"

„Oh, ich weiß nicht. Komm nach Hause. Ich werde mir's überlegen. Du kannst schlitteln gehn, Gottfried, und ich schaue dir zu."

Gottfried mietete einen bequemen Davoser Schlitten mit Sitzkissen und machte sich am Nachmittag in Thereses Gesellschaft auf den Weg.

Sie war sehr schweigsam, und ihr Benehmen verwirrte ihn.

Als sie zur Bahn kamen, sagte Gottfried:

„Du mußt mit mir herunterfahren, Stiefmutter, du hast Schneeschuhe an, und weiter brauchst du nichts."

„Es handelt sich nicht um die Schneeschuhe." Sie stand einen Augenblick unschlüssig da. Plötzlich zeigte sie ihre Grübchen.

„Komm!" rief sie. „Warum sollte ich nicht mit dir schlitteln!"

Sie stiegen zu der Abfahrtstelle hinauf.

„Ich steure", sagte Gottfried. „Du sitzest hinter mir und hältst dich an mir fest. Fürchte dich nicht, ich habe diese Bahn schon hundertmal befahren."

„Als Kind bin ich oft ganz alleine gefahren", sagte Therese. „Ich weiß, wie man es machen muß."

„Willst du also steuern?"

„Nein, nein, du steuerst!"

„Schön – du kannst das nächste Mal steuern."

Er setzte sich auf den Schlitten und schob sich bequem zurecht. Sie hockte sich dicht hinter ihn, stopfte den Rock unter und zog die Beine herauf, so daß er zu seinen beiden Seiten je einen ihrer kleinen Füße sah. Er gab dem Schlitten einen Ruck, und sie sausten los. Die Bahn war ziemlich stark vereist, und es ging in schnellem Tempo bergab. Gottfried stieß laute Rufe aus, um die andern zu warnen, die ihre Schlitten den Berg hinaufzogen. Auch Therese schrie, aus Jubel und Entzücken, und sie klammerte sich fest an Gottfried an. Je mehr die Geschwindigkeit wuchs, desto fester wurde ihr Griff. Jetzt erreichten sie das Ende ihrer schnellen Fahrt, stiegen mit glühenden Backen vom Schlitten herunter und lachten. Thereses Puls ging schnell. Gottfried war ganz außer Atem.

„Komm, wir wollen wieder hinauf", sagte er.

Sie wiederholten ihre Fahrt.

Wieder steuerte Gottfried, und es schien, als sei diesmal die Fahrt noch toller als das erste Mal und als klammere sich Therese noch fester an ihn an. Zuweilen hielt er mit seinen Warnungsrufen inne, um dicht hinter seinem Rücken ihre jubelnde Stimme zu hören. Dies alles erfüllte ihn mit tiefem Entzücken. Der geschmeidige Körper Thereses schien fest vereinigt mit dem seinen. Er fühlte die Berührung ihrer Brüste und Schenkel. Das war kein gewöhnliches Schlitteln. Das war etwas unendlich Süßes, wunderbar und furchtbar zugleich! Ein Strom herrlicher Gefühle, wirrer Tollheit! Ja, all dies wird er eines Tages in seinen Bekenntnissen niederlegen. Das Leben ist interessant. Das Leben hat Augenblicke, die man nie vergessen kann. Dies war einer jener Momente, da Paradies und Hölle sich vermischen, da den Geist Verwirrung packt und heiße Schauder durch den Körper jagen. So wenig von all diesen Dingen war noch in seinem Leben gewesen, in seinem braven jungen Leben.

Nach dieser Fahrt fragte er sie nicht mehr, ob sie noch einmal fahren wolle. Wortlos zog er den Schlitten bergauf, und sie folgte ihm. Ihre Augen strahlten vor Lebenslust und Gesundheit, ihr Herz willfahrte schweigend dem fast qualvoll süßen Beben ihres Blutes.

Ja, dieses Schlitteln! Von neuem dachte sie daran, daß Anton Jakob es nicht gerne sah. Aber konnte er etwas dagegen haben, wenn sie mit Gottfried fuhr? Hatte er sie nicht aufgefordert, mit Gottfried zu tanzen, ihm befohlen, sie zu küssen? Wenn er jetzt zugegen wäre, dürfte er nicht anders, als ihr erlauben, mit Gottfried zu schlitteln! Und wenn Anton Jakob und alle Welt zuschauten, es bliebe wunderschön!

Nach etlichen Fahrten schlug Therese eine kleine Ruhepause vor. Seite an Seite setzten sie sich nieder, und die jähe Untätigkeit ließ sie verstummen. Plötzlich sprang Gottfried wieder empor und zog den Schlitten den Berg hinauf.

Diesmal steuerte sie. Er legte seine Arme um ihren Körper. Aber sie wehrte sich sanft, und er nahm die Hände weg und hielt sich am Schlitten fest. Nur als sie um eine Ecke sausten und er in Gefahr kam, vom Sitz herunterzurutschen, schlang er rasch die Arme um sie. Sie hatte diese Bewegung nicht erwartet und verlor die Herrschaft über den Schlitten. Er schoß seitlings in den Schnee, sie purzelten übereinander und waren halb begraben. Lachend standen sie auf, schüttelten sich den Schnee ab und beendeten die Fahrt in mäßigem Tempo.

Der kleine Zwischenfall steigerte ihren Eifer. Mit glühenden Gesichtern und dampfendem Atem schlittelten sie bis zum Einbruch der Dämmerung. Es war fast schon finster, als sie auf den Gamhof zurückkamen.

„Wirklich, das war ein schöner Tag", sagte Gottfried. „Ich werde ihn lange nicht vergessen."

„Und ich gar nie!" rief sie. „Jetzt aber muß ich wieder dran denken, daß ich Frau Alt-Regierungsrat bin."

Gottfried spürte voll Erstaunen eine leichte Bitterkeit in ihrer Stimme.

„Nun, Kinder", sagte Anton Jakob am selben Abend bei Tische, „was habt ihr heute getrieben?"

„Geschlittelt", antwortete Gottfried.

„Du auch, Theresli?"

„Ja!"

„Oh! Aha! Hinter meinem Rücken! Während ich weg bin! Was tust du denn noch alles hinter meinem Rücken?"

„Toni!" rief sie aus.

„Du weißt, daß ich es nicht mag. Tu es also bitte nicht wieder." Seine Stimme klang sehr hart. Gottfried flammte auf.

„Ich kann daran nichts Schlimmes finden. Die Bewegung hat ihr unendlich gutgetan."

„Nicht möglich!" Der Vater hob die Brauen wie ein argwöhnischer Mandarin.

Soweit es ihn und Gottfried betraf, hatte die Sache hier ein Ende. Aber Therese, die Wangen von Schamröte übergossen, erhob sich vom Tisch, ohne ein Wort zu sagen. Einen Augenblick stand sie zögernd da, dann verließ sie, eher hochmütig als kleinlaut, das Zimmer.

„Die Weiber sind alle gleich", sagte Anton Jakob ein wenig verächtlich und aß weiter.

Nur spärliche Worte wurden zwischen Vater und Sohn gewechselt, und schließlich zog Anton Jakob die Serviette aus seinem Kragen, wischte sich den Mund und verließ das Zimmer. Draußen nahm er Hut und Mantel, um in den „Bären" zu gehen.

Gottfried hörte, wie die Tür ins Schloß fiel, und dann herrschte tiefe Stille im Haus. Lange Zeit saß er reglos am Tisch. Hedwig brachte den Kaffee.

„Der Herr ist zornig weggegangen", sagte sie. „Und Frau Müller ist wieder verdrossen."

„Ja, Hedwig, jung verheiratete Leute! Zanken sie sich leicht?"

„Das ist kein leichter Zank", erklärte sie. „Es ist einfach eine Schande. Frau Müller darf nichts tun, wozu sie Lust hat."

„Nur nicht übertreiben, Hedwig! Vater steckt bis über die Ohren in Geschäften, das ist die ganze Sache. Er ist immer ein bißchen mürrisch, wenn er was Neues angepackt hat."

„Aber Herr Müller sollte dran denken, daß Therese jung ist, und er sollte sie nicht so viel allein lassen."

„Ja, dumms Züg!" rief Gottfried. „Steck deine Nase nicht in Vaters Angelegenheiten!"

Er zündete eine Zigarre an und musterte Hedwig, als bemühe er sich, ihre Absicht zu durchschauen. Einen Augenblick lang glaubte er, sie spioniere bei Therese. Aber rasch schlug er sich diesen Gedanken aus dem Kopf. Viele sonderbare Gedanken mußte er sich in diesen Tagen aus dem Kopf schlagen. Hedwig ging hinauf und kam nach einigen Sekunden mit dem Bescheid zurück, Frau Müller wolle nicht mehr herunterkommen.

„Und das nennt sich ein Heim. Hm!" brummte Gottfried. „Ich will hinaufgehn und sehen, was die Stiefmutter macht." Er legte die Zigarre weg, stieg die Treppe hinauf und klopfte an Thereses Tür.

„Geh jetzt, Hedi, und laß mich in Ruh!" scholl Thereses Stimme aus dem Zimmer.

„Ich bin es: Gottfried!"

„Was willst du?"

„Bloß ein paar Worte mit dir sprechen."

Eine kurze Pause folgte, dann öffnete Therese die Tür. Sie sah erhitzt aus und immer noch zornig.

„Du bist im Recht, Therese. Der Vater ist sehr unvernünftig gewesen."

„Macht nichts, macht nichts!" sagte sie und starrte auf seine Füße.

„Doch, doch! Es schmerzt mich, und ich werde mit ihm darüber sprechen."

„Sei nicht dumm!" rief sie schnell und legte die Hand auf seinen Arm. „Du dummer Bueb, was glaubst du denn!"

„Vater ist der Meinung, daß außer ihm kein Mensch einen Stolz hat! Immer muß er das große Wort führen. Das soll er sich abgewöhnen! Und du ... ich will ganz offen sprechen: ich kann dich in meinen Gedanken nicht mehr als Stiefmutter betrachten. Ich fühle mich wie ein Bruder zu dir. Vater selber hat mir dieses Gefühl eingeflößt. Er nannte uns seine Kinder, uns beide, dich und mich." Er hielt inne und holte tief Atem. „Ja – so ist es. Wie ein Bruder werde ich zu dir sein."

Er sah sie gleichsam erleichtert an, nahm ihre Hand und drückte sie sanft. Sie ließ es geschehen. Dann bat sie ihn, hinunterzugehn. Er ging, und sie schloß die Tür.

Den nächsten Tag verbrachte Gottfried ganz allein. Er war mit aller Welt unzufrieden, schlecht gelaunt und wich dem Vater und der Stiefmutter aus. Im Verlaufe des Abends jedoch sprach er ein paar Minuten mit Therese unter vier Augen.

„Ich habe mich entschlossen, nach Basel zurückzufahren. Gott weiß, wie viele Monate es dauern wird, bevor ich dich wiedersehe. Ich will von dir Abschied nehmen."

„Gottfried, mir ist traurig zumute", klagte sie, „ich weiß nicht, was ich sagen soll."

„Bist du traurig, weil ich gehe?"

„Auch deshalb. Und dann noch jenes Vorfalls wegen."

„Vergiß ihn", sagte er. „Ich werde ihn vergessen. Es ist eine geringfügige Sache. Aber dich werde ich nicht vergessen, Therese. Ja, jetzt nenne ich dich Therese."

„Wie lange willst du wegbleiben?"

„Allermindestens sechs bis acht Monate."

„Oh! – Wirst du dein Versprechen wegen der Bücher halten?" fuhr sie nach einem kurzen Schweigen fort. „Und wirst du mir schreiben?"

„Gewiß."

„Auch ich werde dir schreiben."

„Therese", sagte er heiß, „Tag für Tag werde ich an dich denken."

„Tag für Tag!" wiederholte sie.

Sie hörten Anton Jakobs Schritte; sie trennten sich.

Am nächsten Morgen reiste Gottfried Sixtus mit dem Frühzug ab. Therese ging nicht hinunter, um ihm Lebewohl zu sagen, aber sie spähte durch die Fenstervorhänge und sah zu, wie er im Schlitten davonfuhr. „Sechs bis acht Monate!" sagte sie. „Eine sehr, sehr lange Zeit!" Es war ihr, als entschwinde etwas Liebliches und Schönes, und ein banges Gefühl der Einsamkeit hätte sie fast überwältigt. Tränen hingen an ihren Augenlidern. Sie fragte sich, ob sie für Gottfried Sixtus sonderlich viel bedeute. Vielleicht nicht sehr viel. Sie kannte nicht die Sitten seiner Welt. Unzufrieden mit sich selber ging sie ins Bett und wandte ihr Gesicht der getäfelten Wand zu.

Der Alltag war jetzt für Therese nicht mehr derselbe wie zuvor. Sie ertappte sich unvermutet dabei, wie sie Träumereien nachhing, wie sie seltsame neue Gedanken hegte, über sich selbst und über Gottfried und über alles, was er gesagt hatte.

Er wollte ihr schreiben und ihr Bücher schicken! Es schien ihr, als lägen alle Geheimnisse der Welt in den Büchern verborgen.

In Gottfried Sixtus glaubte Therese einen untrüglichen Beweis dafür zu sehen, was Bücher zuwege bringen können. Wie zurückhaltend und gesittet war Gottfried im Vergleich zu seinem Vater! Gottfried hatte eine Art, die ihr gefiel. Etwas Weiches in seiner Seele erweckte ihr Mitgefühl. Oft bedauerte sie, daß sie nicht seine wirkliche Mutter sei.

Eines Tages wachte sie mit dem Gedanken an Gottfried auf, und den ganzen Tag über dachte sie an ihn. Abends schrieb sie ihm eine Postkarte: „Rasch, rasch schick mir die Bücher! Ich kann kaum noch länger warten."

Die Bücher kamen nun wirklich, eine große Kiste voll, und Therese packte sie aus.

„Ich möchte gern wissen, was das bedeuten soll", sagte Anton Jakob, als er zufällig herbeikam. „Was ist mit dir denn los, Maidi? Was für ein Teufel ist denn plötzlich in dich gefahren? Glaubt der Bueb, er könne aus dir einen Professor machen? Nein, Maidi, du bist auf dem Holzweg."

„Du mußt mich verstehen, Toni", bat sie. „Du hast deine Arbeit, deine Freunde, du gehst aus, du bist ein tätiger Mensch; aber ich, ich sitze hier an den langen Winterabenden und habe nichts zu tun. Ich halte es kaum mehr aus, Toni."

„Aha!" sagte er und heftete einen vorwurfsvollen, fast traurigen Blick auf Therese. „Also bin ich es, der dich zum Lernen treibt! Hm, ja, Theresli, ich will dir ein kleines Wörtchen über die Bücher sagen, über all die verdammten Bücher: Du kannst sie alle auswendig lernen und wirst doch um kein Jota klüger sein. Ja, wenn du dich schließlich hindurchgefressen hast, wirst du nicht weiter sein, als wo du zu Anfang warst."

Seine Augen funkelten in jäher unterdrückter Wut.

„Sie werden dir nichts nützen, nicht das mindeste! Du hast es nicht so schlecht. Erinnere dich ein wenig, wie dein Leben war, bevor du nach Gam gekommen bist, und gib dich zufrieden."

„Weshalb hast du mich geheiratet?" fragte sie, ohne ihn anzusehen. Ihre Stimme klang quälerisch. Er strich sich mit der Hand über die kurzen grauen Stoppeln seines Kopfes, seine Blicke hingen zögernd an ihren Hüften, an ihrer Taille.

„Hm, ja, Maidi", sagte er, „nicht um dich grob zu behandeln, das ist sicher. Dort in der Klinik, unter dem Baum, hab' ich dir gesagt, warum ich dich haben will. Vergiß jetzt nicht, daß du in erster Linie einen Bauern geheiratet hast. Ich will es noch erleben, daß du auf diese Tatsache stolz bist. Glaub nur nicht, Maidi, daß ich nicht sehe, was um mich vorgeht. Ich habe nichts dagegen, daß du vor allem die Frau Regierungsrat bist, aber trotzdem überrascht es mich, daß du kein Interesse mehr an der Wirtschaft nimmst. Seit Wochen hast du keinen Fuß in Röthlisbergers Behausung gesetzt. Wahrscheinlich würde es dir kaum weh tun, wenn der ganze Hof niederbrennt. Hab' ich recht oder nicht?"

Er trat einen Schritt näher und legte seine schwere Pranke auf ihre Schulter.

„Schau mich an, Maidi", sagte er fast flehend und sehr ernst. „Würdest du jetzt hinuntergehn und eine Kuh melken, wenn ich dich darum bitten würde?"

„Du willst mich aber nicht darum bitten?" fragte sie etwas verwirrt.

„Würdest du es tun?" bestand er auf seiner Frage.

„Vermutlich", sagte sie mit einem schiefen Blick auf die Bücher, die sich auf dem Tisch häuften, „vermutlich bliebe mir nichts andres übrig."

Er ließ ihre Schulter los. Stumm stand er da und betrachtete ihre Hände. Sie waren weiß, schlank, aderlos, die Nägel rosig von dem Pulsschlag heißen Blutes, die Finger lang, ausdrucksvoll, etwas eckig. Er empfand den leisen Wunsch, diese Hände zu küssen, aber dieser Wunsch, so verführerisch er auch sein mochte, stand nicht im Einklang mit seiner Natur. Nie noch in seinem ganzen Leben hatte er eine schöne Verbeugung gemacht und eine Hand geküßt, ja, er kannte nicht einmal die Anfangsgründe solcher Künste.

„Maidi", sagte er in rätselhaftem Tone, „daß du so bist, wie du bist, wird nie meinen Widerspruch finden, und nie werde ich dir verwehren, das zu werden, was dir wünschenswert oder notwendig erscheint. Du bist mein Weib, und davon wirst du niemals loskommen, trotz all dieser Bücher."

„Aber Toni! Wer sagt denn, daß ich so etwas wollte! Wie kommst du dazu, solche Dinge zu reden?"

„Durch diese Bücher!"

„Ich verstehe dich nicht."

„Nun, wenn du sie gelesen hast, wirst du mich vielleicht verstehen", sagte er.

„Ja, bist du denn auf Bücher eifersüchtig?"

„Ich bin auf niemand und nichts eifersüchtig."

Er reckte seine breite Brust heraus und das behaglich runde Bäuchlein. Dann begann er mit einer großen, in Gold gefaßten Koralle zu spielen, die von seiner Uhrkette baumelte. Den einen Fuß stellte er vor, während sein ganzes Gewicht auf dem andren ruhte. Es war genau die Haltung, die er im Rate einzunehmen pflegte, besonders, wenn er mit den andren Räten stritt. „Du bist ein stolzes Geschöpf", sagte er, „und auch ich bin stolz. Wenn etwa eines dieser Bücher von unserer Landesgeschichte handelt, dann wirst du lesen, Maidi, daß wir Bauern mit unsern Knütteln die Köpfe deiner Vorfahren eingeschlagen haben. Seither sind wir Demokraten. Wir wohnen alle in derselben Straße."

„Wir wohnen alle in derselben Straße?" fragte sie fast bitter. „Ich glaube es nicht, Toni. Auch du glaubst es nicht, so viele Ritterköpfe auch deine Ahnen zertrümmert haben! Nicht alle Männer sind gleich. Und auch nicht alle Frauen. Das weißt du."

„Geh mir weg!" rief er.

„Nein, sie sind es nicht! Ich hätte dich nicht geheiratet, wenn du so wärst wie alle andren Männer."

„Oh, aha!" Er stand eine Weile stumm da, immer noch in derselben Haltung.

Er schien betroffen durch diese Bemerkung. Er hatte auf seine eigenen Worte nicht sonderlich geachtet. Therese aber wog die Worte und maß seinen Charakter! Mit Erstaunen stellte er es fest. Dieses völlig Neue an ihr brachte ihn aus der Fassung. Er erkannte, daß sie ein selbständiges, ganz anders geartetes Wesen war als er und daß jeder Tag ihres gemeinsamen Lebens diesen Unterschied verstärkte. Die Unruhe packte ihn, er haßte es, unversehens von jähen Veränderungen überrumpelt zu werden.

„Maidi", sagte er schließlich und runzelte nachdenklich die Stirn,

„du wirst doch wenigstens immer offen zu mir sein, nicht wahr? Ich will dich glücklich sehen, aber ich erwarte von dir dieselbe Rücksicht, die ich dir entgegenbringe. Dann werden wir uns immer gut vertragen. Ein ehrliches und gerades Leben ist immer lebenswert", murmelte er, „ja, laß uns immer ehrlich zueinander sein!"

„Toni, Toni!" sagte sie. Sie verstand die Warnung.

„Wir wollen vorsichtig sein, Maidi", fügte er hinzu. „Mein Alter rückt vor, siehst du, und ich muß mit meinen Kräften sparsam umgehen. Sonst findest du dich eines Tages als Witwe, bevor du recht weißt, was mit dir los ist."

Therese schlang die Arme um seinen Hals und legte ihren Kopf an seine Schulter. Er klopfte ihr sanft auf den Rücken. Während er noch sprach, während sie den Kopf an seine Schulter lehnte, durchzuckte sie plötzlich ein Gedanke an Gottfried Sixtus. Eiseskälte durchfloß ihre Adern. War der Gedanke schon Sünde? „Laß uns immer ehrlich zueinander sein!" Im Rhythmus seines schweren Atems glaubte sie diese Worte zu hören.

„Toni, was verstehst du unter ehrlich sein?" fragte sie mit niedergeschlagenen Augen.

„Offenheit, Freimut, selbst dann, wenn es dabei heißt, grausam zu sein."

„Ach ja", sagte sie und stieß einen verhaltenen Seufzer aus. Anton Jakob vernahm ihn. Plötzlich packte er sie bei den Haaren, beugte ihren Kopf zurück und küßte sie voll auf den Mund. Einen Augenblick hielt sie geduldig still, dann machte sie sich los.

„Du hättest dich rasieren können, Toni", sagte sie ruhig. „Du reibst mir die Haut ganz wund."

Er behauptete mit komischem Ernst, er habe dazu keine Zeit gehabt. Sie wandte sich ab und blickte wunderlich lächelnd durch das schmale Fenster auf den Schnee hinaus.

„So, das wäre in Ordnung", sagte er erleichtert. „Jetzt werde ich mich rasieren. Hm – oh, aha! Was ist das für ein Buch? De l'Amour – Stendhal? Natürlich, du kannst Französisch lesen, ich vergaß. Ich kann das nicht. Hm – De l'Amour! Das heißt ‚Liebe'."

Er warf einen Blick in das Buch.

„Komisches Büchlein. Wie ich sehe, hat Gottfried etwas auf das leere Titelblatt geschrieben: ‚Dieses Buch ist eine trockene Arbeit über die Psychologie der Liebe. Es sollte nur in kleinen Dosen und in ruhiger Stimmung genossen werden. Dann wird es dem Leser klar erscheinen. Neben diesem Buch sollte der Leser Rousseaus ‚Bekenntnisse‘ studieren und vieles von Goethe, von Montaigne und Spinoza. Solange nicht solche Werke vom Leser gründlich verstanden sind, sollte er sich nicht mit Darwin und Nietzsche beschäftigen.‘“

„Verstehst du das alles?“ fragte Anton Jakob.

Sie schüttelte nervös den Kopf. „Nein – nein.“

„Das glaub’ ich dir gern!“ Und damit warf er „De l’Amour“ auf den Tisch. „Meiner Ansicht nach wäre es besser, wenn sich dein Geist mit praktischen Dingen abgäbe. Lies unsere besseren Zeitungen und Kalender, da stehn auch ganz gute Sachen drin.“

„Ich verstehe nichts von Büchern“, rief sie hastig, „und ich konnte doch Gottfried nicht sagen, was er mir schicken soll! Aber er ist Student und kennt sich in allem aus.“

„Lernen ist sein Beruf“, erklärte Anton Jakob.

Therese rief nervös: „Es dürfen wohl nur diejenigen lernen, deren Beruf es ist?“

„Jawohl.“

„Und du bist der Ansicht, Toni, daß ich für immer unwissend bleiben muß?“

„Du solltest dich mit dem zufriedengeben, was du hast, Maidi, und nicht versuchen, weiter hinaufzurücken.“

Sie setzte sich in einen Stuhl neben das Fenster und stützte ihr Kinn auf die Fingerknöchel.

„Ich muß lernen“, sagte sie, „ich will und muß!“

„Maidi, Maidi“, und er schüttelte langsam den Kopf. „Du bist nicht mehr dieselbe, die du warst.“

Er verließ das Zimmer. Therese starrte zum Fenster hinaus. Ein unbezähmbarer Wille loderte aus ihren Augen.

Sophie und ihr Mann verbrachten eine Nacht auf dem Gamhof. Sie bewohnten gemeinsam das große Zimmer im Oberstock. Sophie war unzufrieden. Sie fühlte sich nicht behaglich.

Der Gedanke, daß sie sich in ihres Vaters Haus nicht mehr als Herrin benehmen dürfte, demütigte sie, ärgerte sie.

„Nie wieder komme ich hierher", sagte sie in dieser Nacht zu ihrem Gatten. „Ich kann es nicht ertragen. Das ganze Haus hat sich verändert. Man könnte fast denken, es gehöre nicht mehr uns. Hast du gesehen, wie sie uns die ganze Zeit mit ihren Blicken kritisiert? Wer ist sie denn, ich frage, wer ist diese Therese?"

„Pst", warnte ihr Gatte, während er mit seinem langen weißen Nachthemd ins Bett stieg, „sprich nicht so laut. Das Zimmer des Alten ist direkt unter uns."

„Das weiß ich, und was geht es mich an? Stell dir nur vor, jetzt steckt sie ihre Nase sogar noch in Bücher! Eine gewöhnliche Dienstmagd! Pah!"

Ihre schmalen Augen funkelten, und sie zog krampfhaft die Schultern hoch. Wie eine Furie sah sie aus.

„Ich hasse dieses Weib mit seiner ganzen aufgeputzten, überlegenen Art."

„Sophie, Sophie!" beschwor sie ihr Mann, während er seine Decke bis ans Kinn heraufzog und die Daunen flachklopfte. „Sie ist deine Stiefmutter!"

Träumerisch wanderten seine Augen zu der Decke empor. Dort schienen sie sich irgendwo festzuhaken, und seine Lider klappten langsam auf und zu, als erweise er einem schönen Bild seine fromme Verehrung. Ein tiefer Seufzer drang aus seiner Brust. Der Mann in ihm zollte Thereses Schönheit seine stumme und geheime Huldigung.

„Stiefmutter!" rief Sophie verächtlich. „Stiefmutter!" Ihre nicht allzu glorreiche Schönheit halb zur Schau stellend, ohne die sonderliche Aufmerksamkeit ihres auf friedliche Nachtruhe bedachten Mannes zu erwecken, trat sie vor den Spiegel, um sich das Haar zu frisieren. Doktor Naef gähnte. „Was soll das alles bedeuten?" murmelte er.

Sophie drehte sich unvermittelt zu ihm herum. Ihre Augen musterten die beiden Betten, die im Zimmer standen, eines da, das andre dort. Er lächelte schläfrig.

„Weißt du", sagte sie, „dies ist das erste Mal, daß wir nicht nebeneinander schlafen."

„Nur für eine Nacht", beschwichtigte er sie.

„Nur!" rief sie aus. „Der Anfang ist's! Und sie gab das schöne Beispiel! Weißt du, daß sie sich unten ein eigenes Zimmer genommen hat, ganz für sich allein? Das ‚Boudoir' einer Dienstmagd! Sie isoliert sich, sie spielt die Dame! Der Kuckuck hockt in unserm Nest und drängt uns hinaus! Schau nur, wie wir alle von Vätti getrennt sind, seit sie die zweite Frau Müller wurde! Vätti hat sein ganzes Leben lang nie so unglücklich ausgesehen."

„Wie absurd, mein Schatz! Du verstehst nicht das geringste von Psychologie, sonst würdest du all diese kleinen Vorfälle mit andren Augen betrachten. Nimm doch ein wenig Vernunft an, Sophie."

„Ja", sagte sie bitter, „und dich hat sie wohl mit ihrer Psychologie auch gekapert. Sie möchte gern alle unter ihr Zepter kriegen, aber mich wird sie nie bodigen."

„Wer spricht denn davon! Geh jetzt schlafen! Wir haben einen langen Tag hinter uns."

„Gute Nacht!" sagte sie unvermittelt und drehte das Licht aus.

„Willst du mir nicht einen Gutenachtkuß geben?"

„Heute abend nicht!" erklärte er kurz.

„Nun, dann eben nicht. Gute Nacht!" sagte sie und drehte sich ärgerlich zur Wand.

Doktor Naef schien insgeheim zu spüren, daß sich die Dinge auf dem Gamhof verändert hatten. Ihm persönlich gefiel die Veränderung. Ein Aufenthalt im Gamhof, sei es auch nur für eine Nacht, war nun ein ganz angenehmes Erlebnis. Es war nicht mehr das primitive und notdürftige Übernachten wie früher, als man sich in der Küche rasieren oder die Stiefel auf der Treppe putzen mußte, ohne recht zu wissen, an wen man sich wenden sollte, wenn man irgendeine kleine Dienstleistung brauchte. Im Vergleich zu diesem früheren Zustand herrschte fast ein gewisser behaglicher Luxus in dem alten Heim. Obgleich ihm das Bauernleben nicht gerade mißfiel, bevorzugte er immerhin die Annehmlichkeiten der Zivilisation. Jetzt hatte man hier ein Badezimmer, moderne sanitäre Einrichtungen und hübsche Lampen; auch die Anordnung

der Möbel, die stets bequem und sogar von einer gewissen altertümlichen Schönheit gewesen waren, verriet eine geschmackvolle
Hand.

Wie eine Frau, die noch vor einem Jahr scheinbar nichts weiter als
eine gewöhnliche Dienstmagd war, solch ein Wunder zuwege
bringen konnte, überstieg seinen juristischen Lebenshorizont. Er
gestand sich, daß ihm die Frauen ein Rätsel waren. Alle, vielleicht
mit Ausnahme Sophies, erschienen ihm rätselhaft. Therese aber
war sicherlich das geheimnisvollste Geschöpf. Sie hatte weit mehr
geleistet, als Sophie in ihrem Thuner Heim jemals zu leisten imstande sein wird. Therese besaß offenbar Energie und Geschmack.
Sophie hatte Energie. Aber wie stand es mit ihrem Geschmack?
„Rätsel, Rätsel, Geheimnis!" murmelte Doktor Naef, als er am
nächsten Morgen Thereses „Boudoir" sah. – Hm, dachte er bei
sich, sie hat eine größere Bibliothek als ich. Klassiker sogar, die
famosen, die ich Anno dazumal zur Erbauung meiner Seele hätte
studieren sollen! „Hm, hm!" murmelte er und fragte sich, wieviel
sie davon wirklich gelesen und begriffen habe. Mit diesem „Hm,
hm!" wollte er Therese seine Anerkennung bezeigen; dann starrte
er mit einem unterwürfigen, tölpelhaften Lächeln in ihr schönes
Gesicht: „Hm, ja!"

Sophie war auch zugegen und heuchelte ein mildes Interesse an den
Veränderungen, die Therese im Hause vorgenommen hatte.
Besonders schien sie sich für eine zierlich eingerahmte Fotografie zu interessieren, die über dem kleinen Schreibtisch hing
und auf der Gottfried Sixtus zu sehen war, bis über die Knie im
Schnee vergraben. Aber sie stellte keinerlei Fragen. Allzu schmerzlich empfand sie ihre Eifersucht, allzu fremd fühlte sie sich in
ihrem Vaterhaus. Sie konnte in Therese nur die Gegnerin sehen,
den Eindringling in den Kreis ihrer Familie. Eine Abenteurerin!
Immer wieder mußte sie sich zu einer schwesterlichen oder auch
nur freundlichen Haltung zwingen. Die Situation reizte sie, erregte
ihren Haß. Es verletzte ihren Stolz, vor dieser Therese heucheln zu
müssen. Unter einer erlogenen Wärme verbarg sie die eisigste
Kälte. Therese fühlte dies, und es tat ihr leid. Sie dankte Gott, als
Sophie und ihr Gatte wieder nach Thun zurückfuhren.

Seit sie begonnen hatte, mit dem Eifer eines klugen Schulmädchens zu lesen und zu lernen, seit sie mühsam an ihrer Erziehung arbeitete, war ihre Lage in der Familie nur noch schlimmer geworden. Niemand achtete ihre Bemühungen. Niemand anerkannte ihr ehrliches Streben.

Aber Gottfried Sixtus glaubte an sie. Er schrieb ihr ab und zu. Sie fand es schwierig, seine Briefe zu verstehen, und noch schwieriger, sie zu beantworten. Sie waren sehr schwer und voll von anscheinend wissenschaftlichen Dingen. Aber sie liebte diese Briefe, ja, weil zwischen den Zeilen zu lesen stand, daß Gottfried Sixtus an ihren Verstand glaube und an ihre Fähigkeit, sich emporzuschwingen.

In dieser Periode begegnete Therese den Menschen noch argwöhnischer denn je. Schon von Natur aus mißtraute sie ihrer Umgebung, denn stets war sie sich ihrer vergangenen Leiden bewußt und der qualvollen Tiefen, die sie als Kind durchschreiten mußte. Und doch, zuweilen, wenn sie über das vergangene Leben nachsann, mit all den schmerzlichen Wunden, die die Menschen ihr zugefügt hatten, schien ihr, als wäre es ein schieres Nichts gewesen, als hätte es nur wenige Wochen oder nur einen einzigen Tag gedauert. Sie hatte damals nicht wirklich gelebt. Ihr Geist war in tiefem Schlummer gelegen, ja, vielleicht hatte sie nicht einmal einen selbständigen Geist besessen. Es war das Leben einer Kehr- und Scheuermagd gewesen.

Doch ihr Schicksal hatte sich gewandelt! Waren ihre Hoffnungen nicht erfüllt, mehr als erfüllt? War sie nicht die Frau eines reichen Mannes? War sie nicht frei, hatte sie nicht ihre eigene Dienerschaft? War sie nicht in der Lage, nach Laune und Belieben ihre ehrgeizigen Pläne zu verfolgen? Aber besaß sie denn wirklich alles?

Diesen Anton Jakob liebte sie nicht. Sie duldete ihn, sie versuchte, sich mit ihm abzufinden. Und je länger sie ihn duldete, desto restloser gab sie sich dem Gefühl der Unzufriedenheit hin, das Tag für Tag in ihrer Seele wuchs. Der Trost aus Büchern, der Trost aus Gottfrieds Briefen linderte nicht das peinigende Gefühl, daß eine Mauer zwischen ihr und dem wirklichen Leben stehe. Zuzeiten, wenn sie an ihre Zukunft dachte, überlief sie ein kalter Schauer. Die kommenden Jahre lauerten vor ihr wie eine drohende Finsternis. Wenn sie in den Spiegel blickte, ganz allein, wenn sie stolz den Kopf zurückwarf, überkam sie der hilflose bleiche Zorn unerfüllten Verlangens.

Sie hatte vor kurzem in orientalischen Gedichten von grausam harten Männern und schönen Sklavinnen gelesen. Manchmal glaubte sie, selbst eine dieser Sklavinnen zu sein. Und ein andres Buch hatte sie gelesen, das ihr die Pflichten der Frau zeigte, aber es übte nur einen sehr flüchtigen Eindruck auf ihr Denken. War nicht ihr ganzes Leben eine einzige ununterbrochene Kette von Pflicht und Knechtschaft und Erniedrigung? Nein, sie glaubte nicht, daß ein bloßes Pflichtgefühl gegenüber Anton Jakob jemals an die Stelle der fehlenden wahren Liebe treten könne. Seinem Wink und Ruf gehorsam sein, seinen Launen sich fügen, wie weitab lag das von den Sehnsüchten ihrer Seele!

Therese erlebte einige lästige Zusammenstöße mit Anton Jakob. Es handelte sich um das Geld. Er erklärte ihr eines Tages, daß sie viel zuviel ausgebe.

„Leute", sagte er, „die plötzlich reich werden, geben immer mehr aus als die andren, die an den Genuß des Reichtums gewöhnt sind." Solche Bemerkungen hörte sie mit einem ruhigen, blassen Gesicht an. Er zog sie an sich, um sie zu küssen. Er fühlte, daß er sie beleidigt hatte. Aber sie wies seine Sühne zurück. Sein Vorwurf brannte lange Zeit in ihrem Herzen.

Der Sommer im Oberland war sehr heiß. Tag für Tag lag das Arnatal in wallender Sonnenglut gebadet. Die Straßen waren trocken und staubig, die Flüsse und Bergbäche zeigten ihren niedrigsten Wasserstand. Eine unendliche Vielfalt von Blüten bedeckte die Wiesengründe, und die Wälder waren grün und mit einem Teppich kühlen Mooses bedeckt.

Therese schlenderte oft in die Wälder und saß träumerisch in deren Zwielicht. Umgeben von wunderlicher Stille, sann sie dem Geheimnis ihres Daseins nach. Sie litt unter zwei scharf voneinander geschiedenen Sehnsüchten, zuerst einmal an einem seltsamen Heimweh. Oft wanderte sie in Gedanken über die Berge und besuchte das Wallis, jene einzigartige Gegend, die wie ein

Fluch auf ihrem Leben lastete. Ja, diese alte Hütte mit dem Schweinestall, wo der entlassene Sträfling lebte und starb, lockte sie so sehr, daß ihr zuweilen das Herz weh tat. Sie lachte sich selber aus. Was hatte sie im Wallis zu suchen? Warum sehnte sie sich in diese Täler zurück? Um die grauen Gesichter der Quälgeister zu sehen, die ihre Jugend vergiftet hatten? Wie dumm! Eine törichte Laune, ein oberflächlicher Wunsch, weiter nichts! Aber jene andre Sehnsucht, was war denn das? – Nein, vertröstete sie sich in ihrer Waldeinsamkeit, das ist keine Sehnsucht. Nein, gewiß, ich sehne mich nicht nach Gottfried Sixtus, ich fühle nur den Wunsch, ihn wiederzusehen. Ich habe ihn lieb. Warum sollte ich ihn nicht liebhaben? Ich müßte versuchen, ihm eine Mutter zu sein.

Da war dieser letzte Brief von Gottfried. Ein sehr langer Brief. Sie hatte ihn unzählige Male gelesen, doch niemals zu Hause, immer in der Einsamkeit des Waldes. Sie konnte ihn nur halbwegs verstehen. Gottfrieds Stil schien weniger klar und einfach als früher. Sein sonst so energischer Geist zeigte Spuren der Ermattung, und der Unterton eines seine Seele quälenden Gefühles klang mit. Pochender Kummer, eine süße brennende Spannung durchzitterte ihr Herz. Kann er denn wissen, und darf er wissen, daß ich unglücklich bin?

„Theresli", sagte der Brief, „ich denke oft an Dein unglückliches Leben . . ." Nie hatte sie in ihren Briefen auch nur ein einziges Wort von Unglück geschrieben. Sie mußte Gottfried verbieten, zu glauben, daß sie unglücklich sei.

Vergebens wartete Therese auf die Nachricht, daß er zu einem Besuch nach Hause kommen würde. Sie hätte ihm zeigen wollen, daß sie nicht unglücklich sei. Seit dem vorigen Winter war Gottfried kein einziges Mal in Gam gewesen, und jetzt machte er sogar Andeutungen von einer baldigen Auslandsreise. Therese fühlte sich verletzt. Warum mied er den Gamhof? Warum wollte er ins Ausland reisen? Es schien, als hätte er die Absicht, sie zu strafen. – Ich hätte ihn einmal haben können. Und ich wies ihn ab, weil ich nicht deutlich fühlte, daß ich ihn haben wollte! – Und jetzt! Was hätte sie nicht alles für Gottfrieds Anblick gegeben! Ihn nur eine Stunde lang sehen, von ihm ein Wort der Freude über ihre Veränderung hören, über die wunderbare Veränderung, die sie der Lektüre der „Education Sentimentale" zu verdanken hatte! Nichts, was sie nicht darum gegeben hätte, um aus seinem Munde zu hören: „Stiefmutter, ich finde dich wunderbar!" Ja, mochte er sie Stiefmutter nennen, es hätte sie tief entzückt. Wenn er je wieder nach Hause kommt, wird er sie Stiefmutter nennen müssen. Sie selbst wird ihn bitten, Stiefmutter zu sagen. Oder Maman, wie Rousseau jene Frau in Annecy nannte. Therese erschauerte fast bei dem Gedanken an Maman. Und dennoch war es ein wahrer Trost, an sie zu denken.

Anton Jakob fühlte sich seit einiger Zeit nicht recht wohl. Seine Bewegungen waren müde und schlapp. Gegen Ende des Sommers begannen ihn heftige Schmerzen und gelegentliche Anfälle von Übelkeit zu quälen.

„Ich weiß nicht, was mit mir los ist, Maidi", sagte er zu seiner jungen Frau. „Ich fühle mich so gar nicht beisammen."

Eines Tages blieb er im Bett liegen, und als er am nächsten Tag wieder aufstehen wollte, konnte er sich kaum aufrecht halten und sah sich genötigt, ins Bett zurückzukriechen. Von diesem Augenblick an, den ganzen Winter hindurch und bis weit in den kommenden Frühling hinein, zählte Anton Jakob nicht mehr zu den Menschen, die nützliche Arbeit verrichten.

Ein bekannter Spezialist in Bern hatte ihn schon vor Jahren ermahnt, er möge seinen zwar mäßigen, aber ständigen Genuß jener hitzigen Weine, die am Neuenburger und Genfer See wachsen, erheblich beschränken. Doktor Hauser aus Arnisboden, der bald nach Anton Jakobs Erkrankung gerufen wurde, betitelte sein Leiden „eine ernste Leberattacke". Diese Attacke aber wurde immer ernster und schmerzhafter, und sooft auch der Doktor durch seine Brillengläser den leidenden Regierungsrat anstarrte, sooft er sich auch seinen kugeligen Kahlkopf rieb, und soviel Medizinen er auch verordnete, mit Anton Jakob wurde es nicht besser.

Während ihres Mannes Krankheit widmete sich Therese musterhaft den neuauferlegten Pflichten. Zu Anfang wurde allerdings eine Pflegerin eingestellt. Später aber, nachdem Therese alles Wesentliche über die Krankenpflege erlernt hatte, schickte sie die ihr mißliebige Pflegerin weg. Diese völlig Fremde hatte mit schlauen Mitteln versucht, die Herrin ihres Hauses aus ihrer Machtstellung zu verdrängen und die Privatangelegenheiten der Familie Müller auszuspionieren. Sophie natürlich war durchaus dafür, die Pflegerin zu behalten.

„Vätti", sagte sie, „laß doch nicht Theresli die ganze Arbeit machen. Siehst du denn nicht, wie müde sie ist? Sie wird ihr gutes Aussehen verlieren über dem häufigen Aufstehen mitten in der Nacht und über allem, was drum und dran hängt!"

„Maidi", sagte Anton Jakob, „ich lasse mich viel lieber von Theresli pflegen als von irgendeinem andren Menschen."

„Du solltest nicht so egoistisch sein."

„Ja, Maidi, aber sie behauptet, daß sie mich gerne pflegt. Jetzt siehst du, wie sie wirklich ist. Ich habe dir immer von ihrem zärtlichen Charakter erzählt, aber du hast es nie glauben wollen."

Was konnte Sophie darauf antworten? Tausend Befürchtungen drangen auf sie ein. Ihrem Vater konnte jederzeit etwas Schreckliches zustoßen. Er war nicht unsterblich. Und dann? Angenommen, das Schlimmste trat ein ... warum schlich die Welschi so im Haus umher, aus und ein bei dem Kranken, immer die Grübchen auf den Wangen, süß und mild zu jedermann?

„Stell dir vor", sagte die praktische Sophie zu ihrem Mann, „stell dir nur vor, wie sie einen Teil unseres Familienvermögens an sich reißt!"

Doktor Naef sagte nichts, aber er wunderte sich über die jüngste Wandlung in seines Weibes Charakter. Da er jedoch die Voraussetzungen des ehelichen Friedens kannte, tat er so, als teile er ihre Ansichten.

„Ja, man sollte vorsichtig sein mit dieser Welschen! Gott weiß, was für Entschlüsse Anton Jakob auf seinem Krankenbett in gewissen Augenblicken zu ihren Gunsten fassen könnte!"

Da sie unter dem Druck dieser und ähnlicher Befürchtungen standen, war es nicht verwunderlich, daß Sophie und ihr Mann jede Woche aus Thun zu Besuch kamen. Überdies erkundigten sie sich täglich durchs Telefon nach Anton Jakobs Befinden.

Gottfried Sixtus erhielt einen Brief von Therese, in dem sie ihn bat, um seines Vaters willen nach Hause zu kommen. Sie schrieb ihm ferner, Anton Jakob habe in der letzten Zeit oft von ihm gesprochen und hege den ängstlichen Wunsch, einen geschäftstüchtigen Kopf in der Nähe zu haben, der seine im Verlauf der langen Bettlägerigkeit vernachlässigten Angelegenheiten in die Hand nehmen könnte. Es würde ihn sicherlich freuen, Gottfried wieder zu Hause zu sehen.

Dieser Brief erreichte Gottfried Sixtus in einem kritischen Augenblick seiner Laufbahn, zu einem Zeitpunkt, da er insgeheim über seinen Geisteszustand entsetzt war. Seine Bücher waren ihm zu Feinden geworden. Der bloße Anblick von Papier und Tinte erweckte seinen Abscheu. Der Geruch der Vorlesungssäle drehte ihm den Magen um. Sein geistiges Feuer war erloschen. Er gestand sich, daß ihm sogar das Leben verhaßt sei. Nur noch der Gedanke an Therese konnte ihn in Wallung bringen. Er brauchte nur ihr Bild heraufzubeschwören, und eine schmerzliche Gewalt schien ihm das Herz zusammenzupressen. Und dann war ihm, als habe sich seine Liebe zu Therese in Fleisch und Blut eingefressen. Als Gottfried den Brief aus Gam erhielt, zog er Theo zu Rate. Theo war der Ansicht, er solle nach Hause fahren, denn die Sache scheine sehr wichtig und dringend. „Wenn ich an deiner Stelle wäre, überdrüssig meiner Studien und aller sonstigen Dinge, würde ich diese Gelegenheit dankbar ergreifen. Höchstwahrscheinlich kannst du in der Landwirtschaft viel Besseres leisten als in der Justiz. Außerdem ist es meiner Ansicht nach die erste Pflicht des Sohnes, seinen Eltern zu gehorchen."

Gottfried nahm sich Theos Worte zu Herzen. Unverzüglich packte er zusammen und fuhr mit dem nächsten Zug nach Gam.

Die Begegnung zwischen Gottfried und Therese war unerwartet kühl. Kaum, daß sie einander die Hand reichten. Aber in Gottfrieds Augen flackerte ein seltsames Feuer, als er sein blasses, nachdenkliches Gesicht zur Seite wandte. Therese führte ihn unverzüglich zum kranken Vater und ließ die beiden allein. Gottfried hatte wahrlich ein andres Wiedersehen erwartet. Er hatte gehofft, Therese würde ihn freudig begrüßen. Er war enttäuscht. Sie reichte nicht an die Therese seiner Gedanken heran. Sie schien nicht die Therese zu sein, der er alle jene Briefe geschrieben hatte. Therese versuchte ihr Bestes, um Gottfried den Aufenthalt gemütlich zu machen. Er sollte sich in Gam zu Hause fühlen. Aber mit überraschender Geschicklichkeit verstand sie es, sich von ihm fernzuhalten.

„Therese", fragte er sie eines Tages unvermittelt, „hast du deine Studien aufgegeben?"

Sie fühlte den Vorwurf in seiner Stimme. Natürlich mußte er diese Frage stellen. Seit er wieder in Gam war, kamen sie nur wenig miteinander in Berührung, während sie in der Zeit seiner Abwesenheit regelmäßig korrespondiert hatten.

„Nein", sagte sie, „ich lese, sooft ich Zeit habe. Aber ich mache mir schwere Sorgen um deinen Vater. Ich möchte ihn wieder gesund sehen. Allem Anschein nach kann nur eine große Operation Heilung bringen, und er weigert sich, diese Operation vornehmen zu lassen. Von früh bis abends bin ich mit seiner Pflege beschäftigt. Wie soll ich Muße finden, um zu lesen?"

Sie hielt inne. Wozu erzählte sie ihm das alles? Wußte er es nicht?

Er lachte ein nervöses Lachen und sah ihr in die Augen. Er wußte kaum, ob sie blau seien oder grün; aber tief waren sie, sehr tief und scheinbar so ruhig. Er musterte ihre Brauen, die weiche, runde Wölbung zwischen Brauen und Lidern. Was ist das Schöne in diesen Zügen? Wo ist es? Bin ich verrückt, daß sie mir so schön erscheint? Was hat mich bloß so sehr zur Raserei getrieben? – „Ich bin ganz zufrieden, daß ich wieder zu Hause bin", sagte er später mit einem wunderlichen, würgenden Ekel vor sich selber. „Obgleich ich wirklich nicht einsehe, was es noch für mich zu tun gibt. Ich habe alles geregelt. Röthlisbergers Rechnungen sind in Ordnung. Bleibt nichts mehr übrig, als diesen Streitfall mit dem Schimmel zu erledigen."

„Ich bin überzeugt", sagte Therese, „dein Vater wird dir für all deine Bemühungen dankbar sein."

Sie verließ ihn und ging die Treppe hinunter in die Küche, während er ihr nachblickte. Unwillkürlich griff er sich an den Kopf. Ist das Therese, fragte er sich, oder irgendeine andre Frau? Ist das alles, was sie unter meiner Führung gelernt hat?

Durch eine geheimnisvolle Taktik war es Therese gelungen, das Feuer des hitzigen Jünglings abzukühlen. Es gab eine Seite ihres Charakters, tief verborgen, in Dunkel gehüllt, eine Seite, die noch kein Mensch gesehen hatte und von der sie selbst keine klare Kenntnis besaß. Allmählich aber fühlte sie sich ängstlich und nervös. Vielleicht war es ein Fehler gewesen, Gottfried nach Hause zu holen. Vielleicht stand ihre Sicherheit auf dem Spiel?

Nach einiger Zeit gewahrte sie an Gottfried eine merkliche Veränderung. Er lauerte nicht mehr an allen Ecken auf eine Begegnung mit ihr. Sie konnte sogar feststellen, daß er ihr auswich. Dieser neue Umstand brachte ihr eine gewisse Erleichterung; zugleich aber versank sie in grenzenloses Elend. Sie mied den Oberstock und blieb im Zimmer ihres Mannes oder in ihrem eigenen Raum, der danebenlag. Dort nahm sie auch ihre Mahlzeiten ein. Sie litt. Sie wurde matt und herzenskrank. Was konnte es noch Erfreuliches geben in ihrem Dasein? Was durfte sie von Gottfried andres erwarten als Gleichgültigkeit? Komplimente, über die sie sich innig hätte freuen können? Aber dazu konnte und durfte sie ihm keinen Anlaß mehr geben! Sie fühlte sich wie die Magd von ehegestern. Von Zeit zu Zeit packte sie eine innerliche Wut, wenn sie all ihre kleinen Waldesträume in grausame Wirklichkeit zerrinnen sah. Sie fühlte sich völlig verwirrt und zürnte Gottfried. Und dann kam plötzlich eine Veränderung über sie. Sie hörte auf zu rebellieren. Sie bereute ihre Gedanken, ihre Träume, ihre wilden Streifzüge in das Gebiet der Phantasie. Sie zog sich von jedermann zurück und widmete sich mit Ausschluß aller andren Dinge ihrem Gatten. Der leidende Anton Jakob – wenn ihn nicht gerade die folternden Schmerzen packten – würdigte mit warmer Dankbarkeit die Aufmerksamkeit seiner Frau.

Nach Neujahr entschloß sich Gottfried, Gam zu verlassen. Er war grenzenlos unzufrieden, fast wütend auf sich selbst, und es schien ihm, als habe er seine ganze Zeit zu Hause sinnlos vergeudet.

Eines Morgens ging er die Treppe hinunter, um mit dem Vater über seine Abreise zu sprechen. Als er an Thereses Zimmer vorbeikam, stand die Tür offen. Er hemmte seinen Schritt. Therese stand neben ihrem Bett und überzog das Kissen mit frischer Wäsche. Ihr Hals war leicht gebeugt, und Gottfried sah, daß sie stumm vor

sich hin weinte. Sie sah ihn nicht. Ihre Haltung, ihr unverkenn-
barer Jammer und ihre Ahnungslosigkeit, daß er sie beobachte,
griffen ihm ans Herz. Überwältigt von der Schönheit ihres Kum-
mers, blieb er reglos stehn. Jetzt kehrte seine Liebe zurück und
raubte ihm fast den Verstand. Er wagte nicht, sie zu stören, und
schlich auf den Zehenspitzen in sein Zimmer zurück. All das Mißvergnügen der letzten Monate war wie durch ein Zauberwort aus
seinem Herzen verschwunden, und eine wilde, heimliche Freude
packte ihn. – Jetzt weiß ich, sagte er zu sich selber, daß Therese unglücklich ist. Ich weiß, daß sie leidet. – Nachdem er ein paar Minuten gewartet hatte, ging er wieder hinunter, und am Fuße der
Treppe hustete er. Dann näherte er sich ihrem Zimmer. Sie war
immer noch da, drehte der Tür den Rücken.
Mit möglichst gleichgültiger Stimme sagte er: „Ah! Da bist du,
Therese! Ich will mich eben ein bißchen zu Vater setzen. Ich habe
mich entschlossen, morgen abzureisen."
Sie drehte sich hastig um und sah eine Sekunde lang erschrocken
drein. Ihre Augen schienen zu glühen. – „Gottfried!"
Er vernahm den Schmerz ihrer Stimme. Sie schien vor seinen
Augen ganz klein und ärmlich zu werden. Dann richtete sie sich
plötzlich auf.
„Morgen? So bald schon?" fragte sie weichen Tones.
„Ja, ich habe hier vorläufig nichts mehr zu tun. Ich kann nicht nur
von Brot leben; mein Hirn rostet ein. Und du, der einzige kluge
Mensch in Gam, bist viel zu beschäftigt, um mir deine Zeit opfern
zu können."
„Du hast mich nie aufgefordert, dir meine Zeit zu widmen. Ich
dachte, du willst meine Gesellschaft nicht."
„O Therese!" rief er und trat über die Schwelle. „Wie konntest
du so etwas denken?"
„Ich weiß nicht", sagte sie errötend. „Auch habe ich nicht ge-
glaubt, daß du mich für klug hältst. Und ich bin es auch nicht.
Nein, wirklich, ich bin es nicht."
„Doch, doch, du bist es."
Sie sah ihn scheinbar gleichgültig an. Aber er mißtraute diesmal
dem Ausdruck ihrer Mienen. Erst vor einer Minute hatte er sie von
einer andren Seite gesehen.

„Nun, ich will jetzt mit Vater sprechen."

Er wollte das Zimmer verlassen, aber sie rief ihn zurück. „Gottfried! Noch nicht, noch nicht! Ich muß vorerst mit dir sprechen. Komm in einer halben Stunde in mein Zimmer."

„Ich werde tun, was du verlangst", sagte er und ging hinaus.

Die halbe Stunde verbrachte er damit, daß er in den Höfen herumlungerte. Er schritt durch die Ställe, begrüßte Joggi, Röthlisberger und Leonhard und schlenderte dann wieder ins Haus zurück.

Er klopfte an Thereses Zimmertür; sie bat ihn einzutreten. Die Sonne erfüllte den Raum mit grellem Glanz. Sie spiegelte sich in den Streifen reinen Schnees, der vor dem tiefeingebauten Fenster lag, und strahlte auf den Büchern und Möbeln. Auch auf Thereses Gesicht lag der helle Sonnenschein und verlieh der Haut eine Reinheit, wie sie Gottfried noch nie gesehen hatte. Ein Hauch der Zartheit umfloß ihre Gestalt. Ein Lächeln, halb traurig, halb heiter, erhellte ihre Züge. Ja, wahrhaftig, Gottfried begriff nicht, was mit ihr in dieser halben Stunde geschehen sei. Es war ein Wunder. Und sie konnte er für ein alltägliches graues Geschöpf halten?! Sie hatte sich sogar umgezogen und trug nun einen dunkelblauen, gefälteten Rock und eine weiße Wollweste, die sich wie weicher Schnee an ihren Körper schmiegte.

„Möchtest du nicht eine Zigarette rauchen?" fragte sie. „Mir wäre es recht. Und setz dich in diesen großen Stuhl. Ich habe deinem Vater nicht gesagt, daß du morgen abreisen willst. Fahr noch nicht fort. Bleib noch ein Weilchen, Gottfried."

„Therese, wenn du mich aufforderst zu bleiben, dann muß ich wohl gehorchen."

Sie setzte sich ihm gegenüber hin, und er schlug die Beine übereinander und ließ seine Blicke auf ihr ruhen.

„Weißt du", sagte er nach einem kurzen Zögern, „ich glaube doch, daß ich abreisen sollte. Ich kann ja hier vorläufig gar nichts mehr tun."

„Vielleicht weiß ich, was es ist: Du hast den Aufenthalt bei uns satt. Es verlangt dich nach deinen Freunden!"

Er zog die Brauen hoch und zuckte nachlässig die Achseln, während er die Asche von seiner Zigarette streifte.

„Meine Freunde!" sagte er mit leichter Verachtung. „Ich glaube nicht, daß auch nur ein einziger von ihnen mich wirklich interessiert. Nur Theo vielleicht, obwohl er etwas Sklavisches an sich hat. Weil ich ihm das Studium ermögliche, fühlt er sich wahrscheinlich verpflichtet, mich zu verehren. Mir ist, als ob für mich nichts andres in Betracht käme als nur ich selbst."

„Aber", sagte sie, „du hast mir einmal erzählt, wie sehr du dich darauf freuest, dein Leben später andren Menschen zu widmen und vor den Gerichten für die Verbrecher zu kämpfen."

„Ah, dieses Gefühl ist längst erstorben! Ich werde nie für einen Verbrecher kämpfen. Dann müßte ich ja in erster Linie für mich selber kämpfen. Wir alle sind Verbrecher. Was dich und mich von den gewöhnlichen Verbrechern unterscheidet, ist nur eine Frage des Grades. Weißt du, während dieser letzten paar Monate bin ich zu der kuriosen Schlußfolgerung gelangt, daß zwischen dem Richter, dem Verteidiger und dem Angeklagten nur ein sehr geringer Unterschied besteht. Einen Mann verurteilen, weil er auf kürzestem Weg das Glück erreichen wollte, weil ihn die Natur anders geschaffen hat als die andren, ja, selbst einen Dieb ins Gefängnis sperren – das alles ist eine bloße Formalität. Der eine nennt es Selbstschutz, der andre: Schutz der menschlichen Gesellschaft. Für mich ist das alles einerlei. Was kümmert es mich? Schon der Gedanke, mein Rechtsstudium fortzusetzen, ist mir verhaßt. Ich kann die Professoren nicht mehr ertragen, die mir alle erdenklichen Doktrinen in den Hals stopfen, während ich zutiefst die Notwendigkeit empfinde, sie in Bausch und Bogen abzulehnen."

„Aber", sagte sie voll Überraschung, „hattest du nicht die Absicht, nach Basel zurückzukehren und deine Studien fortzusetzen?"

„Meine Studien fortsetzen?" sagte er. „Auf jeden Fall nicht diese Studien. Sieh dir Sophies Mann an! Würde es dir gefallen, mich als Herrn Rechtsanwalt zu sehen, nach seinem Ebenbild? Nein, Therese, Burschen wie dieser sind ganz alltägliche, ordinäre Bourgeois. Unser Land wimmelt von diesen gebildeten Mittelmäßigkeiten. Sie sind nicht nach meinem Geschmack. Es wundert mich nicht, daß Vater sie mit Esel tituliert. Ich bin überzeugt, im geheimen hält er auch mich für einen Esel; aber ich werde ihm keinen Stoff mehr zum Lachen geben. Wenn ich schon etwas unternehmen muß, dann will ich mich um mein eignes Glück kümmern und nicht um die Angelegenheiten andrer Leute. Kann sein, daß ich umsattle und Theologe werde!"

„Ein Geistlicher!" rief Therese aus.

„Ja, aber nicht ein Geistlicher wie Theo. Und wenn ich diesen Beruf ergreife, so wird es nicht deshalb geschehen, weil ich ein göttliches Feuer in meiner Seele brennen fühle oder weil ich irgend-eine Neigung empfände, an mystische Theorien zu glauben: Nein, sondern lediglich, damit Gott eine möglichst gute Gelegenheit habe, mich auszuprobieren. Das ist's!"

Er hielt inne, dann fuhr er fort, ohne sie anzusehen:

„Ich habe meinen früheren guten Schlaf verloren; oft liege ich wach und denke über die Welt nach und über alles, was geschieht. Mein Kopf steckt zuweilen wie in einem Nebel. Und in solchen Augenblicken scheine ich überhaupt nichts mehr zu begreifen. Nun, beim Teufel – entschuldige den Ausdruck –, ich bin ein Faulenzer geworden. Ah! Der sogenannte freie Wille! Kläglich steht's um unsren Willen! Immer schiebt sich etwas zwischen uns und unser Wollen und Wünschen! Die Hälfte meiner Zeit ist nutz-loser Reue geopfert. Schrieb ich dir's nicht in meinem letzten Brief?" Er sprang auf und warf die Zigarette weg.

„Ich hasse das Leben ganz und gar!" sagte er mit heftigem Abscheu. Und im nächsten Augenblick öffnete er die Tür und verschwand aus dem Hause.

Verwirrt und erschrocken blieb Therese zurück. Während er sprach, ruhten ihre Blicke auf seinem Gesicht, dessen Züge all-mählich einen gequälten Ausdruck annahmen. Und als er sagte, daß er das Leben ganz und gar hasse, da war ihr zumute, als wälze sich eine schwere Last auf ihr Herz. Sein Ungestüm überwältigte sie. Sie schien seinen Charakter von einer neuen Seite zu erfassen. Was er soeben gesagt hatte, war nicht der Ausfluß einer momen-tanen Stimmung. Nein, das war wirklich Gottfried, der sich end-lich zeigte. Aber warum hatte er sie verlassen? Warum hatte er sie so unvermittelt, so peinlich, so ungestüm verlassen? Es war ihr zumute, als habe er sie tief verwundet. Aus jedem seiner Worte fühlte sie seine furchtbare Liebe hervorbrechen. Und noch schwe-rer verwundet war er selber! Ein Schauder packte sie, und ein jäher Impuls trieb sie an das Bett Anton Jakobs. Er schlummerte. Und sie fühlte sich erleichtert.

Nach ein paar Stunden kehrte Gottfried zurück und teilte Therese in gleichgültigstem Tone mit, daß er sich die Sache überlegt und beschlossen habe zu bleiben, aber nur unter der Bedingung, daß sie in ihrer freien Zeit zuweilen mit ihm einen kleinen Spaziergang mache. Sie willigte ein, ohne etwas dazu zu sagen. Schweigend stand sie da und nickte mit dem Kopf. Eine stumme Zurückhaltung, fast wie eine Warnung, schien aus ihren Bewegungen zu sprechen, als fürchte sie sich vor Gottfried, während ihr der Mut zu einem offenen Geständnis fehlte.

Sehr bald darauf begannen Therese und Gottfried ihre täglichen gemeinsamen Spaziergänge. Niemand bekümmerte sich um sie.

„Was können sich die Leute dabei Böses denken?" fragte sich Therese. „Ist es denn unnatürlich?"

Nun, jeder, der sie kannte, fand es ganz natürlich. Mit der Zeit dehnten sich ihre Spaziergänge immer weiter ins Land. Begonnen hatten sie mit einem kurzen Gang von zehn Minuten, bald aber schlenderten sie stundenlang durch Wald und Wiese. Therese sprach zu Gottfried kein Wort von ihrem wachsenden Gefühl der Unruhe. Ja, sie fühlte sich sehr unruhig; nicht so sehr ihretwegen – nein, ihre Beziehung zu Gottfried machte ihr keine Angst. Aber sie lebte in ständiger Furcht vor Anton Jakob, dem sie aus irgendwelchen seltsam geheimen Gründen nie von diesen Spaziergängen erzählen mochte.

Schon oftmals hatte Anton Jakob zu ihr gesagt: „Theresli! Maidi! Ich habe über eine Stunde auf dich gewartet."

Therese fand immer eine Entschuldigung. Sie hatte Frau Bühler besucht, sie hatte sich die Lawine angesehen, die von der Fluh heruntergestürzt war, oder irgend jemand hatte sie in Gam aufgehalten.

„Geh nicht aus, ohne es mir zu sagen!" bat Anton Jakob. „Wenn ich weiß, wo du bist, fühle ich mich beruhigt."

„Schön, Toni."

146

Bald darauf änderte sie ihre Taktik. Statt Entschuldigungen für ihr Fernbleiben zu ersinnen, erfand sie Gründe für ihr Fortgehen. Warum, wozu die verächtlichen kleinen Lügereien? fragte sie sich hin und wieder. Ich könnte ihm ebensogut die Wahrheit sagen!

Auf einem dieser Spaziergänge verfiel Gottfried darauf, mit Therese die Frage zu erörtern, was es bedeute, auf dieser Welt ein Einzelwesen zu sein, losgelöst von der Gemeinschaft, ungewöhnlich und groß. Die höchste Daseinsform, sagte er, sei die Unabhängigkeit, sowohl im Denken wie im Tun; anders, freier sein als alle Mitgeschöpfe und sich durch nichts beeinflussen lassen als durch das eigene Ich.

Therese lieh ihm ein williges Ohr. Sie besaß keine Maßstäbe, um seinen Verstand und seine Einsicht messen zu können. Sie glaubte an die Wahrheit dessen, was Gottfried sagte, weil sie glauben wollte. Nicht Worten lauschte sie und nicht Sentenzen, sie lauschte der Musik. Gottfrieds Worte waren ihr wie Musik. Sie weckten in ihrer Seele liebliche Harmonien und häßliche, aber faszinierende Mißklänge. Sie war der schönste Acker jungfräulichen Bodens, auf dem der Teufel jemals seinen Pflug angesetzt hat.

Leben sprühte aus ihren Augen, und dieses Leben kannte weder Vorurteile noch unumstößliche Gesetze. Das Chaos, in dem sich die Seele des jungen Studenten befand, bereitete ihr ein unheimliches Glücksgefühl.

Gottfried aber befand sich trotz alledem in keiner glücklicheren Stimmung als je zuvor. Was konnte er von Therese erwarten? Besaß er nicht schon alles, was er von ihr erhoffen durfte? Er hielt sich für einen tugendhaften, starken Menschen. Wenn er die Grenzen einer vernünftigen Neigung zu Therese überschritten hatte, so war das lediglich im Geiste geschehen. Ja, im Geiste hatte er gesündigt, aber davon wußte ja niemand. Und niemand konnte ihm die kleine Befriedigung rauben, die diese Sünde ihm gewährte. Aber einen winzigen Gedanken gab es, der ihn ständig ansprang und sein Innerstes empörte: Wenn der Alte sterben würde! – Dieser Gedanke war nicht nur Sünde, er war etwas viel Stärkeres. Gottfried konnte ihn nicht erklären, er konnte nur gegen ihn ankämpfen.

Sooft er ihm durch den Kopf glitt, giftig, schlangenhaft, biß er die Zähne aufeinander und sagte sich schweigend: Fort! Ich verabscheue dich! Fort, und komm nie wieder!

Als der Frühling anbrach, da war es Gottfried zumute, als könne er sein Leben in Gam kaum noch länger ertragen. Er betete Therese an. Unbeobachtet schlich er zuweilen hinter ihr her und belauerte sie. Ihr freier, federnder Gang erregte ihn. Sie schwang die Schenkel frei aus den Lenden, und die Hüften folgten dieser Bewegung. Wenn sie sich nach etwas umsehen wollte, drehte sie nicht nur den Kopf, sondern auch Hals und Schultern schienen sich mitzudrehen. Ihre Bewegungen erinnerten ihn an ein vollblütiges Rassepferd. Und dennoch war nichts Geziertes an ihr. Sie war immer nur Therese und nie das Abbild andrer Menschen.

Gerade um diese Zeit verfiel Anton Jakob durch sein qualvolles Leiden in einen Zustand der Verzweiflung. Langsam wuchs in ihm die Überzeugung, daß er sterben müsse. Einige Zeit hindurch hielt er seine Befürchtungen geheim. Mit einemmal aber drängte es ihn, Therese rufen zu lassen, um ihr alles zu sagen. Aber Therese war nicht da. Anton Jakob rief nach der Hausmagd Mathilde und fragte sie, ob sie wisse, wohin Therese gegangen sei. Mathilde meldete, die Frau sei wie gewöhnlich mit dem jungen Herrn spazierengegangen.

„Oh, aha! Gut! Sag der Köchin, sie soll mir diese Wärmflasche frisch auffüllen." Bald darauf brachte die Köchin die Wärmflasche herein und legte sie dem Herrn auf den Bauch. Er fragte sie so nebenbei nach Gottfried und Therese, und die Köchin bestätigte, sie seien an die frische Luft gegangen.

„Jaja!" seufzte Anton Jakob. „Meine arme kleine Frau! Jaja! Hm! Sind die Zeitungen gekommen?"

„Noch nicht, Herr."

„Schick sie herauf, sobald sie kommen."

„Jawohl, Herr."

Ein wenig später kehrten Therese und Gottfried zurück. Sie ging in das Zimmer ihres Mannes und fand ihn beim Zeitunglesen. Dann fragte sie ihn, ob sie etwas für ihn tun könne, was er kurz verneinte.

„So will ich also ein bißchen Tee trinken."

„Ja, tu das, Maidi."

Sie begab sich zu Gottfried. Er saß rauchend in einem Lehnstuhl. Auf dem Tisch stand eine Blumenvase, und auf dem Schreibtisch lag ein aufgeschlagener Band. Das Gespräch der beiden war leer und matt. Die ständige Spannung, unter der sie litten, machte sich fühlbar.

„Ich werde dir jetzt etwas vorlesen!" rief Gottfried plötzlich und stand auf.

Er setzte sich an den kleinen Tisch und begann die Seiten des Buches umzuschlagen. Therese ging zu ihm hin und beugte sich über ihn, ihre Hand ruhte auf der Lehne des Stuhles. In diesem Augenblick öffnete sich die Tür.

„So, aha!"

Sie drehten die Köpfe herum, überrascht durch Anton Jakobs Stimme.

„Toni!" rief sie aus.

Gottfried erhob sich und ging ein paar Schritte auf seinen Vater zu, der im Nachthemd an der Tür stand, bleich, fast grünlich, und die Wärmflasche an den Magen gepreßt, während seine Blicke von einem Gesicht zum andren schweiften. Therese lachte krampfhaft.

„Nein, Vätti!" sagte Gottfried. „Was ist dir in den Kopf gefahren? Steht einfach auf! Geh schnell ins Bett zurück!"

Therese schien Gottfrieds Anwesenheit zu vergessen.

„Nein, aber!" rief sie immer noch lachend. „Wie du aussiehst, Toni! Und noch dazu im Nachthemd und mit der Wärmflasche! Du mußt augenblicklich ins Bett zurück. Du bist unglaublich. Komm!"

Sie führte Anton Jakob ins Schlafzimmer zurück.

„Gottfried!" rief sie über die Schulter zurück. „Bring mir meinen Tee, ich trinke ihn beim Vater."

Gottfried trug sowohl seinen wie Thereses Tee in das Krankenzimmer. Anton Jakob kroch schwerfällig ins Bett, und Therese deckte ihn zu.

„So!" sagte er schließlich, immer noch außer Atem. „Jetzt ist euch endlich der Gedanke gekommen, euren Tee bei mir zu trinken. Dachte mir, ich müsse euch einmal holen."

Als Gottfried Sixtus bald darauf das Zimmer verließ, musterte

Anton Jakob sein Weib von oben bis unten mit aufmerksamen Blicken.

„Geht ihr oft miteinander spazieren, Maidi?"

„Ja! Weißt du", und sie setzte sich an das Fußende seines Bettes, „Gottfried fühlt sich manchmal so einsam."

„Du auch vermutlich?"

„Sei nicht dumm, Toni."

„Ich bin nicht dumm", erwiderte er. „Hm, ja. Traurig dieses Leben, nicht wahr? Ich sterbe nicht gern, das kann ich dir sagen, Maidi. Ich habe noch zuwenig von dir gehabt. Ich würde gerne noch weiterleben, weißt du."

„Aber du sollst ja nicht sterben, Toni", sagte sie.

„Doch, doch. Wenn du nicht aufhörst, mit Gottfried herumzuflanieren."

„Wie kannst du nur solches Zeug reden? Wenn du so etwas sagst, verlasse ich das Zimmer. Ist Gottfried nicht dein Sohn?"

„Ja, das ist er, und er hat ebenso viele Fehler wie sein Vater. Ich kenne seinen Vater zu gut."

„Mach Schluß!" rief sie gebieterisch und erhob sich. „Das ist pure Narrheit. Und wenn du willst, bleibe ich bis ans Ende meiner Tage in diesem Zimmer hocken."

„Maidi!" sagte er, und das verfärbte Weiß seiner Augen schimmerte feucht.

„Es ist nicht recht von dir, so zu sprechen! Du bist eifersüchtig! Und das ist lächerlich!"

„Ich bin nicht eifersüchtig, Maidi. Ich bin nur klug. So wahr ich noch lebe, Gottfried ist kein guter Kamerad für dich. Wollte Gott, er wär's. Er stopft dir allerlei dummes Zeug in den Kopf, und er kennt sich selber noch nicht."

„Neulich sagtest du, daß er gescheit sei."

„Gescheitheit hat nichts mit dem Charakter zu tun! Ich bin nicht eifersüchtig, Maidi, das weißt du. Habe ich dich jemals aufgefordert, mir Gottfrieds Briefe zu zeigen, die er dir schrieb? Wie kannst du wagen, mich eifersüchtig zu nennen?"

Er holte schwer Atem und fuhr mit Wärme fort:

„Maidi! Was glaubst du denn! Ich liebe dich, Maidi! Ich liebe jedes Stückchen von dir; aber so wie du bist, so lieb' ich dich. Mein liebes kleines Theresli aus dem Wallis! Mein armes kleines Theresli, das mit zerrissenen Strümpfen hierherkam! Das süße Theresli, dem aller Schmutz von Gam nachgeworfen wurde! Ich habe ein schlichtes Theresli geheiratet und nicht eine verdrehte französische Gouvernante."

Er ruhte einen Augenblick aus und betrachtete sie mit schweren Blicken. Sie schien völlig ruhig. Ihre Lippen formten sich zu einer Rosette, sie scharrte mit den Füßen und starrte auf ihre Schuhspitzen hinunter.

„Komm, Maidi", sagte er und streckte ihr seine zitternde Hand entgegen, „ich weiß, ich bin ein häßlicher Anblick, ein Leichnam mit einem letzten Lebensfunken in den Gliedern. Einerlei! Ich werde vielleicht wieder gesund. Ja, wahrscheinlich werde ich wieder gesund. Ja, gewiß, ich werde gesund, und lustiger denn je! Das ist ja keine Krankheit, das sind bloß Gallensteine! Sobald ich sie aus meinem Körper draußen habe, bin ich wieder wohlauf. Jeder Mensch kann Gallensteine haben! Auch du könntest sie haben, Maidi! Aber ich hoffe, daß du es nie erlebst! Komm, gib mir einen Kuß."

Sein Gesicht verzerrte sich. Sie kannte dieses Zucken. Es war der Beginn eines Krampfanfalls.

„Komm!" sagte er. „Bevor die Steine anfangen, mich zu schinden! Komm!" – Sie küßte ihn. Einen Augenblick lächelte er, fast verklärt; dann setzten die Qualen ein.

Als Therese am Abend mit Gottfried zusammentraf, wußte sie nicht sogleich, was sie sagen sollte. Sein Blick und seine Haltung schienen ihr den Mund zu verbieten. Sollte sie ihm die Wahrheit sagen? Das würde vielleicht das beste sein.

„Dein Vater scheint es nicht gerne zu sehen . . .", begann sie.

„Was?" unterbrach er sie mit fester Stimme.

„Ich meine", fuhr sie fort, augenblicklich ihrer Entschlossenheit beraubt, „er beklagt sich, daß man ihn zuviel allein läßt. Ich werde künftighin immer bei ihm bleiben, selbst wenn ich unsere Spaziergänge aufgeben muß."

„Selbst wenn!" sagte er. „Hm – nun, Gottes Wille geschehe!"

„Bitte, Gottfried! Ich bitte dich!" Sie legte die Hand auf seinen

Arm. „Es ist ihm heut nacht sehr schlecht gegangen. Ich habe nun wirklich Angst. Ich werde Professor Rupp rufen müssen."

„Gottes Wille geschehe!" wiederholte er und sah sie an.

Sie dachte, er wolle sie verspotten.

„Ich meine es ernst; so wie ich es sage", fügte er hinzu. „Therese, ich habe mich endlich entschlossen. Mein Leben soll anders werden. Zuallererst gedenke ich das Rechtsstudium aufzugeben."

„Also wirklich – das Rechtsstudium aufgeben?" rief sie aus.

„Jawohl! Später sollst du mehr hören."

„Schön", sagte sie unwirsch, und dann ließ sie ihn stehen.

Anton war kein guter Patient. Der Haushalt hatte monatelang unter seinen Launen zu leiden. Professor Rupp aus Bern, der schließlich gerufen wurde, untersuchte ihn und erklärte, daß eine Operation notwendig sei. Anton Jakob runzelte sein eingesunkenes, fast ledernes Gesicht und brummte:

„So, aha! Operieren! Der Tüfel nanamal!"

Nach sorgfältiger Diagnose entdeckte Rupp noch zwei kleinere Krankheitsherde in Verbindung mit den Steinen, und rasch einen Feldzugsplan entwerfend, machte er Anton Jakob mit zahlreichen Worten klar, daß er, falls er ein lebendiges Mitglied der lebendigen Gesellschaft zu bleiben wünschte, sich allerschleunigst dieser Operation unterziehen müsse.

Solange Anton Jakobs Leiden dauerte, verfluchte er jeden Tropfen Wein, den er je getrunken hatte. Seine Laune blieb bitter und tyrannisch. Er wollte sich nicht operieren lassen. Doch als der Schnee zu schmelzen begann, schien auch seine Härte zu schmelzen. Er wurde sanft und nachgiebig. Seine Stimme klang schwach, fast kläglich, und er begann um Erlösung zu flehen.

„Verdammt will ich sein", sagte er eines Tages und zeigte mit zittrigem Finger nach der Decke. „Ich habe nie an des Pfarrers Herrgott geglaubt, aber warum, zum Tüfel, sollte ich nicht eines Tages den Himmel verdienen? Gott würde mir sicherlich keine einzige heikle Frage stellen, wenn ich zum Beispiel heute nacht dort ankäme. Er würde mich ohne Eintrittskarte einlassen – weil ich soviel durchgemacht habe."

Eines Tages wurde sein Zustand besorgniserregend. Man legte ihn auf eine Tragbahre und transportierte ihn in die Klinik des Professors Rupp in Bern. Dort wurde er schließlich mit Erfolg operiert.

Gegen Ende des Monats Mai war er wieder in Gam zurück, abgemagert, die Glieder schlaff, das Haar grauer und das Gesicht fast völlig von einem dichten krausen Bart bedeckt. Von dieser Zeit an rasierte er sich nie wieder.

Der Charakter des Mannes schien verändert. Er war einsilbig geworden und grüblerisch. Die frühere Freundlichkeit, die zuweilen seine harten grauen Augen erhellt hatte, wich einer mürrischen Strenge, die ab und zu von düsterem Hohn belebt wurde. Er wußte, daß Monate seines Lebens verstrichen waren und daß während all dieser Zeit das Leben sich ohne ihn beholfen hatte. Fast unmöglich kam ihm das vor, aber es war so. Er brauchte nur zum Fenster hinauszuschauen auf den alten Lindenbaum, um es klar zu wissen. Ja, wahrhaftig, es schien nicht mehr der alte Lindenbaum zu sein. Und der ganze Wirtschaftsbetrieb! Wie war nur der Gamhof imstande gewesen, all diese Monate hindurch ohne ihn auszukommen? Ein Wunder! Aber alles rings umher schien gedeihlich, üppig und in voller Blüte, während er mit untätigen Händen zusah.

„Ja", sagte er, „ich bin jetzt wie ein Güggel, der einen harten Kampf hinter sich hat und fast gebodigt wurde. Aber ich komme wieder in die Höhe. Bald krähe ich wieder zuoberst auf dem Misthaufen!"

Aber seltsamerweise wurde es doch nichts mehr mit dem Krähen, und statt imaginäre Höhen zu erklettern, mußte sich Anton Jakob damit begnügen, langsam und vorsichtig herumzuspazieren, nicht weiter als hundert Schritte, auf einen Stock oder auf Thereses Arm gestützt.

Als er zum erstenmal so durch Gam humpelte, kamen die Leute aus ihren Häusern, um ihn zu begrüßen, und die Kinder liefen ihm entgegen. Es war ein großer Augenblick! Aus dem Bären heraus rollte Johann mit dem dreifachen Kinn wie eine Lawine auf ihn zu und wischte sich seine Pfoten an der blutbefleckten Schürze, denn er hatte soeben ein Kalb geschlachtet.

„So ist's recht. Jetzt haben wir unsern Herrn Müller wieder. Wie wär's, wollen wir einem Fläschchen den Hals brechen?"
Aber Anton Jakob wehrte mit schleppender Stimme ab: „Das Pferd trägt seinen Zaum im Maul. Ich habe meinen in der Leber!"

Als der Sommer kam, reiste er nach Vichy. Dort unterzog er sich einer Kur, und seine Gesundheit besserte sich erheblich. Mit neuer Energie schien er aus seiner eingeschrumpften Körperschale ans Licht zu steigen. Ein Teil seiner früheren Lebenskraft kehrte zurück. Die Operationsnarbe verheilte, und allmählich begann er seine Leber zu vergessen und alle die qualvollen Monate, die sie ihm eingetragen hatte. Aber er war älter, sehr viel älter. Sein Bart war grau, die Schultern verrieten seine Müdigkeit, und obgleich er nun viel magerer war als früher, hatte er doch jugendlicher ausgesehen, als er noch sein rundliches Bäuchlein trug. Da er in Vichy immer wieder unter schweren Depressionen litt, war er froh, als er wieder nach Gam zurückkehren durfte. Sein brennendster Wunsch, der fast zur Besessenheit wurde, war der, daß Therese ein Kind bekäme. Dieser Wunsch jedoch wollte ihm nicht in Erfüllung gehen.
Bei ihrer Rückkehr nach Gam fand Therese einen Brief von Gottfried vor, in dem er ihr mitteilte, daß er aus der Juristischen Fakultät ausgetreten sei und sich für das nächste Semester an der Theologischen Fakultät eingeschrieben habe. Auf Therese wirkte diese Nachricht wie ein Schlag. Sie hatte heimlich gehofft, Gottfried werde von dem Entschluß wieder abkommen. Sie hatte ihm sogar geschrieben und ihn dringend gebeten, nicht umzusatteln. Nun war es trotz allem geschehen! Die Kirche hatte sich seiner bemächtigt. Was für eine Niederlage für Therese!
Statt Halleluja zu singen, weinte sie heiße Tränen. Sie fühlte, daß Gottfrieds Annäherung an die Kirche und an Gott den Abschied von seiner Liebe bedeute. Ihre Seele war für die Liebe geschaffen, nur für die Liebe. Ein Glück, das nicht auf fester Erde stand, wußte sie nicht zu schätzen.
Ah, dachte sie mit Bitterkeit, warten wir ab, ob Gott ihn glücklich machen kann! Vor mir liegt noch das ganze Leben. Ich

bin jung, ich bin kräftig. Wir wollen sehen, wer der Stärkere ist, Gott oder ich.

Therese verstand zu schweigen, und wenn sie schwieg, war es unmöglich, ihr die Gedanken aus den Augen abzulesen. Oft hätte Anton Jakob gerne gewußt, was eigentlich in ihrem Kopfe vorging. Aber er hätte weit eher versuchen können, die Tiefe einer Gletscherspalte oder eines bodenlosen Sees zu erraten, als ihre innerlichsten Gefühle zu enträtseln. Oft fragte er sie: „Was ist los?" oder: „Worüber denkst du nach?" So häufig freilich, daß sie schon nicht mehr das übliche „Nichts" zur Antwort gab, sondern mit den Achseln zuckte, wie jemand, der sich bis zum Überdruß gelangweilt fühlt.

„Eines Tages", sagte er dann, „eines Tages wirst du mir gestehen müssen, was los ist."

Du würdest ja wahrscheinlich sehr erfreut sein, dachte sie kalt bei sich, wenn du meine Beichte hörtest; zweifellos.

Sie sah ihn fast höhnisch an. Grenzenlos war sie dieses alten Mannes überdrüssig.

Einerlei, dachte Anton Jakob, solange sie ruhig ist und so friedlich dreinschaut, kann sie doch sicher nicht das Gefühl haben, daß vieles bei ihr nicht in Ordnung sei. Und was wäre denn auch nicht in Ordnung? Sie hat alles, was sie sich wünschen kann.

„Theresli", sagte er eines Tages, „wenn du nur der Welt eine fröhliche Miene zeigen wolltest! Ich weiß, meine Krankheit hat dich sehr geplagt. Ich bin dir eine ziemliche Last gewesen. Aber jetzt geht es wieder aufwärts. Der Räucherschinken und die frischen Bohnen von heute mittag haben mir nicht das mindeste geschadet. Mein Appetit stellt sich wieder ein. Ich habe sogar ein kleines Glas Waadtländer versucht, und es hat mir auch nicht geschadet. Wenn ich es nur so weit bringen könnte, daß du ein wenig glücklicher dreinschaust! Angenommen, du würdest ein bißchen arbeiten wie die andern Frauen hier im Oberland. Mit den Händen arbeiten, meine ich."

„Oh, ich bin wohlauf, Toni", versicherte sie ihm mit tiefer Stimme.

„Und noch etwas andres", fuhr er fort, trat näher an sie heran und legte die Hand auf ihre Schulter. „Du würdest viel glücklicher sein, wenn du ein Kind hättest. Wenn du es bloß versuchen wolltest, Maidi!"

Sie schob seine Hand von ihrer Schulter weg.

„Das ist es ganz und gar nicht", sagte sie schroff.

Er versuchte sie zu küssen, aber sie wich vor ihm zurück.

„Herrgott!" rief sie in plötzlicher Wut. „Diese ewige Küsserei! Das scheint die ganze Liebe zu sein, die du für mich übrig hast! Sonst denkst du überhaupt nicht an mich, oder du würdest mich nicht in diesem Tal begraben. Ich habe es satt!"

Sie packte ein Buch und schlug es auf den Tisch.

„Bis daher satt!" schrie sie und legte die Hand an den Hals.

„Tüfel, was ist denn so plötzlich los?" rief Anton Jakob.

„Ja, mag mich der Tüfel holen!" schrie sie. „Das wäre das Beste, was mir passieren könnte. Ich habe dieses Leben satt! Dieses Gam! Ich gehe ins Wallis zurück!"

„Ins Wallis?" murmelte er erstaunt. „Ins Wallis! Weshalb?"

„Um meine Heimat wiederzusehen!" stieß sie hervor. „Mein schmutziges, altes, kleines Vaterhaus! Ich halte es hier nicht länger aus! Diese kahlen Berge über meinem Kopf töten mich! Ich sterbe aus Mangel an Luft!"

Anton Jakob starrte ihr ins Gesicht; ihre zornige Leidenschaft verwunderte ihn. „Nun, Maidi", sagte er, „wenn du derlei mit dir herumträgst, warum hast du nicht längst mit mir gesprochen?"

Zitternd vor Erregung setzte sich Therese auf den Stuhl am Fenster und blickte über die Felder und Wiesen. Anton Jakob konnte aber nichts mehr aus ihr herausbekommen. Das Resultat dieses unerwarteten Auftritts war sehr merkwürdig. Anton Jakob und Therese machten eine Reise ins Wallis. Dort blieben sie ungefähr eine Woche lang, und Therese sah ihre alte Heimstatt wieder. Ganz allein ging sie hin, setzte sich auf die modrigen Trümmer, kroch durch die klaffenden Mauerlücken und verbrachte viele Stunden in sinnender Träumerei; und manchmal weinte sie sogar. Es war ihr zumute, als sitze sie auf ihrem eigenen Grab. Die Sehnsucht beschlich sie, unter diesen Ruinen begraben zu sein. Es kam ihr vor, als sei alles, was ihr widerfahren war, gegen ihren Willen geschehen. Sie hatte in ihrem Leben noch keine selbständige Rolle gespielt. Wie ein Lasttier hatte sie die Bürde geschleppt, die das Schicksal auf ihre Schultern lud. Plötzlich schien der Geist ihres gelähmten Vaters vor ihr aufzusteigen und ihr zuzurufen: „Verlaß dich nicht auf andre, daß sie das tun, was du selber tun mußt! Du mußt um dein Leben kämpfen! Ein gestohlener Fisch ist mehr wert als zehn geschenkte! Ein Freudentag ist mehr wert als hundert Tage der Reue! Verlaß dich auf mich! Ich kenne mich aus."

Lange verweilte sie in der verfallenen Hütte, bis ein Schauder sie packte. Dann kehrte sie ins Dorf zu Anton Jakob zurück.

„Sobald du Lust hast, können wir abreisen!" sagte sie. „Ich habe genug gesehen, und mehr als ich jetzt weiß, will ich nicht wissen." Er war durch den Wechsel ihrer Stimmung überrascht.

„O ihr Welschi!" rief er. „Ihr seid ein komisches Menschenvolk. Nimm dich zum Beispiel. Ohne jeden ersichtlichen Grund verfällst du aus einem Extrem in das andre. Bringst mich so weit, daß ich Hals über Kopf hierherfahre, und sowie ich ein paar Freunde gefunden habe, willst du wieder weg!"

„Ja", sagte Therese seltsam ruhig, „wir sind eben wie unser Wallis. Du kannst nicht mit einem einzigen Blick erfassen, was in uns steckt. Mußt noch um manch eine Ecke herumgehn, um herauszufinden, wie wir sind."

Als der Winter kam, begann Jakob wieder zu kränkeln. Diesmal ergriff er Vorsichtsmaßregeln und fuhr nach Bern, um sich untersuchen zu lassen. Sie entdeckten zu seiner Betrübnis, daß er an einer funktionellen Störung der Herztätigkeit leide und daß seine Leber vergrößert sei. Er wurde infolgedessen auf strenge Diät gesetzt. Als der Frühling ins Land zog, erhielt er den Rat, zur Kur nach Plombières zu gehen. Der Reiseweg nach Plombières führte durch Basel, und so beschloß er, einen Tag in Basel zu bleiben, um Gottfried Sixtus zu besuchen.

Eines schönen Tages also kam er mit Therese in Basel an und wurde von seinem Sohn auf dem Bahnhof erwartet. Er begab sich in das ganz nahe gelegene Hotel „Schweizerhof" und bestellte dort zwei Zimmer.

Gegen Mittag erschien Gottfried mit Theodor Straub im Hotel zum gemeinsamen Mittagessen. Als er die Halle betrat, sah er seinen Vater in einem Korbstuhl sitzen, eine ungeschlachte bäuerliche Gestalt, wie man sie sicherlich nur selten in einem Hotel erster Klasse zu sehen bekommt. Therese saß am andern Ende der Halle und blätterte in einer illustrierten Zeitung. Hätte er nicht auf sie Rücksicht nehmen müssen, so wäre der Alte nicht im „Schweizerhof" abgestiegen. Man sah ihm zu sehr den Bauern an. Die Ungleichheit des Alters zwischen seinem Vater und Therese sprang Gottfried peinlicher in die Augen denn je. – Vater und Tochter, oder Onkel und Nichte, dachte er. Aber Mann und Frau! Kein Mensch würde auf den Gedanken kommen.

Er stellte seinen Freund Theo vor. „Nach all diesen Jahren dürfte eine Vorstellung fast nötig erscheinen."

Anton Jakob brummte dem in einen Theologen verwandelten Bauernsohn an Gottfrieds Seite einige mürrische Worte entgegen; aber Therese knüpfte gewandt eine Unterhaltung an. „O ja!" sagte sie mit tiefer singender Stimme. „Ich erinnere mich noch sehr gut an Herrn Straub! Sehr gut! Jaja!" Und sie begann von der fernen, fernen Zeit auf der Alp zu plaudern.

Nach dem Mittagessen blieben Gottfried und Theo noch eine kleine Weile im Hotel. Sie tranken Kaffee und rauchten die Zigarren, die Anton Jakob anbot. Therese, die vor Verlangen brannte, mit Gottfried ein paar Worte unter vier Augen zu wechseln, saß stumm und reglos da, das Herz bis zum Rande voll. Nur ab und zu, mit einem flüchtigen Blick, den keiner bemerkte, prüfte sie seine Erscheinung. Die lastende Gespanntheit der Situation entfachte in ihr einen fast grimmigen Haß gegen den Alten. Gottfried sprach hauptsächlich mit seinem Vater über die Wirtschaft, über die Doktoren, über des Vaters Gesundheit, die bevorstehende Kur und so weiter, während Theo heimliche Blicke auf Therese warf und hin und wieder eine Bemerkung zu ihr machte, die sie mit seltsamer Schüchternheit beantwortete. Dieser kleingewachsene, melancholische Grübler mit dem dicken Kopf und den großen Augen war also ihr Feind! Jesses! So ein kleiner Kerl! Wie ein Schulmeisterlein sah er aus neben dem großen, scharfäugigen, romantischen Gottfried. Wie ein gottesfürchtiger Käfer sah er aus. Wie brachte er es fertig, Gottfried von ihr wegzulocken? Kein Schimmer leuchtete in Theodors Augen, seine schwarzen Haare waren glanzlos, seine Finger knochig, bleich und trocken, und die goldgefaßte Brille saß in kläglichem Winkel auf seiner Nase. Sie wollte es nicht für möglich halten, daß Gottfried jemals durch Theodor Straubs Einfluß ein Priester werden könnte.

„Wißt ihr", sagte Gottfried in einer momentanen Pause, während sie alle schweigend vor sich hin starrten, „nächsten Sonntag in drei Wochen ist Theos Ordination. Man munkelt bereits, daß man ihm die Pfarre von Lützikon am Zürichsee anbieten wird. Ich würde euch gerne bei seinem Ehrentag zugegen sehen. Seine Eltern und seine Schwestern kommen eigens vom Lande herein. Wollen wir nicht alle an diesem Sonntag beisammen sein und ihn festlich begehen?"

„Mach nicht so viel Aufhebens von der Sache, Gottfried", sagte Theo.

Aber seine Augen verrieten seine Freude über diesen Vorschlag des Freundes.

„Ah, und ob wir Aufhebens machen!" rief Therese. „Toni, hörst du, was Gottfried sagt? Wir müssen Herrn Straub den Gefallen tun."

„Ah, bah", brummte Anton Jakob. „Wer weiß, ob ich dann noch am Leben bin? Und wenn auch, so habe ich meine Zeit für Gam zu verwenden."

„Wir kommen auf der Rückreise durch Basel", sagte Therese. „Ja, wir müssen hierher zurückkommen, Toni. Also nächsten Sonntag in drei Wochen? Der Doktor sagte, du müßtest drei Wochen in Plombières bleiben. Das stimmt so ungefähr mit der Zeit."

„Schön, schön. Wenn ich noch lebe."

„Herr Alt-Regierungsrat", sagte Theo, „die, die vom Sterben reden, leben immer am längsten. Der Mensch sollte in allen wichtigen Augenblicken seines Lebens sein nahes Ende ins Auge fassen. Es ist aber nicht nötig, dessenthalben niedergeschlagen zu sein. Der Richtspruch über das Ende unsrer Tage liegt nicht in unsrer Hand."

„Wohl gesprochen, Herr Pfarrer", erwiderte Anton Jakob langsam. „Und mir kommt es so vor, als gäbe es auch noch sehr viele andre Entscheidungen, die nicht in unsrer Hand liegen. Es bleibt einem nichts übrig, als die Dinge philosophisch hinzunehmen und nicht allzusehr gegen das Unabänderliche aufzumucken."

„Dann darfst du auch in diesem Fall nicht länger aufmucken", sagte Therese.

Sie wandte sich lächelnd Gottfried zu:

„Wir kommen! Sicherlich, wir kommen!" flüsterte sie.

Theo blickte tief in Gottfrieds Augen, und dann sah er zur Seite.

„Da ich immer mehr von euch jungen Leuten abhängig bin", sagte Anton Jakob schwerfällig, „so macht mit mir, was ihr wollt. Aber laßt mich nicht zuviel bergauf gehn. Ich habe noch eine Menge zu schaffen, solange noch dieses Herz da seine Arbeit tut."

„Wir werden gut auf dich aufpassen, Toni!" rief Therese besorgt.

Am Sonnabend vor Theos Ordination kehrten Anton Jakob und Therese aus Plombières zurück. Sie stiegen wieder im selben Hotel ab; da sie aber nichts vorausbestellt hatten, konnten sie keine aneinanderstoßenden Zimmer erhalten. Zwischen ihren Türen lag der Korridor.

Zeitig am Abend ihrer Ankunft besuchten sie Gottfried in seiner kleinen Wohnung am Rhein, und später speisten sie dann zusammen im Hotel. Anton Jakob erklärte, er fühle sich flau und verwaschen, und verfluchte alle Kuren als völlig nutzlosen Kram. Etliche Monate würde er brauchen, sagte er, um sich von den Nachwirkungen dieser Kur zu erholen, und er schwor einen feierlichen Eid, daß er, komme, was da wolle, seiner Lebtag nie wieder zu einem Doktor gehn würde. Er hatte während der Kur sehr viel über Gottfried nachgedacht. Es fiel ihm auf, daß der Bueb im Verlauf des vergangenen Jahres ein viel männlicheres Aussehen bekommen hatte. Dennoch machte er sich noch immer gewisse Sorgen um ihn. Es lag etwas in Gottfrieds Blick und Haltung, was seinen Vater insgeheim bekümmerte.

Am Sonntagmorgen kam Gottfried Sixtus ins Hotel, um seinen Vater und Therese in die Kirche abzuholen. Ein Boy führte ihn in Anton Jakobs Schlafzimmer hinauf. Als er eintrat, fand er seinen Vater in Hemdärmeln auf einem niedrigen Sofa, vor sich ein Frühstücksbrett und eine Medizinflasche.

„So, Bueb", sagte der Alte und streckte ihm die Hand entgegen, „das ist nett, daß du gekommen bist. Du darfst mir nicht böse sein, aber ich werde heute nicht in die Kirche gehn. Ich bin schon seit zu langer Zeit in keiner Kirche gewesen. Wenn ich jetzt hinginge, würde ich mir dumm vorkommen. Ich glaube nicht ehrlich an diese Geschichten, und ich will kein Heuchler sein. Und die Absicht, jemandem ein Kompliment zu machen, ist auch kein genügender Grund für einen Kirchgang. Kurzum, ich bleibe hier in meinen vier Wänden. Aber geh einmal über den Korridor und hol Therese ab. Sie putzt schon seit einer guten Stunde an sich herum. Ja, Bueb, ein komisches Leben, nicht wahr? Läuft immer weiter und weiter, und allezeit etwas Neues. Du hast doch noch ein bißchen Liebe für den Alten aus Gam? Eh?"

„Natürlich, Vätti", sagte Gottfried und schüttelte seines Vaters Hand.

„Komm! Beug dich nieder!"

Gottfried beugte den Kopf, und Anton Jakob berührte seines Sohnes Stirn mit den Lippen. Dann stieß er ein sonderbares, fast selbstzufriedenes Brummen aus.

„Geh und klopf jetzt bei Therese an. Die Tür ist gerade gegenüber. Sie soll mit dir in die Kirche gehn. Sie ist für alles zu haben, mit diesem neuesten Seidenkleid, das sie sich in Mülhausen gekauft hat."

„Ich werde sie rufen", sagte Gottfried, verließ das Zimmer und schloß die Tür. Als er an Thereses Tür klopfte, rief sie „Herein!", und er öffnete.

Sie stand im Mieder vor dem Spiegel und frisierte sich mit erhobenen Armen. Ihre Schönheit traf Gottfried mit der zündenden Gewalt des Blitzes. Sie sah sich um und stieß einen leisen Schreckensruf aus.

„Ich dachte, es wäre Toni!" sagte sie und versteckte sich schnell hinter der Rückenlehne eines Armstuhls.

Gottfried schloß sogleich die Tür. Mit hämmernden Pulsen hielt er einen Augenblick die Klinke in der Hand. Dann riß er sich zusammen, ging an seines Vaters Tür hinüber, öffnete und sagte: „Sie ist noch nicht ganz fertig. Ich werde hinuntergehn und auf sie warten."

„Das sagte ich dir ja", spöttelte Anton Jakob. „Sie braucht immer eine volle Stunde."

Ein wenig später kam Therese die Treppe herunter. Von neuem mußte sich Gottfried sagen, daß sie ganz wie ein vollrassiges Füllen schreite. Sie lächelte ihm zu, sobald sie seinem Blick begegnete.

„Grüß' Gott!" sagte sie mit reinem Berner Akzent. „Wir müssen allein gehn. Dein Vater will sich nicht belästigen lassen. Ich kann ihn nicht bewegen, daß er mitkommt."

„Grüß' Gott, Therese! Ich weiß es, er hat mir's gesagt."

Ihre Frische, der gesunde Hauch, der von ihr ausging, bezauberten ihn.

„Ich glaube, wir sollten die Straßenbahn nehmen, damit wir nicht zu spät kommen."

„Also komm! Vorwärts!"

Sie verließen das Hotel.

„Herrjesses!" sagte sie, als sie zu dem Straßenbahnhäuschen in der Mitte des Bahnhofsplatzes kamen. „Hör dir diese vielen Glocken an! Jesses! Was dieses Basel für eine fromme Stadt ist! Gehen alle diese schwarz gekleideten Leute in die Kirche! Hör dir die große Glocke an. Genauso eine Glocke habe ich in Bern gehört."

„Das ist die große Münsterglocke. Wir gehen ins Münster."

Sie bestiegen eine Straßenbahn, die sie in den inneren Teil der Stadt brachte. Als sie die Handelsbank erreichten, stiegen sie aus. Nach einigen Minuten zu Fuß überquerten sie den Münsterplatz, und vor Thereses erstaunten Augen erhob sich das große rote Sandsteingebäude mit den gotischen Zwillingstürmen, die hoch über die Stadt emporragen. Sie traten durch das östliche Portal ein und fanden Plätze neben einem der großen Pfeiler, die die vielfach verschlungenen Galerien stützen. Therese setzte sich sogleich nieder. Sie bemerkte, daß Gottfried einen Augenblick stehnblieb und sich den Hut vors Gesicht hielt, um etwas in ihn hineinzumurmeln. Dann setzte er sich gleichfalls hin.

Inmitten des leise gedämpften Menschenlärms, der die mächtige Kirche erfüllte, versank Thereses Geist in seltsame Nebelschleier. Ihr Gesicht nahm einen schicksalsergebenen Ausdruck an, ihre Blicke wanderten von Menschengesichtern zu steinernen Pfeilern, schweiften an den gotischen Wölbungen auf und ab und ruhten eine Weile verwirrt auf den sonnbestrahlten, farbenreichen Fenstern. Der große Dom bedrückte sie.

Leer und kalt war es in ihrer Seele. Aber plötzlich setzte die Orgel ein mit ihren prachtvollen Klängen und rüttelte sie wach. Während sie diesen Klängen lauschte, war ihr so zumute, als würde ihr neues Leben eingeflößt. Ihr junger Busen wogte auf und ab. Sie glaubte, schon seit Ewigkeiten hier in dieser Kirche zu sitzen, als Gottfried ihr unversehens zuflüsterte, daß nach dem nächsten Choral Theo seine erste Predigt halten werde.

„So, ja, seine erste! Wie viele wird er noch in Zukunft halten?" sagte sie.

Bald darauf sah sie einen kleinen dunklen Mann, Theo, mit breiter Stirne und langer weißer Nase, die Treppe zu der Kanzel hinaufklettern. Er war außerordentlich flink und begann beflissen, ohne Scheu und ohne Stocken, mit vortrefflicher Aussprache zu predigen. Therese versuchte, seine Züge zu erspähen. Aber das Gesicht sah aus der Ferne so merkwürdig verändert aus, daß es ihr nicht gelingen wollte. Während sie die Predigt anhörte, plagte sie unaufhörlich die Vorstellung, wie wohl Gottfried an dieser selben Stelle zu einer zahlreichen Schar Männer und Frauen, darunter auch zu hübschen Frauen, predigen würde.

Ah! Was für ein Unsinn! Gott! Was für ein Unsinn, von ewigen Dingen zu reden! Wie konnte sie, die sie mit rotem, warmem Blut die Erde liebte, an blasse Geister glauben? Sie war nicht abergläubisch. Sie fürchtete weder Donner noch Blitz. Selbst die Sterne hatten sie noch nicht überzeugen können, daß es eine besondere Gottheit gebe, die kirchlichen Zeremonien beiwohnt.

Die Tatsache, daß Gottfried sich allem Anschein nach durch eine in ihren Augen unnatürliche Heuchelei hatte einfangen lassen, erbitterte Therese. Sie sah ihn von der Seite an. Er saß bequem in seinem Stuhl. Sein Kopf, der über einem hohen Kragen thronte, zeigte einen gewissen Hochmut, einen sonderbaren Ausdruck, der seine fein geschnittenen Züge verhärtete, bis sie fast maskenähnlich wirkten. Seine gletscherblauen Augen schienen Theos kleine, komische Gestalt zu verschlingen, die in der tiefen Kanzel hin und her sprang. Was für ein seltsamer Freund war Gottfried!

Schließlich fand Theos Predigt ein Ende, aber der Gottesdienst ging weiter.

Therese sehnte sich nach dem Augenblick, da die Orgel wieder spielen würde. Ah! Sie vergötterte die Orgel. Sie liebte alle Musik, wenn sie auch nichts von Musik verstand. Als schließlich die Orgel ertönte, schloß sie in stummem Entzücken die Augen, und als die letzten Klänge verhallten, flüsterte sie in Gottfrieds Ohr: „Weißt du, Musik beugt mich hilflos zur Erde wie der Sturm die Weiden."

Am Schluß des Gottesdienstes spielte Meister Ham ein mächtiges Stück von Bach, um die Besucher aus der Kathedrale hinauszubegleiten. Therese blieb sitzen und erschauerte unter den donnernden Hallelujas, die aus den fernsten Tiefen der Galerien zu erdröhnen schienen. Die gewaltigen Harmonien stürmten unwiderstehlich auf sie ein. Sie fühlte sich in einem Jubelrausch entrückt. Ah! Das ist der wahre Himmel! Wenn sie jemals in einen Himmel geht, dann muß es ein Himmel sein, in dem es Musik gibt.

„Es ist zu Ende", sagte Gottfried, der hinter ihr stand. „Wollen wir jetzt gehn?"

„Es war herrlich!" sagte sie. „Wie wunderbar muß es sein, in dieser Kathedrale mit einem Menschen getraut zu werden, den man wirklich liebt!"

An diesem Abend saßen Vater, Stiefmutter und Sohn gemeinsam im Hotel. Bald nach dem Essen ging Anton Jakob auf sein Zimmer. Therese folgte ihm, während Gottfried sich in einen der Besucherräume setzte und einen Blick in die Tageszeitung warf. Therese legte die Schuhe und das Straßenkleid ab, zog einen losen Schlafrock an und ging ins Zimmer ihres Mannes, um ein Weilchen bei ihm zu sitzen.

Anton Jakob fühlte sich schläfrig. Er gähnte ununterbrochen.

„Maidi", sagte er, „wir wollen nicht den Frühzug nehmen, glaube ich. Wir wollen bis morgen mittag warten."

Bejahend nickte sie ihm zu. „Am besten, du schläfst jetzt ein, damit du eine lange gute Nacht vor dir hast."

Er bat sie um einen Kuß, und sie küßte ihn. Dann sagte sie: „Gute

Nacht", verließ ihn, ging in ihr Zimmer und wartete dort nahezu eine Stunde lang. Dann schlich sie leise auf den Korridor hinaus, um nachzusehen, ob ihr Mann seine Tür versperrt habe. Sie war versperrt. Therese kehrte in ihr Zimmer zurück, zog Schuhe und Straßenkleid an, betrachtete sich einen Augenblick im Spiegel, verließ das Zimmer, versperrte die Tür, steckte den Schlüssel in eine kleine Handtasche und lief die Treppe hinunter. So entschlüpfte Therese zum erstenmal der zügelnden Hand ihres rechtmäßigen Gebieters. Gottfried wartete auf sie, und gemeinsam verließen sie das Hotel.

„Er schläft", sagte sie. „Wo wollen wir jetzt hin, um miteinander zu sprechen? Ich würde gern einen einsamen und schönen Platz suchen, fern von allem, was an Häuser und Menschen erinnert."

Er schlug vor, vom Bahnhof mit dem Wagen in den Hardtwald zu fahren, dort am Rheinufer entlangzuspazieren und den Wagen warten zu lassen, bis sie wieder bereit wären, zum Bahnhof zurückzufahren.

„Mir ist es einerlei, wohin wir gehen", sagte Therese, „solange wir nur endlich dieses eine Mal ungestört miteinander sprechen können. Es ist über ein Jahr her, seit unsern letzten längeren Gesprächen. Weißt du das auch, Gottfried?"

Er gab keine Antwort. Er fühlte sich nicht behaglich. Seine Gedanken waren finster und ängstlich. Aber er hatte das Gefühl, als könnte diese nächtliche Fahrt mit Therese schließlich doch noch aller Ungewißheit ein Ende machen. Ihrer beider Leben mußte wohl von nun an unwiderruflich die eine oder die andre Richtung nehmen.

„Gott sei Dank", sagte sie zu ihm, als sie im Wagen saßen, „jetzt sind wir endlich nach all den vielen Monaten wieder einmal Seite an Seite!"

Ihr erschien Gottfried kalt und abweisend. Kraft eines seltsamen Schicksalswechsels waren ihre Gefühle nun fast dieselben, wie sie Gottfried bei seinem letzten Besuch in Gam bedrückt hatten, als sie ihm längere Zeit hindurch geflissentlich auswich. Die List, zu der sie heute gegriffen hatte, setzte sie in ihren eignen Augen herab, und fast hätte sie Gottfried gehaßt, weil er wußte, daß sie sich insgeheim fortgeschlichen hatte. Aber wie hätte sie sonst ungestört und frei mit ihm beisammen sein können? Und sehr bald überwog das Glück, unbelauert und unbelauscht in seiner Nähe sein zu können, alle Bedenken ihres Gewissens.

Als sie den Saum des Waldes erreichten, bot Gottfried Therese seine Hand, um ihr aus dem Wagen zu helfen. Leichtfüßig sprang sie heraus. Als sie Seite an Seite auf ihrem mondhellen Pfad dahinschritten, überlief Gottfried ein kleiner Schauder. Vielleicht hätte er dieser Unterredung ausweichen müssen. Ja, es wäre besser gewesen. Mit welchem Recht durfte er eines andern Mannes Weib zu dieser Stunde in den Wald führen? Zweifellos hatte er von Rechts wegen mit Therese hier nichts zu suchen, mit dieser Therese, dem Anlaß all des wirren Aufruhrs in seiner Seele, dem furchtbaren Hindernis, das seine Pläne zum Scheitern brachte.

„Gottfried", sagte Therese, „es ist etwas Wunderbares, nachts durch einen Wald zu gehen. Man muß plötzlich nachdenken, und tausenderlei Ängste überschleichen das Herz. Die Phantasie beginnt zu arbeiten; man sieht und hört Dinge, die man am hellen Tage niemals sieht oder hört."

„Ja", meinte Gottfried, „manchmal ist es gut, solche Experimente zu machen, manchmal auch nicht."

„Wir sind einander immer noch zu fremd!" sagte lachend Therese.

„Möglich. Aber siehst du, viel Zeit ist verstrichen, seitdem wir das letztemal beisammen waren. Erinnerst du dich nicht, daß wir fast in Uneinigkeit schieden? Und seither hat sich viel ereignet."

„Bei mir nicht", sagte sie. „Ich bin wie eine Schnecke weitergekrochen. Frühling, Sommer, Herbst, Winter und wieder Frühling! Ja, fast schon wieder Sommer! Wie köstlich kühl ist es in diesem Wald! Schau nur einmal durch die Zweige! Als ob der Mond einen sanften Nebel über die Bäume spinnen würde!" Gottfried antwortete nicht sogleich; er schaute auf, und Therese sah, wie seine Blicke durch das dichte Geäst in den unendlichen Himmelsraum emporzudringen versuchten.

„Wenn ich bedenke, wie es noch vor einem Jahre in mir aussah, und jetzt. Damals hatte ich das schmerzliche Gefühl, daß alles, alles nichtig sei. Wie sehr habe ich mich verändert! Jetzt finde ich endlich etwas Greifbares."

„Ich habe mich nicht verändert", beharrte sie.

„Ah! Doch, doch! Nur weißt du es nicht."

„Ich müßte es wissen, glaube mir! Ich habe in Gam massenhaft Zeit, um über mich nachzudenken."

„Ach, Therese", sagte er, „wenn ich doch nur imstande wäre, dir das Leben in einem neuen Licht zu zeigen! Ich verwünsche mich selber um all des Unheils willen, das ich an dir getan habe. Wie kann ich es jemals wiedergutmachen?"

„Ich wüßte nicht, daß du mir irgendein Unrecht getan hättest."

„Aber ich weiß es! Ich bin mir dessen bewußt! Ich habe dir Bücher gegeben, die reines Gift für dich waren."

„Ich glaube, du bist im Unrecht", erwiderte Therese. „Ich richte mein Leben nach dem, was ich selber sehe und fühle, nicht nach den Anschauungen andrer Leute."

„Trotzdem bereue ich's, daß ich dir diese Bücher gegeben habe. Aber was konnte ich denn andres tun! Konnte ich dir vor Jahren schon Dinge sagen, die ich damals selbst noch nicht wußte? Ich sage dir, Therese, zu jener Zeit befand ich mich in einem Irrgarten, in einem völligen Chaos. Und ich mußte erst einen Ausweg finden. Theo, mein bester Freund, hat mir sehr geholfen. Ja, Theo hat mir den Weg aus dem unentwirrbaren Durcheinander gezeigt, in das ich geraten war. Und ich bin fest entschlossen, auf meinem neuen Weg auszuharren."

Gottfried sprach mit harter Festigkeit. Doch es bedurfte nur eines flüchtigen Blickes auf seine bebende Gestalt, um zu sehen, daß sein Charakter nicht aus Stahl gehämmert war, sondern daß er sich unter den Stürmen des Schicksals beugen würde. Dennoch glaubte Therese an die völlige Aufrichtigkeit seiner Worte. Das war nun freilich ein neuer Gottfried, ein Mensch, dessen Natur in Widerspruch stand zu allem, was sie, Therese, bewegte. Sie empfand eine tiefe Bitterkeit. Ach Elend! Wo war der Gottfried, den sie liebte? Wo war er? Was hatte Freund Theo aus ihm gemacht?

„Wie bist du denn nur ein so eifriger Anhänger der christlichen Religion geworden?" fragte sie ihn.

„Durch Luther", antwortete Gottfried ruhig.

Sie blieb stehn und legte die Hand auf seinen Arm.

„Gottfried", sagte sie, „ist es wirklich hell in deinem Herzen?"

Er konnte gerade nur ihre Augen durch die Finsternis erspähen und ihre Lippen, halb geöffnet, als böten sie ihm einen nächtlichen Kuß. Hinter ihr glaubte er den düstern Schatten Theodors zu sehn, seine dunklen Augen warnend auf sich geheftet.

„Therese", sagte er, die Augen schließend, „in dieser Sekunde bezweifle ich nichts und stelle nichts in Frage. Ein Kind könnte mich führen. Und ich würde von diesem Kind nichts weiter erbitten, als daß es mich nicht in Gefahren führen möge."

„Gottfried", unterbrach sie ihn mit fester Stimme, „du kommst mit Gedanken, die nicht dein eigen sind."

„Immerhin, es sind Gedanken."

Sie runzelte die Stirn und blickte zur Seite.

Dann näherten sie sich dem Rhein und schritten langsam einen Fußpfad auf der Uferböschung entlang. Therese nahm Gottfrieds Arm. Minutenlang blieben sie beide stumm. Das einlullende Geplätscher des Flusses unter ihnen, das leise Seufzen der alten Bäume ringsumher, die milde Luft, die Sterne und der Mond zu Häupten, das alles verstärkte den geheimen Kummer ihrer Herzen.

In diesem Schweigen fand Therese plötzlich wieder zu sich selbst zurück. Schön – so war es also. Er ist jetzt Theologe, und Gott steh' ihm bei! Offenbar meint er es ernst, und sie wird sicherlich nicht das Kind sein, das ihn in Gefahren führt. Das hatte er immerhin recht schön gesagt. Sie liebte ihn nur noch mehr um dieser Worte willen. Aber ach, wie weit ist Gottfried ihr entrückt! Die Kirche hat ihn gefangen. Sie wird wieder mit Anton Jakob nach Gam zurückfahren und von jetzt an schwarze Blusen tragen mit einer Brosche am Kragen.

„Ja, Gottfried", sagte sie mit veränderter Stimme, „wann gedenkst du denn in den geistlichen Stand einzutreten?"

„Ich weiß es nicht", antwortete er düster.

„Nun, bis dahin wirst du wohl einige Lebenserfahrungen hinter dir haben."

Nun sahen sie das Ende ihres Pfades, der durch einen Bogengang dichter Bäume auf ein mondbeschienenes Feld hinausführte.

„Ich möchte dich etwas fragen", sagte Therese. – „Ja?"

„Willst du mir wahrheitsgetreu antworten?"

„Ich werde es versuchen."

„Wie kommt es, daß du jetzt nie mehr nach Gam fährst?"

„Ich kann es dir nicht sagen."

„Ich will den Grund wissen. Du hast mich monatelang gemieden, als wäre ich eine häßliche Pest. Habe ich folglich nicht das Recht, den Grund zu wissen?"

„Ich habe dich nicht gemieden!" rief er. „Ich habe nur versucht, mir selbst zu entrinnen."

„Davon schriebst du kein Wort in deinen Briefen."

„Ach, Therese, es gibt vieles, das ich dir nicht erzählt habe und nie erzählen werde."

„Du bist ein Feigling."

„Vielleicht noch Schlimmeres! Aber nur ich habe unter meinen Fehlern zu leiden, ich und niemand andrer."

„Herrgott! Wie du dich herausredest!" rief Therese voll ehrlichen Zorns.

Unermeßliche Finsternis, gestaltlos und elementar wie die Nacht, senkte sich auf Thereses Seele herab. Das Feuer ihrer Liebe schien dahinzusterben. Sie hatte das Gefühl, als besitze sie nicht mehr die Kraft, bis zum Wagen zu gehen. Tödliches Schweigen herrschte zwischen den beiden Menschen. Ihre Beziehung schien jäh und völlig zerrissen. Gottfried fühlte sich wie betäubt. Er hatte sich selbst betäubt. Ja, was er gesagt hatte, war ein letztes Wort gewesen. Wenn er nun von neuem straucheln würde, dann müßte er freilich unwürdig sein, dann müßte er in die äußerste Finsternis versinken. Als sie stadtwärts fuhren, wagte er kaum einen flüchtigen Blick auf Therese zu werfen. Er fürchtete sich, die Tränen über ihre Wangen fließen zu sehen. Er hatte sie verwundet mit seinem Luther und seinem Jesus, aber er mußte nun bei seinem Luther und seinem Jesus getreulich ausharren. Noch bevor sie das Hotel erreichten, ließ er den Wagen halten und begleitete Therese bis an den Eingang. Dort trennten sie sich.

Die Zeit wollte die Wunde nicht heilen, die Gottfried der armen Therese zugefügt hatte. Aber der Schmerz linderte sich ein wenig und verwandelte sich allmählich in ein Gefühl unbestimmter Müdigkeit.

Eh, ja, wer bin ich denn? dachte sie schließlich. Nicht mehr wert als eine samenlose Pflanze. Die Würfel des Geschicks sind gegen mich gefallen. Es liegt ein uralter Fluch auf der Familie Etienne. Mit mir sinkt unser Name in den Staub. Wenn ich nie von Anton Jakobs Mildtätigkeit gehört hätte, wäre ich jetzt nicht seine Frau. Ich wäre mit meinen Knöpfelschuhen und meinem grauen Schal weitergestrolcht, einem neuen und vielleicht bessern Schicksal entgegen. Nein, es verlohnt sich kaum, dem Leben zu zürnen.

Ein dürftiges Ding, das Leben, und gar nicht von großer Bedeutung! – Sie weinte.

Die Jahreszeiten wechselten. Therese blickte von ihrem kleinen Fenster auf die stillen Wälder hinaus, die sich auf der andern Seite des Tales bergwärts zogen, und dachte freundlich an den Entfernten, der immer noch ein Teil ihres Lebens war.

Bei verschiedenen Anlässen machte Anton Jakob ihr ernstliche Vorwürfe, daß sie soviel über die dunklen Seiten des Lebens nachgrüble.

„Wenn ich nur wüßte", sagte er einmal, „was in dich gefahren ist! Warum lebst du nicht wie jede andre gewöhnliche Frau! Es sieht so aus, als wolltest du den ganzen lieben Tag nur immer nachdenken, wie und wodurch du dich von sämtlichen übrigen Menschen unterscheiden könntest."

Es gelang ihm, sie aus ihrer Lässigkeit aufzurütteln.

„Nein, Toni, sei mir nicht böse! Ich will diesmal wirklich den Versuch machen, mich zusammenzureißen."

„Entbehrst du etwas? Kann ich etwas für dich tun?"

„Nichts! Nichts!"

Sie lächelte. Was konnte er für sie tun? Er, an den sie für den Rest ihres Lebens gekettet war?

„Sag mir, was mit dir los ist."

„Nichts!"

„Ha, nichts! Das glaube der Tüfel."

Er wurde allmählich der Ansicht, daß es sich hier nur um die Folgen ihrer Kinderlosigkeit handle.

„Eh, ja! Wirst schon eins kriegen, in allernächster Zeit!"

Sie blickte zur Seite. Sie konnte es nicht ertragen, seinen Augen zu begegnen. Sie durfte ihm nicht zeigen, wie sehr er sie quälte, wie sie zuweilen bei seinem Anblick fast erbebte. Ah! Und er hatte wieder neue Kräfte gewonnen. Die Kur hatte ihm gutgetan. Er konnte sogar wieder Wein trinken. Therese mußte ihn dulden. „Ah, ich bin dir eine schlechte Frau, Toni. Ich muß mich wirklich zusammennehmen. Du hast völlig recht, wenn du mich an meine Pflichten erinnerst."

„Nicht aus Pflicht sollst du mir gehören. Ich will viel mehr."

„Meine Liebe! Du hast sie doch, oder wie?"

„Maidi, hör jetzt zu! Sei mir nicht böse. Ich weiß genau, wie sehr wir dem Alter nach und auch in andern Dingen verschieden sind, aber es gibt für uns beide einen Mittelweg. Denn trotz all der vielen Jahre, die wir schon beisammen sind, besteht immer noch eine geheime Kühle, die uns trennen möchte. Wir wollen für eine Woche verreisen. Nach Zürich oder nach Genf, ja, oder nach Italien, wenn du Lust hast. Ich sehe, daß du eine Veränderung brauchst."

„Ich brauche keine Veränderung. Ich werde diesen Monat versuchen, bei der Heuernte mitzutun."

Ein Freudenschimmer huschte über Anton Jakobs Gesicht. „Endlich! Heuen! Endlich kehrt mein Maidi wieder zu den guten alten Dingen zurück. Auch ich werde mich ans Heuen machen. Die Tätigkeit wird mir guttun."

Therese lächelte matt. Fast bemitleidete sie ihn. Aber weshalb, um Gottes willen, hatte sie diesen Vorschlag gemacht? Was konnte ihr die Heuarbeit nützen? Wäre es nicht viel besser für Anton Jakob, mit ihr eine Reise zu machen, wie er vorgeschlagen hatte? Nein, wozu? Und wenn er sie auch in den fernsten Winkel der Welt schleppen würde, nie würde sie den Mittelweg finden, von dem er sprach.

„Na ja! Ich gehe mit den Knechten aufs Feld, bis ich das Heufieber bekomme", sagte sie.

„Dagegen habe ich ein ausgezeichnetes Heilmittel. Es ist seit mehr als hundert Jahren in unsrer Familie."

Therese hielt Wort und machte sich an die Heuarbeit. Dieses Ereignis erregte allgemeines Aufsehen.

„Ja, mi Gotts Seel! Frau Müller mit einer Heugabel! Man würde es nicht glauben, wie sie heben kann! Wie sie stark geworden ist seit ihrer Heirat!" sagte Adrian auf der Wiese zu dem alten Joggi.

„He, ja, meinst etwa, daß der Herr sie verhungern läßt? Hähä! Und schau einmal ihre Arme an! Ja, der Herr läßt die Welschi nicht im Essen hungern – und auch in andern Dingen nicht. Ich würde es auch nicht tun, mi Gotts Seel, trotz all meinen achtzig Jahren, und wenn ich schon so wacklig bin, daß alle Knochen klappern, wenn ich am Morgen aufstehe. Hä, hä!"

Alle waren jetzt bei fleißiger Arbeit auf dem Wiesland: die blonde und üppige Hedwig, Ida, Hanneli mit ihren braunen Zöpfen, aber mager und blaß wie früher, und ein kleines Mädchen namens Luise, eine Nichte Friedas und noch nicht lange in Anton Jakobs Diensten; ihre wasserblauen Augen hefteten sich oft mit verschämter Neugier auf Melchior, den jungen Sennen, der von der Alp herabgekommen war, um mit seinen sehnigen roten Armen mitzuhelfen. Selbst der zahnlose Konradli, der Gemeindestraßenkehrer, erschien in seiner freien Zeit auf dem Schauplatz, um beim Zusammenrechen des vielen Heus zu helfen, das Anton Jakobs Wiesen bedeckte. Leonhard und Röthlisberger beaufsichtigten die Wagen. Therese in hellblauem Rock und ärmelloser schwarzer Samtweste, die Arme bis an die Schultern braungebrannt, bewegte sich lächelnd unter den Knechten und Mägden. Bei dieser Heuernte erntete sie zugleich von den Gamhofern ehrlichen Beifall für den Erfolg, den das launische Geschick ihr bescherte, indem es sie, Therese, über die Köpfe der andern hoch emporhob.

Oft konnte man sie in Leonhards Gesellschaft sehen. Leonhard hatte sich nicht sehr verändert. Er war röter denn je, und sein hellgelber Schnurrbart war noch ein wenig länger geworden; aber seine strahlend blauen Augen bargen immer noch jene seltsam standhafte Ergebenheit, die seinem Schlage eigen war.

„Ja, grüß' Gott, Frau Müller! Ei ja!"

„Warum nennst du mich nicht mehr Theresli?"

Sein Gesicht war so rot, daß fremden Augen sein Erröten entging.
„Nein, das könnte ich doch nicht, Frau Müller."

„Vor Jahren wolltest du mich heiraten, und jetzt sprichst du zu
mir wie ein Fremder."

„Fremder, nein! Aber was dem Herrn gehört, gehört dem Herrn.
Und er ist unser Meister, und folglich seid Ihr unsre Meisterin.
Daß man dem Herrn Respekt schuldig ist, das habe ich von meinem
eigenen Vater gelernt, und drum weiß ich auch, daß ich der Frau
Müller den gleichen Respekt schuldig bin. – Alloh hüp! Wenn die
Pferde den ganzen Tag fressen, wollen sie nicht stillstehn. Mel-
chior, heb die Chaibe!" –

Er warf einen großen Schwaden Heu auf einen der Wagen; seine
Zähne knirschten, und die Adern auf seinem Hals und seinen
Armen traten hervor, so sehr mußte er sich anstrengen. Sein Herz
pochte heftig, und er wußte nicht, ob es von dieser Anstrengung
kam oder von Frau Müllers Nähe.

Therese beobachtete Leonhard mit aufmerksamen Blicken. Sie
sehnte sich nach seiner Teilnahme. Fast hätte sie gewünscht, so zu
sein wie er. Wenn sie nur auch so lieben könnte! Einfach lieben,
leiden, allen Schicksalsschlägen mit lächelndem Blick begegnen,
einen Rosenstrauch auf das Grab der Liebe tragen, und immer
weiter lächeln. Wie ging das zu? Warum war sie dazu nicht imstande?

„Leonhard", fragte sie. „Gehst du immer noch in die Kirche?"

„Ah, ja. Jeden Sonntag, aber Euch habe ich dort nur einmal
gesehen. Und das war vor bald drei Jahren bei Eurer Hochzeit."

„Warum gehst du hin?"

„'s ist ein Stück von meinem Leben. Wenn ich müde bin, packt
es mich in der Kirche und erinnert mich an die Leiden andrer und
gibt mir Lust, bei meiner Arbeit zu bleiben und immer weiterzumachen, trotz allem und alledem!"

„Ob wohl Herr Gottfried ebenso denkt wie du?"

„Aber sicher, Frau Müller. Sonst wäre er jetzt nicht Theologie-
student geworden."

„Wer weiß!"

Therese, ungewohnt der ständigen Mühe des Heuens, steckte ihre
Gabel in den Boden.

„Ich werde jetzt nach Hause müssen, Leonhard", sagte sie. „Aber ich komme ein andermal wieder."

Mit einem seltsamen Gefühl der Zärtlichkeit für diesen einfachen Menschen verließ sie das Feld. Als sie dem Hause zuschritt, blickte sie zur Fluh hinauf. Ein paar graue Wolken stiegen hinter dem Gipfel empor, die Alp schimmerte in einem leuchtend giftigen Grün. Was konnte das bedeuten?

Anton Jakob sah man oft auf den Feldern, in Hemdärmeln und einem schwarzen Schlapphut auf dem Kopf. Aber er konnte nicht wie die andern die Heuschwaden aufladen oder wenden. Dazu war sein Herz nicht mehr stark genug, und außerdem war er darauf bedacht, daß er seiner Therese immer nur als der kraftvolle Mann erscheine und daß sie ihn nur ja nicht altern sehe. Ja, er wird noch allerlei Dinge tun, um ihr zu beweisen, wie jung er ist! Nächstes Jahr geht er auf die Schützenfeste, im Frühling hilft er die Kantonale Ausstellung organisieren, und noch bei mancher Jahresversammlung wird er den Vorsitz führen. Oh, es gibt noch allerlei, was er tun wird. Er wird sich auf der Höhe halten, immer so frisch wie sein Weib. Möge nur die Welt keine Sekunde lang denken, daß es mit seiner zünftigen Lebendigkeit zu Ende sei!

In dem ständigen Bemühen, jugendlich zu erscheinen, verfiel Anton Jakob auf die absonderlichsten Einfälle. Wenn Therese auf dem Feld erschien, griff er rasch nach einer Gabel und warf ein paar Heubündel auf den Wagen, wenn auch sein Herz noch so gefährlich klopfte und Hemd und Kragen an der Haut klebten.

Eines Tages ließ er ihr sogar durch einen Boten sagen, daß er über den Tag auf die Alp hinaufgegangen sei.

„Auf die Alp?" rief sie erstaunt. „Wie? Vor ein paar Monaten konnte er kaum die Treppen hinaufsteigen! Jesses!"

„Jaja, er ist wirklich gegangen."

Therese war verblüfft über die rasche Kräftigung ihres Gatten und zugleich auch bekümmert und unglücklich. Anton Jakob stieg natürlich nicht auf den Berg!

Im Gegenteil, er wanderte talabwärts in ein entlegenes altes Wirtshaus und spielte dort Karten mit etlichen befreundeten Bauern, die herzlich über den schlauen alten Müller lachten und ihm sehr gerne versprachen, seine famose Komödie geheimzuhalten.

Therese mißfiel die Bräune ihres Gesichts und ihrer Arme. Die gebräunten Stellen kontrastierten allzu heftig mit der weißen Haut ihres übrigen Körpers und mit dem Spitzenwerk des Bettes. Sie beschloß, ihre bäurische Tätigkeit wieder aufzugeben. Diese Tätigkeit hatte ihre Melancholie nicht geheilt, sondern sogar noch verstärkt. Sie hatte ihre Sinne geschärft und ihre Sehnsucht nach Gottfried gesteigert. Unablässig sah sie jetzt sein Bild vor sich, und diese geheimen Träume waren die schmerzlichsten ihrer Qualen. Lange konnte es so nicht gehen. Nun gingen keine Briefe mehr zwischen Gottfried und ihr hin und her. Einmal hatte er an seinen Vater geschrieben und ihm mitgeteilt, daß er seine Studien an der Universität Tübingen fortsetzen wollte, Sophie war zweimal in Gam gewesen und hatte Briefe ihres Bruders mitgebracht. Mit den Studien ging es vorwärts. Sophie fand Geschmack an dem Gedanken, daß ihr Bruder Geistlicher werden sollte. Sie sah ihn bereits an einer wichtigen städtischen Kirche, in Amt und Würden, unter Menschen, die ihm geistig ebenbürtig wären.

Therese sprach nur ab und zu mit scheuen Worten über Gottfried, und wenn andre von ihm sprachen, packte sie ein heißer Groll. In der Tat, sie konnte es kaum ertragen. Was wußten sie alle denn von ihm? Nichts! Sie war die einzige, die ihn wirklich kannte.

Noch bevor Weihnachten kam, lag Gam in tiefem Schnee vergraben. Am Weihnachtstag erhielt Therese eine Weihnachtskarte von Gottfried, auf der das Jesuskind zu sehen war, einen Palmzweig in der Hand, an der Spitze einer ganzen Menagerie von Löwen, Tigern, Leoparden und Riesenschlangen. Die Züge des heiligen Kindes ähnelten dem Ausdruck des kleinen Christus in den Armen der Raffaelischen Madonna, die in der Dresdner Galerie hängt. Dicht hinter dem Kind marschierte die Menagerie. Der Löwe und Tiger lächelten nachdenklich, während der Leopard und die Riesenschlange sich aneinanderschmiegten. „Herzliche Grüße von Gottfried." Das war alles.

Als Therese dieses Souvenir erhielt, setzte sie sich in ihren Stuhl am Fenster und weinte. Sie hätte gern einen Brief an Gottfried geschrieben, aber sie konnte nicht. Vor der Gewalt ihrer Empfindungen versank sogar ihr Wille in Nichts. Der Alltag stand an ihrer Seite. Ein verlorenes Jahr grinste sie an. – Sicherlich, dachte sie, werde ich dieses Jahr zugrunde gehn. Wie lange soll ich noch imstande sein, es zu ertragen!

Gam feierte wie gewöhnlich sein fröhliches Fest. Die Gamhofer wachten tief in die Nacht hinein, und die Lichter ihres Weihnachtsbaumes schimmerten aus den Fenstern. Aber Therese brachte es nicht über sich, die Leutchen zu besuchen, und sie bat Anton Jakob, allein zu gehen. Sie fühle sich nicht wohl, sagte sie. Er sah ihr blasses Gesicht und glaubte ihr. Kurz vor Neujahr gelang es Therese, einen Brief an Gottfried zu schreiben, einen Brief, der später gefunden und aufbewahrt wurde:

Mein lieber Gottfried!

Sonderbar, wie oft ich gedacht habe: Wird er mir je wieder schreiben? Deine Karte kam so unerwartet, daß mein Herz wie verrückt zu klopfen begann. Du hättest mir keine größere Freude bereiten können, Gottfried. Bitte, Du darfst mich nie überraschen. Bereite mich vor, bevor Du selber hier erscheinst. Denn sonst, ade, mein armes Herz!

Ich kann nicht sagen, daß ich jetzt traurig wäre. Ich fühle Deine Gedanken, obgleich Du so weit in der Ferne bist und obgleich Du mir nur vier Worte zu Weihnachten geschrieben hast. Aber manchmal geht mir dies und jenes auf die Nerven, und ich möchte alles zerschlagen.

Lieber Gottfried! Ich wünsche Dir Glück, wo immer Du sein wirst. Ja, es ist mein einziger Wunsch, Dich glücklich zu wissen. Aber bitte, werde mir kein Engel! Das wäre zu schrecklich!

Mein Tag vergeht so: Ich sitze herum, sticke, nähe, lese, meist aber sitze ich mit geschlossenen Augen und lausche, damit mir nichts entgeht, was aus weiter Ferne kommt. Bete für mich!

Dein wie immer!

Therese

Sie gab den Brief rechtzeitig zur Post, so daß ihn Gottfried am Neujahrstag erhalten mußte. Dann wartete sie auf Antwort, sie wartete eine Woche, zehn Tage, einen Monat. Es kam keine Antwort.

Winter ist's, sagte Therese zu sich. Das Tal liegt tief im Schnee begraben. Aber warte nur, bis das Gras wieder hervorschießt! Warte, bis die Blumen wieder leuchten! Warte nur! Wenn die Wälder und Wiesen sich mit frischem Grün bedecken und die Sonne über der Wildfluh aufgeht, dann – seltsame Ahnungen fühle ich. Die Natur spricht zu denen, die einsam sind.

Beunruhigende Briefe kamen aus Tübingen. Gottfried Sixtus war an Rippenfell- und Lungenentzündung erkrankt. Mehrere Wochen lag er in mißlichem Zustand im Spital, schließlich aber genas er wieder. Ärzte und Freunde rieten ihm, in seine Schweizer Bergheimat zu fahren, um dort Gesundheit und Kraft zurückzugewinnen.

Aus tiefstem Herzen dankbar, daß er seinen Sohn nicht verloren hatte, legte Anton Jakob der Rückkehr Gottfrieds keine Schwierigkeiten in den Weg.

So sah sich Gottfried im Vorfrühling wieder unter dem väterlichen Dach. Vorläufig konnte von seiner Rückkehr an die Universität keine Rede sein, und wenn man ihn um seine Zukunftspläne befragt hätte, so würde er geantwortet haben, daß er überhaupt nicht an die Universität zurückkehren wolle. Nie wieder dieses Studentenleben! Er hatte es hinlänglich genossen, er hatte genug darunter gelitten. Er empfand tiefe Verachtung für alle Advokaten und Geistlichen und war wie ein uralter Mann, der fast alle Weisheit der Welt gekostet hatte, nur um zu guter Letzt herauszufinden, daß zwar Weisheit und Wissen einen Mann befähigen können, sich unter seinen Mitmenschen eine bedeutsame Stellung zu schaffen, daß sie aber niemals jenes Glück zu spenden vermögen, dem seine Sehnsucht gilt.

Als die ersten warmen Tage einsetzten, kehrte Gottfrieds Gesundheit wieder zurück, und in seine Seele kam der Durst nach dem Wasser des wahren Lebens. Nun bedurfte es moralischen Mutes, um sich zu gestehn, daß seine Universitätskarriere fehlgeschlagen sei. Aber lieber wollte er sich von den Leuten auslachen lassen und ihren verächtlichen Blicken trotzen, als wieder ein neues Semester beginnen, eine neue Phase geistiger Maskerade und psychologischer Spiegelfechtereien.

Nackt und seiner Ansicht nach unverdorben stand er in der Welt. Und was die Zukunft betraf – er würde in seiner Lebenstaktik der Linie folgen, wo der geringste Widerstand war.

Anton Jakob, Sophie nebst ihrem Mann und einige andre Mitglieder der Familie Müller waren natürlich sehr erstaunt, etliche von ihnen sogar ärgerlich, als Gottfried seine Neuigkeit verkündete. Wie um Himmels willen würde nun Gottfrieds nächster Schritt aussehen? Aber die Verwandten zogen seinen Gesundheitszustand in Betracht, wobei sie sich erinnerten, daß seine Mutter durch ihre schwache Brust frühzeitig ins Grab gesunken war, und nach etlichen tiefsinnigen Erörterungen über seine Zukunft und einem reichlichen Aufwand guter Ratschläge in allen diese Zukunft betreffenden Dingen nahmen sie seine Entscheidung als vollendete Tatsache hin, fanden sie ganz natürlich und unvermeidlich. Schließlich kannte man Gottfried als einen klugen Burschen. Er erweckte bei allen den Eindruck völliger Vertrauenswürdigkeit, da er einen ausgezeichneten moralischen Ruf genoß. Weder trank er zuviel noch lief er jungen Weibern nach. Sicherlich wußte er voll und ganz, was er tat.

Wenn er so umherspazierte, war er durchaus kein glücklicher Mensch. Mehr denn je beherrschte ihn die Leidenschaft für Therese; er war außerstande, sie zu ersticken. Oft blickte er zu den weißragenden Gipfeln über den schroffen Felswänden der Wildfluh und Gamfluh auf, zu den ewigen Riesen seiner Kindheit; blickte zu ihnen auf und erinnerte sich, daß in seiner frühesten Jugend, bevor ihm noch ein lebendes Geschöpf die Grundsätze menschlicher Tugendansichten beibringen konnte, diese Gipfel ihn durch ihre stumme Majestät erschüttert und ihm die Sehnsucht nach dem Erhabenen eingeflößt hatten. Wo war nun diese Sehnsucht geblieben? Nichts weiter sah er jetzt in jenen Höhen als die trostlose Unfruchtbarkeit überirdischer Gewalten. Unten im Tale aber herrschte die Fruchtbarkeit der Natur und der Menschheit, verführerisch, zeugend und tötend. Ein Reich des Teufels? Aber er liebte dieses Reich. Und doch mischte sich Angst in seine Liebe, denn die Hindernisse auf seinem Weg schienen unüberwindlich. Freilich zeigte sich eine Möglichkeit, das Ziel seiner Sehnsucht zu erreichen. Aber dieser Gedanke ließ ihn erschauern. Nur das nicht, lieber – den Tod! – Nein, nein, dachte er, ich bin dem Glück nicht näher als vor zwei Jahren. Vielleicht wird das letzte Glück erst dann erreicht sein, wenn ich alles von mir werfe, wenn ich aufhöre, in dieser Welt noch eine Rolle zu spielen.

Solcherlei Gedanken waren ihm bereits sehr vertraut. Seit seinem Basler Aufenthalt trug er in seiner Brieftasche eine Dosis weißen Pulvers, das er als seinen verführerischsten Freund ansah. Es gab Augenblicke, da er liebkosend über seine Brusttasche strich, als wolle er sich vergewissern, daß sein Freund noch da sei. – Es würde vielleicht schmerzhaft sein, dachte er, aber unfehlbar. Lieber das, als vielleicht ein jahrelanges Dahinschleppen durch ein qualvolles, leeres Leben!

Seit Gottfrieds Rückkehr war Thereses Herz bis an den Rand erfüllt von einer stillen heimlichen Glückseligkeit, einer überwältigenden Süße. Nun wußte sie, daß Gottfried ihr nie wieder entrinnen würde. Sie sah ihn durch den Garten und durch die Wälder wandern, als schleppe er eine schwere Kette hinter sich her. Aber dieser Gedanke machte ihr Freude. Eine wunderliche Glut hatte seit kurzem ihre Seele gepackt, eine Glut, die aus ihren Mienen, aus ihren Gebärden strahlte und Gottfried wie ein Hauch umgab. Und es war Frühling! Die Säfte des Lebens sickerten aus der Erde hervor. Überall war die Natur geschäftig am Werke. Auch in ihr rief gebieterisch die Natur.

Eine Reihe schönen Simmentaler Viehs stand vor dem großen steinernen Brunnen im Hofe und soff gierig das kristallklare eisige Wasser. Die Gebäude Anton Jakobs lagen in Zwielicht getaucht, und die letzten purpurnen Flecken auf dem Wildfluhgletscher glühten in das düstere Tal herab. Man vernahm das übliche Geklimper der Milcheimer, die gedämpften Stimmen in den Ställen und auf den Böden, das Gesumm der Häckselmaschine, das Geklapper der Holzschuhe auf dem steinernen Pflaster, und eine geschäftige Hand fügte in den allgemeinen Lärm den eigentümlichen Rhythmus eines groben Kehrbesens, der in langen Halbkreisen über den Boden fegte: Sch – sch – sch.

Gottfried kam aus dem Hause herunter und setzte sich vor Röthlisbergers Wohnung auf eine Bank. Frieda brachte ihm ein großes, mit frischer Milch gefülltes Glas, das er nachdenklich in kleinen Schlückchen leerte. Es war jetzt seine Gewohnheit geworden, sich zweimal täglich diese Milch zu holen, diese Milch, die nach süßen Blumen und Mutterwärme roch.

Gottfrieds Ansichten über das Bauerntum hatten sich beträchtlich gewandelt. Vielleicht war er des Stadtlebens überdrüssig, vielleicht auch war sein Geist reifer geworden – wie dem auch sei; jetzt sah er auf die Bauern ganz und gar nicht mehr herab.

Therese war im Garten. Sie lächelte, als sie Gottfried sah. Wie gut kannte er dieses Lächeln. Fast war es ein Lächeln des Verzichts. Sie sah gerade heute ungewöhnlich schön aus. Ganz besonders reizvoll wirkte ihre Erscheinung in dem kurzen Augenblick, da nicht mehr genügend Licht war, um einen Schatten zu werfen, und doch noch genug, um ihre großen tiefblauen Augen mit einem geheimen Schimmer zu erfüllen.

Ihre Haltung schien ein wenig gedrückt, ihre Stimme klang tief und unsicher, als sie sagte:

„Gottfried, Vater hat soeben aus Interlaken telegrafiert, daß er den Anschlußzug versäumt hat."

„Oh!"

Gottfrieds Blicke senkten sich zur Erde. Sie betrachtete seine bleiche Stirn, die umschatteten Augenlider. Seine fast willenlose Unterwerfung griff ihr ans Herz.

„Verstehst du", fuhr sie fort, „er wird mit dem späten Zug kommen."

„Um dreiviertel eins?"

„Ja."

Sie schwiegen einen Augenblick. In beiden Köpfen war ·derselbe Gedanke: Sollten sie diesmal die Zeit besser nützen, als sie es bisher getan? Seit Gottfrieds Heimkehr waren sie des öftern allein im Hause gewesen, und doch hatten sie diese Augenblicke sich nie richtig zunutze gemacht. Ein letzter Rest von Ehrgefühl vielleicht, Scham oder Stolz vielleicht, hatte sie zurückgehalten. Vielleicht war sogar durch all ihre geheimen Leiden eine leise Kluft zwischen ihren Seelen entstanden. Wer konnte wissen, wie es kam, daß ihr Verkehr fast konventionell geworden war? Ganz unwillkürlich bewahrten sie auch dann, wenn sie unter vier Augen waren, den strengen Anstand und fast kühle Umgangsformen. Und doch herrschte zwischen ihnen eine gewisse Vertraulichkeit, die aber, statt ihnen eine Erleichterung zu bringen, lediglich ihre Verwirrung und Bekümmernis steigern half.

„Ich glaube nicht, daß ich heute abend etwas essen werde", sagte Gottfried.

Sie sah ihn bedächtig an, als wolle sie seine Gedanken erforschen. Der leidende Ausdruck in seinen abgezehrten jungen Zügen, die sichtliche Spannung seines ganzen Wesens packte sie in tiefster Seele. Die lange Geschichte ihrer uneingestandenen Liebe stieg vor ihrem innern Auge auf. Eine Sekunde lang fühlte sie sich in einer tollkühnen Laune, bereit, alles preiszugeben, was sie besaß, einschließlich ihrer selbst, nur um die brennende Glut in ihrer Brust zu enthüllen, nur um ihn herrlich zu belohnen für alles, was er um ihretwillen getan und gelitten.

„Komm, Gottfried", sagte sie mit plötzlich ausbrechender Lebhaftigkeit, „wir wollen miteinander einen langen Spaziergang machen. Ich glaube, das brauchen wir wirklich. Der Mond ist nahezu voll. Allons! Hinauf in den Wald. Weg von all diesen Dingen! Allons!"

Während sie diese Worte halb sprach, halb rief, hakte sie sich in seinen Arm ein, und in raschem Schritte zogen sie los. Sie folgte einem schmalen Pfad zwischen zwei Reihen roher, hölzerner Zaunpflöcke, die in hereinbrechender Finsternis wie ein Spalier schwarzer Ziegen zu beiden Seiten des Weges standen. Hart preßte sich Arm an Arm, und die Pulse pochten schnell.

„Oh, fürchte dich nicht!" sagte Therese. „Wir werden uns nicht verirren. Ich bin wie ein Kettenhund, ich kann nicht weiter, als meine Kette reicht."

„Zerbrich sie dies eine Mal!" sagte er.

„Scht! Dummer Bueb! Scht!"

Ein Windstoß strich über die Wiesen und verwandelte sie in ein silbriges Wogenmeer. Sie kamen an den Froschweiher. Die Frösche quakten ihre monotonen Litaneien in den dunklen Himmel empor, und die Sterne spiegelten sich sanft in dem tiefen samtenen Wasser.

Einen Augenblick standen sie am Ufer des lieblichen Teiches, der die Geheimnisse Thereses kannte. Sie sah Gottfried an.

„Bist du's wirklich?"

„Ja, Theresli."

„Aber wirklich? Ist es nicht vielleicht dein Geist?"

„Ich bin es wirklich. Ich, mein unglückliches Ich."

„Scht", winkte sie mit einem Lächeln, „komm in den Wald. Komm hinauf! Du sollst mir alles erzählen."

Und sie schritten weiter zwischen den riesenhaften Tannensäulen; trockenes Moos und allerlei Zweige knackten unter ihren Füßen wie spröder Zwieback. Bergauf! Immer bergauf, auf einem Zickzackpfad, bald durch das Bett eines Gießbachs, der, versickert zu einem dünnen Wassergerinnsel, schwächlich unter den Steinen gluckste, bald bis an die Brust durch hohes Farnkraut watend. Ab und zu über einer Lichtung schimmerte zu Häupten der bleiche, mondbeschienene Gletscher der Wildfluh.

„Wo gehen wir hin?" fragte Gottfried.

„Auf meine Wiese. Sie ist ganz nah."

„Ich kenne sie."

Bald darauf kamen sie auf ein kleines Plateau, das wie ein Teppich im Mondschein lag. Dort setzten sie sich auf einen kleinen Hügel und blickten auf die blinkenden gelben Lichter des Dorfes hinab.

„Nous voilà! Jetzt wollen wir plaudern. Du bist so stumm, Gottfried. Du läßt mich nie erfahren, was dir durch den Kopf geht."

„Ein Glück für dich, daß ich's nicht tue."

Sie stützte das Kinn auf die Fingerknöchel.

„Ich weiß nicht, was tun. Ich wollte, ich könnte mich in Stein verwandeln. Dann stünde ich hier für ewige Zeiten als ein Mahnzeichen für jene Menschen, die zuviel denken und zuwenig sprechen. Weißt du, ich kann es manchmal kaum ertragen, wenn ich allein hier oben bin und all die schönen Bäume und Berge sehe: denn unaufhörlich packt mich das Verlangen, so unbewußt zu sein wie sie."

„Ich habe aufgehört, über uns beide nachzudenken", erklärte

Gottfried finster. „Meine Gedanken bewegen sich in einem Kreis. Warum sind wir so unglücklich geschaffen?"

„Warum? Wie kann ich das wissen!"

„Könnten wir denn jemals glücklich werden?" fragte er.

„Wenn wir uns wirklich treu wären. Aber was dann?"

„Ich frage mich zuweilen, ob es nicht schließlich das Edelste wäre, sich selber restlos zu opfern."

„Opfern?" fragte sie und richtete scharf ihren Blick auf ihn. „Was soll das heißen?"

„Nun denn, so handeln wie der Skorpion. Wenn er sich in Gefahr befindet und keinen Ausweg sieht, kehrt er seinen tödlichen Stachel gegen sich selbst."

„Und das ging dir in der letzten Zeit durch den Kopf?"

„Nicht erst in letzter Zeit, Therese, seit zwei Jahren schon."

Unwillkürlich griff er sich an die Brust. Sie sah es.

„Gottfried!" rief sie erschrocken. „Das ist Feigheit!"

„Ah, Feigheit? Die allgemeine Ansicht – aber das kann nicht die deine sein. Ich denke das Gegenteil: Es bedarf mehr als gewöhnlichen Mutes, vor das Weltall hinzutreten, alles, was um dich ist, zur Zeugenschaft aufzurufen, daß du über dein eigenes Ich zu Gericht sitzest. Addio sagen den Feuern des Lebens und ins Nichtsein erstarren – in ein steinernes Mahnzeichen sich verwandeln, wie du es ausgedrückt hast!"

Er lachte bitter.

Therese wandte ihr Gesicht ab.

„Es ist sonderbar", sagte sie, „ich weiß nicht, was ich dir sagen soll. Ich kann keine Worte finden."

Ein leiser Frosthauch lief über ihre Haut, so daß sie zitternd zusammenfuhr.

„Wenn ich mir bedenke, wie lange ich mir diesen Augenblick herbeigesehnt habe, daß wir beide ungestört beisammen sind! Nein, nein, nein", sagte sie nur fast zu sich selbst, „ich kann für uns kein Glück erhoffen. Es ist unmöglich."

„Das kommt darauf an", entgegnete Gottfried. „Vielleicht nicht das Glück des Alltags, aber es könnte etwas Größeres geben."

„Was? Ein überirdisches Glück? Glaubst du daran noch immer?"

„Nein, nein, Therese!" sagte er eifrig. „Das glaube ich nicht mehr.

Ich habe mir fast den Hals verrenkt, als ich versuchte, mich zu dem schönen Himmel dort oben emporzurecken. Ich habe mich allerlei seltsamen Gedankenflügen hingegeben, und dennoch blieben meine Füße an diese Erde gekettet. Ich glaube nicht, daß selbst die reinste Hoffnung oder die vortrefflichste sogenannte Tugend meine Füße nur einen Zoll breit von dieser Erde losreißen könnte. Theresli! Ich will ganz offen sein. Die Erde und alles, was in ihr lebt, ja, selbst das ganze Weltall ist für mich in dir verkörpert. Für mich gibt es keinen Menschen, der dir gleichkäme, kann es nie einen Menschen geben wie du! Wie sollte ich dich nicht lieben? Und wenn ich Liebe sage, so meine ich dieses Wort nicht in seinem alltäglichen Sinn. Zu viel Leid ist damit verbunden. Mein Herz hat mir in einem fort so weh getan, wenn ich von dir getrennt war, daß ich mir am liebsten das verfluchte Ding aus der Brust gerissen hätte. Und jetzt schmerzt es noch mehr. Es ist schrecklich, Theresli! Denke doch nur, ich darf meine Arme empor zum Mond strecken, voller Sehnsucht sein nach dem Mond, darf ihn sogar begehren. Ich kann meine Leidenschaft für den Mond genauso befriedigen wie irgendein andrer Mensch. Nur dich darf ich nicht anschauen, nur dich darf ich nicht lieben!"

„Woher weißt du, daß du es nicht darfst?" fragte sie fast kühl.

„Die menschliche Gesellschaft verbietet es."

„Bah!" sagte sie. „Sei ehrlich. Das meinst du nicht ernst."

„Dann mein Gewissen, wenn du willst!" stöhnte er.

„Gottfried! Gottfried!" rief sie. „Du darfst mich und dich nicht belügen! Jahrelang bist du mit mir in deinen Gedanken Seite an Seite gewandert. Du hast alle meine Freuden geteilt, alle meine Demütigungen und Kümmernisse. Du bist der Anlaß all meines wahren Elends gewesen. Und du willst behaupten, daß dir nach all der Zerstörungsarbeit, die du an mir getan hast, noch ein Gewissen, ein Gewissen mir gegenüber geblieben ist?"

Ein fast irres Lächeln glitt über ihre Lippen. Sie warf den Kopf zurück. Sie holte tief Atem.

„Ich bin stark", sagte sie, „sehr stark. Gottfried, fürchte dich nie, mich zu verletzen. Wenn ich jemals zusammenbreche, dann stürze ich wie ein Baum im Sturm."

„Therese, Liebste! Ich weiß das. Und ich weiß auch, daß, wenn dieser Baum stürzt, Therese, er einen Gefährten haben wird, der mit ihm stürzt."

„Gottfried, Liebster!" Sie sah ihm von ganz nahe in die Augen und legte ihre Hände auf die seinen. „Mit unserm Leben ist es völlig schiefgegangen. Ich weiß nicht, wer und was daran schuld ist."

Widerstandslos, fast verzweifelt, trafen sich ihre Lippen, und kalt schien der Mond auf die wundersame Glut, die hier von Mensch zu Mensch sich entzündete. Lange, lange Zeit lagen sie auf der warmen Erde, Körper an Körper gepreßt, Hand in Hand, und nie kosteten Lippen süßere Lippen.

Therese richtete sich zuerst auf und ordnete sich das Haar. Sie warf einen suchenden Blick über die kleine Wiese und sagte: „Das mindeste, was wir armen Dinger tun können, ist, so zu leben, daß wir ein reines Gewissen behalten."

„Du hast mir nicht geglaubt, als ich von Gewissen sprach", sagte Gottfried und legte seinen Arm um ihre Schultern.

Sie nahm seinen Kopf in ihre bleichen Hände und zog ihn zu sich herab.

„Liebster! Du mein Herz!" sagte sie mit einer Stimme, die fast erstickte vor sieghafter Freude und die verriet, wie sehr sie in dem Lichtglanz der endlich befreiten Liebe schwelgte.

„Ich glaube nicht, daß du es bist. Es muß ein andrer sein. Ja, ich will es glauben, daß es ein andrer ist. Sag mir, wann hast du dich zum erstenmal in mich verliebt?"

„Das erstemal, als ich dich sah, Theresli! Auf der Alp!"

„So rasch?"

„Ja, und ich habe es dir gesagt."

„Mon Dieu! Wenn ich dir nur geglaubt hätte!"

Lange Zeit umschloß sie das tiefe Schweigen der Nacht, und in der Stille verschmolzen ihre Gedanken in leiser Harmonie. Plötzlich erhob sich Therese.

„Komm, Gottfried, wir müssen gehen!"

Als sie sich dem Gamhof näherten, nahm Gottfried sie in die Arme.

„Sieh mich jetzt an", sagte sie. „Sieh mich jetzt an! Kannst du's nicht in meinen Augen sehn? Jesses! Jesses! Jeder Mensch muß es ja sehn! Ich weiß nicht, wie ich's verbergen soll."

„Ich fürchte mich vor nichts!" sprach Gottfried. „Endlich lebe ich! Endlich – endlich . . ."

Bevor sie in die Nähe des Hauses kamen, trennten sie sich.

Aufgepeitscht durch ihre Jugend, berauscht durch die Zaubermacht ihrer Sinne, stürzten sich Therese und Gottfried Hals über Kopf ins Feuer. Fürs erste schienen sie völlig geblendet von dem Ansturm ihrer Gefühle. Die ihnen beständig drohende Gefahr, daß Bewußtsein der Ungewöhnlichkeit, der Ungesetzlichkeit ihres Rausches, verstärkte nur die Wucht ihrer Leidenschaft. Die Gelegenheit wurde der Hauptschlüssel zu den Türen ihrer Liebe, und Türen schienen sich nun allerorten zu öffnen. Es schien, als sei das alte Herrenhaus des Gamhofs eigens für heimliche Liebesleute erbaut worden.

Da gab es ein dunkles Vorzimmer, wo alte geschnitzte Schränke aus den Wänden ragten, da gab es im Oberstock einen kleinen Gang, den Therese vor langer Zeit an beiden Enden mit schweren Vorhängen versehen hatte, da war ihr Zimmer, das man durch eine kleine Eichentür in den Korridor verlassen konnte, da war ein Badezimmer mit einem kleinen Vorraum voller Besen und andren Geräten, da war ein Kellergewölbe mit vielen tiefen Nischen, da war der große Boden unter dem riesigen Dach, wo Lattenwände eine Abteilung von der andern trennten, da gab es eine Vorratskammer – kurz, zahllose Winkel, wo zwei verliebte junge Leute freudvolle Augenblicke verbringen konnten, ohne die Gefahr einer unmittelbaren Entdeckung fürchten zu müssen.

Therese spähte unablässig nach den Gefahren, die sie umlauerten. Besorgnis schärfte ihre Sinne. Selbst in den Verzückungen der Liebe lauschte sie beständig in die Ferne, und beim leisesten Geräusch fuhr ihr Kopf scharf herum, die Pupillen ihrer Augen verengten sich, ihr Atem stockte, und der Schlag ihres Herzens zögerte.

„Was war das? Scht!"

„Nichts! Es ist unten. Kannst du's nicht hindern, daß dein Herz solchen Lärm macht?"

Grundsätzlich traf sie sich nie mit Gottfried, ohne sich vergewissert zu haben, daß es, falls sie zufälligerweise überrascht würden, eine Möglichkeit des Entrinnens gäbe.

Während Gottfried von Tag zu Tag stürmischer wurde, bewahrte Therese ihre Selbstbeherrschung.

„Nein, Gottfried! Das darfst du noch nicht tun. Du darfst nicht!"

Blitzende Augen, zitternde Glieder, Küsse, in voller jugendlicher Sonne gereift.

„Sei ruhig, Gottfried! So – jetzt laß uns wieder gehen. Wir müssen uns wirklich benehmen. Ich dürfte das alles nicht weiter dulden. Ich zittere ja am ganzen Leib."

„Ich weiß, ich weiß, aber ich kann nicht anders. Theresli, du bist mein Leben! Du warst mein vom ersten Augenblick an, da ich dich sah."

„Und nimm dich in acht!" fügte sie flüsternd hinzu. „Sei vorsichtig, wenn du mich ansiehst. Glaub mir, du wirst unvorsichtig. Mein Name kommt zu oft über deine Lippen. Nimm dich in acht vor Mathilde! Sie mag einfältig aussehen, aber sie hat Augen wie ein Luchs. So – komm. Genug jetzt."

Ihre Zähne preßten sich auf seine Lippen.

„So – jetzt geh' ich hinunter, und du läufst hinauf und bleibst mindestens eine Stunde oben. Inzwischen gehe ich ins Dorf. Verstehst du mich, Liebster? Wenn der Alte nach Hause kommt, wird er fragen, wo du die ganze Zeit gewesen bist. Er fragt jedesmal."

Therese verließ den dunklen Winkel hinter dem Wandschrank und eilte in ihr Zimmer, um sich im Spiegel zu besehen. Ein wenig später lief sie summend die Stiege hinunter, und bald darauf hörte Gottfried sie mit lauter Stimme plaudern.

Er begab sich in sein Zimmer und warf sich in seinen Stuhl – mißvergnügt und doch voll eines geheimen Entzückens. Er verlor jedes Zeitgefühl, und die ganze Welt schien angesichts des unermeßlichen und unheilvollen Paradieses, das seine Pforten vor ihm aufgerissen hatte, in Nichts zu schrumpfen. Er war sich bewußt, daß er alle Begriffe einer von den Menschen erklügelten Moral weit hinter sich geworfen hatte. Endlich, endlich hatte er sich hoch über den Sumpf erhoben, aus dessen trüben Tiefen die Philosophen ihre Ideen hervorquaken über all die Zwiste und Probleme, die die Menschenbrust durchtobten. Er sah sich an Thereses Seite gottähnlich, glücklich, bar jeden moralischen Zwanges, ohne jede erniedrigende Rücksicht auf die Mitmenschen oder auf jenes besondere Mitgeschöpf, das zufälligerweise sein Vater war. Nein, er hatte sich von all den gewöhnlichen Neigungen und Gefühlen, die den Alltagsmenschen zum Sklaven machen, losgerissen, und folglich war er größer als dieser. Nun überlegte er bloß, ob er wohl das vollendete Glück würde genießen dürfen, bevor sein Dasein in diesem Narrenhaus, das man Leben nennt, ein Ende nahm, oder ob er zuschauen müsse, wie der Freudenkelch an seinen Lippen vorüberging. Das alles hing von Therese ab.

Während Gottfried solchermaßen in gehobener Stimmung eine selige Stunde verlebte, stellte sich Therese gewisse praktische Fragen.

Sie war ein hoffnungslos verliebtes Weib.

Sie hatte einen Gatten, der ein Hindernis, ja ein sehr solides Hindernis war, wenn die Gebote der Natur immer mächtiger und mächtiger in ihrer Brust drängten.

Während sie ins Dorf hinunterspazierte, überlegte sie, daß es besser und ungefährlicher wäre, dieses Hindernis zu umgehen, statt es im Sturme nehmen zu wollen. Sie schritt wie auf Federn, ein Bild weiblicher Gesundheit und weiblichen Reizes, mit einem Teint, der seine Farben von all den reinsten Dingen der Erde geborgt zu haben schien, mit Lippen, die sich dürstend und unwillkürlich nach tausend neuen Küssen spitzten. – Ja, dachte sie, wenn es nur ewig dauern könnte! – Sie traute dem Leben nicht.

Die Wirtschaft ging in diesem Jahr besonders gut und hielt Anton Jakob ständig in Atem. Er sah der Zukunft optimistisch entgegen. Ab und zu jedoch überkam ihn eine seltsame Unruhe, ein geheimer Schrecken packte seinen Geist, und dann betrachtete er alle Dinge und seine ganze Umgebung mit Argwohn. Eines Nachts träumte er, ein Schwarm schwarzer Raben umkreise sein Bett und setze sich schließlich auf seine Brust. Vom Alpdruck gepeinigt, schrie er auf, und seine Schreie lockten Therese aus ihrem Zimmer herbei.

„Maidi!" sagte er schweißgebadet. „Ich habe einen schrecklichen Traum gehabt. Bleib bei mir."

Sie blies die Kerze aus und blieb. Elenden Herzens zahlte sie für den Namen einer Frau Müller. Nein, es war keine Bezahlung mehr, es war ein Opfer, das sie Gottfried bringen mußte. – Wenn nur dieser Mensch tot wäre! dachte sie in dieser Nacht, ihre Wangen heiß vor Wut und ihr ganzer Körper zitternd trotz der Wärme des Bettes.

Am nächsten Tag wich sie Gottfried aus. Sie blieb auf ihrem Zimmer und ließ sagen, daß sie sich nicht wohl fühle. Etwas später am Tage hörte sie Gottfried das Haus verlassen und blickte ihm nach, wie er durch die Felder dem Dorfe zuging. Anton Jakob war in einem der Höfe und besprach mit einem Architekten den Ausbau einer Scheune. Therese ging in Gottfrieds Zimmer hinauf.

Er hatte einen Haufen Papiere auf seinem Tisch zurückgelassen, und der ganze Fußboden war mit Zeitungen besät. Sie setzte sich auf seinen Stuhl. Über der Rückenlehne hing sein Rock. Nun erinnerte sie sich, daß er in seiner Flanelljacke ausgegangen war. Sie legte ihre Nase an seinen Rock, aus dessen Falten jener ganz persönliche Duft entströmte, der unter allen Menschen nur ihm eigen war. Dann durchsuchte sie seine Taschen und fand seine Brieftasche. Sie zog sie heraus und guckte in jedes einzelne Fach. Und da bemerkte sie ein kleines Päckchen aus Seidenpapier. Ein jäher Schmerz durchzuckte sie. Wie denn, wenn sie nun eine Haarlocke entdeckte, und gar vielleicht blondes Haar! Der Verdacht war stark genug, um sie zu veranlassen, das kleine Päckchen genauer zu besichtigen. Sie nahm es heraus und wickelte es sorgfältig auseinander. Da erblickte sie ein kleines Häufchen weißen Pulvers von unschuldigem Aussehen; doch so unschuldig dieses Pulver auch aussah, sein Anblick erfüllte sie mit plötzlicher Angst. Sie entsann sich jener Nacht, da Gottfried von einem Skorpion gesprochen hatte. Wieder sah sie ihn seine Brusttasche streicheln, fast so liebevoll, wie er seither viele Male ihre Brust gestreichelt hatte. Dies also war es! Hm! Immer schon, seit jener Nacht, hätte sie brennend gerne gewußt, was wohl hinter diesem Geheimnis stecke. Aber sie hatte nie danach gefragt. Was war es bloß? Sie tauchte die Fingerspitze in das Pulver und betrachtete sie aufmerksam. Dann blies sie darüber, und das Pulver flog weg. Ein paar kleine, fast unsichtbare weiße Stäubchen blieben zurück, die sie mit der Zunge aufleckte. Das Zeug hatte überhaupt keinen Geschmack. Einen Augenblick saß sie trotzdem zitternd und ängstlich da, und ihr Herz pochte heftig. Sie wickelte das Pulver wieder ein und steckte es zu sich. Dann schob sie die Brieftasche in den Rock zurück und verließ das Zimmer. Warum fühlte sie sich plötzlich so schwindlig? So stark konnte doch das Pulver nicht sein! In jähem Schreck lief sie auf ihr Zimmer, trank ein Glas Wasser mit beigemischter Seife, steckte sich die Finger in den Hals und übergab sich. Dann setzte sie sich kreidebleich ans offene Fenster. Mochte nur geschehen, was da wolle, es war ihr gleich. Niemand würde wissen, daß sie sich vergiftet hat. Sie würde ganz einfach nicht mehr sein. Und das wäre vielleicht der beste Ausweg aus all dem Wirrwarr. Ängstlich wartete sie, aber nichts geschah. Sie aß wie gewöhnlich zu Abend und ging ins Bett. Die Tür hatte sie versperrt. Und nun begann sie im Lexikon unter dem Stichwort „Gifte" nachzulesen. So viele Gifte gab es da! Lieber Himmel! Sie müßte ja wochenlang studieren, um sich durchzuarbeiten! Bis dahin könnte sie längst tot sein. Allerdings, sie spürte einen leichten innerlichen Schmerz, wie ein leises Brennen . . .

Sie legte das Lexikon beiseite, drehte das Licht ab und schloß die Augen. Helle gelbe Ringe tanzten vor ihren geschlossenen Augen auf und ab. Ihr Kopf begann zu schmerzen. Sie drehte das Licht an. Ein Gefühl der Übelkeit stieg in ihr auf. Ihr Kopf sank auf das Kissen zurück. In plötzlichem Schrecken wollte sie nach Hilfe schreien, aber kein Laut kam über ihre Lippen. Dann sprang sie aus dem Bette und sah sich noch einmal das Pulver an. Nein, sie hatte nur ein paar Stäubchen genommen, weiter nichts. Sicherlich nicht genug, um sich zu vergiften! Sie öffnete eine Schublade und versteckte das kleine Päckchen in den entferntesten Winkel unter ihrer Leibwäsche. Dann kroch sie schaudernd ins Bett zurück.

Nach einiger Zeit stand sie wieder auf, trank ein Glas Wasser und legte sich wieder ins Bett. Ein wenig später schlief sie ein.

Anton Jakob fuhr zur Ausstellung nach Bern. Er nahm seine junge Frau mit. Sie stiegen in einem der besten Hotels ab, und da sie die Zimmer zeitig vorausbestellt hatten, erhielten sie die gewünschte Bequemlichkeit: zwei Räume. Anton Jakob hatte schon längst verzichtet, gegen die Einrichtung der getrennten Zimmer zu protestieren. Das war das Opfer, das der ältliche Mann mit seinem schwachen Herzen und der unregelmäßigen Verdauung, mit seinem Stumpenrauchen, seinem eintönigen Alltagsgeschwätz und störrisch schnarchendem Schlaf seiner jugendlichen Lebensgefährtin brachte, die nur die Gewohnheit hatte, sich zu putzen, Haare zu kämmen, Zöpfe zu flechten, Zähne zu putzen, Nägel zu pflegen und sich in ein spitzenbesetztes Nachthemd zu stecken, bevor sie ins Bett sprang und ihren von Gesundheit glühenden Körper behaglich in die Linnen schmiegte. – Nein, dachte Anton Jakob, es wäre nicht anständig, wenn ich sie ewig stören wollte. Sie würde mich bloß scheußlich finden. Schließlich gibt es ja wirklich scheußliche Dinge im Leben.

Ihre Zimmer im Hotel lagen nebeneinander, ohne verbunden zu sein. Diese Tatsache stellte Therese augenblicklich fest. Sie gedachten ungefähr eine Woche zu bleiben, und Therese hatte zwei neue Kleider mitgebracht, denn man mußte mit Frau Weidenhof, mit Sängers aus dem Emmental, mit Sophie und Felix und zahlreichen andern Leuten zusammenkommen. Gottfried Sixtus war noch nicht da, aber sie hatte mit ihm vereinbart, daß er in ein bis zwei Tagen nachkommen würde. Sie erinnerte ihren Mann sehr pünktlich, daß Gottfried ein Zimmer brauche, und sie ging mit ihm ins Hotelbüro, um die Bestellung zu erledigen. Zufälligerweise befand es sich unmittelbar über ihren Zimmern im nächsten Stock.

Zwei Tage lang wartete sie auf Gottfried. Sie war erstaunt, wie leer und stumpf ihr Leben ohne ihn geworden. Sie telegrafierte: „Komm sofort", und schließlich traf er ein.

Die Müllers gingen zusammen in die Ausstellung. Anton Jakob, Sophie zur Rechten, Therese zur Linken, die schimmernde Rosette des Preisrichters im Knopfloch, machte eine stattliche Figur. Der ganzen Welt zum Trotz trug er an diesem Tag sein gewöhnliches Tuch, und mit seinem gekräuselten, graumelierten

Bart, den großen Stiefeln, der schweren Uhrkette und dem schwarzen Schlapphut, der ihm flach auf dem Hinterkopf saß, bot er das Bild eines so ungeschlachten und furchteinflößenden oberländischen Herrenbauers, wie es nicht charakteristischer denkbar war. Gottfried und Felix folgten hinterdrein. Ihre Erscheinung war sehr bescheiden.

Ja, sie waren nichts weiter als zwei beiläufige Exemplare aus einer großen Menschenschar.

Die Familie speiste gemeinsam zu Abend, und die Männer blieben bis in die Nacht beisammen sitzen. Am folgenden Tag wieder die Ausstellung. Sophie und Felix reisten ab. Für diesen Abend war ein vielversprechendes Konzert im großen Saal des Kasinos angekündigt. Therese und Gottfried ereiferten sich für den Besuch dieses Konzerts. Anton Jakob erklärte, daß er soeben versprochen habe, einem offiziellen Essen beizuwohnen, womöglich mit seiner Frau, und daß es seiner Ansicht nach Gottfried nichts schaden würde, wenn er gleichfalls mitkäme. Angesehene Persönlichkeiten würden zugegen sein und Reden halten.

„Ja, Toni, ein Essen!" sagte Therese. „Du wirst dich mit diesen vielen Diners noch krank machen. Viel besser, du sagst ab und gehst mit uns ins Konzert. Essen können wir jeden Tag; aber wir können nicht jeden Tag ein berühmtes Orchester hören. Außerdem habe ich in meinem ganzen Leben nur drei Konzerte gehört."

„Was sagst du dazu, Bueb?" fragte Anton Jakob seinen Sohn.

„Ich persönlich", meinte Gottfried, „habe kein sonderliches Verlangen nach offiziellen Essen. Ich würde lieber ins Konzert gehen. Wir hören in Gam sehr wenig Musik."

Eine Sekunde lang fixierte Anton Jakob die beiden mit einem schweren, finstern Blick; es war, als lauere in seinen Augen ein furchtbares Mißtrauen.

„Ganz, wie ihr wollt", sagte er dann in einem resignierten Ton, der Gottfried und Therese fast erschreckte. „Ich habe zugesagt, daß ich bei diesem Essen erscheine, und ich werde erscheinen. Sie haben mich zum Preisrichter ernannt, und es wäre nicht ehrenhaft, wenn ich mich mit einer Lüge entschuldigen würde."

Einen Augenblick lang schwankte Therese; einen Augenblick lang ernüchterte ein Gefühl der Pietät gegenüber einem so charaktervollen Manne ihren ungestümen Geist. Aber die Versuchung, einen Abend allein mit Gottfried verbringen zu dürfen, überwog alle Bedenken. „Toni", sagte sie, „Gottfried und ich gehen ins Konzert: doch nachher wollen wir uns alle treffen."

„Ich komme vielleicht erst spät zurück", gab er zu bedenken.

„Einerlei, wir warten."

Therese und Gottfried waren entzückt, daß sie ihre Sache durchgefochten hatten. Schon frühzeitig kleideten sie sich an. Therese trug ein hübsches grünes Seidenkleid ohne Ärmel, und Gottfried glaubte, sie niemals schöner gesehen zu haben. Die Leute drehten die Köpfe, als sie vorbeiging. Ihre Frische und ihre Schönheit erregten Aufsehen.

„Was wird der Alte sagen", bemerkte Gottfried, „wenn er dich in diesem Aufzug sieht?"

„Warum, Gottfried? Bin ich nicht ganz korrekt? Ich habe auch andre Frauen so gesehen. In Vichy, in Plombières und auch sonst in Hotels. Sind wir nicht hier in Bern?"

„Einerlei, du siehst einfach wunderbar aus", flüsterte er ihr ins Ohr. „Wir wollen einen Wagen nehmen. Aber das Konzert ist um zehn Uhr aus. Was machen wir dann?"

„Ist nicht im Kasino ein Restaurant? Wir wollen miteinander zu Nacht essen."

Sie fuhren die kurze Strecke zum Kasino in einem geschlossenen Wagen.

Gottfried seufzte. „Wenn wir nur immer so beisammen sein könnten! Ah! Wenn wir frei sein könnten!"

Sie starrte durch das ratternde Droschkenfenster. Von Zeit zu Zeit bot sie ihm die Lippen, aber ihre Augen waren leer und düster. Ihre Seele schien in weiter Ferne zu weilen.

Nach dem Konzert speisten sie miteinander ein köstliches Abendessen, und Gottfried bestellte eine Flasche Champagner. Bis Mitternacht saßen sie an einem kleinen Tischchen in einer Ecke des Restaurants zwischen grünen Topfpalmen. Ihr Gespräch bewegte sich in leichten Bahnen und drehte sich ausschließlich um die zwei Menschen: Gottfried und Therese. In ihren Phantasien bauten sie Liebesschlösser in Spanien, sie schmückten sich mit königlichen Gewändern und duftenden Blumengirlanden, und erst als der Zeiger der Uhr gegen Mitternacht vorrückte, erwachten sie zu einem Gefühl der Wirklichkeit.

„Wir müssen jetzt nach Hause", sagte Therese. „Wir dürfen ihn nicht warten lassen."

Ergeben wie Sklaven kehrten sie ins Hotel zurück.

„Gottfried", sagte Therese, als sie das Hotel betraten, „warte hier nebenan. Ich will hinaufgehen und sehen, ob er oben ist. Wenn ich in fünf Minuten nicht herunterkomme, geh zu Bett." Er gehorchte ihr mit schmerzlicher Unterwerfung. Sie lief zuerst in ihr Zimmer und dann in Anton Jakobs Zimmer. Er lag im Bett.

„So", sagte er, „endlich bist du gekommen, Maidi? Hör zu! Weißt du, wo mein Lebersalz ist? Ich möchte einen Löffel voll nehmen."

„Bist du krank?"

„Nein, aber ich habe mir den Magen verdorben."

Er setzte sich auf. Sein Gesicht war gerötet. Sie sah, daß er zuviel getrunken hatte. Dann holte sie ihm das Salz. Er nahm laut Verordnung einen Löffel voll mit Wasser und sank schwer in die Kissen zurück.

„Gute Nacht, Maidi", sagte er, „versprich mir, daß du sofort schlafen gehst."

„Ja, natürlich! Ich habe nach dem Konzert mit Gottfried zu Abend gegessen."

Sie verließ ihn und ging in ihr Zimmer, wo sie sich ein Weilchen auf ihr Bett setzte. Plötzlich sah sie nach der Uhr. Dann schloß sie die Augen, richtete sich der Länge nach auf, streckte die Arme aus, daß die Schultergelenke knackten, und holte langsam tief Atem. Schlaff sanken ihre Arme herab, und sie stieß ein leises Stöhnen aus. Einen Augenblick später öffnete sie die Tür, und mit raschen Schritten, das Kleid ein wenig aufgeschürzt, lief sie über den Teppich zur Treppe und die Stufen hinauf, und zitternden Herzens stand sie vor Gottfrieds Zimmer. Fast unhörbar trommelte sie mit den Fingernägeln gegen die Tür. Er öffnete sogleich, ließ sie ein und sperrte hinter ihr ab.

„Er schläft! Ich wollte dir nur gute Nacht sagen", flüsterte sie. „Du bist noch nicht im Bett?"

Er versuchte, sie zu umarmen, aber sie stieß ihn zurück.

„Eben war ich im Begriff, schlafen zu gehen", sagte er.

„Ich muß sofort wieder hinunter, ich darf nicht bleiben."

„Bleib, Theresli! Bleib bei mir!"

„Nein", sagte sie.

„Aber liebst du mich denn nicht?"

„Gottfried! Wie kannst du so etwas fragen?"

Sie nahm seinen Kopf zwischen ihre Hände, und er hob sie vom Boden auf.

„Was sind wir für ein Pärchen, Gottfried! Gib acht, du reißt mich in Stücke!"

„Was liegt daran!"

„Das Licht tut mir in den Augen weh", sagte sie und bedeckte ihre Augen.

Er drehte sofort das Licht ab. Dunkelheit umhüllte die beiden, aber nach und nach erfüllten die Strahlen der Straßenlaterne, die durch die Spalten der Läden hereinbrachen, das ganze Zimmer mit einem blassen Zwielicht. Seite an Seite setzten sie sich auf sein Bett. Lange Zeit blieben sie stumm. Sie hörten ihre eigenen Herzen pochen. Er sah nicht das blasse Lächeln auf ihrem Gesicht.

„Bist du nicht entsetzt über mich?" Sie nahm sein Kinn zwischen die Finger.

„O Gott, wenn du bloß wüßtest!" sagte er. „Seit damals, auf der Alp, konnte ich an keine andre Frau mehr denken. Wenn ich nur gewußt hätte, was Vater vorhat, ich wär' nach Gam gekommen und hätte dich entführt. So aber... Oh! Laß uns nicht über diese Dinge nachdenken. Sie bringen mich zum Wahnsinn. Ich will an nichts andres denken als nur an dich!"

„Du, Buebi! Wir müssen über die Dinge sprechen, die unser Leben berühren. Sag mir doch: als du diese Jahre von mir getrennt warst, hast du da niemals, nie – mit irgendeinem Mädchen oder irgendeiner Frau...?"

„Ich schwöre dir, Theresli, ich bin dir treu geblieben."

Sie küßte ihn.

„Und ich werde dir mein ganzes Leben lang treu bleiben!" rief er.

„Einerlei, was geschieht."

„Scht! Das versprichst du mir jetzt. Aber eines Tages wirst du mich verlassen und mit einer andern davongehn."

„Nie! Nie!"

„Gottfried! Gottfried!" flüsterte sie und legte ihren Kopf an seine Brust.

Er hielt sie umfangen; wie ein zerbrochener Körper lag sie in seinen Armen.

„Weißt du", und sie richtete sich langsam auf, „mir ist, als hätte ich ein Recht über dich. Seit . . . Nein, nein, geh jetzt ins Bett."

Sie schlug die Decke zurück.

„Geh in dein Bett! Deck dich bis an die Augen zu. Und du darfst nicht schauen und dich nicht rühren."

Gottfried gehorchte.

Therese zog sich im Dunkeln aus.

Als Therese am späten Morgen in ihrem eignen Zimmer erwachte, kam ihr jäh zum Bewußtsein, daß von diesem Tag an ihr ganzes Leben verändert sei.

Während sie sich ankleidete, zog die vergangene Nacht mit jeder Einzelheit an ihrem geistigen Auge vorbei. Verloren lächelte sie ihrem Spiegelbild zu. Die Farbe ihrer Augen schien tiefer als gewöhnlich, ein roter Schimmer übergoß ihre Wangen, und ihr Blut schien anders zu pulsen, rascher, kräftiger. Sie fühlte das Pochen der Adern in der weißen Haut ihres Halses. Schließlich hefteten sich ihre Blicke nachdenklich auf einen braunen, blut-unterlaufenen Fleck an einer Stelle ihrer weißen Schulter.

Ein Botenjunge klopfte an ihre Tür und überreichte ihr einen glühenden Rosenstrauß.

„Die Blumen, die Madame bestellt hat."

„Ich bestellt?"

„Ja, Madame, Herr Müller sagte so."

„O ja. Ich weiß. Danke!"

Sie nahm die Blumen, schloß die Tür und preßte den Strauß ans Gesicht.

„Ja, Gottfried!" murmelte sie. „Liebster!"

Anton trat ein. Er sah sanft aus und war milder Laune.

„Tag! Wie hast du geschlafen?"

„Ich weiß nicht, was mit mir los ist", sagte Therese. „Ich habe wie eine Tote geschlafen. Das muß die Berner Luft machen."

„Hm", brummte er. „Wo hast du diese Rosen her?"

Sie verbarg einen Augenblick ihr Gesicht in dem Strauß.

„Ich habe Gottfried gestern gebeten, sie zu kaufen."

„Was für eine Geldverschwendung! Haben wir nicht daheim einen ganzen Garten voll Rosen?"

„Und gerade deshalb wollte ich auch hier Rosen haben. Ich entbehre meine Blumen."

„Dann solltest du lieber nach Hause fahren."

„Warum? Darf ich mir nicht Blumen kaufen, wenn ich Lust habe?"

„Ich sehe nicht ein, Maidi, wozu du Blumen brauchst. Es gefällt mir nicht, daß du diese Sorte von Weibern nachahmst, diese modische Affensorte."

„Ich ahme niemand nach." Sie stellte die Blumen in einen Wasserkrug. „Ich wollte einfach ein paar Rosen, und das ist alles."

„Du wirst mir durch und durch verdorben", sagte er.

Sie zuckte die Achseln.

„Sehr mußt du mich lieben, daß du mir so etwas sagst!" versetzte sie scharf.

„Maidi", sagte er, „ich will wissen, warum dir Gottfried diese Blumen geschickt hat."

„Weil ich ihn darum gebeten habe", erwiderte sie gereizt.

„Oh, aha!"

„Ja! Und sei nicht so eifersüchtig auf den Bueb!" fuhr sie hitzig fort. „Du machst mir sonst das Leben unerträglich!"

„Ich? Eifersüchtig?" sagte Anton Jakob würdevoll. „Das scheint mir eine seltsame Behauptung."

„Nun, bist du's nicht? Du machst manchmal so sonderbare Augen, wenn wir beisammen sind."

„Maidi", sagte er, „wenn du mir schwörst, daß deine Gefühle für Gottfried ehrenhaft sind, werde ich dir glauben und nie wieder böse sein."

„Natürlich schwöre ich's! Aber es scheint dich nicht zu kümmern, wie sehr du mich erniedrigst, wenn du einen solchen Schwur von mir verlangst!"

Sie sah ihn mit entrüsteten Blicken an.

„Einerlei!" sagte er ernsthaft. „Ich glaube dir, und jetzt ist alles in Ordnung."

Anton Jakob empfand eine gewisse Erleichterung. Er hatte ungeheure Achtung vor der Heiligkeit des Eides. Meineid war für ihn ein Verbrechen, das dem Morde gleichkam.

„Hör einmal zu, Maidi", er setzte sich auf das Bett, legte den Arm um ihre Hüften und zog sie neben sich nieder. „Ich werde nicht wieder über mein vorgeschriebenes Maß trinken, nein! Wir haben noch drei Tage in Bern vor uns. Nun, wenn du gern mit Gottfried ins Theater gehst, da habe ich gar nichts dagegen. Ich habe mir's überlegt, es wäre nicht recht anständig, wenn ich euch nachts in die ,Saure Traube' schleppen wollte, damit ihr in dem rauchigen Zimmer herumhockt und mir zuschaut, wie ich mit Schwändli und Inden drauflos jasse. Gottfried kann dich ins Theater führen. Was sagst du dazu?" Er zog ihren Kopf näher und küßte sie auf die Stirne. „Ich will, daß du dich recht viel amüsierst, solange wir hier sind. Ich bin nun doch froh, daß du gestern abend nicht mitgekommen bist. Es waren nicht viele Frauen da und sicherlich keine, die zu dir gepaßt hätte. Ja, aber das Konzert, du hast mir nichts erzählt. War es schön?"

„Es war ein prachtvolles Konzert!" rief sie. „Aber du hättest dir nicht viel daraus gemacht."

Er stand auf.

„Willst du mit mir in die Ausstellung mitkommen?"

„Wenn du nur ein Weilchen wartest, komme ich mit."

Jeden Verdacht vermeiden, das wurde plötzlich ihr oberstes Gebot. Kurze Zeit später traf sie Gottfried auf der Stiege. Er fragte, ob er gleichfalls mitkommen solle. Sie verneinte kurz. Am Abend würden sie einander treffen. Den ganzen Nachmittag verbrachte Therese zwischen landwirtschaftlichen Maschinen, Musterbetrieben und Rindern. Eine heiße Sonne glühte auf die Menschenmenge herab, und aus den Kleidern der Männer und Weiber stieg ein Duft auf, der fast mit den Gerüchen der Tiere wetteiferte. Stundenlang grübelte sie über die Möglichkeit nach, Gottfried heute nacht allein zu besuchen. Hinter ihres Gatten Herablassung, hinter seinem Vorschlag, sie möchte doch mit Gottfried ins Theater gehen, witterte sie mit instinktivem Argwohn einen diplomatischen Schachzug. Höchste Vorsicht war geboten! Abends ging sie mit Gottfried ins Theater und nachher ins Café. Als es spät wurde, forderte sie ihn auf, ins Hotel zurückzukehren. Während sie Arm in Arm durch die öden Straßen schritten, am Bundespalast vorbei, schlug es vom Münster, das in den finsteren Himmel ragte, mit hallenden Schlägen Mitternacht.

„Komm", sagte sie, „wir wollen rascher gehen."

„Warum?" fragte Gottfried. „Der Alte spielt sicher noch in der ‚Sauren Traube'."

„Komm! Wir besuchen ihn!" sagte Therese. „Ja, komm!"

Weiter gingen sie durch die leeren Straßen, und bald kamen sie zu dem bescheidenen Gasthaus, das eingezwängt zwischen massigen mittelalterlichen Gebäuden stand. Dröhnendes Stimmengewirr scholl aus Tür und Fenster.

Als sie die niedrige gewölbte Gaststube betraten, sahen sie, daß noch zwei Tische besetzt waren. Am Ende saß Anton Jakob mit drei Gefährten, die Gesichter glühend, die Augen schwer und trüb.

„Trumpf!" rief Anton Jakob aus. „Häh! Hä! Hä!"

Er schlug mit der Faust auf die grüne Plüschdecke des Tisches. Die Männer lachten.

„Ja, dä chaibe Buur! Er hat ihn den ganzen Abend gepachtet."

„Ja, ich glaub', er hat immer einen im Ärmel! He he he!"

„Marieli! Noch einen Liter! Vorwärts!"

Frau Vogt holte den Krug herunter, und da sah sie Gottfried und Therese in die Gaststube treten.

„Jesses, mi Gotts Seel!" polterte Anton Jakob, den bei dem Anblick der beiden ein halb erfreutes, halb verlegenes Gefühl beschlich. „Da kommt meine Frau und der Bueb! Z'dunnerwätter! Chömed! Hocked häre!"

Er erhob sich schwerfällig, an den Tisch gelehnt.

„Komm, Maidi! Hock ab!" Und wiederholt sagte er: „So, so, das ist aber nett!"

Frau Vogt kam herbei und schüttelte Therese und Gottfried die Hände. „Das freut mich aber wirklich!"

„Ach", sagte Therese munter, „wir kommen aus dem Theater, und da fiel uns ein, wir könnten hier vorbeischauen. Sie setzte sich neben Anton Jakob, während Gottfried auf der anderen Seite des Tisches Platz nahm.

„Etwas einzuwenden, daß ich dieses Spiel fertig mache?" fragte Anton Jakob mit lauter, jovialer Stimme. „Komm nur! Trink ein Gläschen mit uns."

„Natürlich, spielt nur weiter! Aber natürlich! Und ich trinke auch ein Gläschen mit!"

„Darf ich euch meine Frau vorstellen, meine Herren?" sagte Anton Jakob. „Das ist Schwändli Fritz, weitaus der größte Lügner an unserm alten Stammtisch. Das ist Inden. Er kann absolut keinen Spaß vertragen! Und der da: das ist der Meyer. Er hat heute abend schon unser ganzes Geld eingesackt."

„Ja, hm! N'abig, Frau Müller!"

„Ihr dürft kein Wort glauben von dem, was Euer Mann Euch da sagt!" bemerkte Herr Meyer.

Das Spiel ging weiter. Anton Jakob legte die Hand um Thereses Hüften, mit der andern hielt er seine Karten.

„So, Maidi! Jetzt spielst du! Du ziehst die Karten, die ich ausspielen will, währenddessen meine andre Hand eine angenehme Beschäftigung hat. He, he! Gottfried. Willst du nicht trinken?"

„Ich habe schon, danke!" sagte Gottfried und stellte ein Glas Wein auf den Tisch nieder, das er zwischen den Knien gehalten hatte.

Er konnte Thereses Benehmen nicht verstehen. Wie konnte sie sich nur so öffentlich gemein machen? Fast schämte er sich, als sie noch einmal einen Liter Wein für die Männer bestellte.

„Ich will euch alle freihalten!" hörte er sie rufen.

Frau Vogt brachte eilig das verlangte Getränk, und das Spiel ging weiter. Um halb zwei warf endlich Anton Jakob seine Karten zusammen.

„So! Jetzt ist Schluß! Und heim!"

Sie verließen die „Saure Traube". Anton Jakob bemühte sich, gerad zu gehen. Aber diesmal hatte sein Besuch in Bern gewisse Eigenheiten, die ihn von all den frühern Ausflügen sehr unterschieden: der Alkohol, den Anton Jakob trank, stieg ihm jetzt zu Kopf. Nach wenigen Glas konnte er kaum mehr gerad gehen, und er schämte sich dessen sehr.

„Kommt, Kinder!" sagte er. „Ich weiß nicht, was heute nacht mit mir los ist. Kommt! Eines auf jeder Seite. In unsrer guten alten Stadt Bern! Kommt, hier sind wir zu Hause. G'ts Dunderwätter nanamal! Was ist mit meinen Beinen passiert? Mein Kopf ist doch ganz in Ordnung."

„Wir haben nicht weit zu gehen", bemerkte Gottfried trocken.

„Nein, Toni", sagte Therese, „lauf jetzt nicht rückwärts! Ich verliere sonst bald selber die Richtung."

„Nu! Hä hä! A Sauerei, hä? Findet ihr beide mich nicht ekelhaft? He? Ja, Gottfried! Du mußt mich eigentlich in Grund und Boden verachten. Dir passiert so etwas nicht! Aber du, Maidi – hast du nicht auch getrunken, Maidi? Hä? Ja, wir kommen nicht so häufig nach Bern. Drum muß man es jedesmal ausnützen, eh? Jetzt geht's auf einmal ganz leicht. Ich kann schon wieder selber gehen. Es war nur der Luftwechsel nach dem ewigen Hocken."

Im Hotel sagte Gottfried sogleich: „Gute Nacht". Als er Therese die Hand reichte, warf sie ihm einen Blick zu, der ihm das Blut durch die Adern jagte. Drei Stufen auf einmal nehmend, lief er die Treppe hinauf.

Eine Stunde später hörte er das sanfte Trommeln an seiner Tür und öffnete unverzüglich. Therese trat ein, in einen losen Schlafrock gehüllt.

„Wir müssen sehr vorsichtig sein!" sagte sie. „Du darfst nie wieder so dreinschauen wie heute abend."

„Wann?" – „Als er mich um den Leib faßte."

„Ich konnte es nicht aushalten!" rief er.

„Kind", sagte sie, „es gibt so vieles, das gemein aussieht. Nur darf man es nicht mit gemeinen Augen ansehen! Ah, Gottfried! Wie ich mich den ganzen Tag lang nach dir gesehnt habe! Jede Minute! Jede Sekunde!" – „Liebste, Thereseli!"

Er drehte das Licht aus. –

Am Abend vor ihrer Abreise suchte Therese Gottfried des Nachmittags auf, während Anton Jakob nicht im Hotel war. Die Läden waren geschlossen und die Gardinen zugezogen, und nur das matte Licht einer kleinen roten Lampe erfüllte das Zimmer mit einer

Atmosphäre wollüstiger Verlockung. Da waren die Plüschstühle, das Plüschsofa, der imitierte Orientteppich, der Waschtisch und das Porzellanbecken mit den Schwanenornamenten, Gottfrieds Koffer, die lange rote Mahagonibettstatt mit der gelben Daunendecke; alle die Dinge, die Zeugen ihrer Zügellosigkeit gewesen. Und auch er war da, und seine Hand strich über die sanften Umrisse ihres Körpers, dieses seltsamsten aller Dinge, das einzig und allein nur ihr gehörte, das sie ihm dargeboten und seiner Liebe, seinen Zärtlichkeiten, seinen Leidenschaften preisgegeben, dies Wunderwerk, mit dem sie ihn verführt hatte. Gottfried saß im Zwielicht, still gelassen und betete den geheimnisvollen Körper an, den er noch nie gesehen, sondern nur gefühlt hatte. Sie wollte ihm ihren Körper nicht zeigen. Sie erklärte ihm sogar, daß sie sich schämen würde, sich irgendeinem Manne zu zeigen. Übrigens sei sie heute nachmittag gekommen, um mit ihm extra Wichtiges zu besprechen. Aber woher in solchem Augenblick die Worte nehmen? Was konnte sie sagen, während sie vor ihm kniete, das Gesicht auf seinen Knien ruhend? Blieb denn noch Zeit zum Nachdenken, während sie in ihrer Hingabe schwelgte? Und was konnte er sagen? Er hatte in seinem Wesen eine bezaubernde Unbeholfenheit, eine demütige Reinheit, gemischt mit einer Glut, wie sie nur die außerordentlichste Leidenschaft einflößen konnte. Therese mußte oft über seine Art lachen. Sie lachte ihn eben jetzt aus, als er versuchte, ihr Kleid zu öffnen.

„Was du für süßen Unsinn redest, Gottfried! Während deine Hände an mir herumtappen! Wer soll dir denn alles glauben, was du sagst?"

„Theresli! Ich will ehrlich sagen, daß ich nicht allzuviel verstehe; aber ich weiß, was schön ist und was nicht."

„Ja, und alles, was schön ist, das will so ein Mann genießen, und um es zu genießen, muß er's besitzen."

Sie wandte ihr Gesicht zu ihm empor und spielte mit den Aufschlägen seines Rocks. Sie lachte. Ein plötzlicher Einfall flog ihr durch den Kopf.

„Leih mir eine Fünfzigfrankennote, Gottfried."

„Wozu, willst du etwas kaufen?"

„Nein, gib sie mir bloß für eine Minute."

Er zog seine Brieftasche hervor. Sie riß sie ihm aus der Hand, warf einen Blick hinein und gab sie ihm zurück.

„Richtig! Gib mir jetzt das Geld."

Er zog eine Note heraus und reichte sie ihr. Sie drehte sie zwischen den Fingern herum und runzelte nachdenklich die Stirn.

„Hast du noch nicht entdeckt, daß du bestohlen wurdest?"

„Wieso?"

„Das kleine Päckchen, in dem du die Haare deiner früheren Geliebten aufbewahrst!"

Er warf einen Blick in seine Brieftasche, und da vermißte er sein Gift! Einen Augenblick starrte er Therese erschrocken an. Sie lachte.

„Du hast ein schlechtes Gewissen, eh?"

„Therese, wo ist es?"

Statt zu antworten, klopfte sie ihm mit den Fingerspitzen auf die Wange.

„Hast du es weggenommen?"

„Ja!"

„Wo ist es? Was hast du damit gemacht?"

„Ich war eifersüchtig auf das Zeug. Ich wollte nicht, daß du's so dicht an deinem Herzen herumträgst, und so habe ich's irgendwo weggeworfen. Es ist weg!"

„Wann hast du's mir genommen, Theresli?"

„Ah, schon vor langer Zeit. Einerlei! Da sieht man, daß du es gar nicht so sehr geliebt hast, wie du behauptest, sonst hättest du jeden Tag nachgesehen, ob es noch da ist."

Er blickte versonnen zur Seite.

„Einerlei", sagte er, „für ein paar Rappen kann ich mir jederzeit ein frisches Pulver kaufen."

Sie warf ihm einen spöttisch-finsteren Blick zu, erhob sich und setzte sich auf seine Knie.

„Es kann nicht so schlimm sein, wie du behauptet hast."

„Was denn?"

„Eh, dieses Pulver! Ich habe es selbst versucht. Es schmeckt nach nichts. Und ich habe auch hinterher nichts gespürt."

„Lieber Gott, Theresli! Du hast doch nichts davon genommen? 's ist Arsenik! Sag mir, um Himmels willen!"

„Oh, nur ein kleines Stäubchen!"

Sie hielt ihm die Finger unter die Nase.

„Nicht größer als eine Nadelspitze."

Er schnappte mit seinen Zähnen nach ihren Fingern und biß zu. Plötzlich fühlte er das Gewicht ihres Körpers. Sie war schwer. Sie benützte ihre freie Hand, um die kleine Lampe auf dem Nachttisch abzudrehen.

Als eine Stunde später auf ein Klingelzeichen der Kellner im Zimmer erschien, stand das Fenster offen, und Therese saß davor, ein Buch im Schoß. Gottfried lehnte an der Wand, und als der Kellner kam, bestellte er Tee. Therese musterte forschend das Gesicht des Kellners, der den Tee brachte, und einen Augenblick glaubte sie, sie müsse den Mann schon einmal gesehen haben. Sie fragte ihn, von wo er her sei.

„Aus Sitten, Madame."

Sie lächelte sonderbar. Therese sah zum Fenster hinaus, während der Kellner das Zimmer verließ, und kaum war er fort, als Therese sich erhob.

„Da", sagte sie, „du siehst, wie vorsichtig wir sein müssen. Dieser Bursche da! Ich habe ihn gekannt! Ich glaube, er war einmal mit mir in demselben Hotel beschäftigt. Auch er hat sich anscheinend erinnert."

„Wie, nach all den vielen Jahren?"

„Wer mich sieht, scheint mich nicht so leicht zu vergessen!" sagte sie und richtete sich auf. „Nun, ich hoffe, daß er keinen Verdacht hegt. Weißt du, wenn es so weitergeht, wird bald die ganze Welt Bescheid wissen. Herrgott! Wir müssen uns in acht nehmen. Und eben darüber wollte ich mit dir von Anfang an sprechen. Heute abend, Gottfried, bleibe ich unten. Morgen fahre ich nach Gam zurück. Ich will, daß du noch einige Tage hierbleibst. Komm nicht sofort nach Hause gestürzt! Und niemals darfst du zeigen, daß du dich um mich besonders kümmerst. Der leiseste Verdacht würde genügen, um eine Lawine in Bewegung zu setzen."

„Theresli", sagte er mit plötzlicher Traurigkeit, „ich weiß, ich weiß. Ich habe schon selbst über diese Dinge nachgedacht. Ich weiß, ich werde in Zukunft vieles opfern, auf vieles verzichten müssen. Aber ich tue alles, solange du mich liebst. Nur eines gibt es, was ich nicht ertragen kann: wenn der Alte mir gewissermaßen sein Besitzrecht unter die Nase hält. Er tut es absichtlich!"

„Du Kind!" rief sie. „Willst du von mir verlangen, daß ich ihm seine Illusion raube? Laß dir keine grauen Haare wachsen, Gottfried." Sie sah ihn zögernd mit ungewöhnlicher Festigkeit an. „Ich gehöre dir, mit allem, was ich habe. Von nun an sollst du mein einziges Glück sein. Ich schwöre dir ewige Liebe, komme, was da wolle. Wage es nie, an meiner Liebe auch nur zu zweifeln, oder ich werde mich furchtbar rächen. Ich spaße nicht. Ich kämpfe, Gottfried! Störe mich nicht in meinem Kampf. Ich kämpfe nicht nur für mich, sondern auch für dich. Sei mir niemals böse! Nur treu mußt du mir bleiben! Ich werde dir für deine Treue einen größeren Preis bezahlen, als jemals eine Frau für irgendeines Mannes Treue bezahlt hat."

Sie stopfte plötzlich die Hand zwischen ihre Zähne. Ein tiefer Krampf durchschüttelte sie. Er sprang auf und ging auf sie zu, aber sie wies ihn mit einer gebieterischen Geste zurück, als wolle sie demonstrieren, daß ihre eignen Gefühle mit der Sache überhaupt nichts zu tun hätten. Und Gottfried blieb reglos stehen, völlig bestürzt und mit einem leisen Gefühl der Scheu. Therese holte tief Atem, mit zitternden Lippen.

„Es gibt auf der ganzen Welt keinen einzigen Menschen", fuhr sie fort, „der das Verbrechen, das ich begangen habe, verzeihen würde, denn es ist schlimmer als Ehebruch. Keine Entschuldigung gibt es für das, was ich getan habe. Im Gegenteil, wenn die Welt es wüßte, sie würde mich mit Füßen treten, als ein niederträchtig elendes Geschöpf. Die Welt! Die dumme Welt! Ich habe das Recht, über meine Person und alles, was dazugehört, frei zu verfügen! Wir sind füreinander geboren! Meine Liebe wird und muß dir genügen, Gottfried! Die Welt werden wir mit Heuchelei und Lügen sättigen. Das will sie haben, und das ist auch alles, was die Welt verdient. Und dich, Gottfried, bitte ich nur, mir mein Los zu erleichtern. Du mußt mir schwören, daß du niemals aufhören wirst, mich zu lieben, du mußt! Du mußt! Schwöre mir!"

„Therese", sagte er fast vorwurfsvoll, „habe ich mich denn blindlings in diese Sache gestürzt? Therese, liebste Therese! Du sollst dich nie beklagen dürfen, sollst niemals Grund haben, deine Liebe zu bereuen!"

Eine ungeheure Bürde schien plötzlich von unsichtbaren Händen auf seine Seele gewälzt. Wohin ging sein Weg mit dieser Last? Thereses Worte hatten ihn der Fassung beraubt. Sie sah ihn mit hochgezogenen Brauen an, und ihre Blicke schienen ihn zärtlich zu verspotten.

„Schließ die Fenster", sagte sie, „der Tee wird schon kalt sein. Aber komm her, knie nieder und leg deinen Kopf in meinen Schoß. Ich muß dich streicheln. Ah, mein Gottfried! Mein Gottfried!"

Aus irgendwelchen Gründen bezeigte Anton Jakob auf der Rückreise nach Gam ein ganz außergewöhnliches Interesse an seiner jungen Frau. Der Ortswechsel hatte offenbar sehr wohltuend auf ihr Befinden gewirkt. Nachdem er sie etwas genauer betrachtet hatte, als es seine Gewohnheit war, kam es ihm sogar vor, als sehe sie jünger aus, fast wie die Therese, die er vor etlichen Jahren zum Altar geführt hatte. Sie las in einem Buch, einem Roman, den sie bei dem Bücherstand auf dem Berner Bahnhof gekauft hatte. Zurückgelehnt in den weichen Polsterwinkel des Abteils zweiter Klasse, blätterte sie flink die Seiten um, und ihre Augen folgten gierig den Druckzeilen. Anton Jakob war fast gerührt durch ihre stille Heiterkeit. – Mein schönes Maidi! Jetzt ist sie glücklich und zufrieden. Sie hat sich gut unterhalten. – Er empfand sogar eine gewisse Dankbarkeit für Gottfried, weil er wesentlich mitgeholfen hatte, ihr diese Zufriedenheit zu verschaffen. Theater, Konzerte und was noch alles!

„Diesmal ist es nett gewesen in Bern, nicht wahr, Maidi?" fragte er.

Sie sah ihn an. „Ja!" sagte sie, und ihre Augen kehrten zu dem Buch zurück.

Anton Jakob dachte an die kommende Nacht. Er war insgeheim erstaunt und erfreut, daß es immer noch in seiner Ehe ein Gefühl der Neuheit und Verjüngung geben konnte.

„Ich werde so froh sein, wenn ich wieder mit dir daheim bin", sagte er. „Heute abend pflücke ich dir eigenhändig einen Rosenstrauß im Garten, und ich gehe auch nicht in den ‚Bären‘. Diese Kerle können warten."

Ein rascher Blick schoß aus ihren Augen, dann blätterte sie eine Seite ihres Buches um und tat einen tiefen, zitternden Atemzug. – Du kannst auch warten, dachte sie. „Ich bin neugierig!" sagte sie laut.

„Du wirst sehen, daß ich mein Wort halte", beteuerte er naiv. Sie stiegen um. Sobald Anton Jakob das Abteil des Arnatalzuges betrat, zog er den Rock aus und knöpfte sich die Weste auf. Der Tag war sehr heiß, und große Schweißtropfen kollerten über sein aufgedunsenes Gesicht. Er hakte seine Arme in eine Lederschlinge, die neben ihm baumelte, lächelte seelenruhig und wischte sich seinen dicken Schädel mit einem großen bunten Baumwoll-taschentuch. Therese sah ihn einen Augenblick mißbilligend an und versenkte sich wieder in ihr Buch.

„Hast du etwas dagegen, wenn ich mir einen Stumpen anzünde?"

„Nein, gewiß nicht!" sagte sie.

Er stand auf und durchsuchte die Taschen seines Rocks.

„Hat die Heldin noch nicht ihr Leben verloren?" fragte er mit einem respektlosen Blick auf das Buch. „Warum wirfst du nicht dieses chaibe Buch aus dem Fenster? Schau mich an, wie heiß mir ist."

„Mir auch. Aber ich habe nicht so viel Schmalz unter der Haut wie du."

„Hä, hä! Schmalz! Du bist ein komisches Ding! Hä!"

Er beugte sich hinüber und küßte sie.

„So, am fünfzehnten September ist das Preisschießen. Hm. Auf einem Plakat im Bahnhof hab' ich's gelesen. Ob Mahder Fritz und Adrian wieder einen Preis gewinnen? Jetzt sind sie noch auf der Alp. Heuer werde ich auch ein paar Schüsse versuchen. Mit meinem alten Karabiner. Schießt besser denn je. Ich glaube, ich lasse die beiden auf der Alp und hol' mir selber einen Preis. Uh! Isch das e Hitz! – Und heuer am ersten August! Heuer zünden wir große Scheiterhaufen an! Jammerschade, daß das Fest am ersten August ist. Sollte zu Weihnachten sein – all dies unnütz ver-branntes Holz! Timm hat massenhaft Raketen gekauft. Er will das ganze Feuerwerk in seinem Garten abbrennen, sagt er. Bühler wird protestieren. Hat Angst, es könnten ein paar Funken auf sein Strohdach fliegen und das ganze Dorf in Brand stecken! Oh! Was gäb' ich jetzt für ein kleines frisches Glas Neuenburger! Uh! So e Hitz! Du siehst unverschämt kühl aus, Frau. Wie fängst du das nur an? Eh?"

„Ich denke nicht die ganze Zeit darüber nach!" sagte sie, ohne aufzublicken.

Nach einer Weile verstummte Anton Jakob; er schloß die Augen und begann zu schlummern.

Schon seit geraumer Zeit hatte Therese zu lesen aufgehört. Ihre Augen folgten nur noch mechanisch den Zeilen, aber ihr Geist erfaßte nicht mehr den Faden der Geschichte. Die tiefe Leidenschaft ihres Lebens hatte sich ihrer plötzlich bemächtigt. Unermeßlich, grenzenlos! Gottfried hatte in Bern Abschied genommen mit einem Blick, den sie nicht vergessen konnte. Sie fühlte sich immer noch tief bestürzt über diesen Blick; Leidenschaft sprach aus ihm, aber hinter dieser verzehrenden Glut lauerte ein andres Gefühl, etwas wie Bitterkeit, fast Entrüstung. Zweifellos hätte er noch ein Wort zu ihr gesagt, wäre nicht der Alte zugegen gewesen. Ah! Dieser Alte, Toni! Dieser schwitzende Koloß, quer über dem Weg zum vollendeten Glück! Er war ihr tödlich zuwider. Als der Zug mit einem Ruck in Gam anhielt, öffnete Anton Jakob jäh seine schläfrigen Augen.

„Ah! Da sind wir schon!"

Er knöpfte sich die Weste zu, zog seinen Rock an, holte die Reisetaschen aus dem Netz und reichte sie durchs Fenster dem stämmigen jungen Melchior. Ein Wagen wartete auf die Müllers. Zwischen den Deichseln stand ein ruhiger, fetter Grauschimmel, dem Anton Jakob mit der flachen Hand auf den Hintern klatschte. Herr Frick, der Stationsvorsteher, stolzierte herbei in seinen abgeschabten Hosen und griff an die Dienstmütze.

„Tag wohl! So, so, wie steht's mit der Ausstellung?"

„Famos!" sagte Anton Jakob. „Ist eine schöne Sache heuer!"

„Ist das Euer großes Gepäck, da drüben?"

„Zum Teil."

„Sollen wir's hinunterschicken?"

„Nein, merci, ich lasse es durch Melchior oder Röthlisberger holen."

„Adieu wohl."

„Adieu!"

Der fette Grauschimmel legte sich in die Stränge. Sie überquerten den Platz, wo der Baumeister Höfer seinen Bauhof mit den Zementröhren und den aufgestapelten Gerüsthölzern hatte, und fuhren durch die kleine Allee in das Dörfchen Gam, das schmuck und scheinbar menschenleer in der grellen Sonne lag. Anton Jakob warf einen sehnsüchtigen Blick nach den geschlossenen Fensterläden des „Bären". Sicherlich waren um diese Zeit Niederegger und Bühler dort zu finden. Nein, er hatte doch erklärt, daß er heute nicht Karten spielen wolle. Also weiter, die Straße entlang, zwischen den braunen Holzhäusern mit den ragenden Giebeln und den Fenstern voll blühender Geranien!

„Da kommen schon die Felder, meine Felder, da kommt der Gamhof! Hm! Chaibe schön! Da sind wir. Endlich wieder daheim!"

Therese stieg aus und ging mit raschen Schritten zum Hause hinauf, während ihr Mann mit Röthlisberger plauderte, der auf dem Schauplatz erschien. Sobald sie in ihr Zimmer kam, änderte sich ihre verstockte Stimmung.

Sie warf ihre städtischen Kleider ab, ließ kaltes Wasser in die Badewanne laufen, löste ihre Haare, kämmte sie, flocht sie neu und steckte sie wieder auf. Dann stand sie vor dem Spiegel, und ihr weißer Körper ragte vor ihren Blicken.

„Nein!" sagte sie, und fast ein Knurren war in ihrer Stimme. „Ich kann nicht! Ich darf nicht! Ich will nicht! Es ist unmöglich!" Sie stöhnte vor Ekel. Dann warf sie sich in das Bad, in das smaragdgrüne kalte Gebirgswasser, und kühlte ihr erhitztes Blut. Der Wechsel von Hitze zu jäher Kälte steigerte ihr Kraftgefühl. Sehnig richtete sie sich auf die Zehenspitzen auf, ihr ganzer Körper prikkelte in trotzigem Verlangen.

Darwin hätte wohl konstatiert, daß sie ganz einfach in Gottfried einen neuen Gatten gewählt habe, den jüngeren, für die Zwecke der Natur besseren Gatten. Aber weder Wissenschaft noch die Philosophie hätten sie von der Erkenntnis abbringen können, daß sie mit der Ethik in Konflikt geraten war und daß sie alle von der zivilisierten Gesellschaft festgelegten Moralprinzipien brutal verletzt und damit den schwersten Preis bezahlt hatte, den eine Frau für ihr Glück bezahlen konnte. Und trotzdem war sie noch nicht weiter als zuvor. Immer noch war sie Anton Jakobs Frau. Das Gesetz gab ihm völlige Gewalt über sie. Während sie sich ankleidete, dachte sie mit einem Gefühl des Schreckens an die kommende Nacht. Sie wußte, was geschehen würde, falls sie es geschehen ließ. Alle Anzeichen sprachen dafür. Sie kannte ihren Mann in- und auswendig. Der bloße Ton seiner Stimme oder ein ominöser trüber Seitenblick genügten völlig, um ihr zu verkünden, daß ein neues Opfer bevorstand. Weil es ein Opfer war, erweckte er ihren Abscheu. – Das müßte eine sonderbare Moral sein, die mich verlocken wollte, den Alten noch einmal zu ertragen, dachte sie, während sie ihre Strümpfe anzog. Ich habe das Gefühl, als hätte mich meine Liebe zu Gottfried geheiligt und mich völlig der Fähigkeit beraubt, noch je eines andern Mannes Weib zu sein. Ja, es wäre wirklich eine Sünde, wenn ich Gottlieb jetzt die Treue bräche. Es wäre nichts Besseres als Prostitution. – Sie spitzte die Lippen und spuckte in das abfließende Badewasser. – Die Moral reißt Körper und Seele auseinander, überlegte sie. In Gedanken magst du ruhig sündigen, aber nur nicht mit der Tat, mit deinem Körper. Sünde! Wie gern ich mit Gottfried sündige! Ich gebe ihm alles. Ich gebe ohne Überlegung, solange ich auch von ihm alles dafür erhalte. Er ist mein! Mit Leib und Seele! Und das ist der einzige Zustand wahrer Glückseligkeit für mich, den ich mir vorstellen kann.

Therese ließ sich Kaffee bringen. Wäre Gottfried dagewesen, dann hätte sie Tee bestellt. Mathilde meldete, Anton Jakob sei irgendwohin gegangen. Der Tierarzt sei im Stall, eine Kuh sei schlimm erkrankt. Was kümmerten sie die Kühe? Sie trank ihren Kaffee, setzte einen breitrandigen Strohhut auf, der mit Maßliebchen und Kornblumen bepflanzt war, verließ das Haus und ging dem Walde zu, und all ihre ungeheuerlichen Gedanken nahm sie mit.

Rosen am Abend, viele rote Rosen. Anton Jakob hatte sie abgeschnitten, sich abgemüht, bis seine Hände bluteten. Und dann ließ er sie von Mathilde in allerlei Vasen stopfen. Eine dieser Vasen fand Therese in ihrem Zimmer. Sie nahm die Rosen heraus und warf sie in einen Winkel.

Ja, wahrhaftig! Zuerst die Rosen, und was dann? Wenn er nur ausgehen wollte! Er soll bis morgen früh Karten spielen und mich in Frieden lassen!

Ein Weilchen später hob sie die Blumen eine um die andre wieder auf und steckte sie in die Vase zurück.

Eine schöne Frau Regierungsrat bin ich! Wenn die Leute mich sehen könnten, wie ich wirklich bin, sie würden mich lebendig verbrennen! Die Leute! Bah! Diese Hedwig da, die mir in den Weg lief – schon wieder vorne hoch, und hinten schleppt sie den Rock im Staub. Die heiligen Pflichten des Weibes erfüllen! Weib! Weiber! Weibchen! Rümpfen die Nase, wenn ich vorübergehe. Argwöhnen wahrscheinlich – nein, sie können nichts vermuten, aber sie glauben, daß sie von Rechts wegen vermuten müßten, daß es ihre Pflicht sei, allerlei zu vermuten. Dieses fromme Berner Volk! Dieses farblose, dickköpfige Bauernvolk!

„Wie gefallen dir meine Rosen?" fragte Anton Jakob, als sie abends bei Tische saßen.

„Rosen sind immer schön!" sagte sie.

„Aber diesmal? Sind sie nicht sogar ein bißchen schöner als gewöhnlich?"

„Warum?"

„Nun, ich habe sie gepflückt. Schau dir meine Hände an."

„Du hättest Handschuhe anziehen sollen. So wie ich es stets mache." Sie empfand die Wollust der Grausamkeit.

„Oh, aha! Ja! Aber ich wollte mich stechen lassen. Ich habe sie für dich gepflückt, und jeder Dornenstich machte mir Freude."

Therese lachte laut auf. Das kam ihr komisch vor – Toni, der den Liebhaber spielte. Morgen wird er wieder bei seinem Glas sitzen und „Trumpf!" rufen und mit diesen großen Fäusten auf den Tisch schlagen und weder an die Rosen noch an ihre Dornen denken. Sie tätschelte seine Hand.

„Schönen Dank, Toni! Schönen Dank!"

Und ihr Lachen wollte nicht aufhören.

„Meine Rosen", nannte er sie, und sie hatte sie gepflanzt.

Anton Jakob war anfangs ein wenig verblüfft, bald aber ließ er sich von ihrer Heiterkeit mitreißen. Auch er lachte. Er errötete sogar. Wie war er nur dazu gekommen, diese Rosen zu pflücken?

„Ich hätte noch mehr besorgt", sagte er, „aber ich konnte nicht früher anfangen. Die ‚Gräfin' hat gekalbt, als ich gerade zufällig im Stall war, und ich habe mitgeholfen und Joggi hinausgejagt. Er wird mir zu alt und dösig."

Therese wandte den Blick von seinem Gesicht. „Da siehst du", sagte sie, „was für merkwürdige Zufälle im Leben passieren können."

„Ist dir etwas passiert?" fragte er stutzig. „Nein!" erwiderte sie mit lauter Stimme. „Aber ich wollte, es würde mir etwas passieren."

„Was? Ein Zufall? Ein Unfall?"

„Ein Erlebnis, wie es fast jede Frau im alltäglichen Verlauf ihres Lebens durchmacht."

„Maidi", sagte er, „ich verstehe dich nicht."

„Oh! Ich weiß, daß du mich nicht verstehst, aber eines Tages wirst du mich verstehen."

Anton Jakob lehnte sich in seinem Stuhl zurück, hakte die Daumen in seine Westentasche und musterte Therese mit schweren Blicken. „Willst du vor mir etwas geheimhalten, Maidi?"

„Nein!" rief sie entschiedenen Tones.

„Dann sag, was soll das Gerede von diesem Unfall – Zufall – Unglück oder weiß ich was?"

„Ich werde dir's später sagen, aber nicht jetzt. Später!"

Er nickte langsam.

„Hm! Später! Ja, später! Immer heißt es später, aber niemals jetzt!"

Therese litt unter bösen Vorahnungen, wenn sie an die Zukunft dachte. Sie fühlte allmählich, daß ihre Gedanken, ständig beherrscht von ihrer Leidenschaft, sich in seltsame Tiefen verirrten. Eine verborgene Welt, die bisher in ihrer Brust geschlummert hatte, begann ans Licht zu tauchen. Dunkle Gewalten trieben sie vorwärts. „Vorwärts!" schrie eine Stimme in ihr. „Vorwärts! Die Dinge der Vergangenheit sind nie wiedergutzumachen. Was du getan hast, wird keine Sühne tilgen!" Und um sich zu stärken, um neuen Antrieb zu gewinnen, schrieb sie noch an diesem selben Abend einen glühenden Brief an Gottfried.

Anton Jakob rumorte oben in seinem Schreibzimmer unter den Papieren. Das Zimmer war ein richtiges Familienmuseum, denn sämtliche Preisurkunden, Diplome und Zertifikate der dahingegangenen Müller waren zwischen seinen vier Wänden aufgestapelt. Therese machte sich diese Vertieftheit des Alten zunutze und schlüpfte aus dem Haus, um ihren Brief in den nächsten Kasten zu werfen. Als sie zurückkehrte, empfand sie eine seltsame Abneigung, das Haus zu betreten. Sie schlenderte durch den Garten auf und ab, hie und da blickte sie nach den Sternen.

„Maidi!" scholl es plötzlich aus einem der Fenster. „Wo bist du?"

„Ich will noch ein wenig Luft schnappen!" antwortete sie.

„Kommst bald herauf, nicht wahr?" scholl es sanft zurück.

„Ja, bald!" rief sie.

Die zärtliche Einladung ließ sie kalt. Sie konnte es nicht über sich bringen, ihr sogleich Folge zu leisten. Sie konnte nicht. Unmöglich! Sie knirschte mit den Zähnen, und wieder schritt sie durch den Garten auf und ab.

„Maidi! Willst du nicht endlich heraufkommen?" tönte es nach einer Weile wieder aus dem Fenster.

„Warum gehst du nicht zu Bett, Toni?" rief sie zurück. Sie vermochte kaum den Groll in ihrer Stimme zu verhehlen.

„Dann werde ich auf dich warten!"

Eine finstere Bitterkeit beschlich ihre Seele, ein giftiger Haß gegen dieses Leben, wie es das Schicksal für sie zurechtgebraut hatte, und ein fast unwiderstehlicher Ekel vor ihm, der von Rechts wegen der Mittelpunkt dieses Lebens war. Sie fragte sich, wie lange sie noch ein solches Dasein ertragen würde! Sollte sie jetzt hinaufgehen und ihm erklären, daß sie ihn nicht lieben könne? Als Onkel, als Vater, als irgendeinen Verwandten könnte sie ihn ertragen, nur nicht mehr als Ehemann! Nur das nicht! Das war unerträglich!... Doch wie, wenn sie ihm jetzt die Wahrheit sagte? Eine heiße Blutwelle schoß ihr in den Kopf. Sie fühlte das Ticken im Halse wie den Schlag einer Uhr. – Die Wahrheit! Das Allereinfachste! Warum nicht? Ja, die Wahrheit! Ein guter Gedanke!

„Ich werde ihm die Wahrheit sagen!"

Da kam ihr aber zu Bewußtsein, daß das, was sie im Verlauf ihrer Liebesaffäre allmählich als etwas ganz Natürliches betrachtet hatte –

die Preisgabe ihres Körpers an Gottfried –, daß das durchaus keine so geringfügige und natürliche Sache war und durchaus nicht so einfach hinzusagen. Unmöglich, solch eine Wahrheit mir nichts, dir nichts zu beichten und sie kalten Blutes einem Manne zu sagen, der in einer Sommernacht voll brünstiger Sehnsucht aus dem Fenster nach ihrer Nähe schreit! Nein, ein Dolchstoß in sein Herz würde weniger grausam sein, eine Dosis Gift ein wahres Kinderspiel im Vergleich zu diesem Anschlag auf seine Ehre. Therese zitterten die Knie. Nein, sie besaß nicht den Mut zur Beichte. Sie war zu weit gegangen. Außerdem, ein volles Geständnis vor Anton Jakob würde sie ja niemals jenem Glücke näherbringen, dem ihre glühende Sehnsucht galt. Die Wahrheit würde dieses Glück vernichten. Die Wahrheit würde gräßliche Auftritte, Beschuldigungen, Demütigungen, ja vielleicht völligen Verzicht nach sich ziehen. Wie schandbar und verächtlich, wie häßlich und unheimlich würde sie im Lichte dieser Wahrheit erscheinen! Und dann erst würde das Leben ganz und gar unerträglich werden. Lieber sich prügeln lassen, lieber sich die Haut in Fetzen reißen lassen, als von der empörten bäuerlichen Ehrbarkeit und Wohlanständigkeit an die Wand gestellt und gesteinigt zu werden. Großmut? Verständnis? Verzeihung? Derlei durfte sie wohl von Anton Jakob kaum erwarten. Wenn er je die Wahrheit erfährt, wird er sie unerbittlich in den Schmutz der Gosse stoßen.

Lieber den Tod...

„Theresli“, rief eine halb klagende, halb ungeduldige Stimme. „Warum kommst du nicht herauf? Komm, Maidi, es ist Zeit!“

Seinem Ruf endlich gehorchend, stieg sie die Treppe hinauf, schleppenden Schrittes, damit er den Lärm von seinem Fenster aus deutlich vernehme. Sie ging in ihr Schlafzimmer, schloß die Verbindungstür, zog sich rasch aus und legte sich ins Bett. Ein Schauder nach dem andern lief über ihren Körper. Sie biß die Zähne zusammen und lag still. Bald darauf hörte sie nebenan seinen schweren Schritt, die Tür ging auf, Licht fiel auf ihr Bett. Sie zitterte vor Wut. „Maidi“, hörte sie seine sanfte Stimme fast dicht an ihrem Ohr, „es ist jetzt über zwei Wochen, Maidi!“

„Toni“, sagte sie, überrascht von dem Klang ihrer eigenen

Stimme – sie schien für den Anlaß so wunderlich laut –, „ich kann nicht!"

„Aber hör doch auf! Was soll das heißen?"

Sie stieß ihn weg.

„Du darfst nicht!" rief sie.

„Aber, was ist denn los?"

„Nichts! Geh ins Bett! Nichts! Ich werde dir's ein andermal sagen."

„Habe ich dich beleidigt, Maidi? Habe ich dir irgendwie unrecht getan?"

„Nein! Nein! Aber geh, Toni, geh!"

Fast wie das Knurren einer Tigerin!

„Jetzt kenne ich mich überhaupt nicht mehr aus!" sagte er mit gereizter Schärfe. „Ich glaube nicht, daß ich das verdient habe!"

Eine Sekunde lang betrachtete er ihr bleiches Gesicht, ihre Augen, die im Halbdunkel des Zimmers leuchteten, und dann entfernte er sich. Er schloß die Tür, nicht allzu heftig, aber mit einer gewissen Entschiedenheit, die sie in Staunen versetzte.

„Denk nach, Hirn, denk nach!" Und sie fuhr sich wild mit beiden Händen in die Haare.

Ein tränenloses, stummes Schluchzen schüttelte sie wie ein Krampf.

„O Herrgott! Was für ein Dasein!"

Er kam nicht mehr zurück. Aber er schlief auch nicht. Das Licht seiner Lampe fiel durch das Schlüsselloch und die Ritzen der Tür. Worüber mochte er wohl nachsinnen?

Kalt wie ein Fels saß Anton Jakob des Morgens am Frühstückstisch. Seine Tasse voll Milchkaffee, in welchem kleine Würfel Schwarzbrot schwammen, stand unberührt vor ihm. Eine tiefe Furche verzerrte sein Gesicht. Sie lief quer über seine Stirn, umrahmte seine Augen und verlor sich über die Backenknochen in die zerzausten Wirbel seines grauen Barts. Die Grübchen unter seinen Backenknochen, die seinem Gesicht einen unleugbaren rauhen Reiz verliehen, waren tief gerunzelt wie fahle Höhlen. Ab und zu funkelte ein Licht in seinen Augen auf.

Er fühlte, daß irgend etwas mit seinem Leben völlig schiefging. Der Zickzacklauf der Dinge quälte ihn. Der leiseste Anstoß hätte genügt, seine Heftigkeit zu entfesseln und eine jener unbarmherzig bissigen Launen heraufzubeschwören, die er, wie er wußte, hinterher bereuen würde. Therese kam ins Zimmer, sie sah ein wenig blaß aus. Sie beugte sich über ihn und küßte ihn auf die Stirne. Fast augenblicklich glättete sich die große Furche in des Alten Gesicht und zerteilte sich in tausend kleine Runzeln. Vor allem wollte er Therese gerecht behandeln, und Gerechtigkeit darf nicht düster sein. Sie setzte sich hin und rührte ihren Kaffee um. Ihre Augen ruhten schwer auf ihm. Die langen, dunklen Wimpern verbargen fast den Blick. Ihre Mundwinkel waren ein klein wenig gekräuselt. „Toni, du bist verdrossen, gelt?" sagte sie. „Aber das darfst du nicht sein. Siehst du, ich habe ein Geheimnis. Ich wollte es dir schon seit längerer Zeit gestehen, aber ich hatte nicht den Mut dazu."

„Hm!" brummte er und neigte den Kopf ein wenig zur Seite, als wolle er ihr ein besonders williges Ohr leihen.

„Trink deinen Kaffee, er wird kalt. Laß mich ein wenig heiße Milch hineintun."

„Was für ein Geheimnis?" fragte er und schob die Tasse weg.

„Ah! Ein schreckliches!"

„Pah!" sagte er barsch. „Daß muß wohl ein hübsches Geheimnis sein."

„Weißt du", erklärte sie, „ich habe es dir eigentlich schon gestern erzählt, aber du bist so hartköpfig!"

„Wann?"

„Als wir von dem – von dem angeblichen Unglücksfall sprachen."

„Sprich dich deutlicher aus, Maidi. Ich verstehe mich nicht auf diese welsche Art. Sag ja oder sag nein, aber nicht so viele Vielleicht und Möglich."

„Nun", sagte sie, „du kannst es noch immer nicht erraten?"

„Gt's Dunderwätter! Sprich!"

„Es hat mit deinem alten Lieblingswunsch zu tun. Oft hast du mir in diesen letzten Jahren Vorwürfe gemacht. Und einmal sogar, als du die Geduld verlorst, da sagtest du, jede Kuh erfülle ihre Pflichten besser als ich. Nun, darum handelt es sich, Toni."

Ein drastischer Wandel seiner Gefühle zuckte über sein Gesicht. Er starrte sie an, als wäre sie ein Wunderding. Eine Träne quoll ihm aus dem Auge.

„Jetzt ist der Tüfel los!" rief er und haschte über den Tisch nach ihren Händen. „Maidi, Maidi! Was du nicht sagst! Ja, wahrhaftig! Nein, nein! Weißt du es sicher? Nein, was du nicht sagst!"

Sie schüttelte den Kopf. Langsam, kalt. Sogleich erlosch der Freudenschimmer in seinen Zügen.

„Nicht? Nicht?" fragte er fast flehenden Tones.

„Noch nicht, aber bald."

Er ließ ihre Hände los.

„Neue Geheimnisse!" brummte er, und ungestüm, wie ein hungriger Hund, fiel er über seine Frühstückstasse her.

„Ich traue mich gar nicht zu sprechen, wenn du in solcher Stimmung bist", sagte sie.

„Ich habe überhaupt keine Stimmung."

„Dann hör zu, was ich sage", fuhr sie fort und beugte sich, so daß sich ihr Busen an die Tischkante preßte. Der Alte blickte auf wie ein Ochse, und seine Hand, die den Löffel führte, blieb mitten in der Luft hängen.

„Erinnerst du dich an die alte Zigeunerin auf der Ausstellung?"

„Ja, was hat denn sie mit uns zu tun?"

„Nichts, aber für einen Franken las sie mir aus der Hand."

„Ja, bah, du wirst doch nicht plötzlich an solchen Unsinn glauben?"

„Doch, gewiß, ich glaube daran. Die Zukunft ist immer da, und manche Leute können sie sehen, wenn auch wir dazu nicht imstande sind."

„Und was sagte sie?"

„Sie dachte zuerst, ich wäre unverheiratet."

„Da hast du's mit deiner Zukunft! Sie erriet nicht einmal die Vergangenheit!"

„Aber warte doch eine Minute. Sie wußte auf jeden Fall, daß ich keine Kinder habe. Ich beklagte mich darüber."

„In diesem Fall mußte sie's natürlich wissen."

„Ich beklagte mich erst, nachdem sie mir auf den Kopf zugesagt hatte, daß ich kinderlos bin", fuhr Therese fort; sie schien ein wenig die Fassung zu verlieren. „Schließlich habe ich doch das Recht, mich zu beklagen, wie? Du bist nicht die einzige Person, die sich beklagt. Ich leide vielleicht mehr als du!"

„Schön, weiter!"

„Das alte Weib schwor, sie wüßte ein Mittel dagegen!"

„Was sagte sie?"

„Sie sagte, und das sind genau ihre Worte: ,Von heute an bis achtundzwanzig Tage nach dem nächsten Neumond dürft Ihr Eurem Mann nicht erlauben, daß er sich Euch nähert. Wenn der Neumond aufgeht, müßt Ihr einen dunklen Schleier umnehmen und am Fenster sitzen, die Blicke fest auf den Mond geheftet, bis er untergeht. Dann aber müßt Ihr achtundzwanzig Tage lang jeden Morgen bei Anbruch der Dämmerung ein Glas kaltes Wasser trinken. Jede Nacht vor dem Zubettgehen müßt Ihr die rechte Hand aufs Herz legen und bis siebzehn zählen. Dann, zum genauen Datum, vier mal sieben Tage nach dem Neumond, werdet Ihr frei sein und geläutert. Der Wunsch wird in Erfüllung gehen, und es wird ein männliches Kind sein.'"

Therese besaß den Mut, als Beweis für ihre Erzählung ein Stück groben Papiers vorzuzeigen, auf das sie all diese angeblichen Ratschläge niedergeschrieben hatte. Anton Jakob legte den Löffel hin und starrte sie voll Erstaunen an. Dann brach er in ein Gelächter aus.

Therese wurde blaß. Ihre Augen wurden schmal vor Wut. „Wie kannst du dich unterstehen, mich auszulachen!" rief sie. „Glaubst du denn wirklich, daß ich mein Leben lang ein unfruchtbares Mädchen bleiben will? Nimm dich in acht!" Sie sprang auf und drohte ihm mit der geballten Faust. Er lachte immer noch. Therese packte ihn am Rock und rüttelte ihn.

„Lach nicht!" schrie sie wütend. „Jetzt bin ich's, die das Kind haben will, wenn auch du es nicht mehr willst. Ich werde den Befehlen dieser alten Zigeunerin gehorchen. Oder ich mache mit mir ein Ende."

Anton Jakob, der nun fühlte, daß sie es ernst meine, begann nachdenklich dreinzuschauen.

„Du willst doch nicht sagen, daß du das alles wirklich glaubst?"

„Ich glaube es bis ins letzte."

Seine Augen leuchteten interessiert auf.

„Wann ist Neumond?" fragte er.

„In neun Tagen."

Er blickte zur Decke und zuckte die Achseln.

„Sei zufrieden, daß diese alte Zigeunerin so viel Zutrauen zu dir hat!" sagte Therese mit bitterer Ironie. „Und jetzt weißt du, warum ich gestern abend so zu dir war. Das war der Grund . . ."

Sie hielt inne; dann fuhr sie in verändertem Tone fort:

„Nimm mir nicht diese Möglichkeit, Toni! Nein! Sei gut zu mir! Hilf mir! Versuch's und mach eine fröhlichere Miene! Denk nur, was das für uns bedeuten wird!"

Während sie sprach, zog sie der Alte auf seine Knie.

„Maidi", sagte er, „du verlangst viel, sehr viel von mir. Ja, sehr viel. Meinst du es ernst mit dieser Geschichte?"

„Natürlich!"

Er schüttelte verdrossen den Kopf.

„Was ihr Weiber manchmal für sonderbare Dinge anstellt! Es ist fast unheimlich. Ihr glaubt an Wunder. Ihr steckt voll kurioser Grillen. Aber ich darf dich doch küssen, wie? Das hat sie nicht verboten, wie?"

„Nein", sagte Therese.

Er gab ihr einen herzhaften Kuß.

Ihr Leben schien sich jählings in wirrem Chaos vor ihren Blicken zu türmen. Wohin ging der Weg? Welch dunkle Gewalt trieb sie vorwärts? Dennoch seufzte sie erleichtert auf. Sie hatte sich eine Atempause erobert.

„Ich werde meine Tür zusperren. Ob es dir recht ist oder nicht, Toni. Wenn du lieb sein willst, wirst du mir die Sache erleichtern", sagte Therese am selben Abend.

„Du sollst deinen Willen haben, Maidi", versprach er ihr resigniert. Von dieser Nacht an machte es sich Therese zur Regel, ihre Tür zu versperren.

Etliche Tage später kam Gottfried aus Bern zurück. Anton Jakob war zufälligerweise bei seiner Ankunft nicht daheim, sondern im „Bären", und so konnte Therese ihren Gottfried ungestört empfangen. Ihre Küsse waren wie eine Feuersbrunst; aber Therese kam schnell zur Vernunft.

„Niemals im Hause", sagte sie, helle Angst in den Augen. „Auf dein Ehrenwort, Herz du, niemals im Hause!"

Zögernd gab er seine Antwort. Sie schien erleichtert. Ihr Leben lief nun in den alten Bahnen weiter. Nie vergaßen sie sich, und auch die schärfsten, argwöhnischsten Augen hätten in ihrem Lebenswandel nichts Ungewöhnliches entdecken können. Bei Tische saß Therese bei ihrem Gatten und Gottfried auf der andern Seite.

Anton Jakob hatte den Eindruck, als ginge nun alles viel leichter als zuvor. Er glaubte, Therese und Gottfried hätten endlich eine freundschaftliche Beziehung zueinander gefunden. Wenn sie sich unterhielten, geschah es in leichter, unbefangener Weise, und Gottfried legte Therese gegenüber eine Art launiger Ritterlichkeit an den Tag. Er schien zu wissen, was ihr gebühre. Seine Mienen waren heiter und zufrieden. Anton Jakob verfiel auf den Gedanken, daß Gottfried in Bern ein Mädchen gefunden habe, und er sah sich sogar bemüßigt, Therese auf eine derartige Überraschung vorzubereiten.

„Warte nur, Maidi!" sagte er vertraulich zu ihr. „Gottfried hat ein Geheimnis im Hinterhalt! Er will noch nicht heraus mit der Sprache, er wartet noch ab, bis er sie sicher hat."

Therese lächelte versonnen.

„Glaubst du wirklich? Ob du wohl recht hast?"

„Ich bin fest davon überzeugt."

Diese Anspielung brachte sie insgeheim ein wenig aus der Fassung; dennoch lachte sie darüber.

Eines Tages fand es Therese für nötig, die Hausmagd Mathilde zu entlassen, da sie schon wieder einen schönen alten Suppenteller, der ziemlich viel Geld wert war, zerschlagen hatte. Anton Jakob erhob Einwendungen gegen Mathildes Entlassung. Er hatte dieses Mädchen liebgewonnen (sie hatte ihn während seiner Krankheit oft gepflegt), und er wußte seine Vorliebe dadurch zu bezeigen, daß er sie zuweilen in die Wange kniff oder, wenn niemand zugegen war, auf seine Knie zog und wie ein richtiger Kenner liebkoste.

„Na? Ein zerschlagener Teller, das ist doch eine Kleinigkeit!" sagte er zu Therese.

„Sie hat schon früher massenhaft Geschirr zerbrochen. Ich sagte ihr, daß ich sie entlasse, wenn's noch einmal vorkommt", erwiderte sie und musterte ihren Mann mit kaum verhülltem Argwohn. „Aber wenn du willst, behalte ich sie speziell für dich."

„Nein!" sagte er ausweichend. „Du bist hier die Herrin. Du mußt tun, was du für richtig hältst."

Er glaubte, Therese sei eifersüchtig, und das war ihm lästig.

„Schick sie fort, wenn du Lust hast."

Therese zahlte Mathilde einen Monatslohn und das Fahrgeld nach Hause. Mit Mathilde verschwand ein Paar großer, spähender Augen.

Jetzt wohnte neben der Familie nur noch die alte Köchin Minna im Hause. Sie war ein harmloses altes Wesen. Ein Muttermal bedeckte die eine Hälfte ihres Gesichts, und überdies besaß sie einen stattlichen Kropf. Auf ihrem gedankenlosen Kopf saß ein dünner Haarknoten. Sie war ein schweigsames, verschlossenes Geschöpf. Ihre Kammer lag auf dem Boden, fern von allen andern Zimmern, und sie pflegte stets sehr früh zu Bett zu gehen. Therese ordnete an, Luise solle jeden Tag heraufkommen, um die Hausarbeit zu machen und Minna zu helfen, bis sie eine neue Hausmagd ihrer eigenen Wahl gefunden hatte.

Neumond kam. Gehorsam den angeblichen Befehlen der weissagenden Zigeunerin, saß Therese stets hinter verschlossenen Türen am Fenster, den Kopf in einen schwarzen Schleier gewickelt. Sie hörte, wie Anton Jakob aus seinem geselligen Winkel im „Bären" heimkehrte, vor ihrer Tür stehenblieb und vorsichtig die Klinke versuchte. Sie rührte sich nicht. Der Alte stieß ein Brummen aus und ging auf sein Zimmer. Er wagte nicht, sie zu stören. Er hatte jenes kleine Übermaß geladen, das gleichsam aus Platzmangel in seinen Kopf hinaufstieg.

Ja. Hm! dachte er. Ganz gut, daß sie sich eingesperrt hat. Sie haßt mich sowieso, wenn ich in diesem Zustand bin. Immerhin, sie behandelt mich hart, sehr hart. Ich habe meinen Schatz im

Geldschrank, aber sie hält dazu den Schlüssel. Ja, hm! Nein! Ich darf nicht wütend werden über ihre dummen Launen. Ich muß mich stramm halten, hm, ein Mann sein.

Therese hörte sein Gemurmel durch die Tür. Ein wenig später sank der Alte vernehmlich auf sein Bett. Da erhob sie sich und machte ein Zeichen durchs Fenster. Dort unten im dunklen Schatten eines Baumes stand eine Gestalt. Sie legte den Schleier ab und schlüpfte durch die kleine Eichentür auf den Korridor und zum Hause hinaus.

So verstrichen die Tage und Nächte. Der Mond wurde von Nacht zu Nacht runder, und immer länger verweilte er auf seiner vorgeschriebenen Bahn über dem himmlischen Abgrund zwischen der Wildfluh und der Gamfluh.

Das Sommerwetter war stetig und schön. In den Dörfern längs des ganzen Tales sangen und tanzten die Leute. Pferde und Ochsen, manchmal friedlich Seite an Seite geschirrt, schleppten die riesigen, schiefen Heuwagen nach Hause, und dicke Bremsen schossen wie verrückt um die schwitzenden Tiere herum. Hornissen und Wespen trieben ihr Freibeutergewerbe in den Obstgärten, während die Bienen ihren kleinbürgerlichen, ordnungsgemäßen Geschäften nachgingen.

Des Abends schlenderten junge Pärchen über ihre einsamen Pfade oder lagen atemlos unter dem dichten Laubwerk der Haselbüsche oder tief verborgen im sonnverglühten Heu. Die Nächte waren von Blütenstaub gewürzt, den die sanften Flügel der kühlen Winde über Land trugen.

Üppigere Verlockung, ins Freie zu eilen und all diese Wunder zu genießen, konnte Gottfried und Therese nicht beschieden sein. Die Natur war ihre Mutter und blieb eine stumme Zuschauerin ihrer aufrührerischen Leidenschaft. Ja, es schien sogar, als wolle die Natur sie vorwärtstreiben. Sie bewirkte, daß sie sich wie Götter fühlten. Sie schmeichelte ihnen, sie legte einen funkelnden Firnis auf ihre Sünde. Unter ihrem Einfluß zerflatterten die letzten Fetzen ihres moralischen Gewissens.

Knapp zehn Minuten von Hause entfernt pflegten sie sich zu

treffen, am Saum des Waldes, auf einem Felde, das abseits vom Pfade lag. Dort floß ein kleiner Bach, klar wie Kristall, in kleinen Kaskaden durch ein felsiges Bett, und daneben war im Boden eine Höhlung, überwuchert von dichtem Gebüsch.

Und dort lagen sie, entzückt, Seite an Seite, eng aneinandergeschmiegt, stumm, ein Teil der Erde. Ein Heimchen zirpte zu der Baßstimme eines verliebten Frosches, eine kleine Feldmaus kam an den Bach gelaufen und starrte mit glitzernden Äuglein die wunderbaren Menschenriesen an. Oder ein Pärchen schillernder Nachtfalter, das Weibchen von dem taumelnden Männchen hochzeitlich durch die Luft geschleppt, summte übers Wasser. Nicht einmal die Strahlen des Mondes drangen in diesen geheimen Schlupfwinkel. Sie waren allein. Und dort, eines Nachts, gestand Therese Gottfried, daß sie mit Sicherheit ein Kind erwarte.

„Liebster", flüsterte sie, „es ist von dir. Ich schwöre es, nur du, kein andrer, du! Du! Du!"

Er lag wie betäubt, sein Herz klopfte schnell.

„Du schwörst es?"

Feierlich bekräftigte sie es.

„Ah, Herrgott!" sagte er. „Jetzt bist du ganz und gar mein. Ja, jetzt liebe ich dich noch tausendmal mehr!"

Sie lächelte und schmiegte ihre Wange an sein Gesicht. Dann liebte er sie also noch mehr, als sie erwartet hatte! Und sie schloß die Augen, und ihre Tränen tropften auf seine Wange. Und als er diese Tränen fühlte, verdoppelte sich die Liebe in seinem Herzen, er riß sie noch fester an sich, und seine Tränen vermischten sich mit den ihren.

So blieben sie Seite an Seite liegen, bis die blasse Dämmerung über die Zacken der Fluh heraufkroch und das erste Glühen des Tages im Bach funkelte. Schmerzerfüllt trennten sie sich, und Therese floh raschen Schrittes ihrem Heim zu. Sinnend starrten ihre Augen, atemlos waren ihre Lungen. In der Küche zog sie ihre Schuhe aus und schlich die Treppe hinauf zu der Eichentür ihres Zimmers. Dann holte sie den Schlüssel hervor, der an einer seidenen Schnur zwischen ihren Brüsten hing, und kehrte in die Gefangenschaft zurück. Sie machte nie einen falschen Schritt. Nie wich die Angst vor einer jähen Entdeckung aus ihrem rastlosen Geist. Ihr zäher

Wille, der gleichsam unter Hochdruck im Dienste der Leidenschaft stand, erschlaffte nie zu einem Gefühle der Sicherheit oder Sorglosigkeit. Und sobald sie in ihrem Zimmer war, hinter Schloß und Riegel, war sie frei. Rasch kleidete sie sich aus in dem bleichen Licht des Morgens und streckte sich. Und sie war schön.

„Sancta Theresia!" flüsterte sie ihrem Spiegelbild zu.

Inzwischen schlenderte Gottfried durch die Felder in großem Bogen um das stille, schlaftrunkene Gam und erreichte über einen Seitenpfad das Haus: Er ging auf sein Zimmer und warf sich auf sein großes, schwarzes Ledersofa, um die restlichen Stunden der Nacht zu verdösen.

Ihm war zumute, als stünden alle Chancen des Geschicks zu seinen Gunsten. Sein Stolz schwoll: er fühlte sich wie der heimliche Liebhaber einer Königin.

Am Abend des ersten August, sobald die Dämmerung hereinbrach, strömten die Bewohner Gams aus ihren Behausungen, um sich die Freudenfeuer anzusehen. Bald wurde ihr festliches Verlangen gestillt, denn auf dem St.-Fridolins-Felsen zeigte sich ein roter Fleck, und wenig später flackerten die roten Punkte reihenweise längs der Bergkämme und auf der Alp. Auf den Gassen brannten die Jungen ihre Knallfrösche ab. Im „Bären" und in der „Krone" drängten sich die durstigen Seelen. Auch gab es Musik: die Gamer „Konkordia" war fest bei der Arbeit, und Maximilian, der alte Krüppel aus Arnisboden, saß auf der Schwelle des „Bären", spielte seine große Ziehharmonika und ergötzte eine dichte Zuhörerschar mit Freuden- und Liebesliedern. Tabakqualm zog in Schwaden über die Tische.

Anton Jakob kam mit Therese aus dem „Bären". Er hatte sich „einmal umsehen" wollen. Auch hatte sich ihm dort eine prächtige Gelegenheit geboten, mit Therese zu paradieren. Sie hatte sich nicht geweigert, das alte Wirtshaus zu betreten, im Gegenteil, sie hatte ihren Spaß daran. Anton Jakob hatte seine hochmütige Paschamiene aufgesetzt, denn ihr Erscheinen erregte das höchste Aufsehen.

„Wollen wir jetzt nach Hause gehen?" fragte er Therese. Der erste

August! Er hatte ihn genossen, allein der zweite August war noch viel wichtiger für ihn.

Therese zuckte mit den Schultern. Ihr Gesicht war starr, kalt und hager. Langsam schritten sie heimwärts und schwiegen. Gottfried war seit drei Tagen fort; sie hatte ihn zu dieser Reise angetrieben, und zum erstenmal dankte sie dem Himmel für seine Abwesenheit. Dennoch weilten alle ihre Gedanken bei Gottfried, während sie mit Anton Jakob nach Hause ging. – Ob er wohl auch fühlt, daß ich in Gedanken bei ihm bin? dachte sie.

Anton Jakob drückte ihren Arm.

„Maidi", sagte er, „hast du auch nicht vergessen, daß heute um Mitternacht der zweite August beginnt, das Ende unsrer Fastenzeit. Weißt du, was das heißt?"

„Nicht heute nacht!" rief sie schnell. „Erst morgen."

„Nein, Maidi, heute nacht! Hä hä! Du kannst nicht ausweichen."

Ein körperlicher Schmerz durchzuckte sie.

„Wir werden sehen."

„Du bist ein liebes Kleines, Maidi!" flüsterte er ihr zu. „Hast du nicht gesehen, wie sie dich alle im ‚Bären' angestarrt haben? Hä! Hä!" Sie schritten dahin unter dem Sternenhimmel. Die Feuer loderten auf den Höhen, und bis spät in die Nacht hinein feierten und lärmten die Menschen auf den Straßen. Ja, was für eine Nacht!

Aber im Hause der Müller war um Mitternacht alles still, und kein Freudenfeuer brannte. Auf ihrem Bett lag Therese mit ausgestreckten Armen wie eine Gekreuzigte. Sie schien kaum zu atmen. Nein, sie war nicht unschuldig, sie war nicht rein, sie war eine Ehebrecherin, eine verächtliche Betrügerin; aber sie war keine Hure.

„Ah! Wie ich leide! Wie ich leide!" stöhnte sie in sich hinein.

„Gottfried! Es ist nicht meine Schuld! Es muß sein! Ich büße für dich! Wie ich leide!"

Anton Jakob kam auf Zehenspitzen hereingeschlichen.

„Maidi!" flüsterte er. „Schläfst du?"

„Gleich", sagte sie.

„Gottfried, mein Herzliebster", schrieb Therese am nächsten Morgen, „wenn Du mich liebst, so bleibst Du noch einige Tage fort. Es wird für uns beide besser sein. Ich begehre Dich jede Minute, jede Sekunde, aber meine Seele braucht Ruhe. Ich muß Kräfte sammeln. Heute sieht alles traurig aus. Das Wetter schlägt um, Wolken ziehen herauf. Wenn es regnen will, wird es hoffentlich bald regnen, damit unser kleines Feld bei Deiner Rückkehr wieder trocken ist. Ich vermisse Dich furchtbar! Wie lange werde ich das ertragen können? Ich bin furchtbar unglücklich und furchtbar glücklich."

Sie trug den Brief zu dem Kasten am Straßenrand.

Als sie zurückkehrte, erfuhr sie von Luise, daß der Herr mit geschultertem Karabiner das Haus verlassen habe. Er sei, wie sie sagte, auf den Schießstand gegangen, um zu üben.

Als Anton Jakob zurückkam, stellte er seinen Karabiner in einen Schrank und entfernte sich wieder, um mit Röthlisberger zu sprechen. Er sah nicht glücklich aus. Endlich erkannte er, daß ihn Therese nicht liebe. Nein! Sie liebte ihn nicht. Kalt wie Stein saß er an diesem Abend bei Tische. Therese warf ihm durch die Wimpern verstohlene Blicke zu. Sie wußte, was er empfand, aber sie konnte es nicht ändern; grenzenloses Mitleid für diesen alternden Mann beschlich ihr Herz. Aber es war nicht jenes Mitleid, das eine teilnahmsvolle Saite in der menschlichen Seele berührt. Nein, es war ein unempfindliches grausames Mitleid, das im Leben des andren den Tag des Zornes nahen sieht. Etwas Dämonisches lag in diesem Mitleid.

Jetzt kam es freilich nicht mehr darauf an, was geschah. Sie hatte sich entschlossen.

„Toni", sagte sie, als sie vom Tisch aufstand, „ich werde heute nacht die Tür für dich offenlassen."

„Ich glaube nicht, daß dir noch etwas an mir liegt", erwiderte er trocken.

„Es ist deine Sache, dich davon zu überzeugen."

„Ich glaube nicht, daß es den geringsten Zweck hat. Nein, Maidi, ich werde dich nie wieder stören."

Er wandte ihr sein Gesicht zu. Es sah ganz hart aus, selbstbewußt, furchteinflößend.

„Außerdem", fuhr er fort, „bin ich müde. Ich habe den ganzen Morgen geschossen und dann mit Röthlisberger die Schneidemaschine repariert. Ich bin müde. Müd bis in die tiefste Seele."

Er erhob sich. Sie sah, daß er sich zwang, einen heraufziehenden Sturm in seinem Herzen zu beschwören. Er war bleich; seine Gestalt schwankte hin und her; er biß sich auf die Lippen. Therese zitterte, als überschleiche sie der Schatten des Todes. Dann verließ sie das Zimmer, während er sich wieder hinsetzte. Als er allein war, stieß er einen schweren Seufzer aus und stützte den Kopf in die Hand. Seine andre Hand spielte mit dem Brotmesser.

In dieser Nacht kam Therese aus eigenem Antrieb zu ihm, und sie bot alle Künste des Weibes auf, um in ihm den Glauben zu erwecken, daß sie ihn liebhabe. Anton Jakob sammelte die Ernte seiner Ehe, aber sie erschien ihm schmal. Ein kleiner Hauch, und Spreu wie Korn flogen von der flachen Hand in alle Winde. Ein Jammer!

Nach einer Woche tauchte Gottfried wieder auf. Therese empfing ihn mit leidenschaftlicher Verwirrung. Wie ein Vogel flatterte sie treppauf, treppab und versuchte, ihren Jubel zu verbergen, während sie ihm zu gleicher Zeit die tollsten Dinge ins Ohr flüsterte, die nur Verliebten einfallen können.

„Aber", sagte sie, „wir müssen vorläufig unsre kleinen Zusammenkünfte auf der Wiese jetzt aufgeben. Ich muß sehr vorsichtig sein! Ich werde dich wissen lassen, wann und wo wir uns wieder treffen können."

Gottfried merkte gleich, was geschehen war. Er runzelte die Stirn. Ein wütender Blick schoß aus seinen Augen. Er hatte von einer ewigen Dauer jener lieblich duftenden Nächte geträumt. Nun jagte ihm Thereses Haltung eine prickelnde Angst, eine Wut durch alle Glieder. Alles schien so beklemmend nah, so eng und eingepfercht; es war ihm zumute, als hause unter diesem Dach ein finsteres Unheil, eine kalte Drohung.

„Ist während meiner Abwesenheit etwas geschehen?"

„Nichts, ganz und gar nichts!" beteuerte sie.

Er packte sie beim Arm. Die Wut kochte in ihm auf.

„Hat er – hat er...?"

Mehr brachte er nicht über die Lippen; jedes weitere Wort hätte wie Gotteslästerung geklungen.

„Sei nicht so dumm, Gottfried!" sagte sie.

Aber er las in ihren Augen: alles, alles. Und was er las, erfüllte ihn mit Entsetzen. Sie machte ihren Arm los und sah ihn an, kalt, berechnend, während er sich, zerrissen von Eifersucht, zerfleischt von Kummer, unter ihren Blicken krümmte.

„Ja", sagte sie mit tiefer Stimme. „Du leidest sicherlich nicht halb soviel wie ich! Solange er lebt, kannst du nie der einzige sein. Du hast mir geschworen, daß du um meinetwillen alles ertragen würdest, und nun stehst du da, bist eben zurückgekehrt, und jeder deiner Blicke schleudert mir einen schrecklichen Vorwurf entgegen! Herrgott! Ich werde diesem Zustand ein Ende machen. Ich werde gehen. Ich! Nur noch ein paar Tage, dann verschwinde ich und lasse der Familie Müller ihren Frieden!"

Sie richtete sich auf und lief davon.

Gottfried war zumute, als bedrücke ihn eine ungeheure Last. Zwei Wochen lang mied er unter allen möglichen Vorwänden das Haus. Die Verzweiflung trieb ihn bald hierher, bald dorthin, wie ein welkes Blatt. Er liebte Therese; er liebte auch immer noch das Leben; aber rings um ihn war grenzenlose Wirrnis, nirgends die Lösung des Rätsels. Die Sorgen früherer Jahre kehrten zurück. Sie überfielen ihn mit doppelter Wucht.

„Vielleicht", sagte er schließlich, „wäre es besser, wenn ich Gam endgültig verlassen würde. Vielleicht bringe ich die Dinge in Ordnung und opfere mich selbst. Ferne Länder, die Wüste, Städte jenseits des Ozeans, vielleicht sogar der Tod!" Er faßte einen Entschluß nach dem andern. Dies und jenes wollte er tun, aber alles nur zu dem einen unsinnigen Zweck: um Therese zu bestrafen, um sie in den Staub zu beugen. Aber es gab ein Hindernis, das jeden seiner Entschlüsse vereitelte: Therese selbst. Sooft sie ihn ansah, warf sie ein neues Fünkchen Liebe in sein Herz; es war ihm, als flüsterte sie ihm jedesmal zu: „Warte, Liebling! Warte!"

Eines Abends saß Anton Jakob unter der Linde. Er dachte an nichts Besonderes, sann nur ein wenig verwundert den Dingen nach. Gottfried kam auf dem Heimweg dicht an der Linde vorbei.

„Hör einmal, Bueb!" sagte Anton Jakob. „Warum läßt du den Kopf hängen? Sorgen, eh? Hm! Wir alle haben unsre Sorgen. Hat sie dich laufen lassen? Komm, erzähle! Wer ist sie? Darf ich's wissen?"

„Du irrst dich", erwiderte Gottfried, „ich habe nicht an ein Mädchen und nicht an eine Frau gedacht."

„Aber es gibt irgend etwas, das dich quält. Nie willst du beichten. Das ist wohl die Art der gelehrten Leute, so heimliche Sorgen durchs Leben zu schleppen?"

„Meine Sorgen sind geringfügig. Du würdest mich auslachen, wenn du sie wüßtest."

„Nun", sagte Anton Jakob, „nächsten Sonntag ist Schützenfest. Wie wär's, wenn du einmal mitmachtest? Du hast noch keinen einzigen Preis für die Familie gewonnen. Ich möchte dich gerne mit einem Kranz nach Hause kommen sehen!"

„Ich kann nicht schießen, Vater", erklärte Gottfried. „Mahder, oder Adrian, oder wer immer, alle verstehen mit der Flinte besser umzugehen als ich."

„Mahder und Adrian werden auf der Alp bleiben. Sie sollen mir nicht in die Quere kommen. Ich will mir nicht von meinen eigenen Leuten meine Chancen verpfuschen lassen."

Er starrte vor sich zu Boden.

„Willst du nicht mit mir einmal im ‚Bären‘ einen Abendschoppen nehmen?" fuhr er fort und hob den Kopf. „Ich glaube, wir könnten beide ein Gläsli vertragen."

Gottfried lehnte ab, weil er zu tun habe.

„Schön", bemerkte Anton Jakob, „ich will heute abend nicht allein gehen, ich bleibe daheim."

Gottfried ging ins Haus und warf einen Blick in Thereses Zimmer. Grübelnd saß sie am Fenster.

„Der Alte hockt unter dem Lindenbaum", sagte er zu ihr. „Er scheint in einer melancholischen Laune zu sein. Und er erklärt, daß er heute nicht ausgeht."

Gottfried sprach mürrisch, wie ein Mensch, den man beleidigt hat. „Liebster, wie soll das enden?" seufzte sie. „Ich werde ihm sagen müssen, wie es mit mir steht, ihn zwingen müssen, daß er mir glaubt."

„Glaubt? Das wird er wohl gerne tun!" versetzte Gottfried zähneknirschend. – Ihr Kopf sank auf die Brust.

„Gottfried, Liebster!" Wie ein Hauch waren ihre Worte. „So hältst du dein Versprechen! So tust du mir fortwährend weh, Tag für Tag, Stunde um Stunde schleuderst du mir den Vorwurf ins Gesicht, daß ich dir nicht treu bin, nicht treu sein kann! Kenntest du nur die Tiefe meines Herzens! Dort würdest du nichts als blühende Felder sehen, Blüten, Blüten, für dich! Nein, viel Größeres noch!"

Er neigte den Kopf, er sagte nichts mehr, und nach einem kurzen Zögern verließ er sie. Therese blieb am Fenster sitzen. Ihre Gedanken schweiften in die Zukunft. Ihr Kind! Ihr heiliges Kind! Sie konnte keinem Menschen, nicht einmal Gottfried, erlauben, mit seiner Zukunft zu spielen. Dieses Kind! Wie viele tausend stille Augenblicke hatte sie dem Ungeborenen geweiht.

„Nein! Es soll nicht mit einem Fluch zur Welt kommen. Lieber noch soll es Anton Jakobs Kind sein. Es muß Anton Jakobs Kind sein! Gottfried muß das Opfer bringen."

Sie erhob sich plötzlich, schlüpfte in einen engen Mantel und verließ das Haus, um Anton Jakob unter der Linde aufzusuchen. Er saß immer noch reglos da. Wie ein Geist huschte sie an seine Seite und lehnte ihren Kopf an seine Schulter. Er schien ein wenig gerührt, denn er stieß ein leises Brummen aus.

„Toni", sagte sie, „endlich weiß ich's."

Sie fühlte, wie ein plötzlicher Ruck durch seinen Körper ging.

„Mir war es heute morgen übel, als ich aufwachte. Das ist ein sicheres Zeichen."

Langsam schweiften seine Blicke zu ihr. Er schien verwirrt durch all die Geheimnistuerei, die ihn umstrickte. Im Dämmerlicht blickte er starr in Thereses Augen, als wolle er sich vergewissern, ob wirklich ein Stück von ihm in ihrem Körper lebe. Sie zuckte mit keiner Wimper. Tief atmete er auf, küßte sie auf die Stirn und drückte ihre Hand.

Sie erhob sich.

„Kommst du bald hinauf?" fragte sie mit ruhiger Stimme. Er nickte, und als sie ins Haus zurücklief, nickte er immer noch und nickte ein paar Tränen aus seinen Augen in den krausen grauen Bart.

Dann blickte er zu der Wildfluh auf, zu den sich ballenden grauen Wolken, aus denen die Röte des Sonnenuntergangs entschwunden war.

„Himmel – Heiland – Gottsdunderwätter – nanamal!" fluchte er.

Aber es war kein Fluch, es war der Ausdruck seines Dankes an den Schöpfer, der sich wie ein vulkanischer Ausbruch aus seinem Herzen losriß.

Dann kehrte er ins Haus zurück, völlig verwirrt, aber zutiefst beruhigt.

Nein, es war vieles möglich. Aber daß Therese so zu ihm sprechen konnte, wie sie es getan hatte, mit dem Gesicht einer geläuterten Heiligen, das war unmöglich.

„Es muß wahr sein."

In dieser Nacht lag Therese in seinen Armen. Beide fanden keinen Schlaf. Anton Jakob sprach von der Ankunft des neuen Sohnes, und was er mit ihm beginnen wolle.

Gottfried hörte unter dem Fußboden seines Zimmers das plaudernde Gemurmel, Stunde um Stunde. Er verließ das Haus und irrte bis in den frühen Morgen durchs Tal. Dann zog er sich auf sein Ledersofa zurück, schlummerte ein paar Stunden und ging wieder weg.

Er begann die Atmosphäre des Gamhofes zu hassen. Alles erfüllte ihn mit Abscheu und Ekel. Aber das Haus hielt ihn festgepackt, er mußte immer wieder zurück.

Beim Frühstück traf er seinen Vater. Anton Jakob sah etwas säuerlich und verlegen drein.

„Ich weiß nicht, ob es dir Freude machen wird, Bueb", sagte er, „vielleicht nicht; mich aber freut es. Therese hat mir gestanden, daß sie guter Hoffnung ist. Wenn alles gutgeht, müßte es im April oder im Mai sein. Das weiß sie noch nicht ganz genau."

Gottfried war zumute, als müßte er unter den Tisch sinken. Er konnte die Blicke seines Vaters nicht ertragen, und um seine Gefühle zu verbergen, schnitt er sich tief mit dem Messer in den Finger.

„Schau, was du tust!" rief Anton Jakob.

Gottfried steckte den Finger in den Mund.

„Es freut mich!" sagte er. „Ich gratuliere euch."

Und dann verließ er das Zimmer, vorgeblich, um sich seinen Finger zu verbinden.

Schon in den nächsten Tagen schrieb Anton Jakob an Sophie und ein paar andre nahe Verwandte und teilte die erwartete Ankunft eines neuen Müllers mit. Es dauerte keine Woche, und die Neuigkeit verbreitete sich durch das ganze Gam. Frau Müller war in der Hoffnung! Endlich zeigte sie sich ihren Pflichten gewachsen. Als ein kluger Mann schrieb Anton Jakob einen Nachtrag zu seinem Testament und schickte die Urkunde an seinen Berner Anwalt. Für sein und Thereses Kind mußte ordentlich vorgesorgt werden.

Der fünfzehnte September war ein Sonntag. Die Männer des Arnatales versammelten sich in Gam, jeder mit seiner Flinte bewaffnet, um an dem jährlichen Schützenfest teilzunehmen. Sie kamen aus Lindbach, Arnisboden, Imsteg, Speuz; einige kamen sogar aus den Nachbartälern und hatten die dazwischenliegenden Berge bei Tagesanbruch auf gefährlichen Steigen überklettert. Männer mit wehenden weißen Bärten, schwarzbärtige Männer, jugendlich und flink wie die Grattiere, und andere wieder schwerfällig und unbeholfen wie die Bären, aber allesamt, Großvater, Vater und Sohn, mit glühenden Augen unter den Schießdächern versammelt, unter dem weißen Kreuz im roten Felde, das fröhlich an dem Maste über ihren Köpfen flatterte. Einige von ihnen betätigten sich als Zeiger; die meisten drängten sich eifrig zum Schießen; die älteren aber hielten sich im Hintergrund. Gutes Schießen, meisterhaftes Schießen ist eine Kunst, die nur ein nüchterner und ruhiger Mensch ausüben kann. Nach der Kirche ging Anton Jakob zu den Ständen hinüber. Obgleich er nie eifrig in die Kirche lief, erachtete er es doch stets für seine Pflicht, ein frommes Beispiel zu geben und nicht eher schießen zu gehen, bevor nicht der Gottesdienst zu Ende war. Er ging etwas langsam, sein Karabiner hing am Riemen über der Schulter. Neben ihm schritt Gottfried Sixtus. Es schien ganz sonderbar, daß man auf einmal Vater und Sohn beisammensah.

Als sie bei den Schießständen anlangten, trennten sie sich. Gottfried sah den Schießenden zu. Anton Jakob wartete nicht lange und kniete nieder. Die Meisterschützen standen schweigend hinter ihm, denn er hatte seinerzeit viele Preise davongetragen. Jedesmal fest, sicher zielend, mit einer Pause von einer vollen Minute zwischen je zwei Schüssen, jagte Anton Jakob acht Kugeln hintereinander in die Mitte der Scheibe. Mit diesem Augenblick hatte er all die andern um einen Punkt überholt. Die Leute drängten sich in Gruppen zusammen und begannen das Ergebnis zu diskutieren.

„Ja, d'r Müller, dä Chaib! Das hätte man ihm nicht mehr zugetraut."

„Jä, gäll", sagte Bader und klopfte Anton Jakob auf die Schulter. „Wenn einer einem Stierchen die Kugel durchs Auge jagen kann, und sie kommt auf der andern Seite so heraus, daß man nicht einmal weiß, wo sie hergekommen ist, bis es der Schlächter aufklärt... Hähä! Hähä! Das ist noch schwerer! Gäll?"

Die meisten verstanden die Anspielung und lachten. Anton Jakob wischte sich die Stirn und lachte mit.

Gottfried, der einige Zeit mit einer Gruppe von Männern gesprochen hatte, drehte sich um, und da sah er, daß sein Vater forschend zu ihm herüberspähte.

„Ich gratuliere", sagte er. „Wenn ich nur auch schießen könnte."

„Na – dann nimm den Karabiner und versuch's einmal."

„Nein! Ich würde mich lächerlich machen. Ich gehe jetzt."

„So, so! Du gehst schon?" fragte Anton Jakob mit einer Stimme, die sehr verdrossen und müde klang. „Aber du bist zum Nachtessen zu Hause?"

„Ich bin abends zu Hause."

„So, so! Hm! Jaja!"

Anton Jakob sah sich müde um.

„Hm! Dann geh nur!" sagte er mit kaum verhüllter Verachtung.

Sie nickten einander zu. Gottfried verließ den Schauplatz des Festes und ging nach Hause. Er versperrte die Tür, streckte sich auf sein Sofa aus und verschränkte die Arme über der Brust. Einsamkeit, Abgeschlossenheit, das war alles, was er wollte. Weg von den Menschen! Allein sein mit der Fülle seiner Sehnsucht nach Therese! Wo mochte sie jetzt sein? In der letzten Zeit wich sie ihm aus. Seltsame Blicke warf sie ihm zu, als hege sie einen Argwohn gegen ihn. Sie war völlig im Recht. Wenn sie ein Kind erwartete, konnte sie nicht gut sagen, daß es von ihm sei. Natürlich nicht. Dennoch war es von ihm. Sie hatte es beschworen! Nein, er begriff nicht, was seit jüngster Zeit in ihrem Kopfe vorging. Er fürchtete sich vor ihr, war durch und durch verwirrt. Ah! Aber was für ein Mund! Was für ein Wunder von einem Körper! In diesen Armen zu liegen! Welche Leidenschaft! Welches Feuer! Er holte das Bild, das auf dem Schreibtisch stand.

„Theresli, meine Herzliebste!" flüsterte er. „Du bist unheimlich, du ängstigst mich fast!"

Dann drückte er wie ein Verrückter seine Lippen auf die Fotografie. Sein Kopf sank zurück. Er fühlte sich völlig erschöpft.

Während die Nickelmantelgeschosse über die unschuldigen Wiesen pfiffen, während Anton Jakob mit seinen Treffern gute Fortschritte machte und Gottfried Sixtus ausgestreckt auf seinem Sofa lag, spazierte Therese auf einem Fußpfad durch die herbstlichen Wälder. Sie ging rasch, und bei jedem Schritt wiegten sich ihre Hüften. Ihr Gesicht war starr wie eine aus Marmor gemeißelte Maske. Ein verirrtes schwarzes Hündchen, das einem der Scharfschützen gehörte und seinen Herrn verloren hatte, hüpfte auf drei Beinen hinter ihr her, die Schnauze dicht auf dem Boden. Therese schenkte ihm keine Beachtung. Sie wußte nicht einmal von seiner Existenz.

Mit einem Punkt Vorsprung gewann Anton Jakob den Lorbeerkranz. Den Schützenkönigkranz auf seinem Schädel, den Karabiner über seiner rechten Schulter, so marschierte er an der Spitze des Gamer Schützenvereins zum „Bären". Die meisten Zimmer des großen Gasthauses waren schon voll. Aber da gab es ein braungetäfeltes Stübli mit etlichen Stammtischen, und der Zutritt zu diesem kleinen Raum blieb an solchen Tagen ausschließlich für Anton Jakob reserviert. „Johann Timm!" schrie Anton Jakob mit gewaltiger Stimme, sobald er unter dem wohlbekannten Torweg anlegte, wo sich nun eine eilige und festliche Menge drängte. „Johann Timm!"

Meister Timm erschien in Schürze und Hemdärmeln.

„So, da kommt ja schon unser Hänsli!" sagte Anton Jakob.

„Ja, nanamal!" rief Timm, als er den Lorbeerkranz auf dem schützenköniglichen Haupt erblickte. „Ist das wahr? Mi Gotts Seel!"

Er beugte sich zurück, reckte seinen riesigen Bauch vor, umklammerte ihn mit seinen zwei riesigen wulstigen Pfoten und brach in ein gigantisches Gelächter aus. Fast sein ganzes Gesicht verschwand hinter dem riesigen Mund, der wie eine Höhle klaffte. Timm schüttelte sich vom Kopf bis zu den Füßen. Er schwankte von einem Bein zum andern; aber seine plumpen Füße waren so breit und so lang, daß er nicht umfallen konnte. Seine Doppelkinne schienen anzuschwellen, sie schlotterten und wackelten. Das Lachen wollte kein Ende nehmen. Zu guter Letzt aber schloß er mit einem hohen ächzenden Tone und wischte sich mit dem Handrücken die Augen.

„Schämt ihr euch nicht?" wandte er sich an die Schar der Scharfschützen hinter Anton Jakob. „Ihr habt in der letzten Zeit so viel mit euren Mäulern geschossen! Jawohl! – Meinen Glückwunsch, Herr Alt-Regierungsrat!"

Er schüttelte Anton Jakob herzlich die Hand.

„Wo ist der Schlüssel zu meinem Stübli?" fragte Anton Jakob. „Ich habe Gäste heute abend. Eine ganze Menge. Bader kommt auch. Und dann noch Binder und Knöpfli, d'r Manneli und d'r Peter. Geh, mach mein Stübli auf!"

Er drehte sich um.

„Und jetzt, meine Herren, ziehen wir los!"

Timm lief mit unglaublich kurzen, aber unglaublich raschen Schritten den Korridor entlang.

„Emilia!" schrie er im Laufen. „Emilia! Friedalie! Josephine! Kommt! Die Herren rücken an! Jesses Gott! Ob ich auch genug Forellen habe! Filet ist da! Härdöpfel häm mer au!" Einige Frauen, die seine Stentorstimme herbeibeschwor, erschienen sofort, um der Zusammenstellung des Menüs zu lauschen, aber sie verschwanden wieder eilig, weil andre Leute dringend nach ihnen riefen.

Timm riß die knarrende Eichentür des Stüblis auf und verneigte sich dann mit einladender Gebärde.

Er sah Anton Jakob fragend an. Anton Jakob kannte diesen Blick, wie er alle Blicke Timms kannte.

„Ja, wie viele sind wir?" gab er zur Antwort. „Sagen wir, vorläufig zwanzig. Ja, hm! Bring mal vorläufig zehn Liter."

„Wohl! Aber wollt ihr nicht gleich essen?"

„Nein, später. Wir essen droben im Saal. Die Herren haben ihr Weibervolk eingeladen."

„Jesses! Die reine Hochzeit!" rief Timm und verschwand durch eine benachbarte Tür, während sich Anton Jakob und seine Gefolgschaft im Stübli niederließen.

„Das wächst uns über den Kopf!" schrie Timm die Emilia an, als er in die Küche stürzte. „Was! Alle Töpfe schon auf dem Feuer! Ich weiß nicht, was ich zuerst anpacken soll! Dunnerhagel nanamal!"

„Was wollen die Herren essen und wann?"

„Ah, später! Später. Laßt mich jetzt in Frieden! Ich weiß nicht, wo mir der Kopf steht. Fritzli! Zehn Liter ins Stübli, schnell! Gib auf die Gläser acht! Zerbrich sie nicht! Sag Alfredli, er soll mit einem Korb an den Brunnen kommen. Zwanzig mal drei ist sechzig. Nein, das Weibervolk auch noch dazu? Macht sechzig und vierzig, ist hundert! Ein ganzer See! Wo soll ich sie hernehmen?"

Er drehte hastig ein Brathuhn um. Alfredli, ein schmächtiger blasser Junge, erschien mit einem Korb.

„Geh zum Brunnen! Ja! Das genügt, um jeden Menschen verrückt zu machen! Gib auf diese Ente acht, Emilia, sie ist für die vornehmen Leute, die aus Speuz ankutschiert sind. Der Herr Oberst Christ und seine Gesellschaft."

Er verließ die Küche, ging durch den Obstgarten, drängte sich zwischen Stühlen und Tischen durch, nickte nach rechts und nach links, schob sich weiter, entschuldigte sich, blieb mal einen Augenblick stehen, um einem Gast einen kleinen nichtsnutzigen Witz ins Ohr zu flüstern. Gelächter belohnte ihn, dann eilte er weiter und kam schließlich zum Brunnen. Dort nahm er ein Netz zur Hand, lupfte etliche hölzerne Bretter, tauchte das Netz in das kristallhelle Wasser, planschte ein wenig, drehte den Stiel um und zog einen wimmelnden Schwarm von Fischen heraus. Dann nahm er einen Fisch nach dem andern, schlug ihn mit dem Griff eines Messers auf den Kopf, schlitzte ihn der Länge nach auf und nahm mit einem einzigen Ruck seines Daumens die Eingeweide aus. „Au bleu! Au bleu", sagte er, sooft er mit dem Messergriff auf einen Kopf schlug. „Au bleu vier, au bleu fünf, au bleu sechs! Alfredli, merk dir die Zahl."

Und wieder tauchte das Netz ins Wasser. „Sie müssen sich mit ihnen begnügen, so wie sie sind. Auf jeden Fall sind sie frisch, wenn sie auch nicht in der Pfanne zappeln! Ich kann nicht jeden separat umbringen, kochen und anrichten. En gros! Was erwarten sie denn? Au bleu sieben, au bleu acht! Fast hätt's einen Finger erwischt! Hähä! D'r Joggi Schützechüng! Au bleu neun! Au bleu zehn! Nimm's Netz, Alfredli, und halt den Korb schön gerad!"

Aus dem Stübli scholl ein Chor von Männerstimmen:

„Wo Berge sich erheben
zum hohen Himmelszelt,
da ist ein frohes Leben,
da ist die Alpenwelt!
Es grauet da kein Morgen,
es dämmert keine Nacht,
dem Auge unverborgen
das Licht des Himmels lacht."

Dicker blauer Rauch erfüllte das Stübli; große Krüge voller Wein machten die Runde, Gesichter glühten in Laune und Wohlbehagen. Anton Jakob schickte nach Fritzli. Als Fritzli erschien, sagte er:

„Nun, Buebi, lauf hinunter und sag der Frau Müller, daß ich einen Kranz habe, daß ich Schützenkönig bin. Und sag ihr, daß wir dies heute abend feiern werden und daß viele Damen hier sein werden. Auch sie sei herzlich eingeladen und auch Herr Gottfried. Kannst du dir's merken?"

„Ja, Herr!"

Fritzli begab sich auf seinen Botengang. Ein wenig später kam er zurück und meldete, Frau Müller lasse sagen, daß sie nicht kommen könne, weil sie sich nicht wohl fühle, daß sie aber die Neuigkeit mit großer Freude gehört habe.

„Und Herr Gottfried?"

„Herr Gottfried ist sehr beschäftigt, hat Frau Müller gesagt."

„So, aha! Hm! Schön und gut!"

Ein Gefühl bitterer Einsamkeit stieg in Anton Jakob auf. Und dann eine wilde schreckliche Wut. Auf einen Zug stürzte er ein volles Glas Wein hinunter. „Wenn nur das Zeug nicht so leicht zu trinken wäre! Verdammi nanamal!"

Gegen elf Uhr ging Anton Jakob Müller nach Hause. Er hatte reichlich gegessen und übermäßig getrunken. Sein Schritt war unsicher. Röthlisberger, gleichfalls auf dem Heimweg, begleitete seinen Herrn. Auf dem Hof wünschten sie einander gute Nacht.

Anton Jakob trat ins Haus. Den Kranz auf dem Kopf und den Karabiner in der Hand, schlich er schwerfällig zu Thereses Zimmer hinauf. Diesmal wollte er sie überraschen. Rasch riß er die Tür auf. Aber da bot sich ihm ein Bild, das auf den ersten Blick äußerst friedlich und sittsam schien.

Gottfried kauerte auf dem Fußboden und hielt ein Buch in der Hand, aus dem er offenbar Therese vorgelesen hatte. Sie saß in ein Kissen gelehnt auf ihrem Sofa. Als ihr Mann in der Tür erschien, drehte sie rasch den Kopf.

„Zum Tüfel nanamal!" schrie Anton Jakob, als er diese Szene sah. „Was soll das heißen? Diesmal habe ich euch erwischt, wie? Was spielt ihr beide? Puppentheater oder was? Was liest du ihr denn wieder vor? Was ist das wieder für ein bösartiger Dreck?"

Gottfried sprang eilig auf.

„Gedichte", sagte er erblassend und hielt dem Vater das Buch hin. Anton Jakob schlug ihm das Buch aus der Hand.

„Ihr seid mir ein sonderbares Pärchen in meinem Hause!" rief er aus. „Habt ihr nicht mehr Achtung vor mir? Habe ich nicht Fritzli

238

zu euch geschickt, ihr sollt in den ‚Bären' kommen! Nein, sie kann nicht kommen! Frau Müller fühlt sich nicht wohl! Nie fühlt sie sich wohl!"

„Toni", sagte Therese ruhig und erhob sich. „Benimm dich! Schrei nicht so!"

Einen Augenblick herrschte Totenstille. Anton Jakob sah, daß seine Frau einen losen Schlafrock trug und darunter nur sehr wenig anhatte. Das Blut wich eine Sekunde lang aus seiner Stirn. Er riß den Karabiner von der Schulter und warf ihn aufs Sofa. Jäh schritt er auf Therese zu und starrte ihr ins Gesicht.

„Eins möchte ich wissen", brummte er. „Warum bist du nicht gekommen, als ich dich holen ließ? Schämst du dich meiner? Bin ich für dich nicht gut genug? Was soll das heißen, daß du nicht tun willst, was ich will? Sind meine Freunde nicht anständige Leute? Alle waren sie da, verstanden, ehrliche Leute, und zum Essen kam auch das ganze Weibervolk. Ja! Seit Wochen habe ich auf diesen Tag gewartet. Ich wollte den Preis gewinnen! Und ich habe ihn gewonnen! Obwohl ich auf den Sechziger zurücke! Obwohl man mich am hellichten Tag zerschnitzelt hat und die Leber herausgeholt. Aber du bist nicht erschienen! Nein! Frau Müller hat sich nicht wohl gefühlt! Hähä! Eine Schande, Maidi! Du solltest dich schämen. Daß du hier bei dem Bueb sitzest, kaum einen Fetzen am Leibe, die Beine vor seinem Gesicht schlenkerst und zuhörst, wie er dir lausige Gedichte vorliest!"

„Du lieber Gott!" warf Gottfried ein. „Wir haben nicht den geringsten Grund, uns zu schämen. Hast du erwartet, daß wir die Bibel lesen? Für was hättest du uns dann in diesem Fall gehalten?" Sein Mund zuckte nervös.

„Da irrst du dich!" schrie Anton Jakob. „Du könntest die Bibel brauchen, beide könntet ihr sie brauchen!"

Zitternd vor Wut trat er zurück.

„Du", fuhr er fort und zeigte auf seinen Sohn, „du taugst zu nichts! Geh deiner Wege und laß sie in Frieden! Ich brauche deine Hilfe nicht. Geh und putz vor der eigenen Tür, bevor du versuchst, sie zu erziehen!"

„Genug jetzt!" sagte Therese in gebieterischem Ton. „Ich glaube, das genügt, Toni!"

„So, wirklich genug?"

„Ja, du hast zuviel getrunken!"

„Getrunken? Oh, aha! Hm!"

Anton Jakobs Stimme wurde heiser; Wasser stieg in seine Augen.

„Schämst du dich nicht, Maidi, mir so etwas vor dem Bueb zu sagen? Ist das dein ganzer Anstand?"

Er nahm seinen Lorbeerkranz vom Kopf und zerriß ihn wütend in kleine Stücke.

„Da hast du's!" knirschte er. „So denke ich jetzt! Diesen jungen Nichtstuer mit seinen lausigen Gedichten ziehst du dem Ehrenplatz an der Seite deines Mannes vor. Das ist das letzte Mal, daß ich auf eine Zielscheibe geschossen habe. Das ist der letzte Preis, den die Müller gewonnen haben!" Er warf ihr den zerrissenen Kranz vor die Füße. Er tobte. „Das nächste Mal", drohte er, schier außer sich, „das nächste Mal schieße ich auf ein lebendes Ziel! Verstehst du mich?" Dann drehte er sich zu Gottfried um und brüllte ihn an: „Ins Bett mit dir, Bueb! Geh mir aus den Augen! Du bist der Fluch meines Lebens!"

Stumm verließ Gottfried das Zimmer und ging die Treppe hinauf. Dann packte Anton Jakob Therese am Arm. Sein Griff schmerzte sie, aber sie wehrte sich nicht. Er zog ihren Schlafrock zur Seite, um sich zu überzeugen, daß sie darunter nur ein Nachthemd und die Strümpfe anhatte. Sein Gesicht verzerrte sich. Seine Augen verschwanden fast hinter den roten Rändern.

„So steht es also, wie?" brüllte er.

„Toni", sagte Therese begütigend, „wäre es nicht besser, wenn du ins Bett gingest, statt alles zu verfluchen und mich zu beschimpfen?" –

„Bett? Ich habe mein Bett satt! Ich habe dieses halbe Leben völlig satt! Heute nacht mußt du zurück in mein Zimmer und eine richrige Ehefrau werden! Schluß mit dem dummen Zeug! Und ich binde dich an mein Bett fest! Jawohl! Und ich verbrenne deine verfluchten Bücher, deine Gedichte. Und ich zerbleue dir den Buckel, wenn du dich noch einmal so schamlos auszichst. Deine Kleider verbrenne ich und stecke dich in einen Sack, jawohl! Lach du nur, Maidi, hähä, wenn es dir Spaß macht, aber du sollst noch heulen, bevor ich mit dir fertig bin! Halte mich nicht für einen Hanswurst! Ich habe gute starke Augen, und ich weiß sie zu gebrauchen. Du wärst nicht die erste, die man aus dem Straßengraben gezogen hat, um sie wieder darein zurückzuschmeißen. Mi Gotts Seel, ich vergesse manchmal, wer dein Vater war! Ein Sträfling! Das war er, vergiß es nicht!"

Er tobte sich in eine grenzenlose Wut hinein.

„Diese Worte mußt du mir hinunterwürgen, und wenn es dir auch kotzübel dabei wird." Kreidebleich verließ Therese das Zimmer.

Anton Jakob donnerte ihr einen Fluch nach.

„Und wenn ich dich jemals wieder mit dem Bueb erwische, dann hat's ein Ende!" schrie er hinter ihr her. „Ganz gleich, ob Kind oder nicht Kind, ich schieße dich nieder!"

Therese versuchte die Treppe hinaufzusteigen, aber die Stufen schienen unter ihren Füßen hinwegzugleiten. Krankhaft war die Blässe ihres Gesichtes. Schließlich schleppte sie sich hinauf und klopfte an Gottfrieds Tür. Er öffnete sofort.

„Was willst du? Willst du etwas, Theresli?" fragte er tonlos. Sie nickte, dann schüttelte sie den Kopf. Sie konnte nicht sprechen. Ihr Mund war voll Speichel, und sie konnte ihn nicht schlucken. Gottfried stützte sie mit seinem rechten Arm. Eine tödliche Angst packte ihn. Er starrte auf die Tür, und jeden Augenblick erwartete er den Karabiner seines Vaters auf sich gerichtet zu sehen. Er taumelte. Fast wäre er samt Therese zu Boden gestürzt. Dies war nun wohl das Ende ihrer Liebe. „Du bist der Fluch meines Lebens!" Immer noch klangen diese schrecklichen Worte an seinen Ohren. Das Ende! Ganz sicherlich das Ende. Vater wußte alles, er mußte es wissen, sonst hätte er nicht diesen Fluch ausgestoßen. „Theresli, Liebstes!" flüsterte er. „Komm zu dir, richte dich auf!" Eine Treppe tiefer schlug eine Tür zu. Thereses Körper wurde plötzlich steif. „Horch!" sagte sie. Totenstille. Krampfhaft schluckte sie mehrere Male hintereinander. „Das war seine Schlafzimmertür. Hörst du? ... Er sperrt ab."

„Geh hinunter, Theresli! Um Himmels willen, Theresli, geh hinunter! Wenn er heraufkommt! Wer weiß, was er tun wird."

Sie schüttelte den Kopf.

„Nein! Er wird nicht heraufkommen. Ich weiß, er wird nicht heraufkommen."

„Geh hinunter! Geh hinunter!" wiederholte er verzweifelt. Aber sie schloß die Tür.

„Ich habe gehört, wie er dir drohte! Therese, ich bitte dich, bitte, geh hinunter. Sperr dich in dein Zimmer ein. Er ist betrunken."

Therese zupfte ein Lorbeerblatt von ihrem Schlafrock und warf es weg.

„Bald wirst du noch viel mehr Grund haben, dich zu ängstigen", sagte sie kalt. „Es wäre mir gleichgültig, wenn er jetzt heraufkäme. Er könnte nichts weiter tun, als dich oder mich oder uns beide niederschießen. Ha! Das wär' kein so furchtbares Unglück. Vielleicht das Beste, was uns geschehen könnte." Wie geistesabwesend fügte sie hinzu: „Jaja! So weit ist es also jetzt gekommen. Gottfried – entweder er oder ich."

Sie lachte ein abstoßendes Lachen.

„Bist du verrückt?"

„Ich? O nein!"

Sie lachte hart auf.

„Ich bin gesund, Gottfried! Ich bin nicht verrückt!"

Ihre Selbstbeherrschung schien ihm erschreckend. Er konnte ihr Lachen in solch einem Augenblick nicht verstehen.

„Morgen früh", sagte er, „verlasse ich das Haus."

„Mich verlassen? Hm! Hm! Also zuerst Sohn und dann erst Liebhaber? Gottfried! Ah, ich verzeihe dir, ich lasse dich fort. Aber wenn du zurückkommst, findest du mich in deinem Bett, und ich habe den Rest des Pulvers verschluckt. Nicht du bist jener Skorpion – ich will es sein! Ich habe keine Angst davor! Schau mich nur nicht so an! Ich werde auf dein Bett niederfallen, Gottfried, Liebster, und meine Leiche wirst du hinaustragen und begraben."

Sie sah ihn scharf an. Unwillkürlich wich er vor ihr zurück. „Therese, versteh doch, es ist unmöglich – ich kann nicht im Hause bleiben. Ich bin der Fluch seines Lebens. Er sah deinen Aufzug. Er muß alles wissen. Mag sein, daß er viel getrunken hat, aber was er sagte, war ernst gemeint. Er wird sich morgen früh an jedes Wort erinnern."

„Er wird sich . . . morgen früh . . . an nichts erinnern, glaub' mir", sagte Therese kalten Tones und wandte ihr Gesicht ab. Gottfried starrte sie mit tiefem Argwohn an. Plötzlich packte er sie am Arm.

„Therese, du bist schrecklich heute nacht! Was hast du vor?"

„Gut, du sollst es wissen. Wenn der Alte morgen abend noch am Leben ist, kannst du mich für ewige Zeiten verlassen. Oder ich werde verschwinden. Denn so wahr ich Therese Etienne heiße, ich und nicht er muß dann ins Grab."

„Therese? Was hast du getan?"

„Was ich getan habe? Hm! Was? Ich habe das Pulver in zwei Hälften geteilt. Ja, und die eine Hälfte wird er schlucken müssen. Heute nacht noch wird er sie schlucken müssen, Gottfried! Wenn nicht, dann nehme ich die andre Hälfte. So muß es sein – und ich hab's getan."

Gottfried sprang, außer sich, auf sie zu und packte sie an die Kehle, als wolle er sie erwürgen. Er hätte sie erdrosseln können. Therese leistete keinen Widerstand. Im Gegenteil. Sie schien sich fast wollüstig seiner Wut hinzugeben.

Plötzlich begann er sie auf Mund und Augen zu küssen. Sie wehrte ihm nicht.

„Es ist dein Werk, Gottfried", flüsterte sie. „Du brauchst ja nur hinunterzugehen und ihn zurückzuhalten, wenn du willst. Du brauchst ihm nur zu sagen, daß Gift in seiner Nähe ist!"

Gottfried ließ sie sofort los und glitt auf die Kante seines Bettes. Er bedeckte sein Gesicht mit beiden Händen. Er stöhnte. Entsetzlich die Gefahr, die seinen Vater bedrohte! Das Grauen beschlich ihn. Kein Zweifel! Therese hatte das Gift aufgehoben, das sie aus seiner Tasche genommen hatte! Was sollte er tun? Hinuntergehen und seinen Vater aufklären? Sofort hinuntergehen unter dem Vorwand, daß ihm der Auftritt leid tue, daß er sich entschuldigen wolle? Versuchen, das Arsenik zu finden? Oder hinuntergehen, um ihm die volle Wahrheit zu sagen? Dann aber würde Therese sicherlich ihre Drohung ausführen! Das wußte er. Grauenvoll! Und sie würde nicht zaudern! Nein, nein! Entsetzlich! Inzwischen verrinnt die Zeit. Er muß handeln, etwas beginnen! Er muß! Er darf, er will sich nicht zu dem Furchtbaren, zu einem Vatermord hinreißen lassen! Das Blut erhob seine Stimme gebieterisch in Gottfried. Er zitterte am ganzen Leib, und seine Gedanken drängten danach, daß er hinuntergehe und zunichte mache, was sie getan hat.

„Sag mir um Gottes willen, wo du das Arsenik hingelegt hast. Ich werde sofort hinuntergehen und es holen. Was kümmert es mich, was der Alte denkt! Ich verlasse ja ohnedies morgen sein Haus."

„Ich sage es nicht", antwortete sie kalt und beinahe höhnisch. Gottfried sprang auf. Er öffnete die Tür und lauschte. Unheilvolle Stille herrschte im ganzen Haus. Nur das feierliche Ticken einer Großvateruhr ließ sich vernehmen. Eben wollte er die Treppe hinuntergehen, als er sah, wie Therese rücklings auf sein Bett taumelte. Ihr Gesicht war bleich wie Wachs. Rasch schloß er die Tür und lief zu ihr hin.

„Theresli, hast du von dem Gift genommen?"

Sie richtete sich langsam auf und legte einen Arm um seinen Hals. „Hab keine Angst um mich!" sagte sie. „Erst will ich in allen Dingen sicher sein, bevor ich mich selbst vergifte."

„Therese, das ist Mord!"

„Nenn es, wie du willst, mich kümmert's nicht."

„Therese, Therese, ich beschwöre dich, Theresli, Liebste, mein alles! Theresli, geh hinunter und verhindere, was sonst kommen muß. Ich flehe dich an, laß nicht den armen alten Mann in Qualen sterben! Ich bin sein Kind, Therese, versteh mich doch!"

Er kniete nieder, umfaßte sie und starrte ihr ins Gesicht.

„Es wird an den Tag kommen. Es ist schlimmer als Mord, Theresli, es ist Vatermord. Grauenhaft!"

„Es wird nicht an den Tag kommen."

Ein finsteres Leuchten schimmerte in seinen Augen. Ihr Gesicht war unbarmherzig.

„Schmutziger Sträfling!" gluckste eine Stimme in ihren Ohren. O nein, für den, der dies sagen konnte, hatte sie kein Mitleid mehr. Der Alte muß sterben! Der Tag des Gerichts war gekommen. Der alte Mann Jakob Müller mußte sterben!

Tiefe Stille erfüllte das matt erleuchtete Zimmer. Es war kalt und dumpf. Die schnarrende alte Großvateruhr im untern Stock rasselte Mitternacht. Gottfried erhob sich und ging ans Fenster, das er öffnete; er mußte frische Nachtluft hereinlassen. Er erstickte fast. Als er sich nach einigen Augenblicken umdrehte, lag Therese auf dem Bett, das Gesicht in ihren Händen vergraben.

Er beugte sich über sie, legte seinen Arm um ihre Mitte.

„Theresli!" sagte er fast völlig erschöpft. „Ich liebe dich, du weißt es. Versuche doch, meine Lage zu verstehen. Es ist nicht die Schuld des Alten, daß es zu all diesen Dingen kam. Es ist doch alles meine Schuld. Hörst du mich, Theresli?" Er streichelte ihre Beine, beugte sich über sie und küßte beinahe willenlos ihre Haare, ihren Nacken. Er war am Weinen.

„Kannst du nicht hinuntergehen, in sein Zimmer, und dafür sorgen, daß das Gift verschwindet. Bring es mir hierher, Theresli!" Sie rührte sich nicht.

„Es ist ja so leicht für dich. Schau, du gehst einfach ruhig hinein und nimmst es weg. Einerlei, was er sagt. Er wird wahrscheinlich nicht einmal aufwachen. Er hat eine Unmenge Wein getrunken, und der Wein schläfert ihn ein. Komm jetzt! Rasch!"

Er versuchte, sie aufzuheben, aber sie war nicht zu bewältigen, schwer wie ein Baumstamm lag sie da. Wieder beugte er sich zu ihr hinab und flehte:

„Liebste! Geh hinunter!" Sie rührte sich nicht. Da packte ihn der Zorn. „Therese, wenn du nicht hinuntergehst, so muß ich dich ewig hassen! Sag doch etwas! Zum Teufel mit dir! Steh auf, Therese, und geh hinunter. Tu, was ich dir sage!"

Er warf sich über sie und schüttelte sie. „Geh hinunter, sag' ich!"

Mit schlangenartiger Flinkheit riß sie sich unter ihm herum; sie schlang die Arme um seinen Hals, preßte seinen Kopf an sich, suchte seinen Mund und biß ihn in die Lippe. Er sprang auf. Fast von Sinnen, lief er zur Tür und öffnete sie. Therese setzte sich auf, ein Seufzer entfuhr ihr.

Plötzlich hielten sie beide den Atem an. Unten hatte eine Tür geschlagen. Eine zweite Tür wurde geöffnet und geschlossen. Sie hörten ein leises Geräusch. Ein Stöhnen, wie von einem Todkranken. Nach einer kurzen Stille hörten sie Wasser fließen. Dann ging eine Tür auf und fiel wieder zu. Es war unheimlich. Sie hörten Anton Jakob stöhnend und hustend durch den Korridor in sein Zimmer schlurfen.

Gottfried fühlte am ganzen Leibe den kalten Schweiß hervorbrechen. Therese stieg langsam vom Bett herunter und ging auf die Tür zu. Er stellte sich vor sie hin.

„Laß mich hinaus!" schrie sie ihn an.

Er ließ sie vorbei und sah ihr nach, wie sie mit wächserner Hand das dunkle Eichengeländer der Treppe packte.

Therese ging ins Badezimmer und wusch sich. Dann begab sie sich ins Bett. Die Verbindungstür stand ein wenig offen, aber kein Laut kam aus Anton Jakobs Zimmer. Still, fast atemlos lag sie im Finstern. Ihre Sinne und ihre Denkkräfte schienen unendlich gesteigert. Sie hörte, wie vor dem Fenster der Nachtwind die Geranien zauste. Die alten Balken des Hauses knackten. Und droben in Gottfrieds Zimmer regte sich ein leises Geräusch.

In ihren Träumen spazierte sie durch Gam, in schwarzer Witwenkleidung, eine freie Frau! Eine Frau, die sich endlich ihr Schicksal selbst gestalten darf. „Der schmutzige Sträfling", klang es in ihren Ohren. Und diese Worte riefen ihr die Kindheit zurück. Die frühen Jahre ihres Lebens fluteten mit all ihren winzigen Einzelheiten durch ihr Gedächtnis. Die finstere Mörderseele ihres Vaters schien im Zimmer zu schweben. – Ja, dachte sie, andre drohen, andre sprechen von dem Tod ihrer Feinde; aber meine Gedanken werden zur Tat. Ich habe nie gedroht, nie geschwatzt, ich tue es ganz einfach. Ich habe die Kraft dazu. Ja, jetzt räche ich mich an meinen Mitmenschen für all die Ungerechtigkeit, die sie mir antaten, unter der ich zu leiden hatte. Etienne-Mariano! Ja! Ich werde mein Kind nach meinem Vater nennen, und kein Mensch soll die Wahrheit erfahren. Tief in meinem Herzen werde ich das Geheimnis tragen, und dieses Geheimnis wird und muß Gottfried bis ans Ende meines Lebens an mich fesseln."

„Theresli! Oh!" hörte sie plötzlich Anton Jakobs Stimme aus dem Nebenzimmer, und dann wieder, aber noch lauter – unsagbar gequält: „Theresli! Theresli! Maidi!"

Sie fühlte, wie ihr der Schweiß aus der Stirne und aus den Händen brach; prickelnd wie Nadelstiche. Nie hatte sie gewußt, daß so furchtbare Qual und Verzweiflung aus einer Menschenstimme klingen könnte.

„Oh! Theresli! Komm!"

„Was ist los?" schrie sie aus dem Bett zurück.

Keine Antwort. Aber sie konnte sein Stöhnen hören. Sie stand auf, schlüpfte in ihre Pantoffeln und betrat sein Zimmer. Die Lampen brannten. Sie sah ihren Mann im Nachthemd auf der Kante seines Bettes sitzen. Er sah sehr elend aus, und seine Blicke irrten verloren durch das Zimmer, bis sie sich schließlich mit einem stumpfen, gequälten Ausdruck auf sie hefteten.

„Ich dachte, du kommst überhaupt nicht mehr!" klagte er mit leiser Stimme, wie ein Kind. „Oh! Mir ist so schlecht gewesen! Ich möchte mich die ganze Zeit übergeben, aber ich kann nicht, ich kann nicht." Er schauderte zusammen. „Lege dich hin!" sagte sie. „Vielleicht wirst du dich dann besser fühlen! Und warum diese vielen Lampen? Sie tun mir in den Augen weh!"

Sie drehte die Hauptbeleuchtung in der Mitte des Zimmers ab und ließ nur eine kleine Tischlampe brennen.

„Ich mußte massenhaft trinken, das gebe ich zu!" stöhnte er. „Und auch massenhaft essen. Mir ist schrecklich schlecht. Oh!"

Er schwankte, dann richtete er sich auf.

„Ich war heute abend schlecht gelaunt", fuhr er fort. „Maidi, ich habe nicht alles so gemeint, wie ich es sagte, aber du hättest nicht in diesem Aufzug bei dem Bueb sitzen sollen. Ah! Jetzt fühle ich mich so elend! Ich weiß nicht, was mit mir los ist. Oh! Ich bin sehr krank! Oh!"

Er fiel seitlings auf sein Bett. Plötzlich erhob er sich.

„Jesses, schnell! Ich muß mich übergeben! Das Waschbecken, Maidi! Schnell!"

Sie goß etwas Wasser in ein Becken und stellte es auf sein Bett. Er erbrach sich. Therese wäre selbst beinahe übel geworden. Dann sank er erschöpft zurück. Sie hob seine Beine aufs Bett hinauf und trug das Becken in das Badezimmer. Dort leerte sie es aus, wusch es und trug es dann wieder zurück.

„Jetzt fühle ich mich ein wenig besser", sagte er, „aber dieses Brennen! Es brennt! Ah! Wieder diese verfluchten Steine! Das alles habe ich reichlich verdient! Ja! So zu essen und zu trinken, wie ich's heute abend getan habe! Und mich über ein Nichts aufzuregen! Maidi, oh!"

„Warum nimmst du nicht etwas von deinem Lebersalz?"

Sie deutete auf ein kleines Fläschchen auf dem Waschtisch.

„Ich habe ein bißchen genommen, bevor ich mich ins Bett legte; ich wollte nüchtern werden."

Er begann zu stöhnen.

„Soll ich dir einen Kognak holen?" fragte sie.

Der Brechreiz schüttelte ihn.

„Nichts! Nichts!" murmelte er mit abweisender Handbewegung. Er versuchte zu schlucken, aber er konnte nicht.

„Maidi! Maidi!" schrie er plötzlich. „Ich habe schreckliche Schmerzen! Ah!"

Sie eilte zu ihm hin. Er stieß die Bettdecke zur Seite.

„Laß mich rasch aufstehen! Rasch! Ich muß hinaus! Hilf mir! Hilf mir!"

Er packte sie beim Arm, zog sich in die Höhe, stieg aus dem Bett, und von ihr gestützt, schritt er durch den Korridor zum Klosett. Sie wartete auf ihn. Da packte sie eine jähe Angst. Sie lief fliegenden Schrittes zu Gottfrieds Zimmer hinauf. Mit dem Gesicht nach unten lag er auf seinem Bett, so wie sie zuvor gelegen hatte. Sie ging zu ihm, drehte seinen Kopf herum und sah ihm ins Gesicht. Es war sehr heiß und gerötet, seine Augen waren geschlossen. Seine Lippen waren fest zusammengepreßt, die Unterlippe blutete noch von ihrem Biß.

„Du hast die Gelegenheit verpaßt, ihn zu warnen", sagte sie. „Jetzt bist du also mit mir hineingerissen! Du hättest ihn retten können, aber du hast es versäumt. Nun werde ich's selber zu Ende führen."

Er gab keine Antwort. Er öffnete nicht einmal die Augen. Mit wütendem Griff zerrte sie seinen Kopf an den Haaren hoch.

„Wenn es zum Handeln kommt", zischte sie, „dann seid ihr Männer feig, feig wie erschrockene Mäuse!"

Sie stieß seinen Kopf wieder in die Kissen zurück und lief hinunter.

Anton Jakob war noch nicht zurückgekehrt. Rasch glitt sie in sein Schlafzimmer, nahm das Fläschchen Lebersalz, trug es in ihr Zimmer und versteckte es unter ihrem Kissen. Dann ging sie an eine Schublade, holte ein neues Fläschchen Lebersalz hervor, von der gleichen Sorte und ungefähr bis zur Hälfte voll, eilte in Anton Jakobs Zimmer zurück und stellte es an den Platz der andren

Flasche. Als das getan war, schlich sie in den Korridor zurück. Aschbleich erschien der Alte.

„Es ist schrecklich! Schrecklich!" stöhnte er. „Ich habe die Kolik."

„Komm ins Bett zurück!" Sie nahm seinen Arm.

„Der Fisch war doch frisch!" sagte er im Gehen. „Timm würde mir sicher keinen schlechten Fisch vorsetzen. Nein, er war frisch!" Er schauderte zusammen. „Das Fleisch war gut. Oh, oh, hilf mir! Ich falle um! Ich muß mich wieder übergeben. Der bloße Gedanke an Essen dreht mir den Magen im Leibe um."

Er übergab sich auf dem Korridor.

„Wasser, Wasser!" rief er. „Gib mir Wasser zu trinken. Jesses nanamal!"

Sie half ihm ins Bett und fragte ihn, ob er nicht doch einen Kognak wolle.

Wieder schauderte er zusammen. Alles, außer Wasser, schien seinen Ekel zu erregen. Er schüttelte den Kopf. Sein Blick war apathisch auf den Fußboden gerichtet.

„Nichts! Nein, Wasser, Maidi! Gib mir! Gib mir!"

Sie näherte sich ihm, ein Glas in der linken Hand, einen Krug in der rechten. Es gemahnte sie an frühere Jahre, als sie seine Magd gewesen und ihm abends heißes Zitronenwasser bringen mußte und er sie zum erstenmal auf seine Knie gezogen hatte. Mit zitternden Händen nahm er den Krug von ihr und trank ihn leer wie ein Mensch mit völlig ausgedörrter Kehle, halb von Sinnen vor Durst. Sie füllte den Krug wieder voll und stellte ihn neben das Bett auf einen Stuhl.

Er lehnte sich zurück. Sein Gesicht begann zu zittern, und ein feuchter, metallischer Schimmer überzog seine Haut. Therese ging in die Küche, band sich eine Schürze über das spitzenbesetzte Nachthemd, nahm einen Kübel Wasser und säuberte den Korridor. Sie leerte den Eimer aus und stellte ihn ins Badezimmer. Dann ging sie in ihr Zimmer, holte das Fläschchen unter dem Kissen hervor, schüttete den Inhalt in den Ausguß und wusch das Gefäß aus. Sie stellte das Fläschchen in das unterste Fach eines Schranks zwischen Dutzende andrer Fläschchen, von denen einige gleichfalls Lebersalz enthalten hatten. Dann schien ihr plötzlich etwas einzufallen. Sie lief in ihr Zimmer, öffnete eine Schublade und holte ein winziges kleines Paket hervor, das unter einem Buch gelegen hatte, und warf es in den Ausguß. Nach all diesen Maßregeln schien sie merklich erleichtert. Als sie zu Anton Jakob zurückkehrte, starrte er sie mit eingesunkenen Augen an.

„Diese Leber!" flüsterte er fast tonlos. „Jetzt hat's mich. Die ganze Leber löst sich auf. So ein Schmerz! Wasser!" murmelte er.

Sie hielt ihm den Krug an die Lippen. Er trank, und sein Kopf fiel wie ein Stein in die Kissen.

„Ich werde fast verrückt von diesen Schmerzen!" Seine Stimme hatte alle Kraft verloren.

Der Klang seiner Worte, als bringe er eine kalte, gleichgültige Feststellung vor, entsetzte sie. Plötzlich warf er seinen Kopf von rechts nach links. Ein Krampf packte ihn. Er stieß einen scharfen Schrei aus. Sein Gesicht war in kaltem Schweiß gebadet. Wie ein Rasender schleuderte er die Bettücher beiseite und stieß die Kissen auf den Fußboden.

„Maidi! Wenn das – nicht – gleich – aufhört, dann – sterbe ich!" hauchte er. Die Dämmerung begann durch die Läden zu schimmern, aber Anton Jakobs Krämpfe nahmen kein Ende. Sie wurden sogar noch schlimmer; doch er starb nicht. Therese arbeitete mit äußersten Kräften: suchte ihm auf jede Weise Erleichterung zu bringen, gab ihm Wasser, reinigte und wusch ihn. Das Hemd klebte ihr an der Haut, die zerzausten Haare verknäulten sich auf ihrer weißen Stirn. Ah, wenn er nur das Bewußtsein verlieren würde! Wenn er nur nicht so schrecklich leiden müßte! Wenn sie nur das alles vorher gewußt hätte! Wie er mit den Zähnen knirschte! – Sie konnte es nicht mehr mit ansehen. Sie konnte es nicht mehr mit anhören, wie er leise Worte ausstieß, trockene, heisere Worte, als sei ihm die Kehle ausgedörrt. Nein! Seine jähen Schreie, seine scharfen Jammerschreie, sein Stöhnen, seine endlosen wilden Krämpfe! Und die kurzen Atempausen, die ihm das grausame Gift vergönnte, waren fast noch schlimmer! Fast gelassen beschrieb er dann die grauenhaften Qualen, die er durchmachte. Er sprach ganz vernünftig, nicht wie ein Todgeweihter, sondern wie ein Mensch, der immer noch Hoffnung hegt.

„Ja", flüsterte er, „jetzt ist es bald zu Ende! Alles vorbei! Ich habe nichts mehr in mir. Ich bin ganz trocken. Die Steine müssen heraus sein. Ich fühle mich erleichtert. Maidi, wenn es mir wieder besser geht, werde ich nie wieder eifersüchtig sein. Wo ist der Bueb? Sag ihm, daß ich – ich – ihn – verflucht habe, weil – ich – betrunken war! – Ja, Heiland nanamal! Wird das jemals aufhören? Schon wieder! Das ist – das letztemal!"

Wieder ein höllischer Anfall. Es war furchtbar! Genug! Er hatte genug gelitten! Nicht mehr! Nicht mehr! Herrgott! Mensch, stirb! Stirb! Stirb!

„Um Himmels willen!" schrie sie wild. „Was ist mit dir los?"

Sie schüttelte ihn, während er würgte; sie hoffte, das Leben aus ihm herauszuschütteln.

„Ich will wissen, was mit dir los ist, Mann! Warum nimmt das denn kein Ende?"

Sie fühlte eine große Übelkeit in sich aufsteigen und eilte auf ihr Zimmer.

Als sie zurückkam, lag er wieder still. Seine Blicke waren starr auf sie geheftet. Sein Gesicht sah hager aus, ein trübes Häutchen überzog seine Augen, seine Finger waren eingeschrumpft und verkümmert wie die Klauen eines toten Vogels. Sie klammerte sich an sein Bett. Er versuchte, sie zu berühren, aber es gelang ihm nicht.

„Theresli", sagte er, und der Grabeston seiner Stimme ließ sie erschauern, „falls ich – sterben – muß – dann wirst du – alles – in Ordnung finden."

Bei diesen Worten löste sich etwas in ihrem Innern, und sie brach in Tränen aus. Aber der Geist des „schmutzigen Sträflings" schwebte in dem Raum, schien seine Tochter zu umschweifen. „Gib acht! Gib acht!" flüsterte er. „Sonst wird man dich erwischen wie mich!"

Und Therese erhob sich, ging ins Badezimmer, um sich zu waschen. Dann fuhr sie fort, ihrem sterbenden Gatten zu helfen.

Ein grauer Tag dämmerte herauf. Anton Jakobs Lebenskraft schwand dahin. Reglos lag er da, eine verfallene Masse gefolterten Fleisches, vom grinsenden Lächeln des Todes überschattet, das Innere seines Leibes zerrissen, die Glieder verkrampft, der Geist betäubt, aber immer noch bei Bewußtsein. Knapp vor sechs betrat Gottfried Sixtus das Zimmer. Sein Gesicht war blaß, aber ruhig. Sein erster Blick galt Therese. Sie saß zusammengekauert in einem Stuhl, mit dem Rücken gegen das Bett. Sein nächster Blick wanderte zum Vater. Er trat ans Bett, nahm das Handgelenk seines Vaters und fühlte den Puls, der sehr schwach und unregelmäßig war. Anton Jakob schlug die Augen auf.

„Bueb", versuchte er zu sagen, und ein Leuchten drang für einen Augenblick durch die trüben Lider.

„Therese", sagte Gottfried, „ich werde den Doktor aus Arnisboden holen."

Sie gab keine Antwort. Sie rührte sich nicht. Er wiederholte seine Worte.

Ein schnarrendes Geräusch kam aus dem Bett seines Vaters.

„Ich hole Doktor Hauser", wiederholte Gottfried. „Er muß kommen! Ich biete allem die Stirne."

Therese wandte den Kopf und zeigte ihm ein abgehärmtes Gesicht mit zwei riesigen Augen, die entzündet gleichsam ins Leere starrten. Sie sagte nichts. Gottfried stürzte aus dem Zimmer.

Die kalte Morgenluft traf sein Gesicht. Er versuchte, eine Zigarette zu rauchen, aber seine Lippen waren wund. Er warf die Zigarette weg. Ein dünner grauer Nebel umschmiegte die Bergeshalden.

Er suchte Röthlisberger auf. Er wollte Röthlisberger alles sagen. Ja, er wird allem die Stirne bieten!

Aber sobald er Röthlisbergers übliches „Tagwohl, Herr Gottfried!" vernommen hatte und seinen erstaunten Blicken begegnete, wußte er, daß er kein Wort hervorbringen, ja, daß er niemals einem Menschen das geringste verraten würde.

„Der Vater", sagte er, „ist schon die halbe Nacht krank."

Röthlisberger sah beunruhigt drein, aber in seinem Blick lag zugleich ein wissender Ausdruck.

„Wundert mich nicht!" bemerkte er. „Er übernimmt sich ein bißchen in der letzten Zeit, besonders gestern abend. Hatte ziemlich geladen, nicht?"

„Vielleicht", sagte Gottfried. „Du oder sonst irgendwer muß sofort laufen und nach Doktor Hauser telefonieren. Er soll unverzüglich kommen."

„Ist es so schlimm?"

„Ich fürchte, es ist sehr schlimm. Stiefmutter und ich sind die ganze Nacht aufgewesen."

„Ich gehe selbst."

Röthlisberger setzte seinen Hut auf, eilte in Bühlers Laden, um dort zu telefonieren. Gottfried schauderte und suchte die Wärme des Stalles auf.

Er traf Mägde und Knechte bei der Arbeit. Er teilte mit, daß der Herr während der Nacht sehr schwer erkrankt sei. Diese Nachricht schien alle Tätigkeit zu lähmen. Sie schienen alle unter dem Eindruck zu stehen, daß Anton Jakob am vergangenen Abend betrunken oder fast betrunken nach Hause gekommen sei. Noch bevor Röthlisberger zurückkehrte, kam Luise aus dem Haus herunter, um Gottfried zu suchen.

„Herr", sagte sie, „Frau Müller läßt Euch sagen, sie müsse mit Euch sprechen, bevor Ihr den Doktor holt. Sie schaut sehr krank aus."

„Ich hole den Doktor für Herrn Müller und nicht für Frau Müller", erwiderte Gottfried kurz.

Er ging ins Haus und wurde von Therese in ein abgelegenes Zimmer geführt.

„Gottfried", sagte sie mit anscheinender Ruhe, „du mußt dem Doktor sagen, daß ich dich gegen fünf Uhr morgens aus deinem Zimmer geholt habe, weil dein Vater plötzlich erkrankte. Das ist alles, was du weißt, nicht mehr und nicht weniger. Und dann habe ich dich beauftragt, den Doktor zu holen. Verstehst du?"

Er starrte sie an. „Ich werde allem die Stirne bieten!" sagte er.

„Tu, was du willst!" Sie zuckte mit den Achseln. „Ich bin dir nicht böse, daß du mich völlig im Stich gelassen hast, aber ich hätte dich doch für mutiger gehalten."

Sie warf ihm einen gequälten Blick zu und entfernte sich ins Zimmer des Sterbenden.

Röthlisberger kehrte von seinem Botengang zurück und meldete, Doktor Hauser mache soeben einen Krankenbesuch, aber er würde mit dem Zehnuhrzug kommen, es sei denn, daß man ihn vorher abhole.

„Ich werde ihn abholen!" sagte Gottfried.

Wenige Minuten später fuhr Gottfried über die Landstraße in einem vierrädrigen Karren, der gewöhnlich benützt wurde, um die Milchkannen an den Bahnhof zu bringen. Vorne befand sich ein Sitz für zwei Personen, und das Hinterteil war sehr leicht. Mit der Peitsche trieb er den fetten Grauschimmel zu einem raschen Galopp. So raste er durch Gam, ununterbrochen auf das Pferd einschlagend. Die schnelle Bewegung schien ihn ein wenig zu erleichtern. Was wird der Doktor sagen? dachte er. Doktor Hauser war vielleicht ein Dummkopf, aber er hatte seine ärztliche Bildung. Konnte er glauben, daß Anton Jakobs Erkrankung natürlich sei? Und ich habe sie nicht gehindert! Ich habe sie nicht gehindert! Meine Schuld ist es! Ich habe ihn ermordet!

Er knallte mit der Peitsche, der graue Gaul setzte sich in rasenden Galopp. Er holte aus und zwickte ihm das scharfe Ende der Schnur um die Ohren. Der Schimmel tat einen mächtigen Satz, daß das Hinterteil des Wagens von einer Seite zur andern hüpfte.

Er mußte sein Äußerstes tun, um Doktor Hauser möglichst rasch zu holen. Ja! Er mußte das Leben des alten Mannes retten. „Schnell! Die Hölle ist los! Solch eine Nacht! Wirst du schneller laufen, du fettes, altes Luder!" Er fühlte sich teuflisch. „Jetzt geht es bergab. Du hast nichts zu ziehen. Lauf zu, was deine Beine können! Du kennst diese Straße genau!" Die schwarzen rohen Holzzäune flogen vorbei, Gottfried saß mit gerunzelter Stirne da. Ununterbrochen knallte seine Peitsche! An einer plötzlichen scharfen Biegung der Straße schwang das Hinterteil des Wagens herum und stieß gegen den Zaun. Der Schimmel scheute, der Wagen flog nach links. Ein Rad war abgesprungen. Gottfried versuchte, das Tier zu zügeln. Aber es raste wir irrsinnig weiter. Er wurde vom Wagen geschleudert, stürzte zu Boden, stieß einen Schrei aus und kollerte in den Straßengraben. Der Grauschimmel stob mit dem zertrümmerten Wagen davon.

Herr Züberli aus Lindbach, der ein wenig später über dieselbe Straße kam, friedlich seinen Wagen kutschierend, fand Gottfried im Straßengraben.

„Herr Müller", sagte er, während er vom Bock stieg, „was ist mit Euch passiert? Ich dachte, Euer Pferd sei toll geworden, wie es an mir vorübergaloppierte."

„Ich wollte Doktor Hauser holen", sagte er zu Herrn Züberli. „Vater liegt krank zu Hause; ich war in größter Eile."

„Ja so!" Herr Züberli beugte sich nieder, um Gottfried aufzuheben. „Ihr scheint ja selbst in einem hübschen Zustand zu sein!
Keine Knochen gebrochen?"

„Ich glaube, den Arm."

„Jetzt wollen wir Euch auf meinen Wagen heben", sagte Herr
Züberli. „Ich fahre selbst nach Arnisboden und bring Euch zum
Herrn Doktor."

Er lupfte Gottfried auf den Wagen und trieb sein Pferd zu einem
muntern Trab an. Sie waren noch keine zehn Minuten gefahren,
als sie auf eine Gruppe von zwei Männern und etlichen Kindern
stießen, die den fetten grauen Schimmel festhielten. Das Tier schien
furchtbar gequält und war völlig mit Schaum bedeckt. Seine
Hinterbeine bluteten, der Wagen lag in Trümmern. Während
Herr Zöberli vorüberfuhr und den versammelten Dörflern erklärte, was geschehen war, rollte das fette graue Pferd seine Augen
nach Gottfried und schnaubte wütend.

Nach einer Stunde erreichten sie Arnisboden.

Minna saß in der Küche und starrte wie geistesabwesend eine blankgeputzte Kupferpfanne an. Heute war kein
Frühstück zu kochen. Der Herr ist krank. Alles ist außer sich.
Niemand will essen. Luise lief schon drei- oder viermal hinunter,
um mit Röthlisberger zu sprechen.

„Frau Müller möchte wissen, ob Herr Müller mit dem Doktor
zurückgekommen ist."

„Nein, noch nicht, aber er wird bald kommen."

Wie ein Bann schien es auf allen zu lasten. Es schien der Wille des
Schicksals, daß diesmal ihr Gebieter und Herr sterben müsse. Ja,
der Tod lag in der Luft. Ihr Herr und Gebieter hatte sich zu Tode
gegessen und getrunken.

Um neun Uhr ging Röthlisberger zu Bühler hinüber, um noch
einmal zu telefonieren. Ein wenig später kam er mit sehr ernster
Miene zurück und verlangte, Frau Müller zu sprechen.

Sie kam. Ihr Gesicht erschreckte ihn. Sie sah ihn mit schiefen
Blicken an.

„Der Doktor kommt mit Herrn Gottfried im Zug", sagte Herr

Röthlisberger, während er verlegen zur Seite blickte und seinen Suppentellerhut zwischen den Fingern drehte.

„Und ich habe Euch eine sehr ernste Nachricht mitzuteilen, Frau Müller! Herr Gottfried hat unterwegs einen Unfall erlitten. Pferd und Wagen kaputt. Er hat sich den Arm gebrochen und befindet sich in einem schönen Zustand, sagt Doktor Hauser; aber jetzt ist er verbunden und kommt trotz alledem mit dem Herrn Doktor mit. Ich habe mich heute früh angeboten, den Doktor zu holen, aber Herr Gottfried wollte unbedingt selber fahren. Wie ein Verrückter drauflosfahren, um schneller dort zu sein. Und so ist das Ganze passiert."

Therese sah Röthlisberger mit brennenden Augen an. Er schien ihr wie ein Bote aus einer andren Welt.

„Müssen warten, bis der Doktor kommt", sagte sie. „Hoffentlich wird er meinem Mann das Leben retten."

Röthlisberger saß ein Klumpen in der Kehle. Er fühlte tiefes Mitleid für Therese.

„Dachte mir schon gestern abend, daß der Herr nicht ganz wohl ist. Auf dem Heimweg vom ‚Bären' hat er recht schwer geatmet."

„Wollt Ihr, bitte, einen Wagen zum Bahnhof schicken für den Doktor?" fragte Therese.

„Ja! Ich fahre selbst!"

Er setzte seinen Hut auf und entfernte sich.

Thereses Kräfte nahmen ab. Sie war kaum noch imstande, ein paar Schritte zu machen, ohne sich hilfesuchend auf einen Tisch oder einen Stuhl zu stützen. Gottfried hatte sich den Arm gebrochen. Diese Neuigkeit schien sie nicht allzusehr zu berühren; alles, alles sank zu völliger Bedeutungslosigkeit herab im Vergleich zu der Tragödie, die sie heraufbeschworen hatte. Sie kehrte in das Krankenzimmer zurück und riß ungestüm die Fenster auf, um die feuchte, stickige Luft zu vertreiben. Aber sie wagte nicht, die Läden zu öffnen. Der Gedanke, Anton Jakobs Gesicht im hellen Tageslicht sehen zu müssen, entsetzte sie. Ja, und er lebte immer noch! Er lebte! Sie hatte in ihrem Lexikon nachgesehen. „Der Tod", hieß es dort, „tritt gewöhnlich innerhalb vierundzwanzig Stunden nach Genuß des Giftes ein, je nachdem, wie weit die verabreichte Dosis tödlich war."

Vielleicht wird ihre Dosis überhaupt nicht tödlich wirken? Um halb zehn erlitt Anton Jakob den schlimmsten Anfall, der ihn bisher gepackt hatte. Therese schloß die Fenster und die Türen, damit man draußen seine Schreie nicht höre. Sie hatte das Gefühl, als sei ihr ganzer Körper mit dünnem Schleim bedeckt. Ihre Augen brannten, ihr Kopf schmerzte, das Haar fiel ihr lose über die Schultern, ihre Knie zitterten, und ihr Mund zuckte.

Schließlich erreichte der Krampf seinen Höhepunkt. Anton Jakobs Kopf begann heftig hin und her zu schleudern. Rötlicher Schaum trat ihm aus dem Munde. Therese stand entsetzt am Bett. Er starrte sie an, als sähe er geheimnisvolle Visionen aus einer andren Welt vor sich. Offenbar wollte er etwas sagen, aber kein Wort kam über seine verzerrten Lippen. Sein Gesicht verdüsterte sich, und er hob einen letzten sterbenden Blick zu ihr empor. Dann lag er plötzlich völlig still und friedlich da. Der Tod hatte den furchtbaren Kampf beendet.

Therese stand in tiefem Erstaunen vor dem größten Geheimnis des Daseins. Sie war weder erschrocken noch beunruhigt. Dieser Mann lebte nicht mehr, sie hatte nun keinen Gatten mehr. Das kleine Pulver hatte seine Arbeit getan. Ihr Blick wanderte durch das Zimmer. Nein, hier war niemand außer ihr. Das fühlte sie. Anton Jakob war nicht mehr bei ihr. Er war fort und hatte einen Haufen verkrampftes Fleisch zurückgelassen. Was wohl jetzt geschehen wird?

Sie begann, laut vor sich hin zu murmeln. „Nein, was bin ich für ein albernes Ding! Sehr merkwürdig das alles, finde ich. Ob er noch immer lebt?" Jedes Gefühl schien in ihr ertötet. Sie beugte sich über die Leiche und hob einen seiner Arme hoch.

„Wie schwer er jetzt plötzlich ist! Wie sein Gesicht blaß wird und auch seine Hände! Er ist ganz warm und weich. Ich dachte, tote Leute wären kalt und steif. Und ich wollte ebenso sterben! Ich!" Ein Schauder packte sie, ein Schauder, der den ganzen Tag nicht mehr von ihr wich. Sie wischte ihm Mund und Bart mit einem Schwamm und wunderte sich über ihr Tun. Es schien so völlig sinnlos. Dann säuberte sie sämtliche Becken, öffnete die Fenster, wusch sich Gesicht und Hände und steckte ihr Haar auf. „Was für ein seltsamer Tag!"

Sie ging in ihr Zimmer. Sie wußte nicht, was sie beginnen sollte. Sie nahm allerlei Dinge zur Hand, stellte sie von einem Platz auf den andern und wieder zurück; sie schloß die Tür. Sie sah zum Fenster hinaus, roch an den Geranien. Es schien nun plötzlich, als lägen Tausende von Meilen zwischen ihr und Anton Jakob.

„Nein", murmelte sie, „es ist nicht möglich, es ist nicht möglich!" Sie ging an sein Bett zurück. Sein Gesicht war ein wenig starrer geworden. Die Brauen hingen über die Augen. Tiefe Gruben höhlten sich unter den Backenknochen. Ein krampfhaftes Lächeln schien auf seinen Lippen zu liegen. Sie wunderte sich über dieses höhnische Lächeln. Galt es ihr? Sie berührte seine Hand, die feucht und immer noch warm war.

„Toni", flüsterte sie, „warum sagst du nichts? Du bist immer noch da! Sag etwas. Bist du böse? Sprich, Toni!"

Sie hielt den Atem an, die Stille des Raumes erfüllte sie mit einer ungekannten Angst. Jetzt erst packte sie plötzlich ein überwältigendes Gefühl des Alleinseins und entsetzlichen Elends. Sie brach zusammen. Eine Tränenflut schoß aus ihren Augen.

Um halb elf kam der Wagen vom Bahnhof; er brachte Doktor Hauser, aus dessen Mienen ein fröhliches Selbstbewußtsein sprach. Gottfried, dessen Gesicht bleich war und gequält, folgte ihm, den Arm in einer Schlinge. Röthlisberger begleitete sie zum Hause, half Gottfried über die Stufen hinauf, und die drei Männer traten durch die Küche ein. Minna saß immer noch auf ihrem Stuhl.

„Wie geht es Vater?" fragte Gottfried.

Sie erhob sich und sagte, sie wisse es nicht. Frau Müller sei die ganze Zeit bei ihm gewesen. Hoffentlich gehe es ihm besser. Doktor Hauser legte seinen Hut ab.

„Wir müssen Frau Müller mitteilen, daß wir hier sind", sagte er zu Gottfried.

Gottfried schüttelte den Kopf.

„Ich sehe Euch am Gesicht an, daß Ihr Euch taumelig fühlt", sagte Doktor Hauser. „Nehmt einen Kognak. Ihr braucht ihn. Und dann wollen wir sofort hinaufgehen und nachsehen, was mit dem alten

Herrn los ist. Aber es ist besser, wenn Herr Röthlisberger hier wartet, für den Fall, daß wir etwas aus der Apotheke brauchen."

Die drei Männer stiegen die Treppe hinauf. Doktor Hauser trat in Anton Jakobs Zimmer. Sogleich veränderte sich seine Miene. Gottfried klammerte sich an Röthlisbergers Arm. Röthlisberger neigte den Kopf schief zur Seite und starrte drein, als wolle er seinen Augen nicht trauen.

Sie sahen Anton Jakob ausgestreckt, regungslos auf seinem Bett liegen; zu seinen Füßen lag die bewußtlose Therese. Gottfried trat ein paar Schritte ins Zimmer vor.

„Heb Frau Müller auf und bring sie in ihr Zimmer!" sagte er zu Röthlisberger. Er blickte in das Gesicht seines Vaters; ein Zittern durchlief seinen Körper.

„Herr Doktor", sagte er, „wir kommen zu spät."

„Das Ende muß sehr plötzlich gekommen sein", erklärte Doktor Hauser und sah sich einen Augenblick verloren um. „Auf jeden Fall müssen wir vorerst Frau Müller hinausschaffen und uns um sie kümmern. Die arme Frau!"

Therese wurde in ihr Zimmer getragen und mit Riechsalzen ins Leben zurückgerufen. Sie öffnete die Augen, und sogleich rannen die Tränen über ihre Wangen.

Sie verlor die Herrschaft über ihre Nerven und warf sich aufs Bett.

„Wie ist das gekommen?" fragte Doktor Hauser in gütigem Tone, während er sie bei der Hand nahm. „Kommt, Frau Müller! Ihr habt mein herzlichstes Mitgefühl. Euer Mann und ich sind immer recht gute Freunde gewesen, trotz kleiner gelegentlicher Streitigkeiten. Die Sache bekümmert mich tief, wirklich sehr tief. Kommt, richtet Euch auf, versucht, stark zu sein! Ja, es ist traurig, ich weiß es, es ist traurig. Herr Gottfried hat mir erzählt, daß Herr Müller die ganze Nacht sehr krank war. Schützenfest und nachher im ‚Bären' – ich weiß! Ich weiß! Armer Mann! – Sie sehen wirklich leidend aus, Frau Müller. Viel Schlimmes, was Sie ertragen mußten. Es tut mir sehr leid, daß ich nicht früher kommen konnte. Sehr leid! Ich mußte Herrn Gottfrieds Arm einrichten. Ein Unglückstag! So ist es immer im Leben. Immer kommt alles auf einmal. Könnte nicht jemand ein Glas Kognak für Frau Müller holen?"

Röthlisberger schlich auf den Zehenspitzen zur Treppe. „Luise!" rief er mit gedämpfter Stimme. „Wo ist denn Luise? Rasch ein Gläschen Kognak her, nein, zwei. Auch eins für Herrn Müller!"

Gottfried saß inzwischen auf einem Stuhl in seines Vaters Zimmer. Mit denkbar größter Anstrengung hielt er die Tränen zurück. Sein Inneres loderte in Schande und blutigem Entsetzen, und seine körperlichen Schmerzen schienen ein Nichts im Vergleich zu der höllischen Qual seiner Seele. Bald darauf kam Doktor Hauser herein.

„Ihr dürft hier nicht sitzen!" sagte er flüsternd zu Gottfried. „Wir alle müssen einmal sterben, und Kopf hoch, damit Ihr andren ein gutes Beispiel gebt! Bald geht das große Geheul los. Diese Dinge lassen sich nicht ändern. Wir alle müssen ihnen eines Tages die Stirne bieten. Frau Müller befindet sich sehr schlecht. Sie jagt mir richtige Angst ein. Die arme Frau muß schrecklich leiden. Wir müssen sie beruhigen."

„Geht und seht nach!" flüsterte Gottfried zurück. „Vielleicht lebt er noch. Ich möchte fast noch hoffen."

Doktor Hauser untersuchte Anton Jakob. Er schlug das Bettuch zurück, faßte das Handgelenk des Toten, sah ihm unter die Augenlider und deckte die Leiche wieder zu.

„Er ist schon seit geraumer Zeit tot, Gottfried. Worüber klagte er eigentlich?"

Gottfried wandte sein Gesicht zur Seite.

„Er hatte schreckliche Schmerzen. Es war ihm furchtbar übel. Bekam keinen Atem und klagte über sein Herz und seine Leber."

„Ich habe dem armen Mann schon immer gesagt, was ihm eines Tages passieren wird, wenn er sich nicht an ein sehr strenges Regime hält. Hm! Ja! Natürlich! Ich kenne die Geschichte seiner früheren Anfälle. Eine Gallenkolik, mein Freund. Morphiuminjektionen hätten ihm vielleicht ein bißchen genützt. Aber sein Herz! Sein Herz, das war die Gefahr. So hat die Anstrengung des Erbrechens nach dem vielen Essen und Trinken von gestern abend einen Herzschlag herbeigeführt."

Doktor Hauser kehrte ans Bett zurück, nahm ein Handtuch und wickelte es um Anton Jakobs Kopf. „Wir wollen nicht warten, bis sein Kinn herunterklappt", sagte er. „Wir müssen ihm auch die Hände falten!"

Er nahm Anton Jakobs Arme und kreuzte sie über der Brust. Er richtete sich auf.

„Nun, Herr Müller", sagte er, „Euer Vater war ein guter Mann, und sein Tod wird vielen Leuten weh tun. Kommt jetzt mit mir. Kopf hoch! Denkt an die Lebenden und an Eure Pflicht gegenüber den Lebenden." Er half Gottfried auf und führte ihn aus dem Zimmer. „Wenn Ihr wollt", sagte er, „erledige ich für Euch all die notwendigen Formalitäten. Ihr seid nicht in dem geeigneten Zustand, irgend etwas anzupacken, und Frau Müller ist es ebensowenig. Jetzt müssen wir zu ihr."

Sie klopften sanft an Thereses Tür und traten ein. Bleich und stumm saß sie auf einem Stuhl, und ihre gramvolle Miene war so furchtbar, daß die beiden Männer sich zurückzogen. Gottfried führte den Doktor Hauser in seines Vaters Arbeitszimmer. Dorthin ließ er auch Röthlisberger kommen, und dann schrieb er verschiedene Telegramme an die nächsten Verwandten.

„Röthlisberger", sagte er dann, „lauf nach Gam und gib den Leuten bekannt, daß Vater gestorben ist. Und dann komm zurück."

Röthlisberger zog seine schwarzen Brauen zusammen. „Das tut mir schrecklich, schrecklich leid!" Seine tiefe Stimme zitterte, und er reichte Gottfried die Hand. „Traurig! Ah ja, traurig!"

Er ging hinunter und verkündete allerseits, daß Anton Jakob Müller, Alt-Regierungsrat, ihr Herr und Meister, um zehn Uhr morgens am Herzschlag verschieden sei.

      Die schwarzen Schwingen des Todes überschatteten mit Windeseile die Höfe und die Nachbarschaft. Noch vor Mittag wußte ganz Gam, daß Anton Jakob gestorben war.

Frieda zog ihren schwarzen Sonntagsrock an, ihre Seidenbluse und ihre Amethystbrosche, und ging weinend ins Haus hinauf.

„Herrjesses, nein! So etwas! Unglaublich!"

Als Leonhard die Neuigkeit hörte, stieg er ruhig auf den Boden in seine Kammer, setzte sich auf seine Bettstatt und sann über den Schicksalsschlag nach. Sein Leben schien plötzlich stillzustehen.

Joggi stand auf einem der großen Düngerhaufen, und seine Gabel mit gewandten Händen schwingend, wendete und häufelte er den dampfenden Mist.

„Ja, denk nur", rief ihm plötzlich Adrian zu, „der Herr ist vor ein paar Minuten gestorben! Denk nur, Joggi!"

Der alte Joggi stieß seine Gabel in den Mist.

„So?" krächzte er und heftete seine blutumränderten Augen auf den Burschen. „Wenn es so steht, dann bin ich fertig!"

„'s ist wahr!"

„Nun – ich mache nicht mehr weiter. Ich bin auch fertig", wiederholte er ohne Zusammenhang.

Er ging über ein Brett, das wie eine Brücke seine Burg mit dem Festland verband, und schlotterte in einen der Ställe hinüber. Dort warf er sich in einen dunklen Winkel auf einen Bund Stroh, klaubte einen Halm auf und begann ihn zu kauen. Nein, er war zu alt, um ohne den Herrn weiterzumachen. Er hatte an der Wiege seines Herrn gestanden, jetzt stand er an seinem Totenbett. Hä! Was wird der alte Karli dazu sagen? Der alte Karli, der auf den Hunderter zurückt. Vierzig Jahre älter als der Herr, zwanzig Jahre mehr als er. „Sakrament nanamal!" sagte er. „Das übersteigt meinen Verstand!" Und er tastete unter dem Strohbund nach einem Fläschchen. „Jetzt ein Schnäpsli! Komm, du Alt-Mannli-Trost!" Joggi trank, und dann hustete er, und seine Augen füllten sich mit Wasser, und seine rote Nase begann, glitzernde Tropfen auszuschwitzen, und er schüttelte die geballte Faust und beteuerte: „Ich mach' nicht weiter! Ich habe zwei Müller gedient, ich will keinem dritten dienen!"

Bald darauf strömten aus dem Dorfe schwarzgekleidete Männer und Frauen herbei. In den Händen trugen sie Blumensträuße, die sie eilig in ihren kleinen Gärtchen gepflückt hatten. Frau Bühler hatte sogar in aller Eile einen Kranz brauner Astern zuwege gebracht. Auch Blaser und seine Frau, Flück und Güggel waren unter der Schar. Herr Niederegger nebst Gemahlin blieb gleichfalls nicht aus, und sogar der mächtige Johann Timm schleppte seinen riesigen Leib zum Gamhof hinüber; Emilia, das Oberhaupt seiner Küche, schritt an seiner Seite. – Bald wimmelte die Küche in Anton Jakobs schweigendem Hause von kummervollen Gesichtern. Es war nun schon zwölf vorbei, aber niemand außer Minna zeigte sich, um das Beileid und die Blumengaben der Besucher entgegenzunehmen. Weder Therese noch Gottfried ließ sich blicken. Schließlich schlug Frieda den Gamern vor, die Blumen hier zu lassen und nach Hause zu gehen. Sie würde dann später Frau Müller und Herrn Gottfried mitteilen, daß die Nachbarn hier gewesen seien. Inzwischen war Gottfried oben in seinem Schlafzimmer, und Röthlisberger half ihm in einen schwarzen Anzug.

„So plötzlich! So plötzlich!" murmelte Gottfried. „Ich komme nicht darüber hinweg!"

„Sein Herz! Sein Herz war's", sagte Röthlisberger. „Er hatte keine Scheu, der Herr. Er kümmerte sich um nichts. Kam ihm nie drauf an, ein bißchen über die Stränge zu schlagen. Und gestern hatte er einen großen Tag, zuviel Aufregung."

„Ja – vielleicht – gib acht auf meinen Arm, er tut weh! Dieser verfluchte Arm. Alles kommt auf einmal. Was sollen wir jetzt anfangen, Röthlisberger, ohne Vater? Ich weiß es nicht."

„Mach dir jetzt keine Sorgen. Ich stehe von Herzen auf deiner Seite, und hoffentlich wirst du mir auch helfen und raten, ich brauche es. Ich bin ja auch ganz fassungslos."

Gottfried gab keine Antwort. Er half Röthlisberger mit der gesunden Hand, die schwarze Krawatte umzulegen. Als er aus nächster Nähe die dunklen Augen des Mannes sah und seine großen knochigen Hände, die sich unbeholfen mühten, den Knoten zu binden, da packte ihn ein grimmiges, ungeduldiges Verlangen, allein zu sein. Und als dann schließlich seine Trauertoilette zu Ende war, sagte er:

„Geh hinunter und teile den Leuten mit, daß ich jetzt unmöglich jemanden empfangen kann. Wahrscheinlich werden mit dem Nachmittagszug einige Verwandte kommen. Schick einen Wagen an den Bahnhof. Frau Doktor Naef und ihr Mann kommen ganz sicher."

Röthlisberger verließ das Zimmer und schlich auf Zehenspitzen die Treppe hinunter. Sobald Gottfried allein war, ließ er sich schwer auf einen Sessel fallen und bedeckte sein Gesicht mit beiden Händen. Dies also war die Zinne, die er schließlich erklommen hatte, der grauenvolle Höhepunkt seines Lebens: Mord! Das düstere Stimmengelärm einer unzählbaren und unsichtbaren Menge schien an sein Ohr zu dringen: „Feigling! Mörder! Vatermörder!" schrien sie ihm zu. „Wozu hast du deine blutigen Hände geliehen! Jetzt hat sie der Teufel gefesselt, du Ungläubiger! Deine unsichtbaren Richter sind unterwegs! Zittere! Zittere! Kein Tag soll von nun an verstreichen, ohne daß er dich an dein Verbrechen gemahnt. Du bist für ewig verloren!"

Finstere Angst erfüllte Gottfrieds Seele. Wie ein völlig gebrochener Mensch saß er auf seinem Stuhl, während Stunde um Stunde verstrich.

Plötzlich ging die Tür auf. Therese erschien. Sie trug ein schwarzes, am Halse geschlossenes Kleid. Ihr Gesicht war blaß und gequält, ihre Augen wirkten doppelt so groß wie sonst. Ihre Gestalt schien größer, schlanker, ihre Miene war von furchtbarem Ernst. „Was träumst du?" fragte sie mit tiefer, bebender Stimme. „Wach auf!" –

„Was willst du von mir?"

„Ich erwarte nichts von dir. Du bist viel zu schwach, viel zu feige, um etwas zu tun. Immerhin hättest du mir berichten können, was Doktor Hauser gesagt hat."

„Ich ging mit ihm in dein Zimmer, aber man konnte unmöglich mit dir sprechen."

„Hat er irgendeinen Verdacht geäußert?"

Gottfried blickte zur Seite und zupfte an seiner Armschlinge.

„Doktor Hauser sagte, er werde, wenn nötig, heute abend noch einmal vorsprechen, um nach dir zu sehen. Er schien der Ansicht zu sein, daß du Pflege brauchst."

„Ich? Was glaubt er denn, woraus ich gemacht bin?"

„Um so besser für dich, wenn er so denkt."

„Ich will wissen, was er über ihn gesagt hat!" rief sie ungeduldig. „Hat er ihn untersucht?"

„Kaum. Er schien nicht einmal überrascht. Er hätte es erwartet, sagte er, weil Vater seinen ärztlichen Ratschlägen nicht die leiseste Beachtung schenkte. Es sei eine Gallenkolik gewesen und dann ein Herzschlag infolge der heftigen Anstrengung."

Therese starrte ihren Geliebten einen Augenblick an.

„Hast du den Totenschein?" fragte sie.

„Nein! Das ist für mich nicht nötig. Doktor Hauser will alle notwendigen Anordnungen treffen, um uns jede weitere Mühe zu ersparen. Er hat den Leichenbestatter für heute abend bestellt, um den Toten zu waschen und anzukleiden."

„Und der Sarg?"

„Wir müssen warten, bis Sophie und Felix kommen, und erst einmal sehen, was sie vorzuschlagen haben."

„Du selbst mußt vorschlagen, was geschehen soll! Der Sarg muß aus weichem Holz sein, das schnell verfault, so daß das Gewicht der Erde bald den ganzen Sarg zerdrückt..."

Gottfried sah sie halb voll Erstaunen, halb voll Entsetzen an. Eine teuflische Zuversicht beschlich sein Herz. Therese war freilich viel energischer, als er erwartet hätte. Sie schien all den kalten Scharfsinn eines Herrenmenschen zu besitzen. Sie war ein Rätsel. Sie hatte ihn an dieses Verbrechen gefesselt, unlösbar, an Hand und Fuß, hatte die Mitschuld auf seine Schultern gewälzt. Ja, sie ließ ihn die schwächlichere Rolle spielen. Wahrhaftig – er wußte nicht einmal, wie sie die Tat begangen hatte!

„Therese", sagte er, „ich fürchte mich vor dir."

Sie trat auf ihn zu und legte die Hand auf seinen Scheitel. „Du fürchtest dich vor mir? Das macht mich froh. Jetzt weiß ich, daß du mich lieben wirst. Was ist Liebe ohne Furcht? Wir werden einander ebenso fürchten, wie wir einander lieben. Das ist sehr gut. Wie zwei in einem, so werden wir sein. Und nie mehr imstande, voneinander loszukommen." Sie nahm ihre Hand von seinem Kopf.

Er warf ihr aus den Augenwinkeln einen unsicheren, fast rebellischen Blick zu. Gräßliche Scham erfüllte sein Herz. Er, der Geistesmensch Gottfried, war so tief gesunken! Still konnte er dasitzen, ruhig der Frau zuhören, die seinen Vater vergiftet hat! Sein Kopf sank zurück, und er schloß die Augen. Therese stand da, sah ihn forschend an und voll erhabener Teilnahmslosigkeit. Plötzlich schlug er wieder die Augen auf.

„Ich werde keine Ruhe haben, solange er nicht unter der Erde liegt", murmelte er.

Dann erhob er sich und schritt ans Fenster. Ein Zittern befiel seine Glieder.

„Es ist kalt", sagte er. „Ich fühle jeden Nerv in meinem Körper. Scheußlich! Widerwärtig! Als Doktor Hauser meinen Arm schiente, wurde mir übel. Ist jetzt jemand unten?"

„Nur Minna. Luise ist in einen Laden gelaufen, um mir schwarzen Crêpe de Chine zu holen."

„Ich habe Röthlisberger beauftragt, Sophie und Felix vom Bahnhof abzuholen. Wie werde ich nur imstande sein, ihnen unter die Augen zu treten? Und allem, was nun kommt, die Stirne zu bieten! Dutzende von Leuten werden hier aufmarschieren, und jeder einzelne starrt mich an. Wie schaue ich aus? Sieh mich an, Therese! Sieh mich an! Sehe ich irgendwie anders aus? Sehe ich nicht wie einer von ihnen aus? Du glaubst, daß ich mich vor dir fürchte? Nein!"

Er packte mit der gesunden Hand seinen Rock und begann, ihn wütend zu schütteln und sich auf die Brust zu schlagen. „Vor diesem verfluchten Kerl da drin fürchte ich mich! Vor diesem blutigen Kerl fürchte ich mich! Er wird nie wieder Ruhe finden! Nacht für Nacht wird er in seinem kalten Schweiße baden! In seinem Schlummer wird er schreien!" Er ging ein paar Schritte auf und ab und blieb dann vor Therese stehen. Langsam hob sie die Augen. Und er betrachtete die blassen schönen Linien ihrer Wangen, ihr festes Kinn, ihr dunkles, welliges Haar, und sein Blick glitt über die Umrisse ihres schwarzen hängenden Kleides. Unter dem Kleide war ihr schneeweißer Leib. Der jetzt ganz sein eigen sein könnte! Jeder Zoll! Für ewige Zeiten mit ihm verkettet! Er, der Schaudernde, Herr über seines Vaters Weib! Plötzlich packte ihn grauenhafte Wollust.

„Jetzt ist alles einerlei!" sagte er. „Zwischen dir und mir gibt es kein Hindernis mehr. Dein Gift steckt in mir! Vor aller Welt möchte ich dich nun besitzen. Laß die Menschen heulen, mögen sie uns totschlagen wie zwei Fliegen!"

Seine Augen leuchteten wie zwei brennende Scheiter. Therese nahm seinen Kopf zwischen ihre beiden Hände und rüttelte ihn.

„Gestern nacht lagst du zitternd in deinem Bett! Warum hast du mich nicht aufgehalten! Du warst nicht stark genug. Du hast es versucht! Aber du hast es nicht energisch genug versucht! Du ließest mich gewähren! Du hattest Angst, mich zu verlieren!

Hättest du die Kraft besessen, du hättest mir getrotzt, du hättest deinem Vater alles verraten! Ja! Aber es war viel leichter, die Frau das tun zu lassen, was wir beide wollten, und ihr zuzuschauen. Armer Gottfried! Du hast geleugnet, daß es so etwas wie ein Gewissen gäbe, und jetzt quält es dich. Du grollst und bespeist mich! Du verachtest mich! Und dennoch möchtest du mich vor aller Welt zur Hure machen, und was weiß ich noch alles! Mit einem einzigen Blick widersprichst du allen Taten der Vergangenheit. Du bist gestürzt, Gottfried! Du liegst unten, wo alle die Schwächlinge, die Alltäglichen und die Kleinen liegen! Ah! Ich vergaß, daß du noch vor nicht langer Zeit Theologe warst! Kehre zu deiner Theologie zurück! Laß deinen lieben Gott versuchen, dich wieder von mir loszureißen! Wenn es ihm gelingt, dann komme ich auch zu ihm."

Ein dumpfes Gefühl der Verzweiflung kam über Gottfried. „Nun, es ist geschehen", sagte er. „Nutzlos, zu streiten, wer schuldiger ist, du oder ich. Wir werden gleichen Anteil an diesem Verbrechen tragen, bis in unsere letzte Stunde. Nein, vielleicht habe ich den größeren Anteil. Ich bin der Schuldigere. Ich bin's. So magst du ruhig schlafen, Theresli!"

Sie drehte sich stolz um und ging auf die Tür zu. Aber vor der Schwelle hielt sie inne. „Gottfried", murmelte sie, „vor morgen früh bin ich für niemand zu sprechen. Ich bitte dich, Sophie und Felix zu empfangen, und auch die andern, die möglicherweise erscheinen werden."

„Das will ich alles tun!" stieß er hervor. „Mach dir keine Sorgen." Therese ging hinunter und schloß sich ein.

In der Nacht auf den Mittwoch waren sämtliche Räume des Hauses von den nächsten Verwandten Anton Jakobs besetzt. Dennoch herrschte tiefe Stille. Die langen Kerzen, über das ganze Haus verteilt, brannten mit stetigen Flammen, von keinem Windstoß gestört. Das Haus roch wie ein blumendurchduftetes Grabgewölbe.

Mitten in seinem Zimmer lag Anton Jakob in einem offenen, aus braunem Holz verfertigten und mit silbernen Rosetten geschmückten Sarg. Der Raum war leer; das Bett hatte man hinausgetragen; schwarze Schleier hingen vor den wenigen Bildern, und auf dem Fußboden häuften sich zwei Kranzpyramiden, die eine am Kopfende, die andere am Fußende des Sarges. Vier große Kerzen breiteten ihren matten, treuen Schimmer über die friedliche Szene.

Als es Mitternacht schlug, rührte sich Therese in ihrem Zimmer. Seit Samstag abend hatte sie nicht geschlafen, außer hier und da einen kurzen, unruhigen Augenblick. Jetzt stand sie da und lauschte. Sie lauschte, immer lauschte sie. Alles war still. Aber vielleicht träumte sie nur? Es schien ihr alles so unwirklich. Sie betrachtete ihr Bett, das seit drei Nächten nicht aufgebettet worden. Ja, das war das Bett, in das sie als Jungfrau stieg und aus dem sie als Mörderin kam! Niemand wußte das! Niemand außer Gottfried, aber Gottfried war ein Teil von ihr. Sein Wissen um diese Dinge zählte nicht. Mit wem also mußte sie rechnen? Mit der Welt? Die Welt wird nie erfahren. Im Gegenteil, die Welt in ihrer Ahnungslosigkeit wird sie bedauern. Schon bedauerte sie jeder, jeder war gütig zu ihr. Doch wie wenig brauchte es, damit diese selbe Welt sich gegen Therese kehrte! Ah! Sie wußte, was die Welt mit dem kleinsten Stückchen Wissen beginnen konnte! War sie nicht im Schatten des Gesetzes aufgewachsen, hatte sie nicht gelernt, das Gesetz und die Polizei zu hassen? Polizei! Das bloße Wort schon ließ sie schaudern. Die Ängste ihrer Kindheit kehrten zurück. Uniformen, Säbel, Notizbücher, roh zupackende Hände! Gräßliche Menschen! Lieber gleich den Henker, und alles übrige erledigt. Aber nein! Sie hatte wirklich keinen Grund, die Polizei zu fürchten. Anton Jakobs Tod erfolgte durch Herzschlag. Was hatte sie zu fürchten? Herzschlag! Wer weiß, ob er nicht auch ohne das Arsenik an einem wirklichen Herzschlag gestorben wäre? Vielleicht hätte die Natur selbst einen Tag später die Arbeit getan, wenn sie nicht in ihres Gatten Leben eingegriffen hätte. Oder eine Woche oder einen Monat oder ein Jahr später? Wenn die Natur ein Leben vernichtet, sagte sie bei sich, dann neigen die Menschen kummervoll das Haupt, aber wenn ich oder irgendein andrer die Natur nachahmt – Herrgott! Schau nur, was die Polizei mit ihm beginnt! Aug um Auge, Zahn um Zahn, heulen sie. Warum denn bloß? Sie würden mich so behandeln, zweifellos. Aber warum? Was habe ich denn ihnen getan? Habe ich denn irgendwem was zuleide getan? Außer allein Anton Jakob? Niemandem! Im Gegenteil. Es gibt nicht wenige, die über seinen Tod schmunzeln.

Sophie ist bereits mit einem Notizbuch in der Hand durch das ganze Haus spaziert, um sich eine Liste der Sachen anzulegen, die sie für ihre kleine Gartenvilla in Thun gebrauchen könnte. Felix schwatzt mit Dr. Schneeli, zweifellos über das Testament. Ich habe gesehen, wie sie ihre Köpfe zusammensteckten. Und all die andren Verwandten mit ihren tränennassen Taschentüchern! Ihr Anblick ist mir zuwider, ihr ganzer Kummer würde noch keine leere Nußschale füllen. Was kümmert mich Tonis Testament? Was kümmern mich seine Schränke, seine Porzellantassen, sein Silberschmuck? Selbst den Sarg, den ich bestellt habe, betrachten sie mit kritischen Augen. Ah! Ich weiß! Warum silberne Rosetten? Warum seidene Kissen? Leichentücher von bester Qualität? Warum all diese teuren Dinge unter der Erde verfaulen lassen? Narren! Narren! Was schert es mich, ob auch all seine Reichtümer mit ihm verfaulen! Aus den Augen will ich ihn haben, tief begraben! Eine zentnerschwere Marmorplatte auf seinem Grab. Trauerweide und Rosen! Ja, ich glaube, mein Gefühl für Toni wiegt mehr als die Liebe all dieser Leute zusammen!

Sie trat ans Fenster, um die frische Luft zu atmen. Die Sterne standen am Himmel, und sie blickte zu ihnen auf. Sie liebte die Freiheit der Sterne, aber ihr gütiges Funkeln sandte kein Licht in ihre ungläubige Seele. Sie fühlte nicht, daß irgendwo im Weltall ein unsichtbarer Führer sei, der all seine einsamen Gestirne auf ihren vorgeschriebenen Bahnen steuert. Die allmächtigen Finger dieses großen, geheimnisvollen Steuermanns rührten nicht an ihr Herz. Er war für sie unbegreiflich. Wenn er, dachte sie, zufälligerweise wirklich existiert, dann ist er selbst der größte Verbrecher. Denn er hat den Tod in alle Dinge gelegt: die Lämmer, die Kälber, die Vögel, die Menschen läßt er nur deshalb leben, damit er sie eines Tages sterben lassen kann!

Therese verließ das Fenster.

Ich werde leben, solange ich lebe, dachte sie, ich werde mit diesem Körper mein Leben bis zum äußersten genießen. Die Liebe dessen, den ich wirklich liebe, soll mich töten. Solange ich sein Kind habe! Ich begehre nach ihm! Es soll mein Blut aus meinen Brüsten saugen, ein Mann werden, ein kraftvoller Mann, mit tiefer Liebe zu mir gesättigt. Frei von all der Verlogenheit, all der Kleinheit dieser heutigen Menschen. Ich werde ihn all die Geheimnisse meiner Gedanken lehren. Ja, der Sohn einer Mörderin, der Enkel eines Mörders!

Zermürbt durch überhitzte Gedanken, begann Therese wieder zu zittern. Dieses widerwärtige Zittern in allen Gliedern, immer wieder kam es zurück! Sie knirschte mit den Zähnen. Nach einer Weile ließ es nach. Sie fühlte sich erschöpft. Aber irgend etwas quälte sie. Sie konnte keine Ruhe finden. Sie fühlte, daß sie noch irgend etwas zu tun habe. Schon den ganzen Tag wollte sie es tun, aber sie hatte es nicht getan. Eine Pflicht? Ein Ruf? Eine Mission? Sie konnte sich nicht besinnen. Aber plötzlich wußte sie, daß sie Anton Jakob noch einmal sehen müsse. Nun, in der nächtlichen Stille sperrte sie die Verbindungstür auf. Heute schien sie diesen Schritt nicht mehr zu fürchten wie früher so manches schwere Mal, wenn sie in tödlichem Überdruß und in grimmigem Zorn die Tür aufgerissen hatte, um zu sagen: „Du kannst jetzt hereinkommen." Diese Folter war zu Ende. Nun war er es, der sie zu sich rief; nicht damit sie sein Bett mit ihm teile, sondern daß sie das unheilvolle Ergebnis ihres rebellischen Verhaltens betrachte. Sie schritt über den gebohnerten Boden in das duftende Zimmer. Das veränderte Aussehen des Raumes versetzte sie in Erstaunen. Es lag in dem ganzen Bild etwas Schönes und Heiliges, das ihr das Herz zusammenpreßte. Der Friede, die völlige Stille, die milde Gelassenheit der Szene verschlug ihr den Atem. Sie sah ihren Gatten in der dunklen Tiefe seines hölzernen Sarges liegen. Er trug einen schwarzen Gehrock, weiße Weste und weiße Handschuhe, und seine Hände lagen gefaltet auf der eingesunkenen Brust. Sein grauer Bart war wohlgepflegt und mit allerlei kosmetischen Mitteln in weichen Wellen über einen fleckenlosen Kragen und eine ebenso weiße Hemdbrust arrangiert. Genau wie damals bei der Hochzeit . . . Nur sein Gesicht! Obgleich es starr in den Kissen lag, undurchdringlich auf den ersten Blick wie eine Maske, schien es doch voll eines geheimen Lebens. Sie erwartete fast, daß er sprechen würde. Mit einem kalten schnellen Atemzug hauchte sie seinen Namen: „Toni!" Seine Reglosigkeit begann sie zu erschrecken. Es schien unmöglich, daß seine weiße Weste, daß sein frischgestärktes Hemd sich nicht auf und ab bewegten, daß keine Muskel seines grauen, abgezehrten Gesichtes zuckte. Sein Anblick erfüllte sie nun eigentlich mit Verwunderung. Es schien unsinnig, ungeheuerlich, daß ein paar Stäubchen einer mineralischen Substanz imstande sein sollten, einen Menschen, der noch vor zwei Tagen nach der Zielscheibe geschossen, gegessen, getrunken, die Straße durchwandert und seine ganze heiße Lebenskraft in flammender Leidenschaft offenbart hatte, in einen so stillen, hilflosen, hoffnungslosen Schatten zu verwandeln. Tränen traten in Thereses Augen. Ein jäher Aufruhr begann ihre Seele zu durchtoben. Sie schob die Finger zwischen des Toten Hände und drückte sie fest. Sie fühlten sich an, als wären sie aus Stein. „Verzeih mir, Toni!" flüsterte sie. „Bitte, verzeih mir!" Ihre Tränen rührten den Toni nicht. „Verzeih mir! Verzeih mir!" rief sie von neuem, und ihr Kummer brach sich Bahn. „Wenn du in der Nähe bist, komm und hör mich an. Ich will, daß du mir verzeihst!" Therese beugte sich über ihn, am ganzen Körper bebend, und während sie sich in grenzenlosen Qualen wand, schien die undurchdringliche Starre seiner Mienen einem unheimlichen Lächeln zu weichen, einem Lächeln, das sich weder verbrennen noch begraben ließ, einem Lächeln, das eine Drohung zu bergen schien. Unverwandt blickte sie in das unheimliche Gesicht, bis sie, ihrer selbst nicht mehr mächtig, einen gellenden Schrei ausstieß, zur Tür lief und durch das schweigende Haus schrie: „Er lebt! Er lebt!"

Sogleich erschien Dr. Naef auf dem Schauplatz, und einen Augenblick später kamen Sophie, Madame Weidenhof, Gottfried und Dr. Schneeli zum Totenzimmer gelaufen. Sie fanden Therese im Korridor zusammengekauert an der Wand. Sie hoben sie auf und trugen sie in einen andren Flügel des Hauses.

Gottfried schritt bleich hinterdrein.

Anton Jakobs letzte leibliche Reise war nicht allzulang. Am Mittwochnachmittag um zwei Uhr trugen ihn sechs Männer in seinem blumengeschmückten Sarg zur Kirche. Eine imposante Menschenschar folgte. Gottfried und Dr. Naef schritten an der Spitze. Dann kam Dr. Schneeli aus Bern, Anton Jakobs Rechtsfreund und Testamentsvollstrecker, eine stolze Persönlichkeit mit einem patriarchalischen weißen Bart und einer furchtgebietenden Krummnase. Dicht dahinter marschierte Herr Keller, der Präsident des Bauernbundes, ein Männchen mit klugen Zügen. Auf seiner kleinen Nase saß ein großer goldener Kneifer mit dicken Gläsern, der ständig hin und her schwang. Augustin Sänger, Nationalrat und Gottfrieds Onkel, trippelte hinter dem Präsidenten. Ab und zu richtete er ein paar gewichtige Worte an Herrn Eschbach an seiner Seite, zum Beispiel: „Traurig" oder: „Ein großes Begräbnis" oder: „Der Joggi war doch ein guter Kerl!" – „Ja! Jaja! Die arme Frau!" brummte Herr Eschbach zurück. Dann folgte in der Prozession Herr Inden, der Herrenbauer aus Meiringen. Dicht hinter ihm kamen Bolzacher aus Lindbach, Bader und Niederegger; ferner Gysen aus Geißbrunnen, mit seinem Holzbein, ein hitziger Liberaler, und wohl noch an die hundert Leute, zumeist aus dem Arnatal und der nächsten Umgebung.

Sobald man aber über die erste Hälfte des Zuges hinaus war, wurden die Zylinder seltener, und wenn dann die Gamer, Speuzer, Steffiswälder und Lindbacher kamen, verschwanden sie völlig, und an ihre Stelle traten die schwarzen Schlapphüte. Je größer die Entfernung vom Sarge, desto geschwätziger war die Trauerschar. An der Spitze herrschte Schweigen, Gesumme in der Mitte und Geschnatter im Nachtrab. Alle Gefühle und Neigungen natürlich empfindender Menschen traten zutage: Ernst, Gleichgültigkeit, Verwunderung, Stolz, Bescheidenheit, Eitelkeit, Kameradschaft sowie auch geheimer Neid.

Ein paar Kutschen standen bereits vor dem Portal der Kirche; sie hatten die Frauen gebracht. Aber wenn irgendwer gehofft hatte, das Gesicht der schönen Witwe zu erblicken, so sah er sich enttäuscht, denn Therese war dicht verschleiert. Sophie folgte ihrem Beispiel. Beide verhüllten sie nur allzugern ihre Gesichter vor der Welt, besonders Therese.

Der Gamer Friedhof lag nicht mehr als hundert Schritt von der Kirche entfernt. Auf leichtgeneigtem Boden, fast wie ein Weinberg angelegt, hatte er reichlich Sonne. Er war von einer niedrigen Mauer umschlossen, und man betrat ihn durch eine eiserne Pforte von der Landstraße her.

Anton Jakob, der hinsichtlich der Art und Weise seines Begräbnisses keine besonderen Anweisungen oder Wünsche hinterlassen hatte, erhielt ein christliches Leichenbegräbnis, wie es in diesem Winkel der Erde üblich war. Nach der Abdankung in der Kirche wurden seine sterblichen Überreste in den Friedhof hinübergetragen, wo man neben dem Grab seiner ersten Frau eine frische Grube aufgeworfen hatte. Sophie hatte darauf bestanden, daß man ihn neben ihrer Mutter bestatte, und an ihres Vaters Grab triumphierte sie insgeheim über die Stiefmutter. Sie glaubte nicht, daß Therese jemals an der Seite ihres Vaters liegen würde, obgleich ihr Gatte sie auf diese Möglichkeit aufmerksam gemacht hatte, nicht ohne die humoristische Seite einer solchen Eventualität hervorzuheben.

„Nein! Vätti muß neben Müeti liegen!"

Therese selbst erhob keine Einwände. Sie hegte nicht den Ehrgeiz, neben Anton Jakob begraben zu werden. Die Familie stand nun an der gähnenden Gruft versammelt, und der Pfarrer Niederhauser bemühte sich, ihren Seelenschmerz zu lindern. Seine feierliche Stimme scholl weithin über die Köpfe der Menge. Thereses Schultern hoben sich, ihr Kopf sank tief auf die Brust; sie schien unter ihren Schleiern zusammenzuschrumpfen. Sophie schüttelte sich in krampfhaftem Schluchzen, Gottfried stand kalt und ernst da. Sein Herz war starr, und er schauderte. Vier Männer senkten den Sarg in das Grab.

„Dieweil es dem allmächtigen Gott in seiner Gnade gefallen hat, die Seele unseres hier verblichenen lieben Bruders zu sich zu nehmen, übergeben wir seinen Leichnam der Erde; Erde zu Erde, Asche zu Asche, Staub zu Staub. In treuer und gewisser Hoffnung auf die Auferstehung zum ewigen Leben ..."

Der Leichenbestatter sammelte die Blumen und Kränze und überreichte sie Therese, Sophie, Augustin Sängers Frau, Gottfried, Felix, dem Herrn Präsidenten und dem Herrn Nationalrat. Pfarrer

Niederhauser ergriff, während er die Worte „Erde zu Erde, Staub zu Staub" sprach, die Schaufel des Totengräbers und warf in die Grube drei symbolische Schollen, die laut auf den Sarg polterten.

Dann kam Therese an die Reihe, um einen Kranz hinunterzuwerfen. Sie zog den Schleier zur Seite. Alle Blicke hefteten sich auf ihr Gesicht. Ihre Lippen waren wie in tiefem Gram verzerrt, aus ihren Augen leuchtete ein unheimliches Feuer, und das Herz manch eines Mannes war von dem lieblichen Oval ihres Mater-Dolorosa-Antlitzes wirksamer gerührt als durch die Worte des Pfarrers. Therese löste ein paar Rosen los, die sich in ihrem wallenden Schleier verhakt hatten; dann schritt sie an den Rand des Grabes, hielt mit ihrer schwarz behandschuhten Rechten den Kranz empor und ließ ihn auf den Sarg fallen. Sich wieder zu voller Höhe aufrichtend, trat sie zurück und zog ihren Schleier übers Gesicht. Der Reihe nach warfen die andren zunächst an der Grube Stehenden einen Kranz oder Blumen hinunter. An die niedrige Mauer des Friedhofs gelehnt, standen der alte Karli, der von der Alp heruntergekommen war, und der alte Joggi. Mit gebogenen Knien, krummen Rücken, weiten Kleidern, die wie Säcke an den vertrockneten Leibern baumelten, so waren sie in ihrem eigenen Tempo dem Leichenbegängnis gefolgt. Der alte Karli atmete schwer durch seine schmalen Lippen. Alle Knochen taten ihm, dem fast Hundertjährigen, weh; aber er schien jetzt keine Schmerzen zu spüren. Seine eingesunkenen Augen ruhten starr auf der Trauerversammlung, wie die Augen eines halbverhungerten Hundes. Joggi sah wie sein jüngerer Bruder aus. Alle alten Männer im Arnatale sahen wie Brüder aus; je näher sie der Erde kamen, desto mehr glichen sie der Erde. Die beiden Greise guckten bloß zu, ohne sonderliches Interesse an dem Schauspiel, das da vor ihren Augen stattfand. Sie legten keine sonderlichen Gefühle an den Tag. Joggi hatte sich bereits getröstet und war durchaus bereit, noch einem dritten Gamhof-Müller zu dienen.

„Ja, wenn es mich eines Tags erwischt", sagte er zu Karli, „dann werde ich auch hier liegen, dort hinten in der Ecke, wo sie die armen Leute verlochen. – Hä, was? Du willst dir doch nicht die Pfeife anzünden, Karli? Nein, so eine Gotteslästerung!"

„Ich sag' dir, ich tu's!" krächzte der alte Karli. „Hü, hü! Ich zünde sie an, jawohl! Und lasse mich mit ihr begraben, wenn's einmal soweit ist. Jetzt aber verheb' ich's nimmer länger und mach' mein Brünneli an die Wand, solang' niemand herschaut."

Die große Trauerversammlung löste sich in einzelne Gruppen auf, die langsam aus der Pforte schritten. Dr. Schneeli führte Therese am Arm, Gottfried seine Schwester. Die zwei Totengräber schaufelten die Erde ins Grab. Allmählich leerte sich der Friedhof. Niemand blieb zurück außer den beiden Männern, die eifrig schaufelten und sich mit tiefen Grabesstimmen unterhielten. Joggi und Karli schauten immer noch zu. Sie schienen wie mit der Mauer verwachsen.

Am Abend setzte ein dünnes Rieseln ein, und während der Nacht begann es zu regnen. Am Morgen schwebten dicke graue Wolken über dem Tal und verwischten die Farben und Linien der Landschaft.

Sophie, ihr Mann, Gottfried und Therese waren im Eßzimmer versammelt, und Dr. Schneeli begann, Anton Jakobs letztwillige Verfügung zu öffnen. Er verlas ein langes Dokument, dessen Inhalt dahin lautete, daß Therese zwei Achtel des Kapitalwertes von Anton Jakobs Vermögen, das auf über zwei Millionen Franken geschätzt wurde, erben solle und daß sie das Recht erhalte, zeit ihres Lebens im Hause zu wohnen, vorausgesetzt, daß sie sich nicht wiederverheirate. Sophie und Gottfried erhielten nur je drei Achtel des Besitzes. Der Grundbesitz sollte ungeteilt bleiben und zugunsten der Erben einem Treuhänder übergeben werden. Die Einkünfte aus den Ländereien sollten in vier Teile zerfallen: einen für Therese, einen für Gottfried, einen für Sophie und einen für das erwartete Kind. (Wobei Anton Jakob annahm, daß es ein Knabe sein würde.)

Anton Jakobs Absicht war gewesen, die Ländereien ganz beisammenzuhalten, wenn auch alles andre geteilt werden mußte. Denn aus diesem Grund und Boden war jener stetige Bach geflossen, der mehrere Generationen hindurch den Geldteich der Müller gefüllt hatte. Sobald Sophie begriff, daß eine halbe Million von dem Familienvermögen in Thereses Hände übergehen solle, sagte sie zu Felix: „Jetzt können wir gehen! Das genügt völlig! Komm!"

Gottfried versuchte, seine Schwester zu beruhigen, aber sie schoß dolchartige Blicke auf Therese und verließ das Zimmer, ihren etwas störrischen Gatten mit hinausschleppend.

Unverzüglich packte sie ihre Reisetasche und befahl Felix, gleichfalls einzupacken. Er versuchte, sanfte Vorstellungen zu erheben. „Schließlich und endlich, Sophie, war sie die Frau deines Vaters! Bedenke doch nur, mein Schatz! Erst gestern war das Begräbnis."

Sie warf ihm einen eisigen Blick zu. Worauf er die Finger in seinen Kragen schob und heftig daran zerrte.

„Ah hem! Ah hem! So! Ja, liebe Sophie, du solltest es nicht vergessen."

Sophie zog die Schultern hoch.

„Sag mir!" begann sie. „Ist das Testament rechtsgültig? Du willst doch angeblich ein Advokat sein; kannst du ihr das Geld nicht entreißen? Du mußt! Es ist mein Geld, mein Geld, nicht das ihre! Jawohl! Mein und Gottfrieds Geld! Glaubst du, daß ich nach dieser Affäre je wieder hierherkommen werde? Solange sie lebt, nicht! Nie! Da hast du's! Ich sagte dir immer voraus, was geschehen wird! Hunderttausend allerhöchstens hätten als Abfertigung für diese welsche Dienstmagd genügt. Nun schau dir diese Bescherung an! Wir haben sie auf dem Hals sitzen, diese gottsträfliche Verwandte!"

Sophie verbarg das Gesicht in den Händen und brach in zornige Tränen aus.

Felix saß auf einem Koffer, klemmte sich den Zwicker auf die Nase und wußte nicht, was er sagen solle. Da er selbst sich aus kleinen Verhältnissen emporgearbeitet hatte, konnte er Sophies Wut kaum begreifen. Sie besaß nun auf ihren Namen alles in allem ungefähr eine Million. Eine Million! Das mußte sicherlich genügen, damit er eines Tages für den Großen Rat oder für den Nationalrat oder für irgendeinen andren Rat kandidieren konnte!

„Du bist nicht gerecht", sagte er steif. „Ich verstehe dich nicht. Warum versuchst du nicht, die Dinge von einer freundlicheren Seite zu sehen?"

„Ist Vättis Testament rechtsgültig?" fragte Sophie. „Das ist alles, was ich wissen will."

„Natürlich ist es rechtsgültig! Was soll es denn sonst sein? Etwa rechtsungültig?" fragte er.

„Nun, dann verlassen wir sofort dieses Haus!" schrie sie. „Ich bleibe bei diesem Weib keine Minute länger als unbedingt nötig." Und noch am selben Nachmittag reisten sie ab und kehrten in ihr Thuner Heim zurück, wo sie ihren ehelichen Zank fortsetzten, bis Sophies Kräfte endgültig erschöpft waren. Dann rauchte Felix seine Zigarre, eine echte Havanna-Importe. Und später dann in seinem Studierzimmer, nachdem Sophie zu Bett gegangen war, rauchte er eine zweite, und träumerisch blickte er in den blauen Rauch. „Ja, sapperlot! Diese oberländischen Bauern! Wer hätte das je gedacht, daß sie so reich sind? Und das ganze liebe Jahr spazieren manche von ihnen herum mit gesticktem Edelweiß auf den Blusen und platten Tellerhüten! Diese Heimlichfeisten! – So, jetzt beginnt für mich das Leben! Wir werden hübsch vorsichtig sein, aber auch sehr behaglich leben. Wenn wir einen Durchschnitt von vier Prozent rechnen und mein berufliches Einkommen – ich denke, dann können wir ganz ordentlich kutschieren und allerhand beiseite legen."

Therese, Gottfried und Dr. Schneeli aßen im Gamhof gemeinsam zu Abend. Stumm saßen sie um den Tisch. Irgendeine geheimnisvolle Macht wühlte in Thereses Brust und füllte ihre Augen mit Tränen. Dr. Schneeli haschte nach ihrer Hand, die er freundlich tätschelte.

„Nun, nun, Frau Müller! Nein, nicht so! Schlagt Euch's ein bißchen aus dem Kopf."

„Ich kann nicht", sagte sie.

Gottfried, den verletzten Arm auf den Tisch gestützt, sah Therese mit finstern Blicken an, als befürchte er eine peinliche Überraschung. Aber es geschah nichts Sonderliches. Therese blickte tränenden Auges zu Dr. Schneeli hinüber; sie faßte ein herzliches Zutrauen zu diesem edlen, alten Emmentaler, zu diesem Patriarchen mit der großen Schnabelnase und den grundgütigen Augen.

„Ich habe über das Testament meines Mannes nachgedacht",
sagte sie, während sie mit einem kleinen weißen Taschentuch die
Tränen aus den Augen tupfte. „Und ich fühle, daß es mich allzu
großmütig behandelt. Ich bin durchaus bereit, ein Dokument zu
unterzeichnen, mit dem ich auf alle Rechte und Nutznießungen,
die mir zustehen, verzichte. Ich will nichts von seinem Geld und
nichts von seinem Landbesitz."

Dr. Schneeli lehnte sich erstaunt zurück. Gottfried runzelte die
Brauen und fragte: „Warum?"

„Weil ich den Gedanken einfach nicht ertragen kann, daß ich
Zank und Feindschaft stifte."

„Niemand ist dein Feind", warf Gottfried ein.

„Doch! Sophie! Sie ist sogar abgereist, ohne sich zu verabschieden.
Ist es meine Schuld, daß mir Anton Jakob soviel Geld hinterlassen
hat?"

„Zumindest haben meine Gefühle mit Sophies Gefühlen nicht das
mindeste gemein", sagte Gottfried. „Ich bin mit meinem Anteil
zufrieden, und darauf möchte ich Doktor Schneeli aufmerksam
machen."

Dr. Schneeli fuhr sich mit den Fingern durch den Bart.

„Wenn irgend jemand die geschäftliche Seite Ihres Mannes gekannt hat", sagte er bedächtig und sanft zu Therese, „so war ich es.
Ich habe ihn vor gar nicht langer Zeit darauf aufmerksam gemacht,
daß die Frage der Verwaltung seiner Liegenschaft in dem Testament noch offenstehe. Und damals sagte er zu mir: ‚Ich lege die
Sache in Eure Hände. Meine Frau erwartet ein Kind. Dieses Kind
soll eines Tages den Gamhof verwalten.' Natürlich lächelte ich
darüber. Ich erklärte ihm, daß ich fünfzehn Jahre älter sei als er, und
daß er sich einen jüngeren Testamentsvollstrecker suchen müsse.
Aber nein, er wollte es nicht anders. Schön, schön! Ich erinnere
mich jetzt an viele Dinge, aber es ist nicht der richtige Augenblick,
sie zu erzählen. Und ich will nur betonen, daß ich dem Toten
gegenüber ein Treuegefühl empfinde, das sich durch nichts er-
schüttern läßt. Ich will nur betonen, daß er selbst über die geringfügigsten Dinge, die sein Leben betrafen, offen mit mir gesprochen
hat, und ich erkläre, kraft der Vollmacht, die er in meine Hände
gelegt hat: Ich werde nicht ein Jota in seinem Testament ändern

lassen, sondern mit Nachdruck Sorge tragen, daß es auf den Buchstaben vollstreckt wird."

Seine letzten Worte endeten mit einem deutlich artikulierten Knurren, das entschlossener klang als ein Faustschlag auf den Tisch. Zu gleicher Zeit hoben und senkten sich seine Brauen, und sanft legte er Thereses Hand wieder auf das weiße Tischtuch zurück.

Einen Augenblick lang saß er tief in Gedanken versunken. Dann beugte er sich vor, packte Gottfrieds und Thereses Hände und fuhr fort: „Er muß seinen Tod vorausgeahnt haben. Nur sehr wenige Männer treffen Vorsorge für ihre ungeborenen Kinder. Er aber hat es getan. Ich will euch sagen, warum. Er wußte von Euch, Gottfried, daß Ihr niemals den Wunsch hegen werdet, den Gutsbesitz selbst in die Hand zu nehmen. Er hatte von Euch eine große Meinung. Er glaubte fest, Ihr würdet Euch eines Tages einer Laufbahn zuwenden, die Euch zu irgendeiner hohen Stellung führen könnte. Andrerseits setzte er großes Vertrauen in Euch, Frau Müller. Euer Kind – er zweifelte keinen Augenblick, daß es ein Knabe sein wird, und laßt uns hoffen, daß er recht behält –, in dieses Kind setzte er alles Vertrauen, daß es die Familientradition weiterführen werde. Ich sage Euch wahrscheinlich nur, was er Euch bei seinen Lebzeiten selber erzählt hat, aber ich halte es für meine Pflicht, dies alles noch einmal zu wiederholen."

Therese sah Dr. Schneeli eine Sekunde lang durch ihre gesenkten Wimpern an. Er ließ ihre Hand los und gab dann auch Gottfrieds Hand frei. Es war ihr zumute, als wisse dieser alte Mann fast alles.

„Ich verstehe", sagte sie und neigte den Kopf. „Er hat mir einmal davon erzählt, wir haben über dieses Thema gesprochen."

Dr. Schneeli sah Gottfried an.

„Ich hielt es für das beste, alles in eurer Gegenwart vorzubringen", sagte er. „Euer Vater hat mir erklärt, ihr wäret gute Freunde, und um gute Freundschaft zu halten, müßt ihr bemüht sein, einander zu verstehen, einander zu achten wie bisher und sein Andenken zu ehren. Er war ein bemerkenswerter Mann. Es gibt heutzutage leider nur wenige von seinem Schlag."

Er machte eine kurze Pause. Weder Therese noch Gottfried sprachen. Ihre Blicke starrten auf den Tisch.

„Nun, wenn ihr nichts dagegen habt, meine Kinder", sagte Dr. Schneeli, „werde ich jetzt hinaufgehen, um zu beten und mich ins Bett zu legen."

Er erhob sich, sagte: Gute Nacht, und begab sich auf sein Zimmer. Therese begleitete ihn die Treppe hinauf bis an seine Tür. Als sie ins Eßzimmer zurückkehrte, war Gottfried verschwunden. Sie blickte ins Nebenzimmer, in den Korridor, in die Küche, aber er war nicht zu finden. Sie fragte sich, wohin er wohl gegangen sei. Vermutlich in sein Zimmer. Sie traute sich nicht hinauf; und so setzte sie sich hin und wartete auf ihn. Nach einer Weile wurde sie unruhig und ging in die Küche.

„Hast du Herrn Gottfried gesehen?" fragte sie Minna.

Minna, die eine Pfanne mit feinem Sand säuberte, unterbrach keinen Augenblick die rasche Kreisbewegung ihres Armes.

„Ja! Er ist ausgegangen."

„Sagte er, wohin?" fragte Therese, unbewußt fasziniert durch die Häßlichkeit der Köchin und mit forschenden Blicken das Muttermal betrachtend, das ihrem Gesicht eine gewisse Ähnlichkeit mit einer Landkarte verlieh.

„Der Herr sagte, er gehe spazieren."

„Was? Bei diesem Regen?"

„Ja!"

Therese zog einen Mantel an, griff nach dem Regenschirm und verließ gleichfalls das Haus. Seit dem Zwiegespräch mit Dr. Schneeli hatte sich ein dumpfer, wunderlicher Schmerz in ihrem Herzen festgesetzt. Jene Mächte, die sie durch ihre Tat aus dem Wege zu räumen hoffte, schienen sich von neuem hindernd aufzubäumen. Nein, sie ist jetzt ihre eigene Herrin! Jetzt wird sie die Zähne zusammenbeißen und aller Welt Trotz bieten. Kraft ihrer unbegrenzten Willensstärke wird sie sich ein Leben schaffen, wie sie es haben will. Sie schritt hastig aus, erreichte die Straße, wanderte durch das verstummte Dorf und noch ein Stückchen darüber hinaus. Der Regen, der ihr entgegenschlug und auf ihrem Schirm prasselte, verlieh ihr ein Gefühl der Lebenslust und Stärke. Es machte ihr Vergnügen, die Füße entschlossen auf den Boden zu setzen und ihre Muskeln in dem Kampf mit den Elementen zu straffen.

Bald verschwanden hinter ihr die letzten Lichter, und vor ihr tauchten die dunklen Mauern des Friedhofs auf. Unendliches Mitleid mit Anton Jakob packte sie an. Dieses Mitleid war jenen Gefühlen verwandt, die sie für ihn empfunden, als er noch im Leben weilte. Kein neues Gefühl. Und dieses Mitleid würde sie ihm wohl immer bewahren. Ja, vielleicht hatte sie ihn auch nur aus Mitleid geheiratet. Nun, falls sein Glaube wohlbegründet war, ging er jetzt in das ewige Leben ein, um dort seiner ersten Frau zu begegnen und mit ihr im Himmel neue Hochzeit zu feiern. Diese bloße Möglichkeit, daß Eheleute nach dem Tode wieder zusammentreffen sollten, erschien Theresli wie eine ausgeklügelte Strafe. – Vielleicht, dachte sie, vertauschen diese gläubigen Weiber ganz ahnungslos den Himmel mit der Hölle.

Sie betrat den Friedhof nicht, obgleich sie sich insgeheim zu dem Grabe hingezogen fühlte. Sie begnügte sich damit, aus einiger Entfernung hinüberzuspähen. Unvermutet aber sah sie eine dunkle Gestalt neben dem Hügel stehen. „Jesses! Das ist sein Geist!" murmelte sie, und ein Schauder überlief sie. „Gottfried", hauchte sie. „Das ist Gottfried!"

Gottfried war es; barhäuptig mit gebeugten Schultern stand er im Regen. Ein schneidender Schmerz durchzuckte ihre Brust. War dies das Glück, war dies die Zukunft, die sie für sich erobert hatte? Jählings wußte sie, daß sie nie imstande sein werde, ihn in dieser Haltung zu vergessen. Gebeugt, kummervoll, furchtbar! Die Haltung tiefer Reue! Und sie liebte ihn mehr denn je! –

Therese hatte einen bitteren Vorgeschmack von all den Dingen, die da kommen sollten. Sie drehte sich um und ging nach Hause.

Dann saß sie im Eßzimmer und wartete auf Gottfrieds Rückkehr. Ungefähr eine halbe Stunde lang tat sie nichts weiter, als daß sie dasaß und ihre Hände anstarrte, die auf dem Tisch ruhten. Als säße sie Modell für einen Bildhauer. Endlich hörte sie Gottfried das Haus betreten; hörte, wie er seinen Mantel ablegte. Und dann kam er ins Zimmer.

„Immer noch auf?" fragte er. „Ich wollte eben das Licht abdrehen."

„Auf? Ja. Ich habe auf dich gewartet."

„Ich ging ein wenig spazieren auf der Straße und vergaß, den Schirm mitzunehmen.“

„Deine Haare sind naß, triefnaß. Hältst du es nicht für nötig, dich ein wenig zu trocknen?“

Er schaute in den Spiegel, und ein erschrockener Ausdruck kam in seine Augen. „Lieber Gott! Sehe ich nicht aus wie ein Mörder! Sooft ich in den Spiegel schaue – und mich – sehe . . .“

„Zerschlag alle Spiegel im Haus!“ sagte sie barsch und richtete sich steif auf.

„Theresli!“ Fast war es ein Stammeln. „Theresli, du begreifst nicht, du begreifst nicht – aber – auf jeden Fall versteh den Sohn, der um seinen Vater trauert. Ich kann dieses Gefühl in mir nicht ersticken. Ich kann nicht!“

Seine Worte klangen entsetzlich bitter.

„Jetzt will ich mich abtrocknen“, sagte er. „Gute Nacht, Theresli.“

Er ging in sein Zimmer hinauf.

Therese saß reglos am Tisch, und etliche Minuten lang starrte sie immer noch ihre Hände an. Dann erhob sie sich, ging in ihr Schlafzimmer und legte sich zu Bett.

„Ist dir nicht aufgefallen, daß die kleine Luise mich manchmal so argwöhnisch ansieht?“ sagte Gottfried eines Abends zu Therese, als sie eben mit dem Abendessen fertig waren. Sie hielt einen Augenblick den Atem an und sah ihm verständnislos in die Augen.

„Wie kommst du auf diesen Gedanken?“

Er zuckte die Achseln.

„Es kommt mir so vor.“

„Unsinn!“ sagte sie mit lauter Stimme. „Nächstens wirst du Gespenster sehen.“

„Es war mir auch, als hätte Blaser heute ein wenig argwöhnisch dreingeschaut.“

„Blaser? Wann? Wo?“

„Ich traf ihn, als ich heute morgen wegging, und abends auf dem Rückweg traf ich ihn wieder.“

„Liebster Gottfried! Du leidest an Verfolgungswahn."

Er schüttelte den Kopf.

„Durchaus nicht. Ich bemerkte, daß Blaser stehenblieb und mir nachschaute. Als ich ein ziemliches Stückchen gegangen war, zündete ich mir eine Zigarette an, und da sah ich, daß er immer noch an derselben Stelle stand. Blaser ist gerade der Mensch, dem man ausweichen muß. Selbst Vater nannte ihn immer einen Heuchler."

„Du solltest wirklich versuchen, deine Miene zu ändern", sagte sie. „Warum lächelst du nicht manchmal? Wenn du ewig so dreinschaust wie jetzt, wird dich natürlich jedermann anstarren, und jedermann wird sich wundern, woran du wohl denken mögest."

„Theresli! Es ist fast noch schlimmer als früher. Damals waren wir die Sklaven eines Menschen, jetzt aber scheint es, als seien wir die Sklaven aller Welt."

Sie ordnete sich mit nervöser Gebärde das Haar.

„Was, glaubst du, geht in Blasers Kopf vor?" fragte sie.

„Sein Blick fällt mir auf, das ist alles."

Therese versank einen Augenblick in Grübelei. Sie kannte Blasers amtsmäßigen Blick nur allzu gut. Vor Jahren hatte sie unter diesem Blick gezittert. Gottfried steckte seine Hände in die Taschen und schritt durchs Zimmer auf und ab.

„Wenn nicht das Arsenik wäre", sagte er, „hätte man weniger Grund, nervös zu sein. Aber dieses verdammte Arsen! Es frißt sich in mein Hirn. Es verfolgt mich. Unmöglich, ihm zu entrinnen."

Therese packte ihn beim Arm.

„Setz dich einen Augenblick hin!" sagte sie. „Dieses Umherwandern macht mich ganz schwindelig. Ah! Ewig die Leute! Die Leute!" rief sie aus. „Du fürchtest dich zu sehr vor ihnen. Warum sie fürchten? Niemand denkt an Arsenik! Nur deine pure Phantasie!"

Gottfried, der sich kaum erst hingesetzt hatte, sprang wieder auf und lief nach der Tür, die er mit einer hastigen Bewegung aufriß. Angst und Entsetzen verzerrten sein Gesicht. Aber draußen war niemand, und er machte die Tür wieder zu.

„Einerlei! Einerlei!" Er schob die Hände in die Taschen und begann von neuem auf und ab zu schreiten. „Es ist geschehen. Alles geschehen und abgetan. Es kümmert mich nicht mehr. Nein, wirklich nicht. Aber ich möchte einmal von dir hören, wie du es getan hast!"

Er blieb vor ihr stehen.

„Wie hast du's gemacht?" fragte er. „Ich zermartere mir den Kopf, ich versuche, es selbst herauszubekommen, aber es geht nicht. Willst du mir's nicht erzählen? Ich werde mich viel ruhiger fühlen. Es wäre nur anständig, mir alles zu erzählen."

Sie trat einen Schritt auf ihn zu und sagte: „Du mußt aufhören, ganz einfach aufhören, diese Frage an mich zu richten. Du mußt ganz einfach aufhören, ununterbrochen darüber nachzudenken. Ich kann es sonst nicht mehr ertragen. Wenn du mich liebst, wirst du mich nie mehr fragen."

Trotzig sprühten ihre Augen. Er sah ihr mit schiefem Blick ins Gesicht, dann wandte er sich ab und ließ sich schwer auf die Bank am Kachelofen fallen.

„Schön! Schön!" murmelte er, und seine Stirne furchte sich tief. „Wir haben vorsichtig zu sein, das ist alles!" sagte sie.

„Ich glaube immer noch", bemerkte er nach einem kurzen Schweigen, „daß es für uns weit besser gewesen wäre, miteinander davonzulaufen, bevor all diese Dinge geschehen mußten. Wenn ich irgend etwas von menschlicher Psychologie verstehe, so weiß ich, daß die Welt uns abscheulich geschmäht hätte, aber wir wären niemals in diesen Zustand ewiger idiotischer Angst geraten."

„Da bist du schon wieder mit deiner Welt!" rief sie aus. „Was bedeutet uns denn die Welt? Ich dachte, wir hätten uns über die Welt emporgeschwungen! Ich dachte, du verachtest diese Welt! Und nun schleichst du umher voller Angst vor ihr! Ein Idiot wie Blaser kann dich mit einem einzigen Blick in tödliche Furcht versetzen. Gottfried, mich ängstigt diese zunehmende Schwäche an dir. Sie macht dich zu einem andren Menschen."

Sie schritt durchs Zimmer an die dunkle Ofenbank, auf der er saß, legte ihre Hände auf seine Schultern und beugte sich schwer über ihn. „Du liebst mich, nicht wahr?" fragte sie.

„Natürlich!" – „Sag, daß du mich liebst, sag es!"

„Ich liebe dich, Therese."

„Von ganzem Herzen!"

Langsam hob er die Augen zu ihrem Antlitz auf.

„Von ganzem Herzen!" wiederholte er.

Sie gab ihm einen langen, atemlosen Kuß und setzte sich neben ihn. „Und deine Liebe wird nie ein Ende nehmen?"

Es erinnerte ihn an seine Konfirmation, an seine Antworten aus dem Katechismus. Aber was für ein Katechismus!

Sie schmiegte sich eng an ihn an und legte den einen Arm um seine Schultern; den andren hielt sie frei.

„Alle schönen Dinge des Lebens liegen jetzt vor uns", murmelte sie; „ich träume von einer Zukunft an deiner Seite. Ich weiß, wir können uns niemals heiraten, aber wir werden irgendeine Möglichkeit finden, um später einmal zusammen zu leben."

Er sah ihr zu, wie sie den freien Arm ausstreckte, wie ihre Finger mit malender Gebärde durch die Luft zuckten, gleichsam eine imaginäre Zukunft nach dem Willen formend, dem sie dienten.

„Mir ist, als wären wir von Anfang an füreinander geboren", fuhr sie fort. „Erinnere dich, wie wir jahrelang gelitten haben, bevor es soweit kam. Wir wollen doch nicht ewig leiden?"

„Es ist schon recht", sagte er.

„Was?"

„Ich meine, wir dürfen uns nichts mehr vormachen – als wäre das, was wir getan haben, in irgendeiner Hinsicht zu rechtfertigen. Wir sollten uns vielmehr eingestehen, daß wir Verbrecher sind. Besser, man bietet der Welt die Stirn und stellt die menschliche Gesellschaft in Rechnung – oder in unserem Fall die Polizei, die unser Todfeind ist."

„Sie ist nicht unser Feind, solange sie nicht Verdacht schöpft und die Sache aufdeckt."

„Das ändert nichts, Theresli. Ich habe mir mein Hirn nach jeder Richtung zermartert. Die Tatsachen bleiben dieselben! Wir haben einem Menschen das Leben geraubt, um Nutzen zu ziehen aus seinem Verschwinden. Finden wir uns damit ab!"

„Glaubst du, du würdest dich besser fühlen, wenn wir für eine Zeitlang verreisten?" Sie nahm den Arm von seiner Schulter und legte die gefalteten Hände in den Schoß.

„Verreisen? Wohin?" fragte er verwundert.

„Ja, für kurze Zeit. In eine sonnige Gegend. Um aus Gam weg-zukommen."

„Machst du dir klar, was das bedeuten würde? Hals über Kopf von hier abreisen? Verschwinden? Schon am nächsten Tag würde der Tratsch losgehen. Sie ist jetzt abgereist. Sie ist weg. Aha! So! Er auch! Sie haben nur auf den Tod des Alten gewartet. Gewartet? Ja, nanamal! Vielleicht haben sie nachgeholfen? Haben ihn um-gebracht? Grabt ihn aus! Schaut nach! Ha! Arsenik! – Nein, nein, Theresli, wir müssen hierbleiben, Augen und Ohren offenhalten und ständig unsere Feinde beobachten."

Ein innerlicher Schauder durchschüttelte ihn. Nach einer kurzen Pause lächelte er.

„Ein seltsamer Unterschied zwischen Theorie und Praxis", murmelte er. „Es ist begeisternd, in der Menschheit den Feind zu sehen. Man erhält das Gefühl, als stünde man über dem ewigen Wirrwarr von Zank und Streit; man ist überzeugt, daß alles, was man tut, richtig ist, weil man es so gewollt. Alle die moralischen Begriffe seiner Mitmenschen mit Füßen zu treten – das verleiht dem einzelnen ein Gefühl erhabenen Adels. Die Behauptung des eigenen Willens ist die höchste Form des Lebensgenusses!"

„Das ist es, was du immer gesagt hast", murmelte Therese. Sie erhob sich.

„Du siehst alles in den schwärzesten Farben", sagte sie. „'s ist dieser Blaser mit seinem Blick, der wieder all die alten Zweifel und Befürchtungen in dir aufgerührt hat. Vergiß ihn, Gottfried! Er bedeutet nichts! Wir werden so weiterleben wie jetzt, offen vor aller Welt, und niemand wird sich darüber Gedanken machen."

Gottfrieds Stirn bewölkte sich. Therese wurde plötzlich lebendig. „Ich gehe jetzt hinunter, um einen Augenblick mit Röthlisberger zu sprechen. Er muß dafür sorgen, daß die Möbel für Naefs ein-gepackt werden."

Sie küßte Gottfried und verließ das Zimmer.

Das war sein herrliches neues Leben an Thereses Seite! Das war die Alp der Liebe, befreit von dem Ungeheuer mit giftigen Klauen, das „Eifersucht" genannt wird. Wie ein Pendel hin und her geschaukelt von Reue, Angst, Entsetzen, Selbstanklage auf der einen Seite, zu wilder, zügelloser Vergötterung, zu schuldbefleckter Leidenschaft auf der andren Seite. In zitternder Angst hoch emporgerissen, auf ein Paradies hinabblickend, und im nächsten Augenblick in den schwärzesten Abgrund der Verzweiflung geschleudert! Das war jetzt das Leben. Es wäre vielleicht genußreich und prickelnd gewesen, wenn nicht unablässig eine Stimme, wie das Geheul der Meduse, in seine Ohren gegellt hätte: „Es ist alles nur deine Schuld! Nur deine Schuld! Sie ist unschuldig!" Es fiel ihm jetzt auf, jedesmal wenn er Therese leichtfüßig einhergehen sah – fast schien sie zu schweben in ihrem schwarzen, fließenden Kleid –, daß sie sich ihrer schweren Lage nicht zum mindesten bewußt war.

Nicht mehr polterten Anton Jakobs Stiefel treppauf und treppab, nicht mehr schrie seine barsche Stimme: „Maidi, wo bist du?"
Furchtbare Stille herrschte im Haus.

Ein strenger Winter brach an. Viel Schnee lag im Oberland, aber gegen Mitte des Januars zerstreuten sich die schwerlastenden Wolken, und aus dem leuchtend blauen Äther blitzten die hochthronenden Bergriesen herab, in funkelnagelneuen Gewändern von blendendem Weiß. Langsam verringerten sich die Stöße von Brennholz, die an den Wänden und Simsen der Wohnhäuser sauber aufgeschichtet waren. Die Futterberge auf den Tennen begannen tiefe, höhlenartige Löcher aufzuweisen, und mancherorts polterten bereits die Stiefel des Bauern, der seine Vorräte inspizierte, auf den nackten Brettern umher.

Jedes Haus in Gam hatte seine dünne Rauchsäule, seine dichtverschlossenen Türen und Fenster, seine Reihen kristallheller Eiszapfen rings um den Dachrand. Aus den vermummten Ställen kam das Muh der Simmentaler, die Flanke an Flanke in der Wärme ihrer Ausdünstungen standen, und ab und zu sah man einen zottigen Köter durch eine zufälligerweise geöffnete Tür ins Freie jagen und mit lustigen Sätzen in die tiefen Schneehaufen am Straßenrand springen. Alles sah sehr behaglich und respektabel aus, und es fehlte durchaus jene Armut, die in den Großstädten wie ein drohendes Grauen die menschliche Gesellschaft verfolgt. Eines Tages schritt Gottfried auf dem Heimweg durch die Dorfstraße. Er war schon seit längerer Zeit diesen Weg nicht gegangen, da er ihn geflissentlich vermieden hatte. Für gewöhnlich pflegte er einen größeren Umweg einzuschlagen, auf dem er nur selten einem Menschen begegnete. Gerade an diesem Tage aber wählte er die Hauptstraße. Es fiel ihm ein, wenn er sich nie in Gam blicken ließe, könnten sich die Leute wundern und auf allerlei neugierige Fragen kommen. „Was ist aus Herrn Müller geworden?" könnten sie zum Beispiel sagen. „Man sieht ihn neuerdings überhaupt nicht mehr – warum denn nur? Soviel wir wissen, ist er doch in Gam."

Eine Zeitlang schritt Gottfried munter aus. Doch als er die Kirchenecke erreichte und vereinzelte Spaziergänger auf der Hauptstraße sah, verlangsamte er seinen Gang, damit man sich nicht wundere, warum er so schnell gehe. Er knöpfte seinen dunklen Mantel zu, schlenderte ein paar Schritte weiter, knöpfte den Rock wieder auf, bemühte sich, unbefangen und freundlich dreinzuschauen; aber es schien, als sei sein Wille nicht stark genug, um die Muskeln seines Gesichtes zu bewegen. Ja, dieses Gesicht! Es war ein seltsam hageres, hartes und ruheloses Gesicht.

Als er in die Nähe von Bühlers Laden kam, sah er gerade noch Herrn Steiger in seinem grünen Waffenrock mit seinen Messingknöpfen und seinem langen Säbel eintreten. Eine wunderliche Schwäche überkam Gottfried. Er vergaß einen Augenblick, wo er sich befand. Das war der Polizist, natürlich. Warum nicht? Wer konnte es sonst sein? Aber warum mußte Steiger gerade in diesem Augenblick seinen Weg kreuzen? Höchst sonderbar! Nein, es war nicht ein einfacher Vorfall des Alltags, es war ein richtiges Problem. Wieder eines dieser vielen Probleme, die jetzt jeden Tag aus der Erde schossen. Steiger hatte zu ihm hergesehen. Ja, aus einer Entfernung von zwanzig Metern hatte Steiger ihn gesehen, aber er hatte nicht gegrüßt. Und doch war er stets ein höflicher Mann gewesen. Manche Leute hielten ihn für einen steifen Amtsmenschen, aber niemand warf ihm Unhöflichkeit vor. Gottfried war einer Ohnmacht nahe; doch gelang es ihm, bis zu Bühlers Laden zu kommen, und dort blieb er stehen. Er starrte in das Auslagefenster, betrachtete die Winterartikel, die Krawatten, Sweater und so weiter, die Schokoladen und Ansichtspostkarten, die Schier und Davoser Schlitten, die reihenweise zum Verkauf und Verleih bereitstanden. „English spoken", hing ein Schild im Fenster. Seit wann sprechen die Bühlers englisch?

Aber warum kam denn Herr Steiger nicht heraus? Was konnte er wohl in Bühlers Laden zu tun haben? Wovon mochte er reden? So fragte sich Gottfried. Nein, es war ein Fehler, daß er mit Therese unter demselben Dach wohnte. Es ist ein Fehler, dachte er plötzlich, wenn auch die Leute wissen, daß sie Mutter wird. Sie ist eine Frau, und er ein Mann! Wie kamen sie dazu, beisammen zu leben? Gottfried griff mit der Hand an seine Brusttasche; es fiel ihm plötzlich jener Brief von seiner Schwester ein, den er bei sich trug. Wieder eines dieser verfluchten Probleme! Er war noch nicht imstande gewesen, den Brief zu beantworten. Er enthielt eine leise Warnung, sehr verschleiert, bezüglich der Tatsache, daß er mit Therese in einem Hause wohne. Er enthielt auch einen Köder: die Meldung, daß Barbara Gotsch, ein hübsches, wohlhabendes, junges Geschöpf, bei seiner Schwester in Thun zu Besuch weile. – „Just das richtige Mädchen, das Dir gefallen würde, das eine tüchtige, gute Frau für Dich wäre."

Ein trauriges Lächeln umspielte Gottfrieds Lippen. Barbara Gotsch! Was soll ihm die Barbara, was soll ihm die Gotsch! – Ich stehe jetzt schon eine ziemliche Weile hier, dachte er plötzlich. „Warum zum Teufel, stehe ich hier? Sicherlich haben sie mich im Laden gesehen. Was werden sie jetzt denken? Wenn ich weitergehe? Steiger könnte glauben, daß ich mich vor ihm fürchte. Nein, diesen Eindruck darf ich nicht erwecken." Gottfried stieg ein paar Stufen hinauf und öffnete die Ladentür. Irgendwo im Hintergrund läutete eine elektrische Klingel.

„Tagwohl!" sagte er.

Frau Bühler begrüßte ihn. „Tag, Herr Müller! So sieht man Euch auch wieder einmal?"

Steiger stand von seinem Sessel auf und reichte Gottfried die Hand. „Tag, Herr Müller!"

Es schien Gottfried, als tausche der Polizist einen raschen Blick mit Frau Bühler. Eine geistige und körperliche Schwäche packte ihn, und er setzte sich rasch nieder.

„Jaja", murmelte er, „es ist merkwürdig, wie ich – wie ich kraftlos geworden bin seit meiner letzten Krankheit. Ich wollte eine Schachtel Zigaretten holen, Frau Bühler. Sie haben die Sorte, die ich gern rauche. Ich sah sie im Schaufenster. Der Doktor sagt zwar, daß ich nicht rauchen darf, aber die Ärzte würden einem jede kleinste Lebensfreude rauben, wenn man sie schalten ließe. Ich erinnere mich, wie sie meinen Vater drangsalierten ... Ja, das sind die, die ich immer rauche, Frau Bühler, danke schön."

Steiger nahm ein Paket vom Ladentisch und schob es unter den Arm.

„So, ja, hm!" sagte er. „Ich habe noch nicht Gelegenheit gehabt, um Euch für die Gemeindewahl am Sonntag Glück zu wünschen, Herr Müller."

„Wahl?"

„Ja, es wird wohl keine Opposition geben, glaube ich. Und Ihr werdet die Stelle des seligen Herrn Alt-Regierungsrats im Gemeinderat einnehmen."

„Ja, das ist eine Sache für sich", sagte Gottfried zerstreut. Er stand auf und bezahlte seine Zigaretten. Steiger sah ihn verwirrt an.

„Ich hoffe, Frau Müller geht's immer gut", sagte Frau Bühler.

„Frau Müller?" murmelte Gottfried. „Frau Müller?"

Plötzlich riß er sich zusammen.

„O ja! Natürlich!" lächelte er. „Ich dachte zuerst, Ihr sprächet von meiner Frau Müller. Ich habe noch keine. Aber bald, eines Tages, man kann nie wissen ... Aber Frau Müller geht es ganz gut. Ich dachte, sie wäre vielleicht heute bei Euch gewesen. Zumindest sagte sie mir, sie würde hinuntergehen. Die Mäuse sind uns in die hölzerne Makkaronikiste geraten."

„Ich weiß! Minna ist hier gewesen. Und der Bueb hat eine neue Kiste hinübergebracht."

„Ich muß jetzt gehen", sagte Steiger.

Er nickte Frau Bühler und Gottfried zu.

„Wartet einen Augenblick, Herr Steiger!" rief Gottfried. „Ich komme mit Euch." Er steckte seine Zigaretten in die Tasche und verließ gemeinsam mit Herrn Steiger den Laden. „Nun", sagte er draußen vor der Tür, „ich möchte gern, daß Ihr mit mir in den ‚Bären‘ kommt und vor dem Essen ein Gläsli trinkt. Ihr versteht mich doch? Schon als Jurist sitze ich gern einmal zusammen mit einer Amtsperson von Euerm Schlag."

Steiger sah Gottfried etwas überrascht an, während dieser ganz unvermittelt lachte.

„Tut mir leid, Herr Müller", sagte Steiger und richtete seine ältliche Gestalt auf. „Ich muß nach Hause. Meine Frau hat das Essen fertig, und auch die Kinder sind schon zurück. Die Suppe wird kalt, wenn ich jetzt in den ‚Bären' gehe. Ein andermal, Herr Müller! Ihr entschuldigt mich doch hoffentlich!"

„Schön, ich entschuldige Euch. Ein andermal! An einem der nächsten Tage komme ich in den ‚Bären'. Vielleicht übernehme ich zuletzt auch Vaters Stammsitz, aber jetzt noch nicht! Es wäre ein bißchen zu rasch nach seinem Tod."

Er schüttelte Steiger die Hand und ging seines Wegs.

„Esel! Esel! Esel!" murmelte er vor sich hin. „Was wird das nächste sein, was du tust? Daß du deine ganze Affäre in Blasers Büro an die Wand nagelst? Daß du sie von den Dächern schreist?"

Mit gehetztem Blick sah er sich um. Steiger spazierte friedlich in die entgegengesetzte Richtung. Gottfried stellte den Rockkragen hoch und beschleunigte seinen Schritt. Unterwegs traf er noch diesen und jenen, zog mit übertriebener Förmlichkeit seinen Hut und eilte weiter. Bald darauf erreichte er das Haus in einem Zustand völliger Erschöpfung.

Therese saß im Eßzimmer und wartete auf ihn. Sie las ein Buch. Das Lesen war ihr zu einer richtigen Leidenschaft geworden. Wenn ihre zahlreichen Pflichten ihre Zeit nicht in Anspruch nahmen, oder wenn sie nicht gerade spazierenging, saß sie bei der Lektüre. Sie sah gut aus, und aus ihren Mienen schienen Ruhe und Gelassenheit zu sprechen, obgleich sie manchmal ihr Buch hinlegte und mit versonnenen Augen durchs Fenster starrte. Als Gottfried ins Zimmer trat, erhob sie sich langsam und streckte ihm ihre weiße Hand entgegen. An einem ihrer Finger glitzerte ein wertvoller Smaragdring. Er zog sie sanft an sich, und sie küßten einander. Dann setzten sie sich zu Tisch.

Er haschte nach ihrer Hand, zog sie über den Tisch und legte seine Wange darauf.

„Nur so fühle ich mich glücklich", murmelte er. „Nur wenn ich dich bei mir habe, wenn ich dich so fühle. So vergesse ich alles. Du bist mein einziger Trost, weil du mich verstehst. Oder nicht?"

Sie preßte den Handrücken gegen sein Gesicht.

„Aber", sagte sie, „du wirst doch wohl heute etwas essen können?"

„Ich weiß nicht. Ich fühle mich eigentlich fast zu krank. Wenn ich nur so könnte wie all die gewöhnlichen Alltagsmenschen."

„Wie ich?"

„Du bist kein Alltagsmensch, Theresli. Nein, ich meine zum Beispiel Felix. Ich bin überzeugt, er jagt alle großen Gefühle zum Teufel, hält es für ungesund, sich den Empfindungen hinzugeben, und begnügt sich damit, aus seinem Leben eine gewöhnliche Angelegenheit zu machen. Es würde für mich ein großer Vorteil sein, wenn ich weniger gescheit wäre, glaube mir."

Luise brachte das Essen herein: Hasenpfeffer mit Johannisbeergelee, gekochte Kartoffeln und Rotkohl. Gottfried sog schnüffelnd den würzigen Duft in die Nase, und ein freudiger Schimmer trat in seine Augen.

„Ich glaube, ich habe endlich einmal Appetit", sagte er.

„Stell alles auf den Tisch, Luise!" befahl Therese.

Luise gehorchte und verließ stumm das Zimmer.

Therese stocherte in der Kasserolle herum, um ein besonderes Stück für Gottfried herauszusuchen. Sie füllte einen Teller und schob ihn zu ihm hinüber. Dann bediente sie sich selbst. Er machte sich sogleich über sein Essen, aber nach ein paar Bissen packte ihn der Überdruß.

„Nein – es geht nicht."

Er sah, wie Therese mit ihren weißen Zähnen in eine halbe Brotschnitte biß. Ihre Lippen knabberten an der Krume, während sie die Schnitte mit ihren Fingern wegzog. Die ganze Frische ihrer Jugend offenbarte sich in der Art und Weise ihres Essens.

„Worüber denkst du jetzt nach? Iß, Liebling, iß!"

„Ich kann nicht", murmelte er und schob den Teller beiseite. „Wenn ich nicht bald wieder regelrecht schlafen kann, werde ich verrückt. Ja, Theresli, es ist eine sonderbare Sache, wie die Buße ganz von selbst begonnen hat und immer weiter und weiter geht." Sie warf ihm einen langen, forschenden Blick zu, voll unendlicher Güte.

„Du mußt dich ein bißchen hinlegen", sagte sie. „Versuche ein wenig zu schlafen."

„Ich will nicht", erwiderte er. „Diese nachmittäglichen Ruhestündchen sind die Ursache meines zerrütteten Schlafes. Du mein Gott! Wenn ich mit diesem ewigen Nachdenken aufhören könnte, dann wäre ich bald wieder der alte. Aber du weißt, wie die Dinge mit mir stehen. 's ist wie ein höllischer Fluch und wird noch zu irgendeiner verhängnisvollen Torheit führen. Heute wäre ich beinahe auf offener Straße in Ohnmacht gefallen, und ich weiß gar nicht mehr, was für Dummheiten ich getan habe. Ich habe mir bei den Bühlers Zigaretten gekauft und mit dem Polizisten geschwatzt, und der Henker soll mich holen, wenn ich mich jetzt noch erinnern kann, was ich zu den beiden gesagt habe."

Therese biß sich auf die Unterlippe.

„Hoffentlich hast du nichts Unvorsichtiges gesagt!" rief sie hastig.

„Nein, sicherlich nicht! Denn das wäre unmöglich. Nein, nein! Weißt du, es steckt sicher in mir noch ein zweiter Mensch, ein Kerl, so kräftig, daß er mich immer davor bewahren wird, irgend etwas Dummes zu sagen, selbst wenn ich im Fieber irrerede oder aus einer Ohnmacht erwache. Gleichsam – wie soll ich sagen – ein zweites unbewußtes Ich."

Er stieß einen Seufzer aus.

„Manchmal, sage ich dir, sieht alles so einfach aus, daß ich mir an die Stirn schlage und mich wundere, wie die Leute so gar nicht imstande sind, zwei und zwei zusammenzureimen. Es ist so klar! Da sind wir beide, und er ist weg! So klar! O Gott!"

Sein Kopf sank nach vorn, und seine Augenlider zuckten langsam auf und ab.

„Gottfried", sagte Therese nach einem Augenblick des Zögerns, „ich werde dir etwas Kamillentee machen und dich ins Bett packen. Du mußt versuchen zu schlafen."

„Gern werde ich's versuchen", sagte er.

„Also komm – komm! Ich schicke Luise am Nachmittag auf die Schlittelbahn." Therese erhob sich langsam, schritt um den Tisch herum und half Gottfried aus dem Sessel. Sie hatten bisher immer streng getrennt gewohnt; ihr Schlafzimmer lag unten, das seine im Oberstock. Nun ging sie mit ihm die Treppe hinauf in sein Zimmer. Sie zog einen dunklen Vorhang vors Fenster, um das grelle Licht der Sonnenstrahlen sorgsam auszuschließen. Dann schlug sie die große Daunendecke seines Bettes zurück.

„Komm, Bueb!" sagte sie schmeichelnd, als spreche sie zu einem Kinde. „Leg dich jetzt hin und versuch zu schlafen." Er legte Rock und Stiefel ab und sank mit einem Stöhnen auf sein Bett.

„Da bin ich wieder. Wie sonderbar! Komm und setz dich neben mich, Therese, Liebste. Gib mir nicht diesen Kamillentee, ich hasse ihn. Nein, nein und keine Pillen mehr, sie nützen nichts. Mir tun nur die Augen davon weh."

Er lachte ein tiefes, seliges Lachen.

„Schau mich nicht so an, Theresli, Liebstes! Du weißt, mir nützen all diese Schlafmittel nicht. Du kannst den wahren Grund meiner Schlaflosigkeit. Du kennst heute jedes Fältchen meiner Seele."

„Ja, aber ich glaube, daß du alles viel zu schwernimmst." Sie haschte nach seinen beiden Händen.

„Liebling!" sagte er und heftete seine weitgeöffneten Augen auf ihr Gesicht.

„Ich habe das nicht als Vorwurf gemeint, Gottfried, nein, ich werde dir nie mehr Vorwürfe machen."

„Es wird eine Zeit kommen, da du mir nicht nur Vorwürfe machen, sondern mich verurteilen, ja sogar verfluchen wirst für all das, was ich dir angetan habe. Leg deine Hand auf meine Stirne. Sag mir, daß du unschuldig bist. Laß mich's aus deinem Munde hören. Du bist unschuldig!"

Mit verborgenem Grauen flüsterte sie seinen Namen.

„Ängstige dich nicht", sagte er. „Ich verliere nicht den Verstand. Aber du bist unschuldig. Nach vielen Wochen scharfen Nachdenkens bin ich zu diesem Schluß gekommen."

„Kind! Was sagst du da! Ich weiß genau, was ich getan habe. Nur – nun, sei nicht böse, wenn ich es sage –, nur fühle ich irgendwie, daß ich stärker bin als du. Ich bin stärker als du. Ich bin so geschaffen – es ist meine Konstitution."

Gottfried lachte trocken.

„Du bist das Kind", erklärte er. „Es gibt keine derartige Konstitution, wie du sie in Anspruch nimmst. Ah, ich fühle mich zuweilen bei der Erinnerung an gewisse Dinge wie verzaubert. Selbst ich, dein sogenannter Lehrmeister, der dich all die Kunststücke des Menschengeistes lehren wollte! Dundernanamal! Was ist schnelles Arsenik gegen das schleichende Gift, das ich während der letzten Jahre Tag um Tag dir eingeflößt habe! Nein, nein, Liebstes, du bist unschuldig – du bist nicht fähig, einzusehen . . ."

„Unsinn!" rief sie mit voller Stimme. „Du willst den Ritter spielen, weil du mich liebst! Du bist restlos die Beute deiner wunderlichen Einfälle und Empfindungen geworden. Beherrsche sie! Begrabe sie! Ich tue es, weil ich sage: Ich werde es tun! Ich werde dies oder jenes tun!"

„Du bist eine Heldin; aber zugleich die Sklavin deines eigenen Willens! Das ist es gerade! Du hast es getan, weil du dem Gebot deines Willens folgen mußtest! Dein Wille hat dich beherrscht, hat deinen Geist gefesselt! Der Impuls wurde unwiderstehlich, und der Entschluß zur Notwendigkeit. Du hast es getan! Für mich! Durch mich! Es war nicht dein Wille! Ich war es, ich! Ich saß hinter deinem Willen! Ich habe dir nicht einmal Halt geboten, als es mir möglich gewesen wäre! Ich ließ das Freizuwählende unvermeidlich werden! Kind! Du kannst sagen, was du willst, aber ich bin der Mörder, und nicht du, und es ist komisch, aber ich glaube, sogar das Gesetz würde dich für unschuldig halten!"

Sie beugte sich herab und lehnte ihr Gesicht an seine Wange. „O Gottfried, warum das alles wieder aufwühlen!"

„Ah!" sagte er. „Wenn ich nur schlafen könnte! Der Schlaf würde mir neue Kräfte verleihen. Aber ich kann nicht schlafen. Nicht einmal dann, wenn ich des Nachts zu dir herunterkomme oder du zu mir heraufkommst. So eng ich mich auch an dich anschmiege – fast ganz in deinen Körper versinken möchte –, ich kann nicht schlafen. Immer höre ich deinen regelmäßigen Atem. Natürlich schläfst du! Weil du unschuldig bist!"

„Gibt es denn gar keinen Weg zum Vergessen, Gottfried? Hast du denn gar keine Möglichkeit, die Dinge ein wenig zu vergessen?" –

„Es ist nicht so sehr die Vergangenheit wie die Zukunft", behauptete er. „Ja, eigentlich die Zukunft! Therese, ich fürchte mich vor mir selber."

„Kommt es nicht nur daher, daß du in Gam bleibst? Anderswo könntest du vielleicht von deiner Schlaflosigkeit geheilt werden."

„Nun, ich bin doch weg gewesen, erst vor einer Woche. Aber ich fühlte mich so völlig abgeschlossen und in so unerträglicher Einsamkeit! Es ging so weit, daß ich kaum einen Platz überqueren konnte, ohne einer Ohnmacht nahe zu sein. Mein ganzer Körper scheint eine Barrikade gegen den Schlaf errichtet zu haben. Erst letzten Donnerstag in Zürich! Das habe ich dir noch nicht erzählt. Ich streckte mich auf einem schönen Bett aus, nahm meine Medizin: Nun also, dachte ich, endlich! Aber der Teufel soll mich holen, wenn mir nicht sofort ein Traum die phantastischsten Greuelbilder vorgaukelte. Ich fuhr jäh aus dem Schlafe auf und wäre fast ein gläubiger Christ geworden; ja, ich habe wirklich Gott gedankt, daß all diese Dinge nur im Traum passiert waren. Da war es gerade Mitternacht. Von diesem Augenblick an habe ich keine Sekunde mehr geschlafen! Dieser törichte Geist, der Gott gedankt hatte, daß er aus einem Traume erwacht war, stürzte sich kopfüber in die Wirklichkeit, und plötzlich begann er, sich an alles und jedes noch tausendmal widerwärtiger zu erinnern als zuvor im Schlafe!"

„Glaubst du nicht, daß dich ein Spezialist heilen könnte? Du bist noch bei keinem Arzt gewesen."

„Ah!" seufzte Gottfried völlig erschöpft. „Ich weiß nicht, wo ich zu guter Letzt Heilung finden werde! Ich hätte manchmal fast Lust, bei jenen geistlichen Burschen eine Zuflucht zu suchen; aber ich bin ihnen ja in Tübingen ausgekniffen." Er hielt inne. „Liebling! Der Kopf tut mir weh; ich werde die Augen zumachen, wenn du nichts dagegen hast."

Therese küßte ihn auf die Lippen, erhob sich und verließ ihn. Sie ging die Treppe hinunter und setzte sich auf die Ofenbank in den hintersten Winkel des Wohnzimmers. Ein jäher Alarm durchtobte ihr Herz. Sekundenlang sah sie sich selbst vor Augen, fast wie einen wandelnden Leichnam; ja, und in diesem Leichnam saß ein Stachel: das Gewissen. Ein jäher, ungestümer Schmerz. Ihre Seele wurde plötzlich von einem schrecklichen Gefühl der Einsamkeit gefoltert. Sie glaubte ihre unsichtbaren Richter, die Rächer Anton

Jakobs, zu erblicken. Sie streckte beide Hände aus, als wollte sie sich wehren mit ihren weißen Fingern. Das Kind in ihrem Leibe bewegte sich.

Plötzlich packte sie ein grenzenloses Mitleid mit Gottfried, und die Tränen quollen ihr aus den Augen.

Eines Tages blickte Gottfried trübsinnig aus dem Fenster. Er hatte endlich einmal geschlafen, ohne ein Mittel einzunehmen; aber er fühlte sich niedergeschlagen. In einiger Entfernung sah er Leute vorüberspazieren, ohne sie zu kennen.

„Mögen sie kommen und mich festnehmen, wenn sie meine Schuld entdecken", sagte er bei sich selber, „aber sie können ja nichts entdecken."

Er dachte an Therese und erinnerte sich an den gestrigen Abend. Sie waren ziemlich spät miteinander im Gespräch aufgeblieben, und er hatte eine Flasche ausgezeichneten Rotweins getrunken. War das vielleicht die Ursache für seine gute Nacht gewesen?

Als er hinunterging, sah er einen alten Mantel über einem Stuhl. Er beroch ihn, betrachtete ihn aufmerksam und legte ihn wieder zurück. Dann ging er in die Küche.

„Minna, ist Leonide da? Mir ist, als hätte ich ihren alten Mantel gesehen."

„Leonide? He ja, wenn der Herr die Hebamme meint."

„Wirklich?" fragte er verwundert. „Soll denn was passieren?"

Minna hatte seine letzte Bemerkung gar nicht gehört. Inzwischen hatte Luise den Schauplatz betreten.

„Luisli", sagte Gottfried, „ich möchte gern noch Frau Müller sehen, bevor ich ausgehe. Wo ist sie?"

„Sie ist im Eßzimmer."

Im Eßzimmer saßen Therese und Leonide. Leonide war eine stattliche Matrone mit leicht ergrautem Haar, die seit mehr als dreißig Jahren das mühselige Gewerbe einer Hebamme ausübte. Sobald Gottfried ins Zimmer trat, öffnete sie weit die Arme und rief aus:

„Herjesses! Da ist Gottfriedli! Ja, wirklich. Muß über zehn Jahre her sein, seit ich dich gesehen habe. Jesses, was bist du für ein großer Bueb geworden!"

„Du bist immer dieselbe, Leonide", sagte er. „Kein bißchen verändert. Aber wo kommst du her?"

„Hedwig hat mir von Frau Müller erzählt, und so bin ich von Interlaken herübergekommen. Ich habe ihr soeben gesagt, wie gut ich deine Mama gekannt habe, und jetzt wünscht Frau Müller, daß ich ihren Fall übernehme."

Wie eine verliebte Frau sah sie Therese an.

„Ah, wie traurig, daß der alte Herr Müller nicht mehr hier sein kann. Er hat die kleinen Kinder so lieb gehabt! Ah! Was er da versäumt: Traurig für ein Kind, wenn es seinen Vater nicht kennt! Aber ich hoffe, Frau Müller wird nicht nervös sein. Sie hat gar keinen Grund, nervös zu sein."

Dann drehte sie sich rasch zu Gottfried um und nickte ihm zu.

„Du wirst dem jungen Stammhalter ein Vater sein müssen."

Therese lachte. „Leonide, Leonide! Er wird sich eines Tages um seine eigenen Kinder zu kümmern haben!"

„Wann erwartest du das Kind?" fragte Gottfried trocken. Therese errötete, und Leonide lachte.

Als Gottfried das Zimmer verlassen hatte, erlitt er einen nervösen Anfall. Er zitterte vom Kopf bis zu den Füßen.

„Aber niemand weiß etwas über das Kind! Keine Menschenseele!" murmelte er vor sich hin.

Im Verlaufe des Vormittags erledigte er eine Menge Briefe. Dann wurde er plötzlich müde, sah schwarze leere Löcher in der Luft, schloß die Augen und döste, den Kopf in die Hände gestützt.

Gleichen Tags besann sich Gottfried auf eine andre wichtige Sache, die er mit Therese hatte besprechen wollen. Er wollte ihr mitteilen, daß er über ihren Stammbaum, den neulich ein Genfer Genealoge als eine noch von Anton Jakob bestellte Arbeit hergeschickt hatte, eingehend nachgedacht habe. Die Marianos waren in diesem Stammbaum bis A.D. 1315 zurückverfolgt. Gegen Ende des XIV. Jahrhunderts wurde ein Etienne Nathaniel Graf Mariano durch seine endlosen Zwistigkeiten mit den herrschenden Bischöfen jener Zeit berühmt und berüchtigt. Sein Sohn heiratet Cecilia Lucia Jolanthe, die Tochter Amadeus' VIII., Herzogs von Savoyen.

Nun waren diese Etiennes die unbarmherzigsten Menschen-schlächter, die die Geschichte kennt. Jahrhunderte hindurch blieb das Morden ihr Lieblingssport. Auch Thereses Vater hatte un-glücklicherweise getötet – und nun Therese selbst . . .

Gottfried stritt sich lange mit seinen Gedanken herum und kam zu dem Schluß, daß Therese lediglich als sein Werkzeug gemordet habe. Er war es gewesen, der jenen dunklen, tief in ihr verborgenen Hang entfesselt hatte. Sie war allen Ernstes unschuldig, denn der Mord an Anton Jakob war seine Tat. Aus diesem Gefühl heraus hatte er Therese unschuldig genannt, und das war es, was er ihr erzählen wollte und ihr auch erzählt hätte, wäre nicht Leonide so plötzlich im Hause aufgetaucht. Er nahm sich vor, diese Sache später einmal mit ihr zu besprechen.

Therese war seine einzige Vertraute. Ihr konnte er alle seine Ge-danken beichten. Anfangs hatte sie ihm oft verboten, über den Mord zu sprechen; nun aber schien sie nichts mehr dagegen einzu-wenden; ja, sie hörte ihm sogar mit Interesse zu und versuchte, ihn zu trösten.

Eine volle Stunde lang lag er wieder auf seinem Bett und starrte zur Decke empor.

Als Gottfried eines Abends zu seiner ersten Sitzung aufbrach (man hatte ihn inzwischen in den Gemeinderat gewählt), lief ein Zucken über sein Gesicht.

„Ich habe diese Wahl angenommen, um keinen Verdacht zu erregen", sagte er zu Therese. „Aber glaube mir, ich fühle nicht die geringste Lust, hinzugehen. Es ist nicht Angst, es sind nur die Nerven. Oh, wenn ich nur einmal richtig schlafen könnte."

Jäh veränderte sich Thereses Miene. Sie zog ihn weiter ins Zimmer hinein, schloß die Tür zu und starrte ihn einen Augenblick an.

„Gottfried, Gottfried!" sagte sie mit harter Stimme. „Das muß ein Ende nehmen. Ich kann es nicht ertragen. Es ist schrecklich! Es muß aufhören!"

„Ich weiß, ich weiß ja, aber was soll ich tun?"

„Voyons! Sei ein Mann! Zieh die Schultern hoch! Zu Boden mit dieser ganzen widerwärtigen Vergangenheit! Schau mich an! Da

bin ich wenige Wochen vor meiner Niederkunft, habe selber
genug zu befürchten: Aber schleiche ich herum wie ein armer
Sünder? Ich kann nur sterben oder leben. Bedenke, was du für
mich bedeutest. Dieses Leben in Gam wird nicht ewig dauern;
bald wird es sich von Grund aus ändern. Sowie das Kind zur Welt
gekommen ist, reise ich fort, und fern von hier werden wir uns
treffen und ein neues Leben beginnen. Laß dir nicht von jedem
Laternenpfahl den Schlaf rauben! Wahrhaftig, Gottfried, ich kann
deine ewige Angst nicht ertragen, ich kann nicht."
Mit bleichem Antlitz machte sie kehrt und schritt durchs Zimmer
auf und ab.
Gottfried schluchzte und sah etwas bestürzt drein.
„Aber, aber", stammelte er, „ich tue nichts weiter, als mir selbst zu
beweisen, daß du unschuldig bist: Damit dir keine Gefahr droht,
wenn die Katastrophe sich über mir entladet."
„Das ist unmöglich! Nie kannst du meine Unschuld beweisen!
Hirngespinste! Ich will es auch nicht. Ich brauche keine Entlastung.
Ich habe dir tausendmal gesagt, daß alles mein klarer Wille war.
Ich habe es gewollt! Gewollt!"
„Gewiß", erwiderte er finster, „das ist das Rätsel. Das ist deine
Entlastung. Du hast es durch mich, für mich gewollt. Du bist
nicht schuldiger, als die Waffe in des Mörders Hand am Morde
schuldig ist."
„Gut", sagte sie, „wenn du dir das einbilden mußt, so bilde dir's
ein! Aber laß dich nicht davon unterkriegen!"
„Unterkriegen? Aber liebstes Theresli, versteh mich doch einmal.
Wenn du nur zugeben würdest, daß ich recht habe, dann, glaube
ich, würde ich meinen Schlaf wiederfinden. Ich fühle es! Ich
fühle es!"
„Du bist unvernünftig, ich habe dich nie so unvernünftig gesehen."
Plötzlich sank sie vor ihm in die Knie und verbarg das Gesicht an
seinen zitternden Beinen.
„O Gottfried, ich liebe dich!" stieß sie hervor. „Quäle mich
nicht unablässig mit meiner Tat. Ich weiß, ich weiß, du hast
deinen Vater geliebt. Vielleicht dachtest du damals, daß du mich
mehr liebhattest als ihn. Vielleicht... Ah! Nie wirst du wissen,
wie ich gelitten habe, bis es endlich geschehen mußte! Nie! Und

es war alles umsonst! Du bist nicht derselbe wie früher. Gottfried, du hassest mich!"

Gottfried hob sie mühsam auf.

„Ich hasse mich selbst!" keuchte er dumpf in ihr Ohr. Einen Augenblick lang ließ sie den Kopf auf seine Schulter sinken; dann zog sie ein Taschentuch hervor.

„Du mußt jetzt zu dieser Sitzung", ermahnte sie ihn gefaßt. „Es ist deine erste. Fürchte dich nicht. Geh jetzt! Du mußt – du mußt."

„Gut, ich will gehen." Er ließ sie los. „Die Zeit wird beweisen, daß ich recht habe. Aber es wird lange dauern. Vielleicht müssen viele Jahre verstreichen, bevor ich genau und wirklich weiß, wo und was ich bin in dieser gottverfluchten Welt." Er küßte sie und verließ das Haus. Bevor er die Schwelle des Gemeindehauses überschritt, holte er mehrere Male tief Atem. Dann stieß er auf Blaser, der ihm salbungsvoll einen guten Abend wünschte und ihm mitteilte, die Herren seien bereits im Saal, und alsdann nach erledigten Traktanden würden sie sich ins Stübli im „Bären" vertagen.

„Das ist nett", bemerkte Gottfried.

Zusammen mit dem Schreiber betrat er das Sitzungszimmer. Die Herren Dr. Blatter, Zurmühlen, Niederegger, Bühler, Baumann und Vögeli erhoben sich sämtlich, um das jüngste Gemeinderatsmitglied zu empfangen. Dann ließen sich die Männer mit würdevoller Miene um einen großen Eichentisch nieder; Gottfried nahm seines Vaters Stuhl ein. Gemeindeamtmann Niederegger begrüßte mit einer trefflichen Rede den studierten Sohn Anton Jakobs, von dem sie alle hofften, daß seine vielfachen Talente der Gemeinde zu hohem Nutzen gereichen werden. Dann setzte Blaser seine Brille auf die Nasenspitze, räusperte sich, verlas das Protokoll der letzten Sitzung und berichtete weiterhin, daß die alte Buche, die seit jeher schon ein Hindernis für die Heuwagen auf der Hauptstraße gewesen war, nun endlich einmal gefällt sei und daß der Platz an dem Abfluß des Fröschenweihers, wo die Frauen ihre Wäsche halten dürfen, welch selbiger Platz während des letzten Jahres zufolge der geringen Bequemlichkeit für die Wäscherinnen zahlreiche Streitigkeiten veranlaßt habe, nach den Plänen Dr. Blatters mit den Kosten von siebenhundertdreißig Franken und fünfundvierzig Rappen vergrößert worden sei. „Dr. Blatter hat, glaube ich, die näheren Belege", sagte er mit einem Rundblick über die Ränder seiner Brille.

Gottfried saß da und hörte noch viele kleine Angelegenheiten mit an, die, gemäß der Tagesordnung, eine um die andre mit gewissenhafter Förmlichkeit behandelt wurden. Als die Sache Knübel zur Beratung kam – Knübel hatte seine Düngerfestung zu weit in die Straße vorgebaut, und als man ihm befahl, das Ganze einen Meter zurückzuschieben, weigerte er sich, wurde ordnungsgemäß in eine Geldstrafe genommen und überdies gezwungen, die Anordnung zu befolgen –, empfand Gottfried ein warmes Gefühl des Zuhauseseins. Die Kleinheit des Gamer Parlaments und dessen winzige Funktionen riefen ihm die entschwundene Liebe zur Heimat, zum Vaterland zurück. Hier befand er sich unter jenen Männern, die er Therese gegenüber stets als blöde Mittelmäßigkeiten hingestellt, unter jenen Männern, die er stets vertrockneter Gefühle und schwächlichen Willens beschuldigt hatte. Nein, wahrhaftig, sie machten durchaus nicht den Eindruck einer teilnahmslosen und unwissenden Gesellschaft; mochten sie vielleicht auch bei sehr geringfügigen Dingen ungeheuer ernsthaft dreinschauen.

Während er sich abmühte, in den Werken der großen Denker Hilfe zu suchen, während er in aller Philosophie keinen Grund und Boden finden konnte, ja, während er schließlich zu jener teuflischen Zerstörungslust gelangte, die das Ergebnis end- und ziellosen Grübelns ist, vollbrachten diese Männer pflichtbewußt und gradsinnig ihre kleinen Taten, eine um die andre, und Schritt für Schritt bauten sie ihre Welt auf, die Alltagswelt. Was ist aber schließlich die ganze Welt anders als alltäglich?

Diese Männer hatten ihn als ihresgleichen in ihre Mitte gerufen! Ihre Stimmen hatten ihn erwählt als den Sohn eines großen Vaters, dessen Andenken geachtet war. Mit bescheidener Zurückhaltung, doch mit Herzlichkeit hatten sie ihn empfangen. Er war nun ein Vertreter der Bürger von Gam – nur von Gam. Aber präsentierte das kleine Gam nicht eigentlich die ganze Welt?

Gottfried saß tief in Gedanken versunken. Plötzlich rief Niederegger ihn an.

„Was sagt Herr Müller zu diesem Vorschlag?"

Gottfried fuhr leicht zusammen.

„Oh! Meine Herren! Ich bin ein Neuling. Ich werde fürs erste nur zuhören und lernen."

Ein befriedigtes Brummen lief um den Tisch. Solcher Bescheidenheit konnte man unter den herrschenden Gewalten im Oberland nicht oft begegnen.

Einen Augenblick lagen Gottfried schreckliche Worte auf der Zunge, aber sie glitten wieder zurück. Er würgte sie hinunter.

Was tue ich hier? würde er gesagt haben, wenn ihn nicht eine innere Macht zurückgehalten hätte. Ich! Ich! Ich beschmutze eure ehrliche Gesellschaft! Für mich ist kein Platz mehr in irgendeiner sozialen Ordnung! Andre mögen dort leben. Aber nicht ich!

„So!" rief plötzlich Niederegger aus. „Wir haben unsre Aufgaben hinter uns. Jetzt wollen wir Johann Timm im ‚Bären' heimsuchen."

Die Sitzung wurde im „Bären" fortgesetzt. Sämtliche Traktanden wurden noch einmal durchgenommen, mit dem einzigen Unterschied, daß nun jeder der Männer ein kleines Gläsli vor sich stehen hatte.

Sitzungsabende waren heilige Abende, an welchen die Ehefrauen nichts einwenden durften, wenn ihre Männer bis zu später Stunde vom Hause wegblieben. Und die Männer wußten diesen Umstand weidlich auszunützen. Sobald Herr Niederegger sich empfahl, ging auch Gottfried nach Hause. Als er zum Gamhof kam, sah er hinter einem FenstervorhangThereses Schatten. Er hemmte seine Schritte, blieb eine Weile sinnend stehen und sah hinauf.

Als Gottfried ins Haus zurückkehrte, glitt er auf der Treppe aus und fiel hin. Therese hörte aus ihrem Zimmer den Fall und eilte hinaus.

„Eh, wie du mich erschreckt hast!" rief sie aus.

Er saß auf der Treppe und lachte.

„Komisch", sagte er, „für gewöhnlich fallen die Leute die Treppe hinunter. Ich natürlich, weil ich es bin, muß treppaufwärts fallen. Alles geht nach oben bei mir ... in die Höhe ... satanisch."

„Hast du dich verletzt?" Sie half ihm auf.

„Nicht im mindesten."

Dann gingen sie beide in sein Zimmer.

„Ich verstehe es nicht. Es muß ein plötzlicher Schwächeanfall gewesen sein. Ich merkte es nicht eher, als bis ich blöd dasaß wie ein Schafskopf."

Er legte Mantel und Schuhe ab und setzte sich nieder.

„Da zieht es irgendwo herein", sagte er. „Ob das Fenster offen ist?"

Er stand wieder auf und trat ans Fenster, und als er sah, daß es geschlossen war, strich er mit der Hand dem Rahmen nach.

„Ah, da haben wir's! Hier bläst die Luft durch. Hm! Das erklärt auch, warum es in windigen Nächten so pfeift. Hm! Die Sitzung verlief besser, als ich gedacht hätte", erzählte er, während er wieder ins Zimmer zurückging.

„Einmal im Monat, oder so, wird sich die Sache ertragen lassen."

Er richtete sich auf. „Es ist jetzt halb zwölf; bin neugierig, ob ich heute nacht schlafen werde."

„Gewiß", tröstete sie ihn. „Geh zu Bett, ich bleibe bei dir, und bald wirst du dich ruhiger fühlen."

Kurze Zeit später lag das ganze Haus in völliger Dunkelheit. Beide hörten sie die alte Uhr Mitternacht schnarren, und dann eins, aber sie schwiegen beide. Plötzlich schlief Therese neben Gottfried ein.

„Es ist sehr merkwürdig", flüsterte Gottfried in später Nacht, „ich kann mir nicht klarwerden, ob wir jetzt eins sind, oder zwei oder drei. Wir sind drei unterschiedliche Einheiten, aber gegenwärtig hat es irgendwie den Anschein, als wären wir alle in eins verschmolzen. Sehr sonderbar, wie die Liebe alles verändert."

„Schlaf!" mahnte Therese mit tiefer, schläfriger Stimme. „Lieber Himmel! Schlaf! Du hast mich aufgeweckt!"

Mit einem ungeduldigen Ruck drehte sich Gottfried um und schlang seinen Arm um sie.

„Lieber soll mich der Teufel holen, als daß ich euch beide im Stiche lasse", murmelte er. „Laß mich deine Hand halten, Theresli; es beruhigt mich. Wenn es dich nicht am Einschlafen hindert, dann gib sie mir, bitte."

Sie streckte ihm die Hand hin, und er preßte ihre Finger, ohne ihr weh zu tun.

„Blindlings unter Millionen Händen würde ich diese Hand erkennen", sagte er.

„Es wäre wunderbar, wenn wir drei nun plötzlich zu einem einzigen neuen Wesen verschmelzen könnten. Ein seltsam völlig neues Wesen müßte es sein."

„O schlaf, Liebling!" flüsterte sie müde. „Denk nicht mehr."

„Ich werde jetzt still sein."

Die Großvateruhr fuhr fort, drunten im Flur die Stunden zu verkünden. Gottfried hörte ihre Schläge. Vor seinem inneren Auge, in den Tiefen seiner Seele wickelte sich von neuem die furchtbare Todestragödie seines Vaters in all ihren kleinsten Einzelheiten ab. Bis ans Grab! Von Zeit zu Zeit hielt er den Atem an, um Thereses regelmäßigen Atemzügen zu lauschen, oder er schob sich irgendwie zurecht, um ihr Platz zu machen, wenn sie sich unwillkürlich bewegte. Daß sie imstande war zu schlafen, unerschüttert durch das Leben, das in ihr aufwuchs, unerschüttert durch seine fiebrigen Gedanken, verwirrte ihn tief. Und doch – war es nicht zugleich der sicherste Beweis für ihre Unschuld? Liebste Therese! Liebste Therese! „Du bist der Fluch meines Lebens!" Er hörte plötzlich wieder jene Worte durch sein Hirn gellen. Aber er zitterte nicht. Nein, sein Körper lag völlig starr; starr wie Wachs. Dennoch fühlte er sich von einem starken Schmerz durchzuckt, als ziehe ihm jemand mit glühendheißen Nadeln die Nerven aus dem Fleisch. Und plötzlich sah er sich wieder einmal bei seines Vaters Begräbnis im Trauergefolge. Wie oft war er nun schon hinter diesem Sarg einhergeschritten. Unzählige Male! So oft, daß es zu einem bloßen Zwischenfall in einer Kette düsterer Ereignisse geworden war. Es schlug vier. Therese schlief, er aber blieb wach. Und nun begann das zweite Stadium der Folter. Er wußte, daß es um diese Zeit einsetzen würde. Die Zukunft trat vor ihn hin. Er sah den Zug der Richter. An qualvollen Wanderungen von Zelle zu Zelle nahm er teil. Er sah sich in den Händen unbekannter Individuen, sorglich bewacht wie ein Schatz. Endlose Verhöre mußte er über sich ergehen lassen. Und darüber hinaus gähnte grauenhafte Einsamkeit. Gottfried legte den Kopf sanft auf Thereses Brust und küßte sie.

Ah, wenn es nicht deinetwegen wäre, mein Herz! dachte er.

Bald, sehr bald würde ich all diesen Dingen ein rasches Ende machen.

Er biß die Zähne zusammen und bemühte sich verzweifelt, einzuschlafen. Gegen sechs Uhr bewegte sich Therese. Sanft entzog sie ihm ihre Hand und sah ihm gespannt ins Gesicht. Als sie sah, daß seine Augen geschlossen waren, stieg sie vorsichtig aus dem Bett und lief die Treppe hinunter in ihr Zimmer.

Ob sie mir wohl je auf meine Schliche kommen wird? dachte Gottfried, als sie fort war. Es würde ihr furchtbar weh tun, wenn sie glauben müßte, daß nicht einmal sie mir meinen Schlaf zurückgeben kann!

Er wälzte sich in die Mitte des Bettes und zog die Tücher glatt. „Wahnsinn!" murmelte er und klopfte auf die Daunendecke. „Ja, vielleicht werde ich auch dies noch durchkosten müssen! Geistiger Tod! Seelische Entfremdung!"

Plötzlich fühlte er am ganzen Körper den Schweiß ausbrechen. Seine Sinne stürzten in tiefe Bewußtlosigkeit, Schlaf senkte sich auf ihn nieder, tiefer als der Todesschlaf. Etliche Tage später öffnete Gottfried den Schrank, der neben Seife, Wäsche und Haushaltchemikalien ein Fläschchen mit einem Schlaftrunk enthalten mußte, den er seit einiger Zeit nicht mehr versucht hatte. Sein Gemütszustand beunruhigte ihn aufs tiefste. Wie er es überhaupt zuwege brachte, sich unter diesen Umständen aufrecht zu erhalten, war ihm ein Rätsel. Er begann, sich allmählich als ein zwiespältiges Wesen, als ein Doppel-Ich zu betrachten, wobei der eine Gottfried unablässig hinter dem andern herjagte und ihn überholte. Irgendwo, in den fernsten Tiefen seines Innern ruhten die Reste einer Zuversicht, daß eines Tages noch alles ins richtige Geleise kommen werde, geschehe, was da wolle. Eine unbekannte Stimme aus unbekannten Regionen flüsterte ihm zu, daß alles in der Natur aus einer Form in die andre übergehen müsse, und wie die stofflichen Dinge und Wesen blühen und verwelken, so kommen und gehen auch die körperlosen, die moralischen Ideen. Es schien ihm sogar, als sei das moralische Gefüge des Weltalls gleichsam dem Stofflichen und Greifbaren aufgepfropft. Er begann das Leben als etwas Unvermeidliches zu betrachten, etwas, das man durchmachen und erledigen muß.

Auch die Liebe, die tragische Macht des Lebens, mußte durchgekostet werden; sie war eine Naturnotwendigkeit, Wesenskern und Verhängnis der Natur.

Während er nach diesem Fläschchen suchte, bemerkte er auf dem untersten Brett des Schrankes mehrere leere oder zum Teil leere Fläschchen mit Lebersalz. Augenblicklich verspürte er jenen eigentümlich scharfen Schmerz, der ihn jedesmal durchzuckte, wenn er an seinen Vater dachte.

Er hielt inne, um sich die Fläschchen anzusehen, und da fiel ihm auf, daß eines von ihnen offenbar ausgespült war. Als er es aufhob, blieb ihm das Etikett an der Hand.

Im Bruchteil einer Sekunde wußte er nun, was er seit Monaten wissen wollte. Er schloß sogleich den Schrank und ging in sein Zimmer. Dort untersuchte er sorgsam das Fläschchen. An der einen Ecke des Etiketts war noch ein bißchen Gummi übriggeblieben. Er klebte das Papier ans Glas. Dann öffnete er eine Schublade seines Schreibtisches und sperrte das Fläschchen ein. Langsam begann er durch sein Zimmer auf und ab zu schreiten. Über eine halbe Stunde lang hörte man den sanften Tritt seiner großen Filzpantoffeln.

Er hielt seinen Fund geheim. Niemand, nicht einmal Therese wußte, wieviel ihm dieser Fund bedeutete. Des Abends fragte sie, ob irgend etwas passiert sei, daß er sich so fröhlich fühle. Ihr gequältes Herz wußte sehr wohl, daß seine Heiterkeit um ihretwillen erheuchelt sein konnte.

„Ich habe jetzt die richtigen Mittel zur Hand, für den Fall, daß ich sie brauche", sagte er. „Ich könnte dich wunderbar verteidigen."

„Mich verteidigen?"

„Ja, warum nicht? Ich könnte jedem Dummkopf beweisen, daß ich ein Vatermörder bin."

Therese schauderte bei diesen Worten zusammen. Sie mußte ihn ablenken.

„Warte nur, bis das Kind zur Welt kommt", beschwichtigte sie ihn. „Das wird unser Leben ändern, und dich werden neue Gedanken beschäftigen. Hast du schon nachgedacht, was wir späterhin beginnen wollen?"

Er schüttelte den Kopf.

„Ich will dir's sagen: So bald als möglich reise ich von hier ab. Ich habe genug von diesen schwarzen, überhängenden Felsen des Arnatales. Fast meine ganze Kraft hat sich im Kampf gegen die finstere Drohung dieser Steinmassen aufgezehrt!"

Gottfried wollte sprechen, aber sie kam ihm zuvor:

„Ich weiß, was du sagen willst. Ich weiß jedes Wort. Oh! Die Leute werden sich nicht darum kümmern! Nur kein Kopfzerbrechen wegen der Leute. Niemand wird es einer reichen jungen Witwe verübeln, wenn sie mit ihrem Kind von hier wegfährt." Sie verschränkte ihre Hände auf ihrem Scheitel.

„Die Sonne brauche ich!" Sie sprach in steigendem Tone. „Die Sonne. Viel Sonne, die alles bestrahlt! So mächtig ist die Sonne, daß sie alle widrigen Bilder der Natur auszulöschen vermag. Sie verschönt sogar das Häßliche. Und du, Gottfried, du kommst mit mir in diese neue Gegend unter der leuchtenden Sonne. Du mußt! Du mußt! Wir müssen unser Leben gemeinsam beginnen, als Mann und Frau. Wir nehmen alle unsre Bücher mit . . ."

„Und unsre Erinnerungen!" unterbrach er sie.

„Wir nehmen alles, was wir brauchen, und sind so glücklich wie nur möglich. Und wir suchen Heilung von diesem Winter und seinem endlosen Alpdrücken. O Gottfried! Wenn du nur wüßtest! Was glaubst du denn, was dein Vater sagen würde, wenn er uns jetzt sehen könnte? Wahrscheinlich würde er uns für kindische Dummköpfe halten, weil wir uns durch seine Abwesenheit schrecken und lähmen lassen. Ich glaube nicht, daß er der Mensch dazu wäre, als Geist wiederzukommen und herumzuspuken, um uns zu drohen und uns das Leben sauer zu machen aus Rache. Er hat bei Lebzeiten die meisten Dinge recht ruhig hingenommen, und alles in allem war er ein guter Mensch. Glaubst du, ein guter Mensch könnte sich jemals nach seinem Tod in ein rachsüchtiges Untier verwandeln? Ich stand neben seinem Sarg. Er tat mir furchtbar leid. Oh! Und ich bedauerte ihn! Ich kann dir nicht sagen, was ich empfand. Ich bat ihn, mir zu verzeihen, und ich bin überzeugt, er hat mir verziehen; denn sooft ich an ihn denke, kann ich immer nur freundlich an ihn denken. Ich habe ihm Furchtbares angetan, aber nicht ein einziges Mal ist er zurückgekehrt, um mich zu bedrohen. In meinem Herzen glaube ich, daß er mir verziehen hat."

„Meinst du, ich fürchte mich vor Vättis Gespenst?" fragte er mit einem Lächeln.

„Nein, so kindisch bist du nicht, aber du fürchtest dich vor der ganzen Welt. Weil sie die Gewohnheit hat, Leben um Leben zu fordern. Du fürchtest dich vor der Polizei, fürchtest, daß unser Leben, das wir jetzt führen, durch ihren Eingriff unerwartet ein Ende finden könnte."

Eine Sekunde lang fühlte er das Verlangen, sie an der Kehle zu packen.

„Was ist denn los?" fragte sie erschreckt.

„Oh, nichts!" rief er aus und ließ seinen Kopf auf die Arme sinken. „Schlaf! Schlaf! Gesegneter, herrlicher Schlaf!" Seltsam murmelnd und kichernd kam es von seinen Lippen.

„Du willst doch nicht verrückt werden!" Sie legte die Hand auf seinen Kopf.

„Verrückt? Nein! Was denkst du! Ich schwelge nur ein wenig in Gedanken an den Sonnenschein, den du mir versprochen hast." Gepreßt lachte er.

Und Therese erkannte jetzt in jäher Angst, daß zwischen ihr und Gottfried eine unüberbrückbare Kluft sich aufgetan hatte. Es war ihr zumute, als stünde sie am Rande eines tiefen, tiefen Abgrunds.

Das große Tauwetter begann im März. Jetzt meinte es die Natur ernst. Tag um Tag stieg die Sonne höher über das Tal empor, und warme Südwinde fegten heulend über die Bergpässe. Der Schnee schmolz und verwandelte sich in Schmutz, auf den Feldern zeigten sich weite Moräste, und ab und zu konnte man das erschreckende Donnern der Lawinen hören. Eine dieser Lawinen ging nicht weit von Gam nieder. Es war die St.-Fridolins-Lawine, die fast jedes Jahr durch denselben Kamin zu Tale fuhr. In diesem Jahr kam sie gegen Mittag. Zuerst ertönte oben in den höheren Regionen ein dumpfes Geheul, das die Leute, die nicht wußten, was es bedeute, in Angst versetzte. Dann hob ein andauerndes monotones Donnern an, und man sah die lose Masse von Schnee, Eis, Steingeröll, Bäumen, Felsstücken und Erde anfangs nur langsam über die Hänge schleichen, bis sie dann, mit jähem Ungestüm an Größe und Sturzkraft zunehmend und alles mit sich reißend, brüllend die Wände herabsauste. Im felsigen Flußbett der Arna machte sie halt: ein höllisches Krachen, ein scharfer Luftdruck, der peitschend durchs Tal fegte und leiser grollend davonwirbelte. Das lustige Wasser der Arna, dessen Farbe nun wie eine Mischung von Gras, Milch und Lehm war, prallte augenblicklich gegen die Tausende von Tonnen einer toten Masse, die sich in die Quere gelegt hatte und seinen eiligen Lauf hemmte.

Eines Nachmittags, im späten März, ging Therese, begleitet von Leonide, auf den Friedhof. Leonide trug einen großen Kranz frischer Blumen. Sie sprachen über Gottfried. Seit Leonide vor zwei Tagen im Gamhof eingezogen war, sprachen sie häufig über Gottfried. Nun hatte Leonide das Wort.

„In ein paar Jahren wird er dreißig sein. Er müßte jemand finden, der ihn liebt. Es ist nicht nett von ihm, alle Frauen seines Alters links liegenzulassen. Es ist unnatürlich."

„Nein, nein!" erwiderte Therese, sorgsam zwischen den Pfützen ihren Weg suchend. „Das ist es nicht. So ist er erst diesen Winter, seit seines Vaters Tod. Die geringfügigsten Dinge quälen ihn, und ich weiß nicht, warum."

„Er hätte nicht gerade jetzt nach Zürich fahren sollen", sagte Leonide. „Es ist immer ganz gut, wenn man bei dem Ereignis einen Mann im Hause hat."

„Aber du wirst ihm telegrafieren, nicht wahr? Er kann in wenigen Stunden hier sein, wenn wir ihn brauchen."

„Nein, nein, das ist nicht dasselbe. Er hätte nicht abreisen sollen. Er hätte dableiben sollen."

„Du kennst eben Gottfried nicht. Er ist zartfühlend. Wahrscheinlich nahm er an, daß seine Nähe mich irgendwie stören oder verwirren würde und daß vielleicht die ganze Sache sehr mißlich werden könnte. Ich bin noch jung. Viel zu jung, um seine Stiefmutter zu sein, weißt du. Es gibt gewisse intime Seiten des Lebens, in die ich keinen Mann einweihen möchte, nicht einmal meinen Mann, wenn er noch lebte."

„Du müßtest Gottfrieds Frau sein", erklärte Leonide unverblümt, doch herzlich. „Das wäre für euch beide besser."

Therese stieß ein kleines, nervöses Lachen aus und packte Leonides Arm. Sie schritten soeben durchs Dorf, und Therese fühlte, daß ihr die Leute hinter den Vorhängen nachblickten. Sie ging nicht wie die andern Gamer Weiber, die sie in ähnlichem Zustand gesehen hatte, und die mit den schwerfälligen Bewegungen gemästeter Gänse einherwackelten. Sie schritt langsam aus, und aus jeder ihrer Bewegung sprach die große stille Würde der Mutterschaft.

„Immer dasselbe, Leonide!" zürnte Therese. „Du darfst es nicht wieder sagen. Es tut mir weh."

Leonide warf einen Seitenblick auf ihre junge Begleiterin, einen Blick voll Lebensbekenntnis, gemischt mit einer leichten Zweifelsucht.

„Ich bin überzeugt, jedermann denkt wie ich, und jedermann findet es jammerschade, daß ihr beide niemals heiraten dürft."

„Wer ist jedermann?" fragte Therese rasch.

Sie empfand eine plötzliche Unruhe, die rasch in Furcht überging. „Was für ein dummes Geschwätz", fügte sie entschiedenen Tones hinzu. „Wie kannst du so daherreden, unterwegs zum Grab meines Mannes!"

„Nichts für ungut." Leonide schwatzte weiter, aber das Lächeln wich nicht aus ihrem Gesicht. „Schau, ich habe das Gefühl, als ob ihr beide meine Kinder wäret. Ich möchte euch soviel Gutes tun. Ah, Frau Müller! Du darfst mir ruhig vertrauen, jetzt und in alle Zukunft. Ich könnte dir ewig eine Freundin, ja, eigentlich wie eine Mutter sein. Ich weiß ja, was mit dir sehr bald geschehen wird. Du bist die beneidenswerteste junge Witwe im Oberland. Ich könnte dir ein halbes Dutzend reiche junge Männer aufzählen, die dich auf der Stelle heiraten möchten. Und wer weiß! Hast du schon daran gedacht? Nein, vielleicht sollte ich selbst an solche Dinge nicht denken. Aber ich tue es, ich kann nicht anders, trotz alledem! Auf jeden Fall möchte ich mich gern deiner annehmen. Ich bin schon seit langem deinetwegen neugierig gewesen, seit du den alten Regierungsrat geheiratet hast. Du kannst dir gar nicht denken, was die Leute darüber schwatzten. Ja, und jetzt ist der

arme alte Mann tot, und du bist frei! Es regt mich förmlich auf!
Und wenn du . . ."

„Aber jetzt machst du Schluß!" befahl Therese. „Wir sind schon
fast da."

Ein Weilchen später schritten sie über den Friedhof zu Anton
Jakobs Grab. Eine Marmorplatte bedeckte den ganzen Hügel und
trug eingraviert Anton Jakobs Namen, Alter und Titel. Therese
legte den Kranz nieder. Sie zog ihren schwarzen Schleier ein wenig
zur Seite, und Leonide sah, daß sie weinte.

„Ja, du Schatz Gottes", rief sie mitleidig aus, „nein, wie traurig!
Hast du ihn denn so gern gehabt? Wirklich? Das hätte ich niemals
geglaubt. Ich habe ihn selber gut gekannt und nie gedacht, daß
man ihn so richtig gern haben könnte. Ich kannte ihn zu gut, zu
gut! Ah! Was ich dir nicht alles aus meinen eigenen Erfahrungen
erzählen könnte! Niemand weiß es! Niemand!"

Sie legte ihren Arm umThereses Schulter und küßte sie. Therese
lehnte einen Augenblick ihren Kopf an Leonides Wange und
unterdrückte ein Schluchzen. Leonide nahm Thereses Hand und
drückte sie fest. Fast leidenschaftlich liebte sie die junge Witwe in
diesem Augenblick, und sie mußte die Zähne zusammenpressen,
um ihren zärtlichen Überschwang zu bemeistern.

„Du Liebes!" flüsterte sie und küßte Therese noch einmal. „Es
ist ganz gut, daß wir nicht sehen können, was im Herzen des
andern vorgeht."

Therese richtete sich auf. „Wir würden einander durchaus nicht
besser verstehen. Ja, Leonide, du weißt nicht, wie sehr ich meinen
Mann geliebt habe. Ich glaube auch nicht, daß ich jemals so stark
empfand wie jetzt in diesem Augenblick. Ich fühle, daß ich ihn
wieder bei mir haben möchte. Einerlei, was er mir angetan hat.
Ich bemitleide ihn."

„Es ist das Kind, das mit dir für seinen Vater fühlt", sagte Leonide
scharfsinnig.

Therese starrte plötzlich leeren Blicks in die Ferne. Ihre Miene
veränderte sich langsam, als sie sich klarmachte, daß sie echten
Kummer um Anton Jakob empfand, daß sie echte Tränen um ihn
weinte, um ihn, dessen Leben sie vernichtet hatte. Die Gewalt
ihrer Gefühle erschien ihr rätselhaft und verwirrend. Sie begann,

sich vor sich selber zu fürchten, sie bekam Angst vor sich selbst. Wenn sie nun imstande war, sich wirklich um den Toten zu grämen, wenn solche Schwächen in ihr steckten, wessen mochte sie wohl bei irgendeinem andern Anlaß fähig sein?

„Komm, gehen wir nach Hause! Mich fröstelt."

Stumm wanderten sie heimwärts. Unterwegs kam eine tiefe Traurigkeit über Therese. Immer wieder kehrten die Gedanken zu ihrer Ehe zurück. Jeder Lichtpunkt strahlte hell hervor, alle unerfreulichen Zeiten traten in den Hintergrund. Sie verglich ihr Leben von damals mit ihrem jetzigen Leben. Wieder zu Hause, ging sie auf ihr Zimmer, schloß sich ein, und augenblicklich packte sie ein körperlich heftiger Schmerz. Sie sank auf einen Stuhl.

„Toni, mein lieber Toni! Ich habe dich geliebt, ja, ich glaube, ich habe dich geliebt!"

Plötzlich kam ihr die seltsame Gewalt ihrer Schmerzen zum Bewußtsein; sie stieß einen lauten Schrei aus. Mit geröteten Wangen stand sie auf, und langsam zitternd ging sie in dem Zimmer hin und her.

„Toni!" murmelte sie. „Gottfried ist dein Sohn, und deshalb ist mein Kind auch das deine... Herrjesses! Wie ist das furchtbar! Ist es das jetzt? Ist es das?" fragte sie sich. Sie lehnte sich erschöpft an die Tür. „Mon Dieu, comme je suis seule!" klagte sie in der Sprache ihrer Jugend. „Mon Dieu, pardonne-moi! – Ah! Demain je saurai..."

Sie öffnete die Tür und rief mit gepreßter, fast leiser Stimme: „Leonide! Leonide! Ich glaube, ich brauche dich!"

Gottfrieds Irrfahrten wurden sehr seltsam. Als Leonide ihm mitteilte, daß das große Ereignis nicht mehr fern sei und daß sie mit dem Doktor der Klinik in Speuz alles Nötige vereinbart habe – jener Klinik, wo sich Therese vor etlichen Jahren mit Anton Jakob verlobt hatte –, packte ihn eine geheime Angst. Er fürchtete sich vor Leonide. Sie erhob zuviel Anspruch auf sein Vertrauen. Vielleicht empfand sie es als ihr gutes Recht, da sie ihn ja in seiner Kindheit aufgezogen hatte. Jeden Tag erinnerte sie ihn daran, daß er fast zwei Jahre lang an ihrer Brust gelegen habe.

Gerade diese bestehende Vertraulichkeit war es, die er fürchtete. Leonide war ein etwas überschwengliches, aber sehr erfahrenes Frauenzimmer. Falls er im Hause blieb, würde sie sicherlich irgendeinen Zipfel der Wahrheit herausbekommen. Wie leicht könnte er sich vergessen, wie leicht sich verraten! Und sie, mit ihrem hochentwickelten Spürsinn für alle Beziehungen zwischen Mann und Frau, könnte mit der Zeit die wirklichen Beziehungen entdecken, die zwischen ihm und Therese bestanden. Höchst gefährlich! Obgleich es nicht unwahrscheinlich war, daß Leonide in ihrer naiven, natürlichen Verdorbenheit diese Mitwisserschaft freudig genießen und derartige Beziehungen stillschweigend dulden, ja sogar eifrig fördern würde. Wenn Gottfried an diese Möglichkeit dachte, jagte ein nervöses Zittern um das andre durch seine Glieder.

„Nein", sagte er zu Leonide, „ich fahre nach Zürich. Ich habe mit meiner Stiefmutter gesprochen. Wenn irgend etwas geschieht und man mich braucht – nun – dann telegrafiert mir."

Auf der Fahrt nach Zürich besuchte er die Naefs. Felix war zufälligerweise verreist, und so traf er Sophie allein an. Die Begegnung war für ihn sehr peinlich: Seine Schwester machte ihm bittere Vorwürfe wegen der Entfremdung zwischen Thun und Gam: sein Aussehen und sein Befinden raubten ihr die Fassung, sein wunderliches Benehmen erfüllte sie mit Angst und Unruhe. Sie flehte ihn an, Gam zu verlassen.

„Du schreibst uns überhaupt nicht mehr", sagte sie. „Seit Vättis Tod bist du ein ganz andrer Mensch geworden. Ich weiß nicht, was ich sagen soll, Gottfried. Meiner Ansicht nach solltest du die andre in Gam lassen und irgendwoanders hinziehen, nach Bern oder nach Zürich. Ich bin überzeugt, die Leute werden über euch zu klatschen anfangen, wenn du bei ihr im Hause bleibst."

„Oh, das spielt keine Rolle!" behauptete er mit unsicherem Blick. „Ich werde vermutlich sehr bald aus Gam abreisen. Wenn ich mich nicht besonders wohl fühle, so kommt das von meinem Arm. Hat lange gedauert, bis es so weit war, daß ich ihn wieder gebrauchen konnte. Selbst jetzt spüre ich ihn noch. Aber ich werde in Zürich einen Spezialisten konsultieren."

Er war sehr unruhig und konnte keinen Augenblick still sitzen. Er schwatzte über seine Schlaflosigkeit und betonte noch einmal, daß er Gam binnen kurzem verlassen wolle; bald nach der Geburt des Kindes. Früher könne er nicht abreisen, da Therese nicht in dem richtigen Zustand sei, um alles allein zu besorgen. Schließlich und endlich sei sie ihre Stiefmutter, und sicherlich würden die Leute nicht freundlich über ihn reden, wenn er sie gerade jetzt im Stiche ließe.

Sophie begann, sich unbehaglich zu fühlen.

„Irgend etwas stimmt nicht", sagte sie. „Man benimmt sich nicht so wie du."

„Ja, du darfst dir aber nicht den Kopf zerbrechen!" bat er. „Du darfst nicht alles ständig im schwärzesten Lichte sehen. Auch bist du gegen die Stiefmutter ein wenig voreingenommen. Du machst dir eine Unmenge Sorgen für nichts und wieder nichts."

Gottfried blieb ungefähr eine Stunde bei Sophie, und dann verabschiedete er sich. Als er auf die Straße hinauskam, schlug er einen raschen Schritt an. „Was sie wohl sagen würde, wenn sie erst die Wahrheit wüßte!" murmelte er. „Himmel, Himmel!"

Auf einer der Brücken, die das grüne Wasser der Aare hoch überwölben, machte Gottfried halt und blickte auf die Wasserflut hinab und auf die alten Häuschen an den Ufern. „Jaja", sagte er zu sich selber, „du bist zwar ein Hartgesottener geworden, und trotzdem wäre es keine leichte Sache, hinunterzuspringen, wie? Vor Jahren wäre es leichter gewesen, und damals hast du es nicht getan. Denk nicht darüber nach! Du bist dir etwas mehr schuldig als solch einen billigen Ausweg."

Gottfried wußte, daß sein Heil nicht in dem Wasser der Aare lag. An allen Fasern seines Herzens zerrte die unwiderstehliche Liebe zu Therese, die er in Gam zurückgelassen hatte, damit sie allein ihr bitteres Leid zu Ende leide. Er durfte nicht bei ihr sein, um ihr tröstliche Liebesworte zuzuflüstern. Er fühlte, daß nach dem kurzen Besuch bei Sophie sein Schicksal wieder eine neue Wendung genommen haben müsse. Niemand konnte sich so benehmen wie er in ihrem Hause, ohne allerlei Gedanken und vielleicht sogar einen gewissen Argwohn wachzurufen. Auf der Weiterreise dachte er über Sophie nach, und zum erstenmal geschah es ihm nun, daß das Entsetzen vor der Zukunft, die unerschöpfliche Angst seiner

Seele ein wenig nachließ. Er fühlte, daß er einen Schritt vorwärts getan hatte, und zwar einen dunklen Schritt nach der richtigen Seite.

Als Gottfried am frühen Abend in Zürich ankam, begab er sich in das Hotel St. Gotthard. Dort nahm er ein Zimmer, zog die Vorhänge zu und legte sich augenblicklich ins Bett. So blieb er liegen, döste und grübelte in der Finsternis, schlummerte zuweilen, wie ein gefangenes Tier, bis er schließlich Hunger und Durst verspürte. Er rappelte sich auf und ging ins Restaurant hinunter, wo er sich in einen Winkel setzte. Er aß sehr wenig. Aber er blieb zwei Stunden lang an seinem Tisch sitzen und trank eine Flasche Rotwein, der ihm allmählich ein Gefühl des Behagens vorgaukelte.

Lange Zeit beobachtete er vier Männer, die an einem Tisch in der Nähe saßen. Sie sprachen deutsch und italienisch und machten auf ihn den Eindruck roher, ungeschlachter Kerle. Gottfried kam es vor, sie sähen aus wie Verbrecher, und er fragte sich im stillen, ob er wohl gleichfalls das Äußere eines Verbrechers habe. Ringsumher sah er ein Gewimmel von Gesichtern: Währschafte Handelsleute, hagere Touristen, eine kuriose Schar knochiger, kraushaariger Bauern, die Appenzeller Dialekt sprachen, behäbige Zürcher Bürger, berufsmäßige Gelehrtenmienen, ein paar wohlgesittete Dämchen, zwei Studenten und einen einsamen katholischen Priester, der von Zeit zu Zeit diskret rülpste und sich wohlig dem Behagen seiner Verdauung hingab.

Wie sie alle ihr Essen und ihre Freiheit genossen! Wie sie lebhaft über die Angelegenheiten ihres Lebens schwatzten! Wie dieser Priester in seiner Dösigkeit schwelgte! Das waren die Menschen, auf die Gottfried vor gar nicht langer Zeit mit überlegener Verachtung herabgeblickt und sie nicht höher eingeschätzt hatte als eine Herde von Rindern und Schafen. Menschen, die den Masseninstinkt besaßen, die das solide Mittelmaß des großen Publikums verkörperten. Das waren die Menschen, die er Therese zu verachten, zu verlachen gelehrt hatte. Wie er sie so betrachtete, begriff er, daß sie sich mit Abscheu und Entsetzen von ihm abwenden würden, wenn sie wüßten, was in der Nacht des fünfzehnten September auf dem Gamhof geschehen war. Einen Augenblick lang bildete er sich ein, sie wüßten es. Er sah, wie das Grauen in ihre Augen schlich. Und dann wurden diese Augen hart in einem furchtbaren Entschluß: Sie laufen zum Richter, um ihn verdammen zu lassen!

Plötzlich schwanden ihm fast die Sinne. Mit beiden Händen klammerte er sich an den Tisch, und seine Augen drehten sich in ihren Höhlen. Er fühlte, daß er an die Luft müsse. Er müsse sich bewegen, fortlaufen, einen Freund finden. Er müsse jemand finden, der ihn verstehe. Er müsse zumindest einen Teil seiner Schuld abwälzen, einen Teil seiner furchtbaren Verantwortlichkeit auf die Schultern eines andern abwälzen. Aber wo ist dieser Freund? Wer kann dieser Freund sein?

Gottfried verließ das Restaurant. Als er in die Bahnhofstraße kam, spähte er nach links und nach rechts. Schwankenden Schrittes ging er die Straße hinab auf den See zu.

Auf der breiten Seepromenade schritt Gottfried eiliger aus. Die tausendfältigen Lichter der Stadt, die feenhaft über dem Dolder und dem Zürichberg hingen, funkelten auf ihn herab. Das Wasser des Sees klatschte an den Kai, und von Thalwil kam ein kleiner beleuchteter Dampfer herübergefahren. Wer zusah, wie Gottfried ging, hätte glauben können, er habe zu bestimmter Stunde ein bestimmtes Ziel zu erreichen und sei sich über die Richtigkeit seiner Taschenuhr nicht im reinen. Aber schon viele verzweifelte Menschen waren diesen Kai in jedem erdenklichen Schritt entlanggeeilt. Stets scheint die Verzweiflung den Hoffnungslosen an den Rand irgendeines Gewässers zu treiben, wo er in der neutralen Zone zwischen zwei feindlichen Elementen über einen letzten Ausweg oder eine letzte Anstrengung nachgrübeln mag. Wenn irgendein Passant Gottfried angehalten und ihn gefragt hätte, wohin er ginge, würde er geantwortet haben: „Ich weiß es nicht."

Als er eine Weile gegangen war, setzte er sich unvermittelt auf eine Bank. Seine Gedanken weilten in Gam. Er dachte an Therese und fühlte einen seltsamen Schmerz in seinen Eingeweiden. Wie mochte es ihr in diesem Augenblick ergehen? Eine unerträgliche Vorstellung von den Leiden der Geburt und eine fast unerträgliche

Angst um ihr Leben ergriffen ihn. „Sie wird es überstehen, sie wird es überstehen", murmelte er. Sie hatte ihm gesagt, wenn der Augenblick da sei, würde sie sich in Gedanken mit ihm in Verbindung setzen. War nun dies vielleicht der Augenblick? Er glaubte, ja. Er fühlte es. Er war davon überzeugt. Und dann erhob er sich und schritt auf die Brücke zu, die über die Limmat führt.

Unterwegs begegnete er einem Spaziergänger, der gemächlichen Schrittes auf ihn zukam. Anfangs konnte er nicht unterscheiden, ob es ein Mann sei oder eine Frau; aber er bemerkte, daß das Individuum die eine Hand an den Mund hielt. Als er unter einer Laterne vorbeikam, sah Gottfried, daß jener sich emsig die Zähne stocherte. Und jetzt erkannte er den Priester, den er im Restaurant gesehen hatte.

Das ist der Mann, den ich brauche! dachte er sofort. Der Freund, den ich suche! Ich weiß nicht, woher er kommt und wohin er geht, aber gleichwohl, er möge einen Teil meines Ichs mit sich nehmen. Er ist das richtige Gefäß für all meine Nöte.

Er ging dem Priester nach, überholte ihn, schritt weiter, bis er zu einer Laterne kam, blieb dann stehen und zog seine Taschenuhr heraus, als wolle er nach der Zeit sehen. Als der Priester herankam, drehte sich Gottfried zu ihm um.

„N'abig!" sagte er halblaut. „Entschuldigen Sie: Können Sie mir zufällig sagen, wie spät es ist? Meine Uhr ist stehengeblieben."

Der Priester sah ihn einen Augenblick argwöhnisch an, dann lächelte er wohlwollend, schlug seinen langen schwarzen Rock zur Seite und zog eine goldene Taschenuhr hervor.

„Elf, mein Herr."

„Vielen Dank! Ich hoffe, Sie werden mir verzeihen, daß ich meine Uhr als Vorwand benützt habe, um mit Ihnen zu sprechen. Aber ich habe Sie wiedererkannt, als ich Ihnen soeben begegnete. Sie haben im St. Gotthard zu Abend gegessen, ungefähr zwei Tische entfernt. Ich saß in einer Ecke."

„Jetzt erinnere ich mich an Sie", sagte der Priester. „Sind Sie Katholik?"

„Nein, ich habe keinen besonderen Glauben."

„Das ist der beste Zustand, bevor man die wahren Werte erkennt."

„Dürfte ich ein paar Minuten mit Ihnen sprechen?" sagte Gottfried. „Ich möchte Sie etwas fragen."

„Gehen wir zurück zu den Laternen bei der Brücke."

Gottfried schauderte ein wenig zusammen. Aha! Er traut mir nicht! Ich wußte ja, daß ich übel aussehe!

Das Blut stieg ihm zu Kopf.

„Sie brauchen sich nicht vor mir zu fürchten!" sagte er erbost. „Ich bin kein gewöhnlicher Verbrecher. Ich bin kein Wegelagerer."

„Verdächtigen Sie mich nicht, junger Freund", mahnte der Priester. „Ich fürchte mich nicht."

„Dann bitte ich um Verzeihung."

Stumm gingen sie ein paar Schritte weiter.

„Ich habe Theologie studiert", begann Gottfried. „Ich war in Tübingen, aber ich sprang wieder ab, weil ich von Natur aus zu materiell veranlagt bin. Zuerst hatte ich die Rechte studiert."

„Sie müssen von Anfang an in falschen Händen gewesen sein", sagte der Priester.

„Nein, ich habe eine Frau zu sehr geliebt."

Der Priester stieß gutmütig einen leisen Pfiff aus.

„Das ist interessant. Vermutlich hat diese Frau Ihre materiellen Instinkte enttäuscht?"

„Diese Annahme scheint natürlich, aber so verhält es sich nicht. Ich suche Frieden, und ich weiß, daß ich ihn niemals finden werde. Ich bin für alle Zeiten eine verlorene Seele."

„Hm! Hm! Das ist in der Tat äußerst interessant! Wenn ich Ihnen also irgend behilflich sein kann, diese Seele wiederzufinden, wird es mich ungemein freuen. Ich gehöre zu dem Orden des heiligen Augustin, der gesagt hat: ‚Meine Seele ist verwirrt, solange sie nicht in Gott ruhet.' Wir haben einen jungen Konfrater, der mich sehr an Sie erinnert."

„Nehmen Sie die Beichte ab?" fragte Gottfried.

„Zuweilen."

„Wenn man Ihnen die Sünden beichtet, dann sprechen Sie mit keinem Menschen darüber?"

„Mein lieber junger Mann, was denken Sie eigentlich?"

„Aber muß man denn nicht in einen Beichtstuhl, um zu beichten?"

„Das ist gewiß die Zweckbestimmung eines Beichtstuhls, obgleich ich einen alten Abt kannte, der ihn als Schlafgemach zu benützen pflegte", gab er lächelnd zur Antwort.

„Und wenn die Leute gebeichtet haben, dann erteilen Sie ihnen Absolution, nicht wahr? Das bedeutet wohl symbolisch, daß dem Sünder seine Bürde abgenommen und daß sie auf mystischem Wege in den Schoß der Kirche versenkt wird?"

„Das ist profan ausgedrückt, aber es stimmt zum Teil."

„Gesetzt den Fall", sagte Gottfried, „es kommt jemand zu Ihnen und erzählt Ihnen, daß er ein schreckliches Verbrechen begangen hat, einen Diebstahl, eine Brandstiftung, Blutschande – Mord! Würden Sie ihm Absolution erteilen?"

„Das sind sehr heikle Fragen, zu deren Diskussion ich nicht vorbereitet bin. Es gibt eine weltliche Autorität, die sich mit Verbrechen zu beschäftigen hat. Die heilige Kirche ist kein Ersatz für das Gefängnis."

„Aber wenn der Mensch gewisse tiefverwurzelte Motive hat, die vielleicht sein Verbrechen mildern könnten, würden Sie sich dann weigern, ihn anzuhören?"

„Ich persönlich würde versuchen, außerhalb des Beichtstuhls mit ihm zu sprechen."

„Ah!"

„Wenn er darauf besteht, mit mir zu sprechen."

„Nun, wollen Sie mich anhören, nur ein paar Minuten? Ich werde Ihnen von mir erzählen und Sie dann um Ihren Rat bitten."

„Sprechen Sie, junger Freund, wenn es Ihr Gemüt erleichtert. Sprechen Sie nur. Ich bin ehrlich interessiert, obgleich mein Rat in weltlichen Dingen und noch dazu einem Freidenker gegenüber –", er zog die Achseln hoch –, „ich sehe nicht ein, was er ihm nützen sollte."

Der jähe Lichtstrahl einer Straßenlaterne fiel auf das Gesicht des Priesters. Gottfried blickte auf und sah des Priesters Augen in aufmerksamer Gespanntheit leuchten.

„Mein Vater war ein Mann in mittleren Jahren", begann Gottfried. „Er verheiratete sich als Witwer mit einer jungen, schönen Dienstmagd. Sie war keine gewöhnliche Dienstmagd. Sie stammt aus einer der ältesten Familien in Wallis . . ." Plötzlich hielt er inne.

Sein Gesicht wurde blaß. Er griff sich mit beiden Händen an den Kopf.

„Herrgottsakrament! Was sage ich da! Halten Sie mich nicht für verrückt! Ich bin es wirklich nicht! Nur – hähä! Was für ein Schafskopf bin ich! Was für ein Esel!"

Er wandte sich unvermittelt ab und rannte davon, so schnell ihn die Beine tragen konnten. Erstaunt stand der Priester da und schaute ihm nach.

„Natürlich bist du verrückt", murmelte er. Wackeren Schrittes ging er auf die Lichter bei Baur au Lac zu.

„Knapp davongekommen! Knapp davongekommen!" sagte Gottfried zu sich selber, als er durch die Bahnhofstraße zu seinem Hotel eilte. „Morgen wäre ich in den Händen der Polizei, wenn ich weitergesprochen hätte!" Ihm war, als verwandle sich sein Rückgrat in einen Eiszapfen. „Ja, noch nie in meinem Leben bin ich knapper davongekommen!"

Sowie der Morgen vorrückte, wuchs seine Besorgnis um Therese. Ziellos irrte er durch die Straßen. Schließlich stürzte er in einen Juwelierladen und kaufte für Therese einen prächtigen Smaragdring, für den er eine tolle Summe bezahlte. Dann kaufte er noch eine Schnur Bernsteinperlen, große, braune Perlen, die sich so weich und kühl anfühlten wie Thereses Haut. Ring und Perlen steckte er in die Tasche und ging nun an den Bahnhof, um den ankommenden und abfahrenden Zügen zuzusehen. Plötzlich entschloß er sich, nach Gam zu telegrafieren. Er setzte ein Telegramm auf, das er augenblicklich wieder zerriß. Seine Besorgnis steigerte sich zu heller Angst. Wie von einem panischen Schrecken getrieben, eilte er ins Hotel zurück und packte seinen Koffer. Mit dem Nachmittagsschnellzug fuhr er nach Bern. Je mehr er sich seinem Heimatort näherte, desto fieberhafter wünschte er, die Fahrt zu beschleunigen.

Es war spät, fast schon Nacht, als er in Gam den Zug verließ. Sofort eilte er nach Hause.

Er fand Leonide in der Küche, sie trug eine große weiße Arbeitsschürze, eine goldgefaßte Brille und stand neben dem Herd, ein paar Tücher ausbreitend, um sie zu trocknen und anzuwärmen.

„Jesses, Gottfried!" sagte sie. „Beinahe hätte ich mich erschreckt!" Ihr breites Matronengesicht strahlte vor Freude.

„Ja, du bist mir ein Netter! Du hast ein schlechtes Gewissen, gelt? Kein Wunder! Wenn man in solch einem Augenblick von zu Hause fortläuft!"

„Komme ich zu früh?" fragte er. Sie sah, wie er zitterte.

„So aufgeregt! Warum denn so ängstlich? Es ist alles vorbei. Heute nachmittag um drei Uhr!"

Gottfrieds Gestalt straffte sich.

„Was ist es?"

„Ein Buebli!" rief Leonide und umarmte Gottfried. „Ja, du bist mir ein Netter!" fuhr sie fort und versetzte ihm einen herzhaften Kuß. „Aber weißt du's: Theresli ist eine Heldin! So was habe ich noch nie gesehen! Freilich mußte es heillos durchmachen, aber es war so tapfer. Man mußte es einfach liebhaben!"

Gottfried befreite sich aus ihrer ungestümen mütterlichen Umarmung.

„Kann ich sie sehen?" fragte er mit stammelnder Stimme.

„Sie schläft."

„Ist der Doktor dagewesen?"

„Er kam zu spät. Aber es ist alles in Ordnung."

Sie sah, wie Gottfrieds Augen feucht wurden und seltsam verzückt ins Leere blickten, und wieder schloß sie ihn in ihre mächtigen Arme.

„Ihr seid mir zwei liebe Menschen!" sagte sie. „Ich sag's ja, es ist ein Jammer, daß ihr nicht Mann und Frau seid!"

Sie ließ ihn los und begab sich zu ihren Tüchern am Herdfeuer.

„Kann ich sie denn nicht sehen?" fragte er von neuem.

„Aber sie schläft doch!"

Er näherte sich Leonide.

„Weißt du", sagte er, „ich muß dir etwas sagen. Ich habe Therese sehr gern. Sehr gern, Leonide. Ich würde es sonst niemand erzählen, außer dir."

„Was du nicht sagst! Das ist mir nichts Neues. Und 's Theresli hat dich eben auch gern. So jetzt weißt du's."

„Hast du es von ihr selbst gehört?"

„Bueb!" rief Leonide. „Ich habe doch Augen im Kopf. Und ich mache euch beiden doch keinen Vorwurf."

„Aber du wirst nicht davon sprechen?"

„Man spricht nie über solche Dinge, man nimmt an ihnen teil, und man freut sich über sie."

„Und das Kind, ist es normal?"

„Zum Anbeißen!"

„Ich meine doch, wie es aussieht?"

„Wenn du ein kleines Stündlein wartest, kannst du dir's selber anschauen."

„Dann gehe ich also in mein Zimmer hinauf."

Am späten Abend wurde Gottfried von Leonide zu Therese hinuntergerufen. Auf Zehenspitzen schlich er über die Treppe, und als er auf der Schwelle ihres Zimmers stand, zögerte er einen Augenblick. Dann trat er rasch an das Bett heran. Therese lag sehr friedlich da. Aus ihrem Gesicht sprach die stille Zufriedenheit der Mutterschaft. Sie schlug mit der linken Hand die Bettdecke zurück und sagte: „Schau!" Er sah das Neugeborene. Es hatte blaue Augen und ein paar dunkle Härchen auf dem Kopf. Thereses Blick hing an Gottfrieds Gesicht, als wolle sie all seine innersten Gedanken in einer Sekunde lesen. Er küßte das Kind auf die Stirne, dann lehnte er seine Wange an Thereses Wange. Sie fühlte eine Träne auf ihrem Gesicht, und dann seine Lippen auf ihrem Mund.

„Gib acht!" flüsterte sie und zuckte zusammen. „Leonide, Leonide!"

„Einerlei", flüsterte er zurück, „sie versteht uns!"

„Bist du glücklich?" fragte er einen Augenblick später.

„Ich bin sehr, sehr glücklich." Ihre Stimme bebte. „Ich wußte, daß es ein Bueb sein wird. Ich wußte es vom ersten Augenblick an, damals in Bern. Ah, Gottfried, Lieber!"

Gottfried drehte sich um und sah, daß Leonide soeben aus dem Zimmer glitt.

Zärtlich streichelte Therese seine Hand. „Wir müssen jetzt ein neues Leben beginnen. Wir müssen! Du mußt in eine andre Stimmung kommen! Weißt du, du hast mich sehr, sehr oft ganz schrecklich leiden lassen. Wenn du unglücklich bist, so ist es meine Schuld, das fühle ich. Aber ich will dich nicht unglücklich wissen. Und – schließlich sollten wir stark genug sein, um gemeinsam all das, was in der Vergangenheit liegt, ertragen zu können. Versprich es mir, Gottfried! Versprich es mir jetzt!" Sie zeigte ihm noch einmal ihren Sohn. „Schau! Ich werde ihn Gottfried Amadeus nennen! Findest du nicht, daß er dir ähnlich sieht? Versprich es mir, daß du dich ändern wirst, daß du versuchen wirst zu vergessen." Er starrte sie an, verwirrt und verloren.

Wäre es für dieses Kind nicht besser, dachte er, wenn es nie das Licht der Welt erblickt hätte?

„Theresli, mach dir jetzt keine Sorgen. Alles wird gut werden. Ich fühle es."

Sie drehte den Kopf zur Seite und schloß die Augen. Er nahm ihre Hand, küßte sie, und dann verließ er das Zimmer. Vor der Tür fand er Leonide.

„Du bleibst bei uns, nicht wahr?" fragte er sie.

„Ich möchte immer bei euch sein, wie eine Mutter. Ich liebe euch beide, und mein Herz tut mir weh um euch."

„Du bist ein Prachtmensch", sagte Gottfried und küßte sie. Sie ließ sich diese Gelegenheit nicht entgehen und drückte ihn fest an sich.

„Du Lieber! Du Lieber!" murmelte sie durch die Zähne.

Wieder kam der Sommer, und das riesige Dach von Anton Jakobs Haus barg immer noch seine Geheimnisse. Das äußere Bild jedoch hatte sich leicht verändert. Ab und zu konnte man nun Leonide im Garten sitzen sehen, die Brille auf der Nase, nachdenklich mit einer Häkelei beschäftigt, und neben ihr in einem Kinderwagen das neue Müllerkind, getauft auf den Namen Gottfried Amadeus. Manchmal setzten sich Frieda oder Ida oder Luise oder sogar die Minna zu Leonide heraus, ein Weilchen, um den reizenden Knirps zu bewundern, weil er hier in seinen weißen Kissen lag. Bei einer solchen Gelegenheit begab es sich, daß ein angesehener und gewichtiger Herrenbauer auftauchte, um Frau Müller eine Aufwartung zu machen, wahrscheinlich in der Absicht herauszubekommen, ob sie sich wieder zu verheiraten gedenke. Leonide erklärte ihm kurz und mit undurchdringlicher Miene, daß Frau Müller verreist sei.

„Ah! So! Verreist? Hm . . .“

„Wohl! Ja! Sie ist nach Italien gefahren, um eine alte Burg zu besichtigen, die früher einmal ihrer Familie gehört hat.“

„Und was tut er, der Sohn?“

„Er ist nach Zürich.“

„Aha! Hm! Eine Burg will sie beschauen? Hm! Warum denn, wenn man fragen darf?“

„Ich weiß es nicht. Ich weiß es selber nicht. Ich kann es nicht sagen.“

„Aha, so! Wann kommt Frau Müller zurück?“

„Das kann ich nicht sagen, ich weiß es nicht.“

„So. Ich werde sie halt ein andermal aufsuchen, wenn sie zurück ist. Ja. Adieu. Hm!“

„Adieu wohl!“

Leonide sah ihm nach. „Ein schwerfälliger Kloben, und erst noch ein Säufer!“ sagte sie, und ein verschmitztes Lächeln huschte über ihr breites Gesicht. „Ich werde doch nicht so dumm sein und jemand verraten, daß die beiden zusammen weggefahren sind. Ach, die lieben Geschöpfe! Es war schon Zeit, daß sie sich auch einmal etwas gönnten. Höchste Zeit, daß Therese ihren Gottfried entführte, um ihn ein wenig aufzuheitern. Er war ja in einem schrecklichen Zustand. Hager, abgehärmt, halbtot!“ Leonide konnte ihm nachfühlen, wie sehr er gelitten haben mußte, bis er sein Theresli endlich bekam.

Eines Nachmittags kehrte Therese ganz unerwartet allein zurück. Als sie Leonide und das Kind im Garten erblickte, lief sie eilig hinzu, hob ihren kleinen Jungen aus dem Kinderwagen, starrte ihn fast wilden Blicks an und überhäufte ihn mit Küssen. Dann legte sie ihn wieder in den Wagen zurück, und nun war Leonide an der Reihe, um Therese willkommen zu heißen und begeistert an den Busen zu drücken.

„Theresli! Schatz! Du bist schon zurück? So schnell?"

„Ich konnte nicht länger wegbleiben. Das Kind hat mich zurückgelockt. Ohne den Kleinen war ich unglücklich."

„Und Gottfried?"

„Er kommt in ein bis zwei Tagen. Er ist nach Zürich gefahren." Ihre Stimme senkte sich zu einem Flüsterton. „Wir konnten nicht gemeinsam zurückkehren. Es wäre sonst zu auffällig gewesen."

„Wie geht es ihm?"

Thereses Miene wurde ernst, und sie sah nachdenklich vor sich hin, ohne eine Antwort zu geben. Dann begann Leonide ihrerseits eine ernsthafte Miene aufzusetzen; sie hockte sich hin und griff nach ihrer Häkelarbeit.

„Und die Burg?" fragte sie. Therese hatte den Hut abgenommen. Nun stand sie über das Kind gebeugt.

„Ein paar Mauern!" sagte sie und blickte auf, ohne die Händchen ihres Kindes loszulassen. „Wir haben uns das Ding angesehen und besprochen. Ich denke, wir werden uns etwas andres suchen müssen. Dort drin läßt sich unmöglich wohnen."

„Und ich habe schon davon geträumt", sagte Leonide. „Herrjesses! Es ist komisch, wie die Dinge immer anders kommen, als man denkt." Sie hielt mit ihrer Häkelei inne und blickte durch die Brillengläser auf. „Und wie geht es dir? Ist irgend etwas passiert auf eurer Reise?"

„Ich fühle mich sehr wohl."

„Sonst nichts Besonderes?"

„Durchaus nichts."

„Ah! Das freut mich, Theresli. Du weißt, ihr müßt beide sehr vorsichtig sein. Es braucht nur einen ganz kleinen Zufall, um euch beide zu verraten, und dann wüßte die ganze Welt Bescheid, und das wäre recht fatal, nicht wahr?"

Therese richtete sich auf. Sie sah überraschend frisch und lebendig aus. Aber eine Welt verborgener Gedanken leuchtete aus ihren Augen. Ein schwerer Seufzer kam von ihren Lippen. „Ich werde mich umziehen", sagte sie, und mit raschen Schritten ging sie ins Haus. Ein Gefühl quälender Unruhe packte sie, sobald sie die alten Räume betrat. Sie schauerte sogar zusammen. Ich wollte, wir wären alle abgereist, dachte sie. Alle! Um nie wieder hierher zurückzukehren. Wie ich hier alles hasse! Und Gottfried wird auch wieder zurückkommen! Gottfried! – Wieder erschauerte sie, aber jetzt wegen Gottfried. Sie zitterte sogar am ganzen Leib. Was war Gottfried? Einstmals hatte sie seinen Vater gefürchtet, und jetzt . . .

Und ihre Gedanken wanderten plötzlich zu ihrer Jugend zurück, warum, wußte sie nicht. Sie sah sich wieder einsam in der Heimat, auf den Knien, scheuern und fegen und die Last eines Sterbenden umherschleppen. Betrunkene, grölende Stimmen aus den Weingärten spukten in ihren Ohren – sie machte eine gebieterische Gebärde. „Fort, ihr scheußlichen Bilder! Fort!" rief sie befehlend. „Alles Unsinn!"

Drei Tage später kehrte Gottfried mit dem Spätabendzug nach Gam zurück. Niemand sah ihn vom Bahnhof nach Hause gehen. Niemand erwartete ihn an diesem Abend, nicht einmal Therese. Und es war ganz gut, daß niemand ihn sah, denn sein Anblick hätte bei Menschen, die ihn kannten, leicht allerhand seltsame Empfindungen wachrufen können. Fast wunderte er sich, warum er überhaupt zurückgekehrt sei. Die Häuser von Gam, das Schnauben des fernen Zuges, die blinkenden Lichter des Gamhofs, das alles erschien ihm ganz unwirklich, kam ihm vor wie die Kulissen eines Theaterstückes. Der schwarze Vorhang war aufgezogen. Er schritt umher . . . Zwei Wochen lang war er mit Therese fort gewesen. Zwei Wochen! Aber Therese konnte es nicht länger aushalten. Zurück! Zurück nach Gam! Wozu? Das Kind! Gam haßte sie, Gam war ihr ein Greuel. Aber das Kind! Ja, natürlich! Eine Mutter muß ihr Kind haben! Zuerst kommt das Kind! Lange vor dem Mann. Der Mann hinkt hinterdrein, der Liebhaber hinkt hinterdrein, alle hinken sie hinterdrein. Therese und Leonide waren noch wach, als Gottfried zu Hause anlangte. Er gesellte sich zu ihnen. Seine Haltung war gedrückt. Er küßte Therese, erhielt von Leonide seinen Kuß und setzte sich hin.

„Ich gehe bald zu Bett", sagte er. „Ich bin sehr müde."

„Herrje!" rief Leonide und faßte sich an den Kopf. „Wie du aussiehst, herrje! Was ist los?"

„Oh, es ist alles in Ordnung", sagte er ruhig.

„Du bist krank!" beharrte Leonide.

„Warum?" fragte er, und dann stand er auf und betrachtete sich im Spiegel. „Das kann ich nicht finden!" Und er richtete sich auf, puppenhaft und steif.

„Es ist etwas los", wiederholte Leonide.

Sie ordnete ihren Nähkorb, und da sie merkte, daß hier einer zuviel sei, ging sie zu Bett.

Als sie fort war, streckte Therese beide Arme über den Tisch und ließ den Kopf auf sie niedersinken.

Gottfried sah sie mit verzehrenden, schrecklichen Blicken an. „Es ist merkwürdig", sagte er müde und apathisch, „früher habe ich dieses Haus gehaßt. Aber heute abend ist es anders. Ich habe das Gefühl, als wäre ich hier am richtigen Ort. Wie geht es unserem Kleinen?"

„Gut", sagte sie fast tonlos.

„Schläft er?"

„Ja."

„Dann werde ich ihn nicht aufwecken."

Lange Zeit schwiegen sie.

„Ich habe das Gefühl", sagte er nach einer Weile, „wir beide hätten weit fortreisen sollen. Es wäre besser gewesen. Du hättest vorige Woche auf meine Worte hören sollen. Aber einerlei, jetzt macht es wenig aus."

„Vielleicht hattest du recht!" seufzte sie.

Ein dumpfer, entsetzlicher Schmerz packte Gottfried. Er musterte sie mit weit aufgerissenen Augen. Zum hundertsten Male fragte er sich, ob ihre Liebe zu ihm sterben würde, wenn er sie mit sich in den Abgrund hinabrisse.

Plötzlich stand er auf und küßte sie aufs Haar.

„Gute Nacht, liebstes Herz! Ich gehe schlafen. Ich habe schon im Zug mit meinen Dosen begonnen."

„Gute Nacht", wiederholte sie sanft. „Gute Nacht, Gottfried, mein lieber Gottfried."

Lange Zeit blieb sie reglos sitzen. Wie sehr Gottfried sie liebte!

Und doch steckte sicherlich irgendwo in ihm etwas wie ein leiser Haß gegen sie. Sein Gewissen?!

Sie sah vor ihrem geistigen Auge einen drohenden Schatten aufsteigen, einen ungeheuerlichen Schatten, hoch türmte er sich vor ihr! Mit einem heftigen Ruck riß sie sich empor und floh in ihr Bett. Sie nahm ihren kleinen Knaben zu sich, und sobald er warm an ihrer Seite lag, eifrig schnarchend mit jedem Atemzug, schlummerte sie ein.

Gottfried trat des Morgens ins Zimmer, noch bevor sie aufgestanden war. Er schaute zuerst erstaunt, dann fast erschrocken drein, als er sie mit weit aufgerissenem Nachthemd im Bett liegen sah, während das nackte Kind rittlings auf ihr saß und wie ein Böcklein mit seinem roten Köpfchen nach ihr stieß. Therese spielte mit ihm. „Ho hupla!" Sie schwang ihn über den Kopf. „Ho hupla!" und wieder hinunter. „Schau, Gottfried!" rief sie mit strahlenden Augen. „Er reitet schon. Ah! Le polisson! Le petit coquin! Mon petit Savoyard! Ho hupla!" Der winzige Gottfried Amadeus kreischte vor Lachen, sooft ihn seine Mutter in die Luft warf.

„Hör zu", sagte Gottfried trocken, „ich gehe spazieren. Habe etwas besser geschlafen. Ich gehe in den Wald hinauf. Am Nachmittag bin ich wieder zurück."

„Willst du nicht, daß ich mitkomme?" fragte Therese mit jäh veränderter Stimme. „Ich brauche nur eine Minute."

„Ich würde dich langweilen. Ich will weder sprechen noch denken. Nur herumwandern, bis ich müde bin."

Er verließ das Zimmer. Einen Augenblick lang sah sie nachdenklich vor sich hin, dann packte sie wieder ihr Kind und spielte mit ihm.

Gottfried schritt etwa zwei Stunden lang durch die Wälder bergauf. Als die Kiefern spärlich wurden und vor ihm die Alp sich öffnete, setzte er sich ins Moos, mit dem Rücken gegen einen Baumstamm, und starrte hinaus in das ungeheure Gipfelmeer. Tief unten lag das Tal, kaum erkennbar durch den blauen Nebeldunst, und kein Laut erreichte sein Ohr aus der Tiefe. Als er die unendliche Freiheit fühlte, die ihn hier umgab, kehrte sein Geist in die frühe Jugend zurück. Damals hatte das Leben hoffnungsreich vor ihm gelegen, voller Erwartungen, voll edler Wünsche und so grenzenlos wie das Weltall, das zu seinen Häupten sich dehnte; damals hatte er sich eingebildet, daß die weißhäuptigen Riesen ringsum für ewig seine tiefgeliebten Freunde bleiben würden. Heute aber? Ein blasses Lächeln – ein Fluch – eine Wand vor seinen Augen. Diese silbrigen Gefilde der Blümlisalp und des Wildstrubels waren nicht mehr sein. Vielleicht würde er sie nie mehr wiedersehen. Ein Lebewohl all diesen Welten! Gottfried lehnte den Kopf an einen Baumstamm und blickte in den Himmel hinauf.

Eine sonderliche Güte lag in seinem Blick; Kraft, aber zugleich auch eine leise Mattigkeit, der Ausdruck einer Seele, die nicht nur verzichtet, sondern auch entschlossen ist, verzweifelt und dann wieder zu allem fähig, wie ein gehetztes Wild, das in die Enge getrieben wird.

„Ach Gott!" sagte er mit einemmal. „Ich glaube, daß du bist. Gib mir die Kraft! Laß mich aushalten! Hilf mir!" Plötzlich begann er bitterlich zu weinen.

„Theresli! Mein armes Theresli!"

Die Stunden verstrichen, und er saß da, als sei er an den Baum gekettet.

Dann aber sprang er unvermittelt auf. Fest preßte er die Lippen zusammen, und mit fiebrigen Schritten stieg er ins Tal hinunter. Alle Schlappheit war von ihm gewichen. Ein Feuer schien in ihm zu brennen, und er ging immer schneller. Als er den Gamhof erblickte, brach ein wilder Aufruhr in ihm los.

Ist sie da? Ist sie da? fragte er sich. Weiter! Weiter! Vorwärts! Ohne Zögern betrat er das Haus und ging in sein Zimmer hinauf. Er öffnete seinen Schreibtisch, zog aus einer verborgenen Ecke einen Umschlag hervor und steckte ihn in seine Tasche. Dann stopfte er etliche Banknoten in seine Brieftasche, sah nach, ob Thereses Fotografie noch drinnen sei, und steckte sie wieder ein. Die Schlüssel ließ er am Schreibtisch hängen, stand auf und durchsuchte in nervöser Hast seine Garderobe, ließ aber alles an Ort und Stelle.

„Wenn sie jetzt ausgegangen ist, ist es fatal für das, was ich will", murmelte er. Er öffnete die Tür und ging hinunter. Leonide lief ihm über den Weg.

„Wo ist Therese?" fragte er sie fast schreiend.

„Herrje! Wie heftig! Was ist denn los?"

„Wo ist sie?"

„Sie hat soeben mit Herrn Röthlisberger gesprochen, und er brachte ein paar Rechnungsbücher herauf. Jetzt ist sie im alten Schlafzimmer."

„Sie ist also zu Hause? Gut!"

Er ging zu ihr. Leonide blickte ihm nach wie von Blitz und Donner erschreckt.

Therese saß am Tisch und sah die Molkereirechnungen durch. Einen Augenblick stand er reglos da. Sie blickte auf, sah sein Gesicht und erhob sich sofort.

„Therese, du weißt, daß ich dich liebe, nicht wahr?" Und er streckte ihr die Arme entgegen.

Sie kam näher. Aufdämmerndes Entsetzen straffte die Muskeln ihrer Wangen.

„Gottfried, Gottfried!" rief sie.

Einen Augenblick lang blieben seine Lippen wie gelähmt durch sein Wissen um all die Dinge, die nun kommen sollten. Aber seine Augen waren beredt. Seine Seele hatte alle Fesseln abgeworfen.

„Gottfried", wiederholte sie, „was ist mit dir geschehen?"

„Oh", sagte er ungläubig, wie zu sich selber, „merkt man die Veränderung? Ich hätte es nicht für möglich gehalten."

„So hast du noch nie ausgesehen!"

„Auch das? Hm! Es wundert mich nicht. Bald wirst du noch andre Veränderungen sehen – geschorenen Kopf, Handschellen, gestreifte Jacke ... Ha!"

Therese griff sich mit beiden Händen an den Kopf und starrte ihn entgeistert an.

„Jawohl, das ist die nächste Veränderung! Und dann werde ich meinen Frieden haben. Nicht mehr und nicht weniger."

„Gottfried!" schrie sie, schier außer Sinnen.

„Das ist jetzt noch mein Name, und auch er wird sich ändern. Ich verdiene diesen Namen nicht! So sieht die Wahrheit aus. Es mag vielleicht schrecklich sein, aber ich habe mich endlich durchgerungen, und heute noch tue ich den ersten Schritt."

„Bist du verrückt?" Ihre Stimme klang unnatürlich rauh.

„Verrückt? Nein! Aber ich würde verrückt werden, wenn es so weiterginge wie jetzt. Ich bin lange genug mit meiner Seele von dieser Erde weggewesen. Jetzt ist es Zeit, daß ich wieder auf sie zurückkehre. Ich gebe dir zu, Therese, daß ich sehr viel dummes Zeug geschwatzt habe, seit ich zum erstenmal mit dir Hand in Hand ging. Jahrelang habe ich dich und mich betrogen. Jetzt aber sehe ich völlig klar, und nichts auf Erden wird mich mehr täuschen. Ich bin ein moralischer Bankerotteur, ja! Letzten Endes gibt es doch moralische Gesetze, und ich habe wie ein verbrecherischer Bankerotteur gelebt. Jetzt kommt der Zahltag. Ich klettere von meinem hohen Piedestal herunter, um dir zu sagen, daß gerade jene Esel, die ich wegen ihrer engstirnigen Lebensanschauung zu verdammen pflegte, mich mit Haut und Haaren haben sollen. Und im übrigen kümmert es mich nicht, was sie mit mir tun. Heute abend liefere ich mich der Polizei aus. Das ist alles."

„Und ich?" Kalt, herrisch klang ihre Stimme.

„Man wird dich hineinziehen, aber du wirst deine Unschuld beweisen."

Sie sah ihn durch die Wimpern an.

Das war die Krisis. Die Krisis, die nun schließlich eingetreten war. Therese hatte gewußt, daß sie früher oder später kommen müsse. Wie Sand war Gottfrieds Seele durch ihre Finger geglitten und ihr völlig entronnen. Wirklich, wirklich?

Jetzt oder nie! dachte sie, tief Atem holend.

„Glaubst du, ich habe Angst um mich? Gottfried, kennst du mich noch immer nicht?"

„Du hast dich nie vor etwas gefürchtet", sagte er. „Zeige nun, daß deine Stärke auch diese Probe aushält."

„Gut. Und was gedenkst du nun eigentlich zu tun, Gottfried?"

„Ich gehe zur Polizei."

„Wozu?"

„Um zu melden, daß ich meinen Vater ermordet habe."

„Daß du ... Was? O Gott! Gott! Was?"

Sie preßte beide Hände ans Herz und begann zu zittern.

„Gottfried! Das wird mein Tod sein!"

Rücklings schritt er zur Tür. Sie warf sich auf ihn.

„Du gehst nicht! Du bist ja verrückt! Verrückt! Hörst du? Deine Schlaflosigkeit hat dich verrückt gemacht!"

„Oh, wenn du nur wüßtest, wie es in mir aussieht!" Zitternd umklammerte er Thereses Handgelenke. „Liebste Therese! Du bist nicht länger meine Therese, und ich gehöre nicht mehr dir. Berge liegen zwischen uns!"

„Und du hast sie zwischen uns gewälzt! Du! Du! Jawohl!"

„Nein, nein!" schrie er wild auf. „Nicht ich! Ich weiß nicht, wer es war. Aber sie brennen! Alles brennt in mir und rings um mich! Ja, und da ist noch etwas, was noch heißer brennt als unsre Liebe, Theresli! Glaube mir, es gibt Dinge, die wir nicht wissen, und doch sind sie die Mächte, die uns vorwärtstreiben. All diese Jahre hindurch habe ich es verleugnet, verleugnet! Und doch ist es da! Es ist da! Es ist da!"

„Was kümmert es mich!" flehte sie. „Geh nicht! Geh nicht! Ich töte mich für dich! Du darfst nicht gehen, du nicht. Gottfried, Liebster, geh um Himmels willen nicht!"

„Ich muß. Ich habe kein Recht, hier zu bleiben. Du gehörst nicht mir und kannst mir nicht gehören. Nie!"

Plötzlich trat Leonide ins Zimmer. „Theresli! Liebling! Was für ein Lärm! Ich hätte nie geglaubt, ihr beide könntet... Eh! Eh!"

Drei Augenpaare trafen sich sekundenlang. Mit einem jähen Satz floh Gottfried durch die Tür und lief zum Hause hinaus. Therese rannte ihm nach wie besessen; aber als sie in den Garten kam, sah sie ihn bereits über den Pfad zur Landstraße jagen.

„Feigling!" schrie sie ihm nach. „Feigling! Verräter!"

Dann versuchte sie, ihm auf der Straße zu folgen, aber die Beine versagten ihr den Dienst. Sie haschte nach einem jungen Birnbaum und klammerte sich wimmernd an den Stamm.

Sobald der Gamhof seinen Blicken entschwand, bog Gottfried in die Landstraße ein. „Therese, arme Therese", murmelte er, während er, ohne sich umzusehen, rasch talabwärts eilte. „Es läßt sich nicht ändern! Es muß geschehen!"

Ein Gefühl der Begeisterung erfüllte seine Sinne. Es war die Begeisterung eines errungenen Sieges gegen die Mächte der Finsternis in seiner Seele. Kein einziges Mal schaute er zurück. Endlich frei! Furchtbar frei! Es war ihm zumute, als erwache er aus einem hypnotischen Schlaf. Fromme Saiten ertönten in ihm. „Vätti", sagte er vor sich hin, „jetzt sollst du zu deinem Rechte kommen! Das Gesetz des Landes wird das Unrecht tilgen, das ich dir angetan habe. Die Tat soll gebüßt sein, ehrlich gebüßt, sag' ich dir."

Gegen Abend erreichte Gottfried die äußersten Häuser der kleinen Stadt Obwyl. Er bestieg die Straßenbahn, die in die Nähe der alten Burg führt. Schon sah er die Bastionen, die kleinen vergitterten Fenster, den riesigen Turm, der über die schmalen Straßen und über die niedrigen, mittelalterlichen Häuser emporragte. In der Burg befand sich ein Gefängnis, wo alle Missetäter des Bezirks für die Dauer ihrer Untersuchungshaft untergebracht wurden. Ein andrer Teil der Burg diente als Bezirksgerichtsgebäude.

Wahrscheinlich, dachte er, während er ein schmales, steiles Gäßchen hinaufstieg, wahrscheinlich werde ich nun viele Monate da oben zu Hause sein.

Ein stämmiger Amtsweibel, die obersten Knöpfe seines Waffenrockes aufgeknöpft, empfing Gottfried mit der behäbigen Ruhe eines Staatsbeamten. Gottfried gab ihm seine Karte und sagte, er wünsche Dr. Fröhlich zu sprechen, den Untersuchungsrichter. Er wurde in ein kleines Zimmerchen geführt, dort aufgefordert, Platz zu nehmen, und dann allein gelassen. Ein paar Minuten lang atmete er die modrige Luft, die von den grauen Wänden auszuströmen schien. Plötzlich packte ihn gräßliche Angst. Er wollte aufspringen, davonlaufen, aber seine Beine schienen wie gelähmt. Offenen Mundes saß er da, als der Gerichtsdiener zurückkehrte und ihn aufforderte, ihm zu folgen. Fast taumelnd ging er den Korridor entlang, und nur der ungestüme Drang seiner gemarterten Seele verhütete, daß sein matter Körper zu Boden stürzte.

Ein eisiger Schmerz zerpflügte sein Rückgrat und trieb ihm den kalten Schweiß auf die Stirne. Am Ende des langen Korridors wurde er in ein dunkles Vorzimmer geführt. Dort setzte er sich ein paar Sekunden nieder. Dann öffnete sich eine grüne gepolsterte

Tür. Er stand auf. Der Gerichtsdiener ersuchte ihn, in das Neben-zimmer einzutreten. Er folgte der Aufforderung.

Dr. Fröhlich war ein verhältnismäßig junger Mann, aber früh-zeitig gealtert durch seine Erlebnisse. Lauernd, verstohlen for-schend, ruhten seine Blicke auf dem Mann, der fast stolpernd ins Zimmer kam und wie erschöpft auf einen Stuhl sank. Sein vier-eckiges Kinn, sein schiefer, dünnlippiger Mund wurden straff und amtsmäßig, seine kahle Stirn legte sich in leichte Falten.

„N'abig, Herr Müller! Was kann ich für Sie tun?" fragte er mit einer weichen, fast leidenden Stimme.

„Ich habe Gam heute nachmittag verlassen", sagte Gottfried und klammerte sich an seinen Stuhl. „Ich wollte mit Ihnen sprechen."

„Schön – ich stehe Ihnen zu Diensten."

„Wenn ich nicht irre, kennen Sie meinen Schwager, Dr. Naef in Thun, nicht wahr?"

„Ja, gewiß! Ich habe ihn vorige Woche gesehen."

„So! Jaja! Sind Sie sehr mit ihm befreundet?"

„Befreundet? Hm!" antwortete der Richter trocken. „Soweit ein Mann in meiner Stellung mit irgendwem befreundet sein kann. Mein Amt verbietet mir beinahe, wie ein gewöhnliches Menschen-wesen zu leben. Um ganz ehrlich zu sein" – er lächelte –, „meine Häftlinge sind meine besten Freunde. Sie nehmen meine ganze Zeit und alle meine Gedanken in Anspruch."

„Würden Sie mein Freund sein, wenn ich ein Verbrecher wäre?" fragte Gottfried.

Dr. Fröhlich zog langsam die Schultern hoch. Er fühlte sich plötzlich alarmiert, aber er zeigte keinerlei Erregung.

„Warum? Haben Sie etwas auf dem Gewissen?" forschte er.

„Ich habe etwas auf dem Gewissen", sagte Gottfried. „Etwas – ja!"

Dr. Fröhlich kniff die Augen zusammen und beobachtete Gott-fried. Gottfried erwiderte angstvoll seine Blicke. Plötzlich schlug er beide Hände vors Gesicht und seufzte tief.

Dr. Fröhlich kam auf ihn zu.

„Was ist los?" fragte er. „Sprechen Sie!"

„Sie werden nie vergessen, daß ich aus eigenem Antrieb zu Ihnen gekommen bin, nicht wahr?"

„Sagen Sie mir, warum Sie gekommen sind!"

Gottfried zog einen versiegelten Umschlag aus der Tasche und übergab ihn Dr. Fröhlich. „Lesen Sie das! Lesen Sie es, und dann werden Sie Bescheid wissen."

Dr. Fröhlich drehte den gelben Umschlag zwei- oder dreimal zwischen den Fingern, dann ging er an seinen Schreibtisch, setzte sich nieder und riß den Umschlag auf.

Und er las:

„Mein Vater, Anton Jakob Müller, heiratete Therese Etienne-Mariano, während ich in Basel die Rechte studierte. Er war in den Fünfzigern, sie war einundzwanzig Jahre alt. Ich verliebte mich in sie, aber vier Jahre lang wußte sie davon nichts. Ich versuchte auf alle erdenkliche Weise meiner blinden Leidenschaft Herr zu werden. Ich wechselte sogar das Studium und wurde Theologe. Nichts wollte helfen. Nach einer längeren Krankheit verließ ich Tübingen und fuhr heim, um in meines Vaters Haus zu wohnen. Dort gestand ich meiner Stiefmutter meine Liebe. Anfangs war sie entsetzt, bald darauf aber sagte sie mir, sie hätte mich immer schon sehr gerne gesehen, doch sie könne nie einwilligen, mich so zu lieben, wie ich es wünsche, solange mein Vater am Leben sei. Von diesem Augenblick an wurde ich die Beute quälender Eifersucht. Aber damals dachte ich nicht daran, meinen Vater umzubringen. Am fünfzehnten September vorigen Jahres geschah es, daß mein Vater nach dem Gamer Preisschießen nach Hause kam, und nun folgte eine Szene, weil er mich zufällig zu später Nachtstunde mit meiner Stiefmutter in einem Zimmer fand. Er verfluchte mich, und ich verließ den Raum. Während er mit meiner Stiefmutter heftig stritt und zankte und ihr Vorwürfe machte, daß sie mit mir befreundet sei, ging ich in sein Schlafzimmer und tat etwas Arsenik in ein Fläschchen mit Lebersalz, das auf einem Tisch neben seinem Bett stand und das er vor dem Schlafengehen zu benützen pflegte. Sein Arzt hatte ihm dieses Mittel verordnet. Dann ging ich in mein Zimmer hinauf und schloß mich ein.

Im Laufe der Nacht wurde mein Vater krank, und meine Stiefmutter pflegte ihn. Am frühen Morgen des Sechzehnten ging ich hinunter. Ich besuchte meinen Vater einen Augenblick in seinem

Schlafzimmer, und dann verließ ich das Haus, um Dr. Hauser aus Lindbach zu holen, damit ein Versuch gemacht würde, meinen Vater zu retten. Auf dieser Fahrt brach ich mir den Arm. Als ich um zehn Uhr mit Dr. Hauser zurückkehrte, war mein Vater tot. Meine Stiefmutter, die von dem Verbrechen, das ich begangen hatte, nicht das mindeste ahnte, willigte drei Monate später ein, meine Geliebte zu werden. Das Arsenik, das ich benützte, habe ich mir aus der Apotheke des Dr. Murgli in Basel im Frühling 19 . . besorgt. Dies ist die volle Wahrheit. Gott helfe mir!

     Gam, . . . Juli 19 . .   Gottfried Sixtus Müller"

Dr. Fröhlich nagte an seinen Lippen. Sein Blick wurde durchdringend.

„Wann haben Sie das geschrieben?" fragte er mit tiefer Stimme.

„Vorige Woche."

„Stimmt es, oder sind Sie nicht mehr recht bei Verstand?"

„Es ist völlig wahr, und mein Kopf ist ganz gesund", versicherte Gottfried. Er stieß einen Seufzer aus, in dem Erleichterung und Qual sich paarten.

„Dr. Fröhlich! Sie haben eine Familie, der Sie vieles schuldig sind! Vergessen Sie nicht, daß auch ich eine Familie habe. In diese Sache können viele Leute hineingezerrt werden. Bitte, seien Sie freundlich zu ihnen. Ich bin schuldig! Schuldig! Schuldig! Ich! – Ich sage es, weil mich mein Gewissen zermürbt hat. Ich bin ein Verbrecher, aber ich bin nicht verkommen, ich bin kein geborener Mörder. Die Umstände haben mich zum Mörder gemacht. Ich gebe mich in Ihre Hände."

Dr. Fröhlich schien Gottfried nicht zu hören. Er hielt das Geständnis in der Hand und murmelte nun zu sich selbst: „Den Vater vergiftet!"

Schließlich legte er das Papier hin.

„Warum haben Sie das getan?" fragte er, eigentlich nur, um irgend etwas zu sagen.

„Haben Sie nie eine Frau so sehr geliebt, daß Sie alles für sie hätten tun können?"

„Keine Frau wäre imstande, mich so weit zu bringen", erwiderte Dr. Fröhlich.

„Aber können Sie nicht begreifen, daß ein Mann um einer Frau willen ein Verbrechen begeht?"

„Frau! Frau!" murmelte Dr. Fröhlich. „Immer die alte Geschichte. Frau! Frau!" Er erhob die Stimme: „Müller! Es gibt kaum einen einzigen Fall, der durch meine Hände ging und der nicht mit einer Frau zusammengehangen hätte. Falls Ihre Behauptungen zutreffen, was ich für den Fall annehmen muß, dann fürchte ich, daß Sie eine sehr schlimme Zeit vor sich haben."

„Je schlimmer, desto besser", sagte Gottfried und richtete sich gerade in die Höhe.

„Jetzt mögen Sie so fühlen, bald aber werden Sie sehen, daß es noch schlimmer sein kann, als Sie erwarten. Zuallererst muß ich Sie in Haft nehmen und den Staatsanwalt von der Sache benachrichtigen. Ich weiß nicht, ob ich Ihren Fall persönlich behandeln werde. Das hängt von der Entscheidung des Justizdepartements ab."

Dr. Fröhlich sah einen Augenblick zur Seite. Gottfrieds Anwesenheit berührte ihn seltsam.

„Sie wollen sagen", begann er plötzlich, „daß Sie Arsenik in das Lebersalz Ihres Vaters getan haben und daß nichts Sie zurückhielt? Kein Gedanke an die Folgen? Kein moralisches, kein ethisches Gefühl, das Ihnen gesagt hätte, daß Sie ein feiges Verbrechen begehen?"

„Ah! Die Umstände! Wenn Sie die Umstände kennen würden! Ich war wie ein Mensch, der plötzlich seiner nicht mehr mächtig ist, verrückt wird und dann mordet!"

„Dennoch ist Ihr Kopf nicht der Kopf eines Mörders."

„Wer von uns, wenn ihn die Umstände vorwärtstreiben, würde nicht imstande sein, ein Verbrechen zu begehen?"

„Es gibt viele, die es niemals könnten!" rief Dr. Fröhlich. „Herrgott nanamal! Müller! Je mehr ich darüber nachdenke, desto schlimmer wird es." Er erhob sich unvermittelt. „Ich sehe schon, das wird eine verwickelte Geschichte. Mir tut es leid um Sie, mir tut es leid um all die Gamer Leute. Es ist einer der unerwartetsten Fälle, der mir je begegnet ist." Er drückte auf die Klingel. Ein Gerichtsdiener trat ein, und Dr. Fröhlich verlangte den Polizeiinspektor.

Und nun begann für Gottfried das qualvoll einsame Leben in einer engen Zelle. Auf dem kleinen harten Schemel, auf dem er sich ergeben niedergelassen hatte, saß er einige Stunden in dumpfem Entsetzen, dann und wann bis auf die Knochen erschauernd.

Ein Wärter, der hereinkam und ihn fragte, ob er irgendwelche besonderen Wünsche bezüglich seines Essens und Trinkens hätte, unterbrach die lastende Ruhe. Gottfried schüttelte als Antwort nur den Kopf.

„Ich brauche nichts", murmelte er.

Er gab sich nicht einmal die Mühe, sein Licht anzudrehen. Stumpf saß er da und starrte in die Finsternis. Eine ferne Uhr schlug viele Male. Plötzlich erhob er sich mit einem Satz und sank auf das niedrige Ruhebett im Winkel der Zelle. Und sehr bald lag er, seit langem zum erstenmal, in tiefem Schlaf.

Der Gemeindeschreiber von Gam und der Polizist Steiger erhielten gleichzeitig am nächsten Morgen von ihrer vorgesetzten Behörde gewisse Instruktionen, daß ihnen fast die Zähne klapperten. Der Leichnam Anton Jakob Müllers müsse unverzüglich exhumiert werden. Aus Obwyl werde auf besondere Anordnung des kantonalen Justizdepartements eine Kommission erscheinen.

Sogleich lief das Gerücht um, daß der Alt-Regierungsrat Müller vergiftet worden sei. Das hatte die Welschi getan! Ja! Die Welschi!

„Dumms chaibe Züg! Sein eigener Sohn, Gottfried Sixtus! Er ist ja bereits schon in Haft. Die Welschi kann es nicht gewesen sein. Man hat sie noch heute abend gesehen. Ja freilich, sie ist im Dorf in einem Laden gewesen."

„Ein Sohn, der seinen eigenen Vater vergiftet! Wer würde so etwas glauben?" – „Das hat sich wohl schon etwa einmal ereignet!"

Zuerst packte die Dorfbewohner blindes Erstaunen. Die Leute standen müßig vor ihren Häusern. Ein Mörder in ihrer Mitte! Seit mehr als fünfzig Jahren war so etwas im Arnatale nicht passiert. Und einer von ihrem eigenen Schlag! Unter ihnen geboren und aufgewachsen! Entsetzen packte die Menge. „Gott schütze unsre Seele! Ein Ungeheuer ist ans Tageslicht gezerrt worden! Ein Vatermörder! Ein Bueb, der seinen Vater beseitigt, um bei seines Vaters Frau zu schlafen."

Die Weiber von Gam erblaßten und unterhielten sich im Flüsterton hinter verschlossenen Türen. Innerhalb weniger Stunden
flammte das Arnatal von wilden Gerüchten, die in der Mehrzahl
auf folgendes hinausliefen: Die Welschi habe Gottfried Sixtus
angestiftet, seinen Vater zu vergiften, damit sie mit dem jüngeren
Mann huren könne.

Die Gier nach dem Grauenhaften, die in der menschlichen Natur
liegt, unzertrennlich von der Lust nach dem Unerhörten, trieb die
Männer in die Wirtshäuser, die Weiber an die Dorfbrunnen, und
sehr bald wagten sich etliche Beherzte die Straße hinunter, um
einen Blick auf Anton Jakobs Haus zu erhaschen und mit aufgerissenen Augen den bekannten Gutshof anzustarren, als hätten
sie ihn nie zuvor gesehen. Andre wieder gingen zum Friedhof,
blickten über die Mauer und glotzten das Grab an.

„Herrjessesgott! Was soll mit uns allen geschehen?"

Dr. Fröhlich hatte, nach einer Beratung mit dem Staatsanwalt und
dem Vorsitzenden des Bezirksgerichtes, vom Justizdepartement
die Weisung erhalten, vorerst der Öffentlichkeit nichts mitzuteilen, bis die kantonalen Gerichtsärzte ihre sachverständige
Meinung abgegeben hätten; es sei jedoch sogleich mit einer genauen Untersuchung des Falles Müller zu beginnen.

Als er mit seinen Beamten in Gam eintraf, war er erstaunt, am
Bahnhof eine große Menschenmenge zu seinem Empfang bereit
zu finden. Er begab sich ins Gemeindehaus und ordnete die unverzügliche Exhumierung des verstorbenen Anton Müller an.

Der Polizist, in seiner besten Uniform, kreidebleich, hielt seine
Gamer in Ordnung:

„Ruhig da! Nicht so drücken!"

Der alte Joggi und Röthlisberger starrten entgeistert über die Mauer
und sahen zu, wie zehn Männer die Marmorplatte zur Seite wälz-
ten, wie die Schaufeln der Totengräber die Erde aushoben, wie
ihre Gestalten immer tiefer und tiefer versanken.

„Ich glaube kein Wort von der Geschichte", sagte Röthlisberger.

„Allweg nicht!" krächzte Joggi. „Würde der Herr Gottfried so
was tun? Keine Sau kann das glauben!"

Aber vor Röthlisbergers finsteren Blicken wiederholte sich das
Schauspiel jenes sechzehnten September; Grauen packte ihn.

„Und trotzdem glaube ich es nicht", murmelte er. „Es ist ein Irrtum."

Als Therese von Leonide erfuhr, was auf dem Friedhof vorging, lief sie in ihr Zimmer.

„Gottfried, Gottfried!" schrie sie. „Was hast du mir angetan! Was hast du mir angetan! Oh, warum mußte ich dich lieben! Oh, warum bin ich geboren!"

Leonide folgte ihr auf Schritt und Tritt. Therese riß ihr das Kind aus den Armen.

„Gib ihn mir! Buebi, Buebi, ach! Daß ich dich nicht geboren hätte!" Sie bedeckte das Köpfchen des Kindes mit Küssen und Tränen. Sie preßte es an sich, bis es zu heulen begann. „Ah! Wenn ich und du, du und ich, wir beide nun aus dem Leben gingen? Ich kann dich doch nicht weiterleben lassen? Oh, hätte ich nur die Kraft! Die Kraft! Leonide, Leonide hilf mir! Nimm ihn weg, bevor etwas geschieht – nimm ihn weg!"

Leonide nahm das schreiende Kind und legte es sanft an ihre Brust.

„Theresli!" sagte sie in bittendem Tone. „Laß ihn mir! Ich werde mich um ihn kümmern, Herrjesses! Alle Türen sind offen! Sie können uns unten hören!"

„Einerlei! Mögen sie mich nur hören! Mögen sie mich hören!"

Einen Tag später gelangte die Neuigkeit in die Zeitungen. Die Presse begnügte sich damit, die dürren Tatsachen zu veröffentlichen, wie sie von den Polizeibehörden mitgeteilt wurden.

„Die inneren Organe des Leichnams", schrieben die Zeitungen, „wurden von den kantonalen Gerichtsärzten in Bern untersucht, und man fand Arsenik in genügender Menge, um die Gewißheit zu haben, daß Alt-Regierungsrat Müller an den Folgen einer Vergiftung gestorben ist. Die Untersuchung nimmt ihren Fortgang."

Dr. Naef versuchte in seinem ersten Schreck, die Neuigkeit vor Sophie geheimzuhalten. Er hatte sie im „Bund" gelesen. Aber er konnte das Schreckliche nicht lange allein ertragen, und bald lief er damit zu Sophie.

Es wird sie niederschmettern, dachte er, aber früher oder später muß sie es erfahren.

So gab er ihr die Zeitung, und sie las:

„Ein Giftmordfall in Gam.

Das stille Arnatal im Oberland wurde zum Schauplatz eines Verbrechens, das wahrscheinlich fast einzigartig in der Geschichte unsres Landes dasteht . . .“

Sophie las – las – las – ihr Gesicht wurde bleich, und sie fiel in Ohnmacht. Es dauerte tagelang, bevor sie sich von der seelischen Erschütterung erholte. Felix blieb seinem Büro fern. Er wagte es nicht einmal, sich vor seinen Nachbarn blicken zu lassen.

Therese hatte keinen Fuß mehr aus dem Hause gesetzt, seit sie die Zeitung gelesen hatte. Dumpf saß sie umher und wartete – wartete. Sie wartete auf irgendein Ereignis, auf etwas Entscheidendes.

Die ganze Nacht blieb sie auf, ohne ein Wort zu reden. Gottfried Amadeus schlief, Leonide nickte in einem Stuhl. In Kriegszeiten, in einer belagerten Stadt mögen so die Frauen gesessen haben, während in nächster Nähe die Kanonen donnern und die Männer auf dem Schlachtfeld kämpfen. Stundenlang starrte Therese das schlafende Kind an. Ja, jetzt wäre die Gelegenheit da. Ein langes Messer aus der Küche holen; zuerst Gottfried Amadeus, dann sich selbst! Was konnte sie denn in dieser Welt noch taugen! Der Fluch ihres Lebens lastete auf des Kindes Haupt. Die Leute würden mit den Fingern nach ihm zeigen! „Da läuft er! Seine Mutter war eine Mörderin, sein Großvater war ein Mörder!“ Gleich seiner Mutter würde er der Geächtete bleiben. Das Kind lächelte in seinem Schlummer und atmete mit tiefen, wollüstigen Zügen. „Barmherziger Gott!“ flüsterte Therese und nagte an ihren Fingerknöcheln.

„Geh ins Bett“, sagte Leonide, die aus ihrem Schlummer erwachte. „Ich werde auf ihn aufpassen.“

„Wach auf! Wach auf!“ rief Therese in grellem Entsetzen. „Ich kann es nicht länger ertragen! Wach auf!“

Leonide sprang auf, führte sie aus dem Zimmer und veranlaßte sie, sich auf ein Sofa niederzulegen. Sie schob das Kinderbett beiseite und stellte ihren Stuhl zwischen die Tür und das Bett.

Am nächsten Morgen kam ein Brief für Therese. In Gottfrieds Handschrift.

„Therese!

Und wenn es Dir das Herz bricht, ich konnte diese Last nicht länger auf meinem Gewissen dulden. Ich tat das einzige, was ein Mann in meiner Lage tun konnte. Ich darf Dich nicht einmal um Verzeihung bitten, denn mein Verbrechen ist zu groß. Zweifellos wirst Du in die Sache hineingezogen werden, aber man kann Dir nichts zuleide tun, da Du unschuldig bist. Du wirst wissen, was ich meine, wenn Du die Zeitungen liest. Vergiß, daß ich Dich geliebt habe. Ich bin Deiner nicht würdig."

Sie überlas den Brief mehrere Male. Dann starrte sie das Papier an, als hätten diese Zeilen sie in einen hypnotischen Bann geschlagen. Was für ein Brief! Gottfried im Gefängnis! Und er nimmt alle Schuld auf sich! Hatte er nicht gesagt, daß er so handeln würde? Ja, solch ein Mensch war Gottfried! All die letzten Möglichkeiten ihres Glücks zerfielen zu Staub. Es gab für sie keine Rettung mehr. Sie schloß sich in ihrem Zimmer ein und tobte wie ein wildes Tier. Sie raufte sich die Haare, riß ihr Kleid, schlug sich mit den Fäusten an die Schläfen. „Er ist toll!" schrie sie wie eine Rasende. „Er ist toll! Wie konnte er so etwas tun? Wie konnte er nur?" Als der Sturm über sie hinweggebraust war, begann sie zu weinen. Tränen sänftigten ihr gequältes Herz. Ja! Jetzt war alles vorbei. Ihr Leben hatte Schiffbruch gelitten. Aber nicht ihre Liebe! Nie würde ihre Liebe zugrunde gehen. Von einem Menschen wie Gottfried konnten sie nicht einmal Gefängnismauern trennen. Ein süßes Glücksgefühl überschlich ihre Seele. Sie war stolz auf Gottfried. Wo gab es noch auf Erden solch einen Menschen – wo gab es seinesgleichen? Sollte sie seiner unwürdig sein? O nein, sie wird zeigen, daß sie seiner nicht unwürdig ist! Sie, die Magd aus dem Wallis, sie wird zeigen, aus welchem Stoff sie ist.

„Leonide!" rief sie. „Ich werde jetzt ein paar Briefe schreiben. Einen an die Bank. Ich fahre weg, weißt du. Oh, nicht für lange. Hüte das Haus in der Zwischenzeit, versprich mir, für alles zu sorgen. Ich hinterlasse auch ein paar Zeilen für Röthlisberger."

Therese schrieb die Briefe, dann zog sie ein schwarzes Kleid an, nahm den Witwenhut und den Witwenschleier und ging zu ihrem

Kind. Sie war seltsam gefaßt. Der Kleine streckte ihr die Ärmchen entgegen.

„Buebli! Buebli!"

Sie küßte ihn auf sein kleines, rotes Mündchen.

„Nein! Fang jetzt nicht zu plärren an. Nein! Und verzieh nicht dein Gesicht. Du wirst Mama nicht wiedererkennen, wenn du sie das nächste Mal siehst. Aber da ist Leonide, die wird deine Mama sein!"

Sie küßte ihn noch einmal auf seinen Mund und riß sich los. In der Küche zog sie ruhig die Handschuhe an, dann warf sie einen Blick auf die Uhr.

„Ich komme noch recht! Leb wohl, Minna!"

Sie küßte die alte Köchin und verließ das Haus. Die Berge glitzerten in der Morgensonne. Ein weicher Wind strich über die Krone der Linde. Die Rosen glühten im Garten. Therese versuchte, sich vorzustellen, daß sie nur für einen Tag verreise. Ja! Für einen langen, langen Tag – weiter nichts! Und sie setzte ihren Weg fort.

Sie bemerkte nicht den stämmigen Fremden, der ihr in einiger Entfernung folgte. Er hielt sich ungefähr hundert Schritt hinter ihr, scheinbar las er eine Zeitung, aber seine Spürhundaugen waren auf Therese geheftet. Etwas später an demselben Tage wurde auf behördliche Anordnung in Anton Jakobs Haus eine Durchsuchung vorgenommen, die einen Sack mannigfaltigen Materials zutage förderte.

Gegen Mittag erschien eine schwarzgekleidete Frau am Haupttor des Schlosses Obwyl und verlangte die Obrigkeit zu sprechen. Sie wurde vor Dr. Fröhlich geführt, der sie mit höflicher Zurückhaltung empfing.

„Frau Müller, was kann ich für Sie tun?"

„Ich bin gekommen, um Ihnen zu sagen, daß die Nachrichten, wie sie in den Zeitungen stehen, völlig falsch sind. Zweifellos hatte ich mich mit Gottfried Sixtus eingelassen, aber ich finde es widerwärtig, daß man davon soviel Aufhebens macht. Meine Liebe zu ihm ist größer als alles, was irgendeiner von euch je erlebt hat. Und was den Mord betrifft – alles, was er sagt, ist

Unsinn. Herr Doktor, ich habe meinen Gatten vergiftet – folglich wissen Sie nicht den richtigen Sachverhalt."

Therese wurde einer derben Matrone überwiesen. Es wurde ihr verweigert, Gottfried Sixtus zu sehen. Sie warf den Kopf zurück und betrat ihre Zelle.

Tage, Wochen und Monate schleppten sich dahin. Langsam und sicher spann sich ein feinmaschiges Netz um Gottfried und Therese. Gottfried hielt an seiner Aussage fest und beteuerte Thereses Unschuld, während Therese erklärte, daß sie allein an dem Tode ihres Gatten schuldig sei, und fest leugnete, daß Gottfried mit der Sache auch nur das mindeste zu tun hatte. Die endlosen Fragen, die sie über sich ergehen lassen mußte, die forschenden Kreuzverhöre Dr. Fröhlichs und des Staatsanwalts konnten weder ihn noch sie bewegen, ihre ursprünglichen Behauptungen zu widerrufen. Und als die beiden Unglücklichen schließlich vor dem Untersuchungsrichter konfrontiert wurden, machten sie einander heftige Vorwürfe. Jedes wollte sich für das andre opfern. Die richterlichen Behörden sammelten inzwischen emsig alles erreichbare Material, das möglicherweise ein Licht auf dieses geheimnisvolle Verbrechen werfen konnte. Jedes kleinste, von der Hand der beiden Häftlinge stammende Schriftstück wurde herbeigeschafft. Jede einzelne Person auf dem Gamhof und in Gam wurde verhört. Allmählich wuchs die Kette der Indizien, und diese wurden chronologisch geordnet. Immer deutlicher wiesen die Beweise auf ein Eifersuchtsverbrechen hin, und doch – Gottfried hatte dieses Arsenik drei Jahre lang in seiner Tasche getragen. Dies schien auf einen vorbedachten und wohlgeplanten Mord hinzuweisen. Er gab an, daß er sich das Arsenik in der Absicht verschafft habe, Selbstmord zu begehen; aber wer sollte ihm das glauben, angesichts der zahlreichen Indizien?

Als die erste Aufregung über die Neuigkeit sich gelegt hatte, steckten Gottfrieds Angehörige die Köpfe zusammen und beschlossen, den bestmöglichen Anwalt mit seiner Verteidigung zu betrauen. Dr. Schneeli nahm die Sache in die Hand und setzte sich mit Gottfried in Verbindung. Aber Gottfried lehnte alle Ratschläge seiner Familie ab. Er traf seine eigenen Entschlüsse und wählte einen jungen Mann namens von Breitenwyl, der ein paar Jahre älter war als er und den er während seiner Studentenzeit in Basel kennengelernt hatte. Von Breitenwyl übernahm den Fall ohne Zögern. Er war der Sohn eines alten und reichen Berner Hauses und keiner jener amtsbesessenen, juristischen Schmarotzer, welche aus dem Unglück anderer Menschen ihren Lebensunterhalt oder sogar ihr Vermögen machen und die zu sagen pflegen: „Ja-ja! So sagt es das Gesetz, so muß es sein!" – Im Gegenteil! Er war ein Idealist. Seiner Ansicht nach veralteten die Gesetze. Er wußte, daß die modernen Entdeckungen auf dem Gebiet der Psychologie schon viele Mängel der Gesetzgebung aufgedeckt hatten.

Nach einigen Unterredungen mit Gottfried und Therese stellte von Breitenwyl bei dem Justizdepartement des Kantons Bern den Antrag, einen berühmten Psychiater, Professor Langbein, beizuziehen, damit er ein gerichtsmedizinisches Gutachten über den Geisteszustand der beiden Angeklagten vorbereite und ihre Verfassung vor und während der Mordtat analysiere. Bern lehnte den Antrag ab. Von Breitenwyl verfluchte im stillen sämtliche Bürokraten seines Kantons und erklärte, er werde trotz alledem Professor Langbeins Gutachten einholen und auf dessen Grund die Verteidigung führen.

Im Spätherbst endlich wurde die Untersuchung abgeschlossen. Gottfried und Therese standen beide unter der Anklage des Mordes. Nach Neujahr kam die Sache in die Hände des Schwurgerichts.

Die Verhandlungen vor den Geschworenen sollten am zweiten Juni in dem Gerichtssaal des Schlosses Obwyl beginnen.

Gottfried und Therese waren bereits ein öffentlicher Besitz geworden. Nah und fern, unter jedem Dach wurden ihre Namen laut. Hier war ein Liebespaar aus den obersten Schichten jenes Erdenwinkels, das gemordet hatte! Wenn aber die Liebe als Motiv eines Verbrechens auf den Plan tritt, dann ist keiner, der nicht innehält und sich alles anhört, was die Fama darüber zu sagen weiß. Und gerade die Ehrlichsten sind am ehesten zur Erkenntnis bereit: Hier sind zwei Menschenkinder, die etwas gewagt haben, was ich niemals wagen würde, wenn ich es auch noch so sehr wünschen sollte. Die Zeitungen, die den Ehrlichen und Unehrlichen gleichermaßen mit etwelcher geistiger Nahrung versehen müssen, trugen Sorge, die Gamer Mordaffäre in den Köpfen des Volkes nicht einschlafen zu lassen. Ab und zu sickerte wieder eine kleine Neuigkeit aus ihren Spalten zutage. Die Gerechtigkeit war auf den Beinen. Eine schreckliche Sache, sie zu beleidigen! Wehe! Der zweite Juni schlich immer näher heran! Jawohl, und wir werden Sonderberichterstatter an Ort und Stelle haben und die Neuigkeiten brühwarm in eure Häuser tragen. Hütet eure Jugend! Verhindert, daß die unschuldigen Augen eurer Töchter diesen gräßlichen Roman verschlingen. Hütet euch vor dem Parteienstreit! Verbrechen solcher Art erwecken die Leidenschaften des menschlichen Herzens. Hütet euch, ihr Männer und Frauen! Denkt an nichts andres als an die Gerechtigkeit, das allmächtige Gesetz! Kurz: Es wird eine interessante Verhandlung werden, eine cause célèbre. Bleibt darauf gespannt, ihr Leser!

Gottfried und Therese erschien ihr Fall durchaus nicht als eine cause célèbre. Sie wußten so wenig voneinander, als wären sie schon gar nicht mehr auf der Welt. In der Einsamkeit ihrer Zellen hatten sie reichlich Zeit, über ihr vergangenes Leben und ihre vergangenen Taten nachzudenken. Für Therese wäre diese Einsamkeit unerträglich gewesen, hätte nicht das Gefühl, daß Gottfried hier in diesen selben Mauern sei, immer wieder ihr Herz mit einem geheimen Entzücken durchschauert. Zuweilen schloß sie ihre Augen und versuchte, ihre Seele zu zwingen, daß sie ihren Körper verlasse und durch all die Mauern fliege, um den Heißgeliebten zu suchen. Doch die Beständigkeit ihrer Liebe war zugleich ihre größte Qual. Diese endlose Sehnsucht, diese ewig neue Unruhe des Herzens zehrte an ihrer Kraft. Das Weib und die Mutter schrien in ihrer Seele. Nein, ihre Liebe mußte mehr gewesen sein als bloße Sinnlichkeit; denn den einen Tag war es Gottfried Sixtus, dessen Lockruf sie vernahm, den andren Tag war es Gottfried Amadeus, und sie wußte nie, wessen Stimme sie tiefer schmerzte. Wenn ein Unterschied bestand, so war er vielleicht zugunsten des Kleinen, denn oft kamen ihr die Tränen, wenn sie an ihn dachte, während sie jetzt nie mehr um den Großen weinte. Und – dann gab es Augenblicke, da sie am Fenster saß und durch das eiserne Gitter starrte und Anton Jakobs Ruf vernahm. Jedesmal, wenn sie in der Ferne einen Zug vorbeirollen hörte, erinnerte sie sich, wie oft sie mit ihm auf dieser Strecke gefahren war. Und jedesmal dachte sie voll Mitleid an ihn zurück, voll eines Mitleids, das fast an Liebe grenzte. Manchmal rief sie sogar nach ihm: „Toni, komm und sieh, was mit uns geschieht! O Gott! Würdest du es zulassen, wenn du noch lebtest? Würdest du nicht versuchen, deinem Sohn und deinem Maidi zu helfen? Ah! Wenn du noch lebtest! Ich weiß, du würdest uns helfen!"

Therese sah zum erstenmal den Wechsel der Jahreszeiten durch die Gitterstäbe einer Zelle. Eine schreckliche Müdigkeit wälzte sich auf ihren Geist. Die langen Unterredungen mit von Breitenwyl in Anwesenheit Professor Langbeins verzehrten ihre Seelenkraft. Ihr Gesicht wurde bleich. Ihre Augen wurden groß und ungewöhnlich ernst, als sei das Elend für ewige Zeiten in ihrer Seele eingezogen. Alle ihre innersten Gefühle, ja sogar ihre tiefste Scham und Heimlichkeit, alles, was in ihrer Brust begraben war, brennende Glut und zugleich auch leidenschaftliche Sehnsucht, wurden Stück um Stück von diesen Inquisitoren ans Licht gezerrt, und Ankläger und Verteidiger reichten dabei einander die Hände. Nur ein einziges, letztes Geheimnis blieb tief in ihrem Herzen verborgen. Ihres Kindes Herkunft. Dieses Geheimnis blieb heilig. Geschützt durch einen Pakt, den sie mit Gottfried geschlossen hatte: Komme, was da wolle, keine Folter würde diese Wahrheit ihren Lippen entreißen können! Lieber sollten sie und Gottfried, ja, die ganze Welt geopfert werden, als daß der kleine Gottfried Amadeus mit dem Brandmal aufwachsen müßte, die Frucht einer verbrecherischen Liebe zu sein.

Bei der letzten Unterredung mit von Breitenwyl verlor Therese endlich die Geduld. Sie preßte die Hände an ihre Brüste und lief aufrecht und stolz durch die Zelle auf und ab. Und bitter und verachtungsvoll klangen ihre Worte:

„Ja! Ha! Ein schönes Geschöpf bin ich offenbar. Vor allen Weibern des Oberlandes stellt man mich zur Schau. Und alles, was mir heilig ist, alles, was in mir noch edel war, mein innerstes reinstes Ich, hat man mit glühenden Zangen aus meinem Herzen gezerrt. Um das alles nun vor die Säue zu werfen! Ha! Was nützt's, sich aufzuregen! Nichts. Sie sollen mich doch nehmen – die ganze Welt soll mir ihren Dreck an den Kopf werfen –, ich fürchte sie nicht. Wenn ich nur meines Gottfrieds mich würdig erweise! Er wenigstens soll nicht grundlos leiden und für ein Nichts sich in diesen Abgrund stürzen! — Von Breitenwyl, Sie dürfen mich auf keinen Fall schonen. Verwenden Sie Ihre ganze Kraft an Gottfried. Ich will es, und ich werde Ihnen ewig dankbar sein."

Als sie wieder allein war, setzte sie sich auf ihren hölzernen Schemel und starrte durch die eisernen Gitterstäbe ins Freie.

Am zweiten Juni um zehn Uhr morgens läuteten die Kirchenglocken von Obwyl, um nach alter Sitte die Eröffnung der Assisen zu verkünden. Es waren fünf Glocken.

„Tingeli – tang – tong! An – tong-tingeli – tang – tong! An – ton – tang! Tang! Tong! Tang – tong! Tang!"

Sie läuteten ungefähr zehn Minuten lang. Dann verstummten die höheren Glocken, aber die tiefen Glocken schwangen ungefähr noch drei- bis viermal weiter. „An – ton – An – ton –", das „An" fünf Töne höher als das „Ton". Schließlich verstummte das „An", und dann kam der Schluß: „Ton – ton – ton –."

Eine feierliche Stille senkte sich auf die alte kleine Stadt herab. Viele Leute beteten. Die zwölf Geschworenen, jeder in seinem besten Sonntagsanzug, waren bereits vor aller Augen durch die schmale Straße hinaufmarschiert.

„Gottes Segen sei mit ihnen", sagte der Sattlermeister Käppeli, der älteste Mann von Obwyl, als er aus seinem mittelalterlichen kleinen Laden heraustrat, um den Aufzug zu betrachten. „Mögen die Rechtschaffensten unter ihnen aus der Urne gezogen sein! Zwölf, die so wacker sind wie die Jünger unseres lieben Heilands. Möge kein Judas unter ihnen sein."

„Mir gefallen diese schwarzen Krähen nicht, die heute um den Turm fliegen, gäll, Großvätti?" sagte eine junge Frau, die hinter ihm stand.

„Jaja! Vor zwanzig Jahren, als sie das Mariegeli von Uttigewald freisprachen, flogen die Tauben um den Turm, weiße Tauben, soweit ich mich erinnere."

„Ich bin jetzt wirklich neugierig!" sagte die junge Frau und betrachtete den vierkantigen Festungsturm mit dem kupferroten Dach, den Vierecktürmchen und den Blitzableitern. Die Wirtshäuser der Stadt wimmelten von Gästen. Überall sah man neue fremde Gesichter. Jedermann wunderte sich, wie all diese Menschen in den Gerichtssaal Einlaß finden sollten. Er war allerdings ziemlich groß, denn er hatte in der alten Ritterzeit als Festsaal gedient.

Die Vereidigung der zwölf Geschworenen dauerte ziemlich lange. Es waren zum größten Teil Männer aus den benachbarten Bezirken. Zwei stammten aus dem Arnatal, zwei aus Thun, zwei aus Interlaken, einer aus Beatenberg, aber keiner von ihnen hatte jemals zu der Familie Müller in Beziehung gestanden.

Schwurgerichtspräsident war der Oberrichter Jakob von Oberspach; als Beisitzer amteten die Richter Burkhardt und Niederli. Die Anklage vertrat der Staatsanwalt Gutenberg. Die Jury, die aus kleinen Dutzendbürgerlein bestand und infolgedessen einen tiefen Respekt vor der Majestät des Geldes hatte, ernannte Stadler, einen reichen Engros-Delikatessenhändler aus Interlaken, zu ihrem Obmann.

Therese stand an diesem Morgen sehr zeitig auf. Sie zog ein neues schwarzes Taftkleid an, setzte einen kleinen schwarzen Hut auf mit einer bauschigen weißen Stirnbinde und hüllte sich in einen schwarzen Schleier. Schließlich zog sie schwarze Handschuhe an und setzte sich auf den hölzernen Schemel an das Fenster ihrer Zelle. In ihrem Zustand qualvoller nervöser Erregung wartete sie, daß man sie rufe. Die Stunden verstrichen; niemand ließ sich blicken.

Gegen Mittag trat von Breitenwyl ein. Er brachte einen Hauch von Jugend und Freiheit mit.

„Tag, Therese", sagte er. „Kopf hoch! Der Kampf beginnt um zwei Uhr."

„Wird Gottfried während der Verhandlung von mir getrennt sein?" fragte sie ihn.

„Ihr werdet beide nebeneinander auf der Anklagebank sitzen, und ich sitze hinter euch, Sünder, einer wie der andre!" sagte von Breitenwyl und sah sie mit blitzenden Augen an.

Sie holte tief Atem und zitterte, wie von jähem Frost gepackt.

„Zwei Uhr!" murmelte sie.

„Ich werde bei Ihnen sein, also Mut!"

„Sind Sie sicher, daß ich neben Gottfried sitze?"

„Ganz sicher."

„Wenn Sie ihn frei bekommen, dann schenke ich Ihnen alles, was ich auf der Welt besitze." Sie richtete ihre Blicke schwer auf ihn.

„Ich werde tun, was ich kann. Seien Sie überzeugt. Im übrigen – ich – ich – ich bin kein Geldjäger!"

„Das weiß ich!" rief sie entschuldigend und reichte ihm die Hand.

„Das war nicht der Sinn meiner Worte. Sie haben sich prachtvoll benommen, von Breitenwyl. Während dieser letzten Monate sind Sie mein einziger Freund gewesen. Bitte, vergessen Sie, was ich soeben gesagt habe."

Er nahm ihre Hand und hielt sie einen Augenblick fest.

„Essen Sie jetzt etwas", sagte er schmeichelnd, „trinken Sie ein bißchen Wein."

Sie schüttelte den Kopf.

„Ich fühle mich auch ohne diese Mittel stark genug."

Plötzlich erhob sie sich, richtete sich auf und sagte:

„Wenn ich den ersten Tag überstehe, ist alles in Ordnung. Bitte, lassen Sie mich allein, bis ich gerufen werde."

Er sah sie mit tiefem Mitleid an und verließ die Zelle.

Ein geheimer, bissiger Zorn überkam ihn, als er raschen Schrittes den langen Gang entlang eilte, zu dem eisernen Gitter am andren Ende. Solch eine Frau in solch einer Lage! Was für ein Jammer! Was für ein Jammer! Auf einem silbernen Tablett würde er sie in die Freiheit hinaustragen. Weiß Gott, was er nicht alles um ihretwillen beiseite geworfen hätte! Was für ein Jammer! Therese schritt langsam in ihrer Zelle auf und ab. Plötzlich hörte sie das wohlbekannte kurze Rasseln des Schlüssels, der von außen in das Schloß geschoben wurde.

„Frau Müller!" rief eine Stimme.

„Ja!" antwortete sie.

„Sie müssen mit mir kommen."

Therese folgte dem Mann. Sie ging durch den Korridor, durch die Eisentür, dann über eine steinerne Wendeltreppe, durch einen zweiten Gang, ein paar Stufen nach abwärts, und schließlich trat sie durch einen Torweg in ein viereckiges Burgzimmer, in dem einige Polizisten umherstanden. Plötzlich öffnete sich vor ihr eine kleine Tür. – „Hier herein!" sagte die Stimme.

Sie riß sich unmerklich zusammen, um sich aufrecht zu halten, und dann betrat sie den großen, viereckigen Schwurgerichtssaal.

Hunderte von Augenpaaren richteten sich auf sie. Sie war einer Ohnmacht nahe.

„Setzen Sie sich hier nieder!" sagte die Stimme, und Therese setzte sich nieder.

Eine Blutwelle schoß ihr in den Kopf. Von Breitenwyl beugte sich über einen schmalen Tisch zu ihr hinüber und verbarg sie mit seinem kurzen breiten Körper vor dem Publikum. „Mut! Mut!" murmelte er.

Sie schloß die Augen und zog nervös mit der einen Hand den Schleier vors Gesicht, während ihre andre Hand sich an die Armesünderbank anklammerte.

Plötzlich fühlte sie, wie jemand ihre Hand packte und sie drückte. Sie sah sich um, und neben ihr saß Gottfried. Sie erkannte ihn kaum wieder. Die Veränderung, die sein Gesicht erlitten hatte, durchzuckte sie.

Tief blickten seine Augen in die ihren. Fast kindlich.

„Theresli", flüsterte er, „fürchte dich nicht."

Sie schüttelte leise den Kopf. Sie erwiderte seinen Händedruck und blickte auf ihre Knie nieder. Sie konnte nicht begreifen, was mit Gottfried geschehen war, seit sie ihn das letzte Mal gesehen hatte. Er sah blaß aus und zart, durchsichtig fast wie Porzellan, aber er hatte nicht mehr jenen gehetzten Ausdruck in seinen Zügen. Eine seltsame Verwandlung, eine unerklärliche Beruhigung mußte in seiner Seele vor sich gegangen sein.

Sie wandte ihm wieder ihr Gesicht zu, ohne aufzublicken.

„Liebst du mich noch immer?" flüsterte sie.

Das Stimmengewirr im Saale verschlang das Geflüster. Sie befürchtete, daß Gottfried ihre Worte nicht gehört habe. Plötzlich aber fühlte sie von neuem den Druck seiner Hand, und immer fester, immer fester wurde dieser Druck.

„Zweifelst du daran?" flüsterte er.

Sie schüttelte ganz unmerklich den Kopf, und ein grenzenloses Entzücken erfüllte mit einem Male ihr Herz.

„Ich – mehr denn je!" hauchte sie zurück.

Er ließ ihre Hand los.

Dies alles hatte nur wenige Sekunden gedauert, aber es war keinem der Geschworenen entgangen.

Um Punkt zwei Uhr erschienen die Richter. Die Jury erhob sich, und die Richter nahmen ihre Plätze ein.

Der Vorsitzende, Oberrichter von Oberspach, begann die Verhandlung mit einer leisen, öligen Stimme und umriß den allgemeinen Gang des Verfahrens; und während er seine gemächliche Ansprache hielt, säuberte er zuerst seine Feder, dann seine dünne, goldgefaßte Brille und schließlich seine Nase.

Die Geschworenen saßen in Kirchenstühlen gegenüber den Angeklagten; sie verschränkten die Arme über der Brust und versuchten, sich an die neue Macht zu gewöhnen, die ihnen verliehen war. Ihre Gesichter und ihr allgemeines Benehmen waren vorsichtig und unverbindlich. Ihr Obmann, Stadler, von seinem Geschäft her gewohnt, mit der Waage umzugehen, machte eine säuerliche, unnachgiebige Miene, und nicht ohne leise Gewissensbisse dachte er an die Tage zurück, da er in seinem Spezereiwarenladen noch mit einer echten Waage hantiert hatte. Ja! Diese Waage hatte sogar seinen Reichtum und seinen Einfluß begründet. Nun hielten er und seine Brüder Geschworenen die Waage der Gerechtigkeit in ihren Händen, und nach Beendigung dieser Verhandlung würden sie sagen müssen, ob die Angeklagten schuldig seien oder nicht. Keine Macht der Welt konnte ihr Ja oder ihr Nein widerrufen. Er und sie waren die moralischen, die politischen, die nationalen Vertreter des Volkes, und einerlei, was der Buchstabe des Gesetzes sagte – was er und sie zu sagen hatten, wird über diesem Buchstaben stehen. Aus ihrem gemeinsamen Munde wird das moralische Gewissen eines ganzen Volkes sprechen. Er und die

Kollegen hatten während des Mittagessens über all diese Dinge gesprochen und dabei unter anderm beschlossen, während der Dauer der Verhandlungen keinen Wein mehr zum Mittagessen zu trinken. Reglos saß Therese da und lauschte der Stimme des Richters. Gottfried beugte sich vor, das Kinn in die Hand gestützt. Seine Miene war gespannt und ernst. Weder Scham noch Scheu sprach aus seinen scharfgeschnittenen Zügen; sie trugen einen gewissermaßen beruflich ruhigen Ausdruck. Er hätte etwa ein junger Anwalt sein können, der sich soeben von seinem Krankenlager erhoben hatte, um einen Klienten zu verteidigen. Die Spezialberichterstatter der Presse in den vordersten Reihen des Zuhörerraumes machten sich ihre Notizen über ihn.

In eine Ecke gequetscht, dicht neben der Haupttür, sah man etliche der lieben treuen Gesichter aus Gam. Männer und Frauen mit weit aufgerissenen Augen und Mündern, leise seufzend zwischen tiefen, erwartungs- und kummervollen Atemzügen.

Links von der Presse saßen ein paar Leute, die von Zeit zu Zeit der Mittelpunkt aller Augen waren, als wollten aller Blicke heimlich und rasch die Gefühle erhaschen, die diese schwergetroffenen Herzen bewegten. Im Mittelpunkt dieser kleinen Gruppe saß Dr. Schneeli. Seine riesige Nase warf einen Schatten über sein halbes Gesicht, und das Licht, das durch die schlanken gotischen Fenster fiel, vermochte seine tiefliegenden Augen nicht aufzuhellen. Maskengleich war dieses Gesicht. Zu seiner Linken saß Sophie, bleich, hart und unbeweglich, zu seiner Rechten Felix, feierlich, respektabel, aber in tiefster Seele aufgewühlt. Er und Sophie schienen sich ein wenig an den Patriarchen zwischen ihnen anzulehnen, und die leiseste Bewegung seiner Ärmel schien sie zu trösten. Hinter den Naefs, ein wenig vorgebeugt, den Knopf seines Spazierstocks am Munde, saß Augustin Sänger, der Nationalrat, und seine mißvergnügten Bernhardineraugen starrten unter gerunzelten Brauen den unglückseligen Neffen an. „Er hat es nicht getan!" murmelte er den Verwandten, die vor ihm saßen, ins Ohr. „Niemals!"

„Ich bin überzeugt, das sieht jetzt alle Welt. Man braucht ihn nur anzusehen", flüsterte Sophie.

Und so war es. Die Familie hielt Gottfried für unschuldig.

Dr. Schneeli aber hatte seine Überzeugung noch nie geäußert. Er bangte, kaum merkbar zitternd, mit eisig stillem Gesicht. Der Anblick von Anton Jakobs Sohn auf der Armesünderbank brach ihm fast das Herz.

Ein Rascheln lief durch den Gerichtshof. Die Verhandlung begann. Der Gerichtsschreiber verlas mit klarer Stimme den Befund der Überweisungskommission und dann die Anklageschrift. Die öffentliche Anklage lautete dahin, daß Gottfried Sixtus Müller, geboren am zehnten Juli 18 . ., Grundeigentümer in Gam, und Therese Müller, geborene Etienne-Mariano, Tochter des Marius Etienne-Mariano aus Sitten im Wallis, in Haft genommen und am achtundzwanzigsten, bzw. einunddreißigsten Juli 19 . ., beschuldigt seien, in gemeinsamer Absicht und Tat den Alt-Regierungsrat Anton Jakob Müller ermordet zu haben durch Verabreichung von Arsen in der Nacht des fünfzehnten September 19 . . Therese blickte auf. Ein ekelerregendes Gefühl der Scham und des Grauens packte sie an. Sie wollte etwas sagen, aber sie brachte kein Wort über die Lippen.

„Ich habe es getan!" wollte sie aufschreien, aber sie hatte keine Stimme; ihre Kehle schien verstopft mit Blut. Sie sah sich um, kraftlos, ungewiß, und es schien ihr, als zöge sie plötzlich alle Augen auf sich. Sie erkannte vielerlei Leute, zuerst nur ganz verschwommen, dann mit erschreckender Klarheit, mit einem Gefühl des Entsetzens. Sie begann zu zittern und biß die Zähne zusammen; es war ihr zumute, als wollte die Scham sie erwürgen. In ihrer Qual zog sie den Schleier vors Gesicht.

Etliche der Geschworenen tauschten Bemerkungen über sie aus.

Der Schreiber verlas die Liste der vorzuladenden Zeugen, sowohl für die Anklage als auch für die Verteidigung. Es waren über vierzig Namen, darunter der unglückliche Dr. Hauser, Dr. Murgli, der Apotheker aus Basel, Professor Rupp und die Doktoren Albrecht und Melius aus Bern. Dann kamen die Hausmagd Mathilde, die Hebamme Leonide, ein Hotelkellner aus Bern, Johann Timm, der Knabe Fritzli, Luise, Minna, Röthlisberger, Dr. Schneeli und ein Dutzend Gamer. Die Leute von der Presse schrieben wie die Rasenden. Gegen vier Uhr wurde Dr. Albrecht, vom gerichtsmedizinischen Institut der Universität Bern, aufgefordert, seine

Aussage bezüglich der postmortalen Untersuchung Anton Jakobs abzulegen. Er und Dr. Melius hatten die Sektion durchgeführt und ein Quantum Arsen gefunden, das genügen würde, um jedem Menschen den sicheren Tod zu bringen. Mit wissenschaftlicher Genauigkeit ging Dr. Albrecht auf grausige medizinische Einzelheiten ein. Schließlich erklärte er auf eine Frage, die ihm vom Staatsanwalt vorgelegt wurde, daß die Anwesenheit einer gewissen Menge Alkohols im Magen die Wirksamkeit pulverisierten Arseniks begünstige und den Zerstörungsprozeß im Körper des Opfers beschleunige. Dieser Umstand bot zweifellos die Erklärung für die verhältnismäßige Kürze der Frist von ungefähr elf Stunden, die zwischen dem Augenblick, da das Gift eingenommen wurde, und dem Eintritt des Todes verstrichen war. Nun fragte aber der Vorsitzende, wie es sich mit dem ausgestellten Totenschein verhalte. Dr. Hauser wurde aufgerufen und vom Staatsanwalt verhört. Er gab zu, daß er keine gründliche Untersuchung des Toten vorgenommen habe, und berief sich seinerseits auf Professor Rupp, den Spezialisten von internationalem Ruf, der Anton Jakob operiert hatte und nun zu seinen Gunsten bezeugen sollte, daß in Anbetracht von Anton Jakobs allgemeinem Gesundheitszustand, seines Leberleidens und des Mangels jeglicher Verdachtsgründe jeder überarbeitete Landarzt denselben Irrtum hätte begehen können.

Professor Rupp, instruiert durch von Breitenwyl, der seinerseits in Gottfrieds besonderem Auftrag handelte, damit Dr. Hauser in keine ernstlichen Schwierigkeiten gerate, führte aus der Geschichte der Medizin eine lange Liste von Präzedenzien an, die zeigten, daß sich ähnliche Fälle schon öfter ereignet hatten und daß wahrscheinlich viele derartige Fälle ständig sich ereigneten, ohne je ans Licht zu kommen.

Richter von Oberspach fiel dem Professor ins Wort. Er erklärte, daß diese Aussage nicht zur Sache gehöre, daß sich die Anklage nicht gegen Dr. Hauser richte, und entließ den Spezialisten.

Gottfried war der medizinischen Erörterung mit tiefem Interesse gefolgt; von Zeit zu Zeit machte er sich Notizen und überreichte sie von Breitenwyl.

Therese wurde sich allmählich der schrecklichen Gewalten bewußt, von denen sie umringt war, und im geheimen wunderte sie sich über die Kenntnisse all dieser Männer. Nie hätte sie sich träumen lassen, daß es Menschen geben könnte, die so viel wissen; stets war sie der Ansicht gewesen, Gottfried wisse weit mehr als die meisten Menschen. Sekundenlang erhaschte sie die flüchtigen Blicke der Richter; sie waren nicht ohne Wohlwollen. Aber was waren das für Männer? Wohin sie auch schaute, überall begegnete sie einem Augenpaar. Sie hatte das Gefühl, als bemühe sich die ganze Menschheit, in die heimlichsten Tiefen ihrer Seele zu spähen. Plötzlich blickte sie in Sophies Augen, in Felix' Augen; ja, sogar Leonhards rotes Gesicht mit dem gelben Schnurrbart tauchte irgendwo vor ihren Blicken auf. Und da war auch Leonide! Leonide rief ihr das Kind und all ihr mütterliches Leid ins Gedächtnis zurück. Jeder Mensch und jedes Ding quälten Therese. Nein, dies alles war unnatürlich! Dieser Gerichtssaal voller Menschen war grenzenlos unnatürlich. Warum um des Himmels willen versammelten sich hier diese vielen Menschen? Und was wollten sie? Nur wenige von ihnen hatten Anton Jakob je gekannt. Und er! War es nicht bedeutsam komisch, daß er so wenig von ihnen allen zu halten pflegte? Oft zankte er sich mit ihnen und verachtete sie gewissermaßen. Warum hatten sie ihn ausgescharrt? Wozu diese heftige Wißbegier nach dem Gift? Warum hatte man sie auf diese Bank gesetzt und eine höchst komplizierte Untersuchung vom Stapel gelassen, die sich immer nur um sie und um ihre Taten drehte? Kümmerte sie sich darum, was irgendeiner dieser Leute getan hatte? Wenn sie einander erstachen, vergifteten, erwürgten und niedermetzelten, wenn einer des andern Blut wie Wasser vergoß, was hatte das alles mit ihr zu tun? Jenes altgewohnte Gefühl der Verachtung für die Menschen kehrte in ihr Herz zurück. Sie wußte, daß man sie ohne ihre Liebe zu Gottfried nie lebendig erwischt, nie in diesen Gerichtssaal geschleppt hätte. Aber fingen denn nicht die Menschen auch Löwen und Tiger, um sie in Käfige zu stecken und anzustarren?

Ich bleibe, was ich bin, komme, was da wolle, dachte Therese schließlich bei sich; sie sammelte alle ihre Kraft, richtete sich auf, hielt stolz den Kopf in die Höhe und begann, den Gerichtshof mit einer strengen Würde anzusehen, die jedem Anwesenden rasch ihren Trotz und ihre Verachtung zu wissen gab.

Der Staatsanwalt fing ihre Blicke auf, und ein Fuchslächeln glitt über sein Gesicht. Therese aber schien diesen Feind, wie jeden andern, zu ignorieren.

Die etwas längliche Anklageschrift wurde dem Gerichtshof verlesen. Die ganze Lebensgeschichte Gottfrieds und Thereses lag aufgeblättert vor den Geschworenen. Sämtliche Beweisspuren, die man in den Monaten geheimer Untersuchung und Nachforschung gesammelt hatte, wurden ausgebreitet und zusammengefügt. Ihre Charaktere, ihre Eigenschaften und Anlagen wurden bloßgelegt, allerdings nur so, wie sie eben der Verstand der Gerichtsbeamten erfassen konnte. Gottfried wurde als ein schwacher, schwankender, sinnlicher Charakter hingestellt, dessen Kopf erfüllt sei von unverdauter Philosophie und der, mehrere Jahre hindurch, die Seele eines jungen, mit Eitelkeit und Verlogenheit behafteten Weibes verdorben habe. Und zwar, um sie zu besitzen. Sie aber habe sich als eine fähige Schülerin erwiesen. Ja, sie habe sich sogar selbst als seine Schülerin bezeichnet in ihren Briefen, die sie ihm hinter ihres Mannes Rücken schrieb. Die sexuellen Neigungen und der verbrecherische Hang seien bei ihr noch ausgeprägter als bei ihrem Liebhaber. Monatelang habe sie mit dem Sohn ihres Mannes Ehebruch getrieben, bevor dann beide zu dem endgültigen Entschluß gelangten, ihr Opfer umzubringen, und sich zuletzt entschlossen, das Hindernis wegzuräumen, das einer ungestörten Befriedigung ihrer ehebrecherischen Gelüste im Wege stand. Es sei erwiesen, daß Gottfried das Gift unter einem falschen Vorwand von Dr. Murgli erhalten habe, mit dem er in Basel in freundschaftlichen Beziehungen stand. Daß ein willensschwacher, wollüstiger Student, der in eine Frau verliebt ist, Gift in der Tasche tragen sollte, um damit Selbstmord zu begehen, scheine durchaus keine glaubhafte Unterstellung. Auf jeden Fall habe Frau Müller von diesem Gift Kenntnis besessen, und so hätten sie es benützt, um den alten Müller zu töten, wie aus den Zeugenaussagen der Sachverständigen klar erhellte.

Ferner ergaben die Beweise, daß sie in der Mordnacht beisammen waren, und dann folgten etliche längere Abschnitte, die sich mit den Schritten und Maßnahmen der Angeklagten beschäftigten, von jener Nacht an bis zu dem Tage, da Gottfried, offenbar von

seinem Gewissen getrieben, sich der Polizei in die Hände lieferte.
Da Frau Müller keinen Ausweg mehr sah, und da bereits der Haft-
befehl gegen sie ergangen war, folgte sie dem Beispiel ihres Stief-
sohnes und Liebhabers.

Während die Anklageschrift verlesen wurde, schüttelte Gottfried
des öftern den Kopf.

Reglos lauschte Therese. Ihr Gesicht schien wie aus Marmor
geschnitten. Manches Männerherz wurde durch ihren Anblick
erschüttert. Trockene Kehlen und fieberglühende Gesichter gab es
in dem Gerichtssaal. Kein Wunder, daß ein Zeitungsreporter über
sie schrieb: „Die Angeklagte ist eine bemerkenswert schöne Frau,
und man kann begreifen, daß sie das Herz eines Mannes ent-
flammt."

Der Vorsitzende fragte, ob der in der Anklageschrift erwähnte
Briefwechsel zur Stelle sei. Der Staatsanwalt erhob sich und zeigte
auf einen papierbeladenen Tisch vor den Bänken der Jury.

Zwischen den Papieren stand eine leere Flasche.

Die Abendsonne funkelte schräg durch die Burgfenster, und vereinzelte Strahlen schossen durch das Schnitzwerk der gewölbten
Saaldecke.

Der Vorsitzende des Gerichtshofs gab bekannt, daß die Verhandlung der Anklage am nächsten Tag um zehn Uhr beginnen werde,
und dann vertagte sich das Gericht.

Die Angeklagten wurden aufgefordert, sich zu erheben. Sekundenlang blickten sie einander an. Jedermann sah, wie fest sie einander
anblickten. Die Geschworenen tauschten vielsagende Blicke.
Vollends perplex waren sie, als sich die Angeklagten rasch die
Hände reichten.

„Das ist verboten!" sagte eine Stimme.

Im nächsten Augenblick wurden Therese und Gottfried hinausgeführt.

Sämtliche Wirtshäuser von Obwyl waren an diesem
Abend zum Bersten voll. Man konnte hören: „Lebenslänglich" –
„Alle beide!" – „Ja! Hat man schon je ein so halsstarriges Pärchen
gesehen?" – „Jesses! Jammerschade! So ein schönes Ding!" – „Ja,
gäll, Hans", rief im Kronenwirtshaus eine heisere Stimme, „du

nähmst sie auch gern in dein Bett, selbst wenn sie dir vergiftetes Lebersalz zu fressen gäb'!"

Die Sinne der Männer und Frauen waren aufgepeitscht. In ihrer Gesamtheit, als das allgemeine Publikum, waren sie geneigt, Übeltätern mit Verachtung und Mißgunst zu begegnen. Als Individuen aber fühlten sie sich verwirrt. In ihrer Brust ruhte Grausamkeit neben Zärtlichkeit, Entrüstung neben einer wunderlich geheimen Sehnsucht nach dem Besitz so herrlicher Leidenschaften, wie sie ihnen heute enthüllt wurden, Leidenschaften, die nicht einmal vor einem Mord zurückschraken.

Männer und Weiber sahen einander mit verschleiertem Argwohn an. Bürgerpärchen neckten einander in dieser Nacht: „Nie wieder lasse ich mir von dir Medizin geben", sagte etwa ein Fritz zu seiner Marie, oder sie zu ihm. „Man kann nie wissen!"

Inzwischen saßen Therese und Gottfried in ihren Zellen und fragten sich, was ihnen der kommende Tag bringen werde. Therese blickte aus dem Fenster in die Nacht hinaus, ungebrochen und unbezähmbar, bereit, jeder neuen Prüfung die Stirn zu bieten. Sie wußte, daß ihr Gottfried sie immer noch liebe. Dies war ein Trost, so weit wie der stille Himmel, so hell wie die Sterne, die in der Höhe blinkten.

Gottfried aber suchte andre Tröstung. Er sah das Ende vor sich. Er kniete an seiner schmalen Pritsche und betete, daß ihm seine sündige Liebe zu Therese verziehen werde. Gott in seiner Allmacht möge die große Liebe eines Sünders für den andern Sünder begreifen. Gottfried betete, daß Gott seinen Heiligen Geist in ihre heidnische Seele sende. „O Gott! Hilf uns, dies alles zu durchschreiten! Laß uns aus aller Erniedrigung als Kinder deines Geistes emportauchen. Vater unser im Himmel . . .!"

Staatsanwalt Gutenberg, eine hagere, hochgewachsene, fast mittelalterlich anmutende Gestalt mit glühenden Augen und hohlen Wangen, führte am folgenden Tag die Anklage. Durch ein Kreuzverhör mit den Angeklagten zeigte er sogleich den Geschworenen seine Absicht: die früheren Aussagen Gottfrieds und Thereses zu verwirren, sie in Widersprüche zu verwickeln und so die Behauptungen des Anklägers zu beweisen. Gottfried hielt hartnäckig an seiner ursprünglichen Aussage fest, daß Therese erst drei Monate nach dem Tode seines Vaters zum erstenmal seine Geliebte geworden sei. Gutenberg ging daran, diese Aussage zu entkräften. Mit gespanntem Interesse folgte der Gerichtshof seinen Fragen. Sehr bald wurde klar, daß Gottfried log. Als er aufgefordert wurde, wann und wo er Frau Müller den Giftmord an ihrem Gatten gestanden habe, erwiderte er, daß es in Italien, im Frühsommer des vergangenen Jahres gewesen sei.

„Was sagte sie, als sie Ihr Geständnis vernahm?" fragte Gutenberg. Gottfried gab keine Antwort. Er hielt sich an der Schranke fest und starrte vor sich hin.

„Haben sich daraufhin Ihre Beziehungen zu Frau Müller geändert?"

„Sie war entsetzt!" sagte Gottfried. „Und das ist auch der Grund, weswegen wir getrennt nach Gam zurückkehrten. Sie wollte nichts mehr mit mir zu tun haben. Ich war überzeugt, daß ich ihre Liebe eingebüßt hatte, und deshalb habe ich mich der Polizei gestellt."

Jählings hörte man Thereses Stimme:

„Du lügst! Du lügst! Das ist nicht wahr!"

Gottfried zuckte müde die Achseln, als wollte er zeigen, wie wenig er ihr Beachtung schenke. Gutenberg sah seine Papiere durch. Er kam auf die Nacht des fünfzehnten September zurück. Und mit zahllosen Fragen versuchte er, aus Gottfried und Therese einen Bericht über die Ereignisse herauszuholen. „Haben Sie sich gefragt, warum Frau Müller so sehr bemüht war, die Spuren von Ihres Vaters heftigem Erbrechen zu beseitigen?" wollte er schließlich wissen.

„Ich habe das Becken weggetragen", erklärte Gottfried.

„Aber Frau Müller behauptet, daß sie es getan habe! Und Sie selbst gaben zu, daß Frau Müller ihren Mann gepflegt habe. Haben Sie sie wirklich für so fürchterlich dumm gehalten, daß sie in dieser Nacht das außerordentlich faule Spiel nicht gewittert habe?"

„Gottfried hat kein Becken fortgeschafft!" sagte Therese festen Tones. „Ich habe ihn um sechs Uhr morgens aus seinem Zimmer heruntergeholt."

361

Röthlisberger wurde an die Zeugenschranke geholt und verhört. Auf Gutenbergs Aufforderung hin, der Jury genau zu berichten, was Müller am Morgen des sechzehnten September zu ihm gesagt habe, erzählte er mit tieftrauriger Stimme, Herr Müller habe folgende Äußerung getan: „Wir müssen sofort einen Doktor holen. Stiefmutter und ich sind die ganze Nacht aufgewesen. Ich fürchte, meinem Vater geht es sehr schlecht."

„Nein, nein, wir waren nicht die ganze Nacht gemeinsam auf!" sagte Therese.

„Sie beide, Sie und Gottfried Müller, waren in dieser Nacht gemeinsam wach, nicht wahr?" rief Gutenberg.

„Ich war auf. Er nicht", erwiderte Therese heftig.

Gottfried stand da mit gesenktem Kopf.

„Und wer von Ihnen hat diese Flasche ausgespült?" fragte Gutenberg und hielt das leere braune Fläschchen hoch.

„Ich!" riefen Therese und Gottfried zu gleicher Zeit.

Irgendwo hinten im Saal ließ sich ein Kichern vernehmen. Gutenberg lächelte diskret, aber es war ein Lächeln von fast zynischer Entschlossenheit. Er wechselte das Ziel seiner Fragen. Er forderte Therese auf, den Geschworenen zu erzählen, wann sie zum erstenmal zu Gottfried in intime Beziehungen getreten sei.

„Warum richten Sie diese Frage an mich?" sagte sie, und sekundenlang verfärbte ein Erröten ihr Gesicht. Sich dem Vorsitzenden zuwendend: „Muß ich immer wieder all diese Fragen beantworten? Monatelang habe ich nichts weiter getan, als Fragen beantwortet", schloß sie leise.

Von Breitenwyl sprang auf. Er behauptete, daß die Frage des Staatsanwalts seiner Ansicht nach unnötig sei und nur zu dem Zwecke gestellt würde, um Sensation zu erregen. Der Vorsitzende erhob in seiner milden Art die Hand und wies darauf hin, daß die Frage offenbar bezwecke, einen wesentlichen Umstand ans Licht zu bringen, und daß sie folglich ordnungsgemäß sei. Von Breitenwyl setzte sich nieder und verschränkte die Arme.

Gutenberg wiederholte die Frage an Therese.

„Ich habe bereits alles vor Doktor Fröhlich zu Protokoll gegeben", sagte sie. „Tausendmal habe ich wiederholt, daß ich es war, die das Gift in die Flasche tat, daß Gottfried Müller nichts von der Sache wußte, bis zu dem Augenblick, da ich ihm den Mord gestand. Niemand will mir glauben. Warum also immer wieder dieselben Fragen? Wenn man meinen Worten das erste Mal nicht Glauben schenkt, warum zwingt man mich, daß ich sie wiederhole, damit man ihnen ein zweites Mal den Glauben verweigern kann?"

„Es handelt sich jetzt nicht darum, ob man irgend etwas glaubt oder nicht glaubt", sagte der Oberrichter von Oberspach. „Sie müssen die Fragen des Staatsanwalts beantworten!"

„Gut also!" rief Therese und richtete sich auf. „Ich habe mich Gottfried Müller zum erstenmal in Bern hingegeben, als wir vor zwei Jahren die Ausstellung besuchten. Ich habe mich ihm von ganzem Herzen hingegeben, weil ich ihn liebte. Und ich liebe ihn bis zum heutigen Tag!"

Ein triumphierendes Zittern lag in ihrer Stimme, und ihre Blick überflogen den Gerichtshof mit kalter Verachtung. Das Herz so manchen Mannes pochte wunderlich für diese kühne Frau. Die im Gerichtssaal anwesenden Frauen blickten verlegen vor sich hin.

Gottfried zuckte wieder die Achseln.

„Es läßt sich nicht ändern!" sagte er mit einer hastigen nervösen Gebärde seiner Hände. „Sie hält an ihren Behauptungen fest. Es ist von ihrer Seite nichts weiter als grenzenlose Torheit. Sie versucht, mich loszureißen."

Von Breitenwyl drehte sich um und ermahnte ihn, still zu sein. Leonides Zeugenaussage wurde noch vor der Mittagspause entgegengenommen.

Sie verblüffte den Gerichtshof durch die Erklärung, daß sie in keiner Hinsicht auch nur das mindeste wisse. Und als sie von Gutenberg befragt wurde, beteuerte sie, daß sie nie auch nur das leiseste Anzeichen einer Vertraulichkeit zwischen den Angeklagten bemerkt habe. Sie habe ein hartes Leben hinter sich, ein ehrbares und opfervolles Leben, wie so manche Frau zu ihren Gunsten bezeugen könne. Der Staatsanwalt beharrte auf seinen Fragen. Leonide erklärte ihm, er möge sie ins Gefängnis schicken, aber sie könnte nichts weiter sagen, als daß sie die ehrbare Stellung einer Amme bekleide, daß sie Therese wegen ihrer zärtlichen Anhänglichkeit an das Kind des Toten liebe, und im übrigen pflege sie nie ihre Nase in anderer Leute Angelegenheiten zu stecken.

„Ah!" rief sie schließlich aus. „Es bricht mir das Herz, sie hier sitzen zu sehen! Die armen, lieben Menschen!"

Ja, „arme, liebe Menschen" nannte sie die beiden, und es kümmerte sie keinen Pfifferling, ob man das verstand oder nicht. Sie blieb dem Mörder treu, den sie gesäugt hat. Sie fürchtete, daß man die beiden ins Gefängnis stecken werde, sie fürchtete, der kleine Amadeus müsse ohne Vater und Mutter aufwachsen. Aber sie wußte, daß sie sich seiner annehmen würde, solange sie lebte. Das war schon ein paar Lügen wert. Leonide hielt aus bis zum bitteren Ende. Sie schrak nicht vor einem Meineid zurück. Die Wahrheit hier verschweigen, erschien ihr nicht als ein Verbrechen. Sie hatte das Gefühl, daß sie jenen, die sie liebte, alles, einschließlich ihrer selbst, schulde, nichts aber der Gesellschaft im allgemeinen. Ja, sie hegte eine gewisse Verachtung für die menschliche Gesellschaft. Sie hatte allzu viele Idioten auf die Welt kommen sehen, allzu viele Sprößlinge dieser menschlichen Gesellschaft aufgepäppelt.

Am Nachmittag rief Gutenberg die Hausmagd Mathilde als Zeugin auf. Sie sagte unter andrem, daß sie ein oder zweimal mit angesehen habe, wie Herr und Frau Müller sich hinter einem Schrank küßten. Mathilde erhielt einen eisigen Blick von Therese.

„Haben Sie sonst noch etwas gesehen?" fragte Gutenberg, der Thereses vielsagenden Blick auffing.

Mathilde zögerte. Aber der Staatsanwalt ließ nicht locker. „Sagen Sie den Geschworenen ganz genau, was Sie gesehen haben, und fürchten Sie sich nicht!"

„Ich habe gesehen, wie der Herr Frau Müller herumzerrte!"

„In welcher Weise?"

„Ich meine ihre Kleider, und so weiter."

„Welche Kleider?" Mathilde antwortete nicht sogleich auf Gutenbergs letzte Frage.

Und nun sagte der Vorsitzende, daß Fräulein Mathilde der Jury erklären müsse, was sie eigentlich gesehen habe.

Mathilde gestand, daß das, was sie gesehen habe, nicht ehrbar sei. Sie habe Frau Müllers nackte Beine gesehen, und Herr Müller habe immer küssen wollen. Dann brach sie plötzlich in ein Schluchzen aus.

„Das war Monate vor dem Mord", brummte Gutenberg. „Das nennt Herr Müller ‚keine Vertraulichkeit'!"

Ein Kellner aus Bern gab sein Zeugnis ab. Er wußte nichts weiter zu sagen, als daß er eines Nachmittags Herrn und Frau Müller in Herrn Müllers Schlafzimmer den Tee serviert habe. Nach ihm erklärte ein Stubenmädchen des Hotels, daß das Bett in Müllers Zimmer ein Doppelbett gewesen sei, und es habe zuweilen so ausgesehen, als hätten zwei Personen darin geschlafen. Sie habe jedoch bei keiner Gelegenheit Frau Müller das Zimmer Herrn Müllers betreten oder verlassen sehen.

Gutenberg rief einen Zeugen um den andren auf. Er begann die Richter und Geschworenen zu ermüden. Aber sein Verhör wurde knapper, obgleich er oft seine Papiere durchsah und viele Fragen drei- oder viermal stellte. Er befragte sämtliche Gamer, ob sie im Hinblick auf den Geisteszustand der Angeklagten irgend etwas Ungewöhnliches bemerkt hätten. Niemand habe sie jemals für anders als völlig normal gehalten, hieß es. Er wies ganz besonders darauf hin, daß sie imstande gewesen seien, ihre Liebesbeziehung mit kaltem Bedacht streng geheimzuhalten. Sie seien von Hunderten von Augenpaaren umgeben gewesen, aber mit fast diabolischer Schlauheit hätten sie sich der öffentlichen Beachtung entzogen. Gutenberg wandte sich dem Joggi zu, der auch auf der Zeugenbank saß. Aber dieser Uralte war eine harte Nuß! Gleich zu Anfang weigerte er sich, den Eid abzulegen.

„Mich zwingen, daß ich etwas gegen Herrn Müller sage? Wer will mich zwingen?" krächzte er. „Einen Eid ablegen und falsch schwören, mit einem schwachen Gedächtnis? Nichts weiß ich! Man soll mich nur ins Käfig stecken – das ist mir einerlei! Wo der Sohn des Herrn hingeht, da geh' ich auch hin, sage ich! Und keine Sau wird glauben, daß Herr oder Frau Müller schuldig sind. Und wenn ich es selber gesehen hätte, nein, ich würde es nicht glauben! Fünfundsechzig Jahre auf dem Gamhof! Ich habe zugesehen, wie sie alle zur Welt gekommen sind in den fünfundsechzig Jahren. Ich soll mein Maul auftun und dem Ankläger helfen? Ich? Meinetwegen ins Loch, sag' ich. Aber sonst sage ich nichts!"

Während ihm das Wasser aus Augen und Nase lief, wußten die Zuhörer nicht, ob sie weinen oder lachen sollten. Die Zeitungsberichterstatter betrachteten den alten Joggi als ein prächtiges Exemplar der alten Generation. Seine ochsenhafte Treue und seine Widerstandskraft wurden ehrlich gerühmt. Gutenberg machte noch die verschiedensten Versuche, Joggi einige passende Antworten zu entlocken, aber ohne Erfolg. Der Gerichtsdiener mußte den Alten aus der Zeugenbank schleppen. Aber jetzt war Joggis Wut aufgerüttelt. Ein halbes Dutzend Schnäpsli schimmerten aus seinen Augen. Schließlich mußte man ihn aus dem Gerichtssaal verweisen, da er unaufhörlich den Staatsanwalt mit seinen Beschimpfungen überschüttete. Er werde ihm eine Heugabel ins Füdli stoßen, er werde ihn eintauchen, wo nicht einmal der Teufel seine Nase hineinstecken möchte! „Jawohl, aber zünftig! Sakrament nanamal!"

Der Vorsitzende verhängte eine Geldstrafe von zwanzig Franken über den alten Joggi, wegen Renitenz und lästerlicher Schimpferei. Während Röthlisberger die Buße bezahlte, legte sich allmählich die Heiterkeit, die dieser Auftritt erregt hatte. Dann wurde Therese wieder aufgerufen und noch einmal verhört. Gutenberg wiederholte eine ihrer früheren Aussagen, die sich auf die Art und Weise bezog, wie sie sich das Arsenik verschafft hatte.

„Sie haben es eines Tages aus seiner Brieftasche genommen. Wann war das?"

„Vor langer Zeit! Ich erinnere mich nicht genau", antwortete sie. „Er ließ eines Tages seinen Rock über dem Stuhl hängen und ging aus. Da nahm ich das Gift."

„Woher wußten Sie, daß es in seiner Tasche war?"

„Ich wußte es nicht. Ich fand es ganz zufällig."

„Hat Herr Müller Ihnen das Arsen gegeben?"

„Nein", versicherte Therese, „ich habe es ohne sein Wissen genommen."

„Er sagt, daß er es bis zu der Nacht des Fünfzehnten bei sich getragen habe."

„Er lügt!"

Gottfried wollte aufspringen und sprechen, aber er hatte nicht mehr die Kraft dazu. Er schüttelte nur müde seinen Kopf. Was hatte es für einen Zweck, immer wieder ihre Unschuld zu beteuern? Das Herz tat ihm weh. Sein Geist befand sich in einem widerwärtigen Durcheinander. Die Folter wurde mit der Zeit unerträglich. Die tollsten Dinge schossen ihm durch den Kopf. Er fühlte den heißen Impuls, aufzustehen und Therese auf den Mund zu küssen. – Ah! Wir wollen es aufgeben! Was kümmert es uns! Laßt uns ein Ende machen! Er beugte den Kopf nach vorn und stöhnte.

Von Breitenwyl ersuchte Therese, sich niederzusetzen.

Der Präsident hustete nervös. Er lehnte sich in seinen Stuhl zurück, offenbar ein wenig ermüdet. Die Leute im Gerichtssaal flüsterten untereinander. Dann trat eine beträchtliche Pause ein. Gutenbergs Gehilfe suchte in den Papieren umher, brachte einen Stoß Briefe zum Vorschein, und der Staatsanwalt begann, daraus vorzulesen. Es waren zum größten Teil nicht Liebesbriefe im gewöhnlichen Sinne des Wortes; wohl aber warfen sie ein seltsam neues Licht auf das Leben der Angeklagten; sie bewiesen deutlich, daß diese beiden Menschen zu Anfang nicht durch Liebe, sondern durch Freundschaft verbunden waren. Sie zeigten Thereses brennenden Wissensdurst und Gottfrieds Stolz auf die Rolle des Mentors. Immer deutlicher ging aus diesen Briefen hervor, mit wieviel Eifer und Ernst sich Therese in Nietzsches Werke hineingelesen hatte. Unter Gottfrieds Führung war Nietzsche ihr großer, begeisternder Lehrmeister geworden. In einem folgenden Zwischenraum von einem Jahr waren keine Briefe geschrieben worden, hernach begann die Korrespondenz von neuem.

„Dies sind nicht mehr philosophische Betrachtungen", bemerkte Gutenberg trocken. „Diese neuen Episteln wimmeln von verliebten Anspielungen und sind voll glühender Leidenschaft, fast unsittlich in ihrer Intimität. Und die Tatsache, daß es nur sehr wenige dieser Briefe gibt, beweist lediglich, daß die Angeklagten in den meisten Fällen den brieflichen Verkehr nicht mehr nötig hatten, da sie fast die ganze Zeit unter dem Schutz des väterlichen Daches beisammen waren."

Er verlas die Briefe, und die Zeitungsvertreter schrieben sie eifrig mit.

Dann setzte sich Gutenberg unvermittelt nieder.

Das Publikum atmete auf. Seine Nerven, die in ständiger Spannung erhalten wurden, erschlafften für den Augenblick. Aller Augen wandten sich den Angeklagten zu und ruhten schließlich auf dem vierschrötigen, gesunden Breitenwyl. Er mußte ja allerdings ein löwenherziger Anwalt sein, daß er in einer solchen Sache die Verteidigung übernahm. Was um Gottes willen konnte er vorbringen, um den Knoten zu lösen, den Gutenberg um die Hälse der Angeklagten geknüpft hatte? Gab es überhaupt noch den leisesten Zweifel an der Schuld der beiden Menschen? Jeder einzelne versetzte sich an die Stelle eines Geschworenen. Nein, in der Tat, es gab keine Zweifel mehr.

Der Vorsitzende ergriff das Wort. Er teilte mit, daß ihm von einem Fremden, der heute morgen in Obwyl eintraf, ein Brief überreicht worden sei. Dieser Fremde sei ein Geistlicher, Herr Pfarrer Theodor Straub aus Lützikon, und in dem Brief schreibe er, daß er eine wichtige Aussage zu machen habe. Die Bitte des Fremden sei ungewöhnlich; wenn man aber seine Amtsstellung in Betracht ziehe, müsse man ihn anhören. Falls er sich zufällig im Gerichtssaal befinde, möge er vortreten.

Als sein Name ausgerufen wurde, trat Theodor Straub sogleich vor die Schranken, den Hut in der Hand, und verbeugte sich vor dem Richter und der Jury.

„Wollen Sie als Zeuge vernommen werden?" fragte der Vorsitzende.

„Ich bin gekommen, um einige Tatsachen festzustellen", sagte Theo. „Ich las in meiner Zeitung den Bericht über die Verhandlung, und es fiel mir auf, daß die Anklage scheinbar zu beweisen sucht, Müller habe sich das Gift mit der Absicht verschafft, seinen Vater zu vergiften ..."

„Wollen Sie bitte in die Zeugenschranken treten!"

Er gehorchte. Gutenberg fragte, ob der Herr Pfarrer unter seinem Eid aussagen wolle.

„Er erklärte, daß er einige Tatsachen festzustellen habe", sagte der Vorsitzende.

„Ich behaupte, daß er den Eid ablegen muß."

„Der Herr Pfarrer steht nicht auf der Zeugenliste. Er kann jedoch seine Erklärung als Experte-Zeuge abgeben. Bitte!" Der Vorsitzende machte eine einladende Geste zu Theodor Straub.

„Ich will mich kurz fassen", sagte Theo und wandte sich mit einer leisen, aber deutlichen Stimme an den überfüllten Gerichtssaal. „Vor allem muß ich gestehen, daß ich Gottfried Müller eine Dankesschuld abzutragen habe. Wir haben gemeinsam studiert, wir haben zwei Jahre lang dasselbe Zimmer bewohnt und einander sehr intim gekannt. Ohne seine großmütige Unterstützung wäre ich nie imstande gewesen, die Kosten meiner Studien zu tragen. Ja, tatsächlich, ohne ihn wäre ich heute nicht Pfarrer. Diese Feststellung mache ich nicht deshalb, um die öffentliche Meinung zu beeinflussen, sondern um meine Verbindung und Bekanntschaft mit Gottfried Müller zu präzisieren. Natürlich verfolge ich diese Verhandlung mit tiefer Teilnahme; sie betrübt mich bis in die tiefste Seele." Er machte eine kurze Pause, und sichtlich bewegt, blickte er zu Gottfried hinüber. „Der Indizienbeweis der Anklage scheint besonderen Nachdruck auf die Frage zu legen, zu welchem Zweck Müller das Arsenik von Dr. Murgli bezogen habe. Einige unter Ihnen mögen der Überzeugung sein, daß er sich dieses Gift mit der Absicht verschaffte, seinen Vater zu töten. Ich weiß, daß er damals eine solche Absicht nicht hatte, falls er sie überhaupt je besaß. Schon vor vielen Jahren wußte ich von diesem Gift. Gottfried war damals noch Student der Rechte. Ich sagte bereits, daß wir vertraute Freunde waren. Damals – und das ist Jahre her – gestand er mir seine Verliebtheit in seine Stiefmutter. Ehrlich und mit allen erdenklichen Mitteln bemühte er sich, dieser Leidenschaft zu widerstehen. Sie war sehr stark in seiner Seele. Eines Nachts kam ich zufällig in sein Zimmer, und ich sah ihn, den Rücken mir zugewandt, an einem Tische sitzen. Neben ihm ein Glas Wasser und ein Löffel. Als ich näher kam, sah ich, daß er ein kleines Pulver in ein Papier schüttete. Sobald er mich hörte, war er sehr verstört. Er sagte, es sei ein Jammer, daß ich ihn eben jetzt besuche; den ganzen Tag über habe er seine Seele gestärkt, um in dieser Nacht mit sich ein Ende zu machen. Tief erregt, gestand er mir, daß er nicht mehr leben könne, weil diese Leidenschaft an seinem Herzen zehre. Er ziehe der Leidenschaft das Gift vor. So war es offensichtlich, daß er sich das Gift mit der Absicht verschafft habe, es selbst zu nehmen. Lange sprach ich auf ihn ein und gewann ihm schließlich das Versprechen ab, daß er nicht mehr versuchen würde, sich das Leben zu nehmen. Tatsächlich saßen wir die ganze Nacht miteinander auf, und ich bat und flehte ihn an, ein neues Leben zu beginnen. Ich versuchte, ihn in dieser Nacht zu überreden, daß er den Beruf des Theologen ergreife. Und wie Sie wissen, wurde er hernach Student der Theologie. Unglückseligerweise aber entriß ihn eine ernstliche Krankheit seinen Studien; die Genesung führte ihn nach Gam, und er kehrte nie wieder zurück. Die Welt war stärker in ihm als Gott. Das ist alles, was ich zu sagen habe, und ich hoffe, die Anklage wird nicht länger behaupten wollen, daß Gottfried Sixtus sich das Gift mit der Absicht verschafft habe, seinen eigenen Vater zu töten. Ich versichere noch einmal, daß dies nicht zutrifft. Das ist eigentlich alles, was ich zu sagen habe. Ich befehle seine Seele und Frau Müllers Seele in die ewig barmherzigen Hände unseres Herrn."

Gottfried und Therese neigten die Köpfe. Es folgte eine Stille wie in der Kirche.

„Herr Pfarrer", sagte von Breitenwyl plötzlich, „hat Herrn Müllers Gesundheit unter den Einflüssen seiner Leidenschaft gelitten?"

„Ja, sie hat gelitten, sehr sogar, sehr! Ich erinnere mich gut. Ich bot allen meinen Einfluß auf, um ihn von seiner Leidenschaft zu befreien."

Therese blickte Theo starr in die Augen. Aber ich habe gesiegt, trotz allem, dachte sie.

Theo konnte ihre Gedanken lesen; er wandte sein Gesicht ab und rückte die goldumränderte Brille zurecht.

„War es nur eine Liebesaffäre?" fragte von Breitenwyl lebhaft.

„Ich bin lediglich hierhergekommen, um eine Tatsache festzustellen", verwahrte sich Theo nervös, „und um die Mißdeutung gewisser Motive zu berichtigen und so meine Pflicht gegenüber dem Staate zu erfüllen."

„Ich bin Ihnen sehr dankbar, daß Sie gekommen sind", sagte von Breitenwyl.

Der Vorsitzende wandte sich an Theodor Straub.

„Wir danken Ihnen für Ihre Güte, Herr Pfarrer", sagte er zeremoniös.

Bleich, mit gequälten Augen und merklich zitternden Händen, zog Theo sich zurück. Von Breitenwyl verließ den Gerichtssaal, um eine kurze Unterredung mit ihm zu haben; er bat ihn, noch einen Tag in Obwyl zu bleiben, damit er ihn auffordern könne, zugunsten Gottfrieds auszusagen.

„Ihre Feststellungen sind für die Verteidigung von äußerster Wichtigkeit! Bitte, Herr Pfarrer! Sie erklärten ja selber, daß Sie Müller eine Dankesschuld abzutragen hätten."

„Wenn Ihnen meine Anwesenheit nützen kann, will ich gern bleiben", sagte Theo.

Herr von Breitenwyl schüttelte ihm herzlich die Hand und kehrte in den Gerichtssaal zurück. Seine Augen leuchteten hoffnungsvoll. Theos Aussage hatte eine milde Wärme im Saale zurückgelassen und die fiebernden Herzen ein wenig besänftigt. Köpfe nickten stumm. „Jaja!" Vielleicht lag in dieser Liebesgeschichte ein tieferer Sinn verborgen, welcher dem Auge entging, ein tieferes Geheimnis, vielleicht war es kein bloßes Schauspiel des Grauens, keine kaltblütig überlegte Mordtat! Theos Aussage schien auf die Geschworenen Eindruck gemacht zu haben. Als sie ihr Mittagsmahl einnahmen, besprachen sie den Fall unablässig. Natürlich hatte sie oder er das Arsen in die Flasche getan, sie konnten es doch nicht beide tun; aber es lag auf der Hand, daß dieser entscheidende Schritt im gegenseitigen Einverständnis geschehen war.

„Sie war ein armer Teufel. Sie wollte ganz einfach die halbe Million erwischen", behauptete ein armer Schulmeister aus Thun.

„Keine Rede! Wenn bei ihr eine solche Absicht bestanden hätte, dann hätte die Anklage diesen Punkt nicht fallenlassen."

„Das Motiv ist klar wie Sonnenlicht", sagte der Delikatessengrossist. „Sie wollten den störenden alten Müller loswerden."

„Jaja! So ist es. Aber was für ein Preis – damit zwei Menschen einander kriegen!"

„Dieser Pfarrer hat die Wahrheit gesprochen", sagte ein jüngerer Mann aus Beatenberg mit einem melancholischen Gesicht und einem weichen, rötlichen Bart. „Unmöglich, daß sich der junge Müller das Arsenik in der Absicht verschafft hat, seinen Vater zu vergiften."

„Hm, ja! Wir glauben, daß der Pfarrer die Wahrheit sagt", erklärten etliche unter den andern.

„Was Frau Müller betrifft", fuhr der Mann aus Beatenberg fort, „so bin ich überhaupt nicht von ihrer Schuld überzeugt. Es war eine Ungerechtigkeit, auf ihre Herkunft einzugehen, wie es die Staatsanwaltschaft in der Anklageschrift getan hat; man hätte nie mitteilen dürfen, daß sie aus einer Mörderfamilie stammt."

Die Geschworenen sahen ihren Kollegen mit schweren Blicken an. Wie kam der Beatenberger dazu, eine solche Behauptung aufzustellen? Wie kam er dazu, einem Mörder das Wort zu reden und die Wahrheit ungerecht zu nennen?

„Herr Mahler", sagte der Obmann, „Sie müssen sich die Dinge ein bißchen mehr überlegen."

Der Mann aus Beatenberg wandte sein Gesicht ab. Vor seinem geistigen Auge stieg das Bild Thereses auf, der unvergeßlich schönen Frau auf der Armesünderbank. Er fühlte seine Pulse schneller schlagen. Ein wunderliches Verlangen erfüllte seine Seele. Er begann, seine Mitgeschworenen zu hassen, zu verfluchen. Der Schulmeister aus Thun vertrat die Ansicht, daß von Breitenwyl, soweit er über dessen Ruf Bescheid wisse, in seiner Verteidigung besonderes Gewicht auf Thereses Vorleben legen werde. Von Breitenwyl sei einer jener modernen Vaterlandslosen, die eigentlich Anarchisten seien. Wenn sie könnten, würden sie sämtliche Gefängnisse öffnen und jede Religion abschaffen. Eine Menschensorte, die der Fluch des Schweizerlandes sei! „Ich wette, er wird uns beweisen wollen, daß sie beide verrückt waren", sagte er schließlich, „aber mir kann er so etwas nicht aufbinden!"

Draußen im großen Hof der Obwyler Burg drängten sich die Leute. Plaudernd standen sie in kleinen Gruppen. Dr. Schneeli und Dr. von Breitenwyl sah man auf und ab schreiten.

Plötzlich trat ein Gerichtsdiener auf sie zu. Er sagte ein paar Worte, und die drei Männer stiegen etliche Steinstufen hinauf und verschwanden durch ein gewölbtes Pförtchen. Der Gerichtsdiener führte sie durch endlose Gänge und dann in den Gefängnisflügel. Das Eisentor wurde aufgeschlossen, und bald darauf öffnete ein Wärter die Tür zu Gottfrieds Zelle. Die beiden Advokaten traten ein. Gottfried empfing sie stehend, mitten in seiner Zelle, die Hände auf dem Rücken verschränkt.

„Nun", sagte von Breitenwyl zu Dr. Schneeli, „sprechen Sie mit ihm, ich sage kein einziges Wort mehr."

Dr. Schneeli streckte Gottfried seine Hand hin. Gottfried weigerte sich einzuschlagen.

„Ich will nicht Ihre Hand besudeln!" sagte er.

Dr. Schneeli schüttelte bekümmert den Kopf.

„Gottfried!" sagte er. „Ich glaube nicht, daß Sie an der Ermordung Ihres Vaters schuldig sind. Ebensowenig glaubt es von Breitenwyl. Und auch Sophie glaubt es nicht. Wir kennen Sie zu gut. Ich bin gekommen, um noch einen letzten Versuch zu machen: ob ich Sie nicht bewegen kann, Ihre Hartnäckigkeit aufzugeben. Wir haben das Gefühl, Sie könnten die ganzen Verhandlungen in andre Bahnen lenken, nur müßten Sie offen sein und die reine Wahrheit sprechen. Ist es notwendig, daß Sie verurteilt werden? Sie halten es für heldenhaft, bei Ihrer Selbstbeschuldigung zu verharren; vielleicht überzeugen Sie sogar die Jury von Ihrer angeblichen Schuld, uns aber können Sie nicht überzeugen. Ich bitte Sie, bedenken Sie das! Haben Sie Mitleid mit Ihrer Familie! Ich sage Ihnen, es wäre unendlich besser, wenn Sie heute nachmittag alles widerrufen und Ihre Unschuld erklären würden. Ja, selbst Frau Therese würde Sie verstehen. Gerade weil ihr soviel an Ihnen liegt, muß ihr der Gedanke verhaßt sein, daß Sie gemeinsam mit ihr verurteilt werden, obwohl sie weiß, daß Sie unschuldig sind. Ja, hat sie nicht immer wieder Ihre Unschuld beteuert? Geben Sie Herrn von Breitenwyl Gelegenheit, einen Freispruch für Sie zu erwirken!"

„Einen Freispruch für mich?" sagte Gottfried ungeduldig. „Ich glaube nicht, daß Sie recht wissen, was Sie sagen! Einen Freispruch für sie, ja! Aber nicht für mich! Gütiger Himmel! Glauben Sie, ich reiße Witze, diese ganze Zeit? Ich meine es todernst. Sie ist unschuldig! Völlig unschuldig! Wenn sie gemeinsam mit mir verurteilt wird, begeht das Gericht einen schrecklichen Justizirrtum."

„Wir glauben Ihnen nicht!" beharrte Dr. Schneeli.

„Das tut mir leid. Was ich gesagt habe, bleibt bestehen, und ich werde daran festhalten!"

„Gottfried!" sagte Dr. Schneeli mit hoher Stimme. „Das bedeutet wahrscheinlich lebenslängliches Zuchthaus!"

„Was kümmert es mich!" rief Gottfried in jähem Krampf. Sein Gesicht zuckte. „Gott! Wie habe ich das alles satt! Ich sehne mich nach der Einsamkeit meiner Zelle! Daß man mich in Ruhe läßt!"

„Nun", sagte von Breitenwyl, „es besteht die beste Aussicht, daß Ihr Wunsch in Erfüllung geht!"

„Gottfried", wiederholte Dr. Schneeli gütig mahnend, „es ist Ihre letzte Chance!"

„Ein bißchen spät am Tage", murmelte Gottfried. „Ich habe von Breitenwyl, als er die Verteidigung übernahm, genau erklärt, was seine Aufgabe ist. Daß Sie mich auffordern, Therese für mein Verbrechen leiden zu lassen — das ist lächerlich!"

Er wandte sich unvermittelt ab und setzte sich wütend auf seinen hölzernen Schemel. – Von Breitenwyl gab Dr. Schneeli ein Zeichen, und die beiden Männer verließen die Zelle.

Als sich der Gerichtshof wieder versammelte, geschah es, um den berühmten Professor Langbein zu hören. Jedermann war neugierig, zu erfahren, was er wohl zu sagen hätte. Es war sehr viel. Zwei Stunden lang stand dieser gelehrte Herr, mittleren Alters, leicht gebückt, mit sanften Augen und weißem Haar, an der Gerichtsschranke und trug mit staatsmännischer Würde seine Ausführungen vor, wobei er den Gerichtshof mit „Meine Herren!" ansprach, als wären die Richter und Geschworenen, die Beamten und die Anwälte lauter Studenten, die eine seiner gelehrten Vorlesungen anhören. Die Wissenschaft frage nicht, ob ein Verbrecher schuldig sei oder nicht; sie beschäftige sich nicht mit moralischen Bewertungen, führte Professor Langbein aus. Er benützte sämtliche bisher zutage geförderten Beweismittel, um zu zeigen, daß man Herrn Müller und Frau Müller nicht zu den Verbrechern rechnen könne und daß sie nicht im gewöhnlichen Sinne des Wortes schuldig seien. Ihr Verbrechen lasse sich weder dem Wahnsinn noch einem erworbenem Hang, noch der „günstigen Gelegenheit" zuschreiben, sondern es sei durch eine Leidenschaft herbeigeführt worden, die diese Menschen derart beherrschte, daß sie unter ihrem Einfluß das volle Gefühl der Verantwortlichkeit verlieren mußten.

Professor Langbein schrak nicht davor zurück, in seinem Gutachten die bestehenden sozialen Bedingungen mitsprechen zu lassen. Er zeigte den oberländischen Geschworenen, daß der Fortschritt der modernen Zivilisation allmählich das Tier im Menschen zähmt. In diesem Falle jedoch hätten sich zwei Willen zu einem Komplex vereinigt; diese Willensmacht aber lasse sich nicht durch den Fortschritt der Zivilisation bändigen, auf jeden Fall nicht, ohne ernstlich zu revoltieren.

Dann verließ Professor Langbein die Bezirke des Allgemeinen und betrachtete ausführlich die Charaktere der Angeklagten, wie er sie in seinen Unterredungen mit ihnen und in der Durchsicht der Prozeßakten kennengelernt hatte. Er erklärte, daß es ungerecht sei, sie wie gewöhnliche Verbrecher zu beurteilen. In beiden Charakteren sei nicht die leiseste Spur verbrecherischen Hanges zu entdecken. Professor Langbein verlas Seiten voller Notizen, die er während seiner Unterredungen mit den Angeklagten aufgezeichnet hatte. Er entwarf ein quälendes Bild von Gottfrieds und Thereses Liebesbeziehung und ihrem Freiheitsdurst, der gegen die Mauer der Moral anstürmte. Er zeigte, wie sie überall auf Unmöglichkeiten stießen und gelitten hatten, wie ihre Seelen, wie ihre Nerven gelitten hatten. Dies sei der Beginn einer progressiven Neurose gewesen. Hier gelangte Professor Langbein schließlich zu dem Zentralpunkt seines pathologisch-juridischen Vortrages. Er zeigte dem Gerichtshof, was die Neurose sei. Er erklärte den Geschworenen, daß Faust, Hamlet, der heilige Paulus und viele andre große Männer an dieser psychischen Krankheit gelitten hätten. Er erläuterte die Krankheit an untrüglichen Beispielen aus seiner Klinik und aus verschiedenen Irrenanstalten.

Zufolge ihrer geistigen und psychischen Leiden hätten Müller und Frau Müller auch körperlich zu leiden begonnen. Professor Langbein wandte sich unmittelbar an den Staatsanwalt, der mit einem finsteren Lächeln dasaß: „Die Resultate der Neurose sind uns Psychiatern wohlbekannt. Sie bringt die Urteilsfähigkeit des Geistes aus dem Gleichgewicht, sie schwächt das normale Verantwortungsgefühl und versklavt den Willen. Sie verändert das moralische Bewußtsein und bewirkt sehr oft, daß gewisse Wünsche eines Patienten zum Bedürfnis werden, das er befriedigen muß, einerlei, was für Hindernisse einer solchen Befriedigung im Wege stehen." Nach einer kurzen Pause, die Professor Langbein benützte, um seinen Kneifer zu nehmen und seine Blicke eindringlich durch den Gerichtssaal schweifen zu lassen, gelangte er zu seiner Schlußfolgerung.

Die Wissenschaft zeige, daß Müller und Frau Müller für die verbrecherische Tat, deren man sie beschuldige, nicht voll verantwortlich seien. Besonders dürfe man nicht die Tatsache vergessen, daß sie sich schließlich aus eigenem Antrieb der Justiz gestellt haben. Gleichgültig, was für ethische Gründe sie veranlaßt haben mochten, ihr verborgenes und von keinem Menschen vermutetes Verbrechen der Polizei zu enthüllen: diese Motive könnten sein Urteil über diesen Fall nicht beeinflussen, vielmehr halte er diesen Schritt für einen weitern Beweis, daß seine Theorie richtig sei. Verbrecher, die ihre fünf Sinne beisammen haben und mit einem gewissen Maß von Verantwortung nach ihrem freien Willen handeln, hätten logischerweise ihr Verbrechen geheimgehalten. Dieselbe Macht, sagte Professor Langbein, die das Liebespaar Müller in das Verbrechen trieb, habe sie auch in die Arme der Justiz getrieben: Unverantwortlichkeit.

Als Professor Langbein zu Ende war, setzte er sich neben von Breitenwyl, der vor sich hin grübelte.

„Hoffentlich, Herr Doktor", murmelte er von Breitenwyl ins Ohr, „bin ich in meiner Abhandlung genügend populär gewesen, hoffentlich haben Ihre schwerfälligen Berner Geschworenen alles verstanden, was ich sagte."

„Es wird als Grundlage dienen", bemerkte von Breitenwyl.

„Jetzt will ich den Pfarrer Straub ins Kreuzverhör nehmen."

Gutenberg sprach inzwischen zu seinen Gerichtsbeamten über die „akademische Augenauswischerei"; spöttisch sah er von Breitenwyl an. Die Geschworenen schwatzten miteinander.

Als nun Theo an die Zeugenschranke getreten war, wurde er über Gottfrieds Geisteszustand in Basel befragt. Bald wurde offenkundig, daß Gottfried zu jener Zeit alles eher als geistig normal war. Die Geschworenen gewannen ein neues Bild von dem Studenten Gottfried: Ein junger Mann, den seine Leiden fast der letzten Kraft beraubt hatten, der jedes erdenkliche Mittel versuchte, um seiner Leidenschaft zu entrinnen, doch mit dem einzigen Ergebnis, daß er immer tiefer und tiefer hineingeriet. Dies alles hörte Therese mit gespanntester Miene an: nichts Alltägliches, nichts Banales lag in Gottfrieds Liebe zu ihr. Endlich wurde ein wahrheitsgetreues Bild von ihm entworfen, und all seine Leiden schienen ihr unendlich gesteigert. – Ja, ihr armseligen kleinen Geschöpfe, dachte sie, ihr Leutchen im Gerichtssaal, was versteht ihr denn schließlich von all diesen Dingen? Ihr seid hier versammelt, um uns zu richten, und ihr wißt nicht einmal, wer wir eigentlich sind! – Sie fühlte sich versucht, in ein Gelächter auszubrechen, doch sie war nicht imstande zu lachen. Ihr Gesicht war wie eine versteinerte Maske. Wie sehr alle diese Leute sich bemühten, das geheime Leitmotiv ihrer Tat herauszufinden! Ah, nicht einmal Gottfried wußte, was sie eigentlich dazu getrieben hatte, Anton Jakob zu vergiften. Nicht einmal er! Wie also konnten es die andern ahnen?

An diesem Abend begann Therese, sich müde und erschöpft zu fühlen. Sie wußte, daß der letzte Verhandlungstag herannaht, daß auf die eine oder andre Weise alles ein Ende nehmen würde und daß ihrer die ewige Verdammnis harre. Während sie auf der schmalen hölzernen Bettstatt ihrer Zelle saß, arbeitete ihr Gehirn fieberhaft. Wie könnte man Gottfried frei bekommen, wie den Gerichtshof zu der Einsicht bringen, daß Gottfried nicht schuldig sei?

Die letzten Strahlen der sinkenden Sonne loderten durch das Fenster. Der Schatten des Eisengitters fiel auf die kahlen, kalten Mauern. Sie begann, die Vierecke zu zählen. Vierzig helle Vierecke zwischen den schwarzen Stäben. – Vierzig Jahre, dachte sie, die Sonne schreibt es für mich an die Wand. Vierzig Jahre! – Nun überkam sie eine grenzenlose Verzweiflung, die qualvoll auf ihr Herz und ihre Eingeweide wirkte. Der Gedanke an vierzig Jahre, wie er sie nun in dem Bruchteil einer Sekunde überraschte, hätte sie noch vor einem Jahr zum Wahnsinn getrieben; jetzt, du lieber Himmel, jetzt konnte sie nichts weiter tun, als stillsitzen und vor sich hin starren, stumpf, fast leblos, mit einer tierischen Qual im Leibe. Widerwärtig! Plötzlich fiel ihr ein, daß nach dem Strafgesetz nicht nur Verdikte auf vierzig Jahre, sondern auch lebenslängliche verhängt werden können.

Nach einiger Zeit stand Therese auf, setzte sich auf den hölzernen Schemel an den kleinen ungehobelten Brettertisch und versuchte, ein wenig zu essen. Schwarzbrot, Butter und Käse, einen Teller mit kaltem Fleisch und Salat. Sie mischte ein wenig Wein und Wasser, und mit einem Schauder verzehrte sie ihr einsames Mahl. Ja, jetzt bezahlte sie noch für ihr Essen; später dann, so hatte man ihr erzählt, wenn die Geschworenen sie verurteilt hätten, werde sie in ein andres Gefängnis kommen, wo sie nicht mehr ihr eignes Essen bestellen könne, weder ihr Essen noch sonstige Dinge; dort werde sie genauso leben müssen wie alle andren Häftlinge. Dann zog Therese ihr schwarzes Kleid aus und hüllte sich in einen grünen Schlafrock. Und sie fragte sich im stillen, ob sie diesen Rock heute zum letztenmal trage. Forschend betrachtete sie ihren Smaragdring, von ähnlicher Farbe wie ihr Schlafrock.

Plötzlich ging die Tür auf, und die Wärterin meldete, daß ihr Anwalt sie zu sprechen wünsche.

„Bitten Sie ihn hereinzukommen", sagte Therese.

Von Breitenwyl betrat die Zelle. Er sah todernst aus.

„Es herrscht das Gefühl, daß Gottfried unschuldig sei", begann er. „Ich fühle den Puls der öffentlichen Meinung, die gewöhnlich die Meinung der Jury spiegelt. Das Schlimmste dabei ist, daß auch ich endgültig dasselbe Gefühl habe. Ich fürchte, Therese, so gern ich morgen Ihnen beiden helfen möchte: es läßt sich nicht mehr machen! Ich werde morgen meine Verteidigung auf Gottfried konzentrieren. Die Last des Verbrechens fällt auf Ihre Schultern. Professor Langbeins Einfluß hat den Ausschlag gegeben: Er hat sich vorwiegend mit Gottfried und weniger mit Ihnen beschäftigt. Es bestehen unzerstreubare Zweifel an Gottfrieds Schuld. Ich sehe es den Mienen der Geschworenen an. Ich werde also versuchen, einen Freispruch für Gottfried zu erlangen. Ich bin gekommen, um Ihnen dies aus reiner Freundschaft zu sagen."

„Wenn aber Gottfried auf seiner Teilnehmerschaft beharrt?" fragte sie.

„So gibt es trotzdem eine leise Chance."

„Aber dieser schurkische Gutenberg? Er hat es am hartnäckigsten auf Gottfried abgesehen!"

Sie fuhr sich plötzlich mit den Händen in die Haare.

„Herrgott!" rief sie aus. „Gibt es nichts, was ich tun könnte, um Gottfried zu retten? Ich habe alle Geschworenen angesehen und versucht, ihre Gedanken zu lesen. Nur ein einziger unter ihnen gefällt mir. Ein jüngerer Mann mit dünnem rotem Bart, der wie ein schwindsüchtiger Christus aussieht. Ich glaube, er wird Gottfried freisprechen. Ja, ich weiß es bestimmt! Es besteht ein geheimes Einverständnis zwischen ihm und mir; wir sind während der Verhandlung Freunde geworden. Aber die andren! Diese großen, fetten, selbstzufriedenen Berner – und jeder denkt an seine Frau. Wenn sie uns freisprechen, sitzen zu Hause ihre Weiber über sie zu Gericht. Ja, ich glaube, wenn sie nicht an ihre Weiber denken müßten, wenn sie Junggesellen wären, dann hätten sie vielleicht Mitleid mit uns. Auf jeden Fall Mitleid mit ihm. Jesses! Mein Herz ist voller Verachtung, unsäglicher Verachtung für all diese Leute im Gerichtssaal. Sie kommen mir vor wie schleichende, stinkende Krebse, die sich freuen, daß sie uns zwischen ihren Scheren haben. Eine Jury! Eine Jury! Hämische, wollüstige Bestien, versammelt, um einen Gerichtshof zu travestieren!"

Sie erhob sich und richtete sich auf. Herausfordernd strafften sich ihre schönen Brüste, und sie zeigte mit dem Finger gegen die Decke.

„Sie können mich mein Leben lang in Zwangsarbeit schicken! Sie können mich zwingen, schmutzige Fußböden zu scheuern und ihre widerlichen Spüleimer zu tragen. Sie können mich erniedrigen, bis mich der Schmutz unkenntlich macht! Aber sie können mich nicht vernichten. Ich bleibe, was ich bin!" Von Breitenwyl sah sie nachdenklich an. Er hatte ihr in ziemlich klaren Worten mitgeteilt, daß er Gottfried verteidigen würde, nicht aber sie. Wie sie es aufnahm. – Unglaubliche Frau! dachte er. Verwirrt betrachtete er ihren zerknitterten Schlafrock, die vollendet schönen Umrisse ihrer Gestalt.

„Wenn Sie mir nur einmal die ganze Wahrheit sagen wollten! Es würde mir helfen."

„Welche Wahrheit?"

„Das eigentliche Motiv des Mordes. Was war es?"

Therese sah ihn ernst an.

„Ich will es Ihnen sagen, wenn Sie mir Ihr Ehrenwort geben, weder morgen noch sonst Ihr Wissen zu benützen."

Von Breitenwyl zögerte einen Augenblick; dann gab er sein Wort.

Therese erzählte ihm die geheime Geschichte des Kindes und sprach von ihrem Unvermögen, des einen Mannes Frau und des andren Geliebte zu sein. Er hörte aufmerksam zu. Als sie ihre Beichte beendet hatte, sagte er:

„Gutenberg hat bereits im ersten Stadium der Anklage eine derartige Anspielung versucht. Der Vorsitzende unterbrach ihn und erklärte, daß die Herkunft Ihres Kindes nicht zum Gegenstand der Verhandlung zu machen sei. Ich wußte damals nicht, was für Einflüsse am Werke waren. Vielleicht Doktor Schneeli? Jetzt aber sehe ich hierin den Kern der ganzen Sache. Ich habe Ihnen mein Wort gegeben — und doch wäre eben hier einzusetzen, um Gottfrieds Unschuld zu beweisen!"

„Ja", warf sie ein, „es mag sehr viel bedeuten, aber es bleibt ein Geheimnis. Sie haben mir Ihr Ehrenwort gegeben."

„Und angenommen, daß ich durch die Enthüllung dieses Geheimnisses imstande wäre, Gottfried zu retten?"

„Selbst dann müssen Sie schweigen!" sagte sie. „Mein Kind soll durch unsre Fehltritte nicht mehr zu leiden haben, als unabänderlich ist."

Fast erschrocken schaute von Breitenwyl Therese an. Zum erstenmal in seinem Leben wurde ihm klar, daß er niemals eine Frau wirklich geliebt hatte. Thereses Haltung beraubte ihn der Fassung. Sie gab ihm den Traum einer überirdischen Zärtlichkeit, einer fast idealen Keuschheit, die von einem geheimnisvollen Hauch umwittert war. Ihre Lippen schienen nach Küssen zu verlangen, ihre Hände nach dem Griff der Liebe; ihr elastisches weißes Fleisch, rund und fest, überhaucht von der so viele Qualen bezeugenden Gefängnisblässe, rief nach Freiheit und nach erlösender Manneskraft. Und wie seltsam war ihr Geist! Voll zärtlicher Rücksicht auf das Wohl eines Kindes – und doch war sie nicht davor zurückgeschreckt, einen Menschen zu töten, ein Leben zu vernichten! Wie könnte er sie nicht verteidigen? Er mußte sie verteidigen!

„Hören Sie!" rief Therese plötzlich aus. „Ich habe eine Idee. Kann ich einen Brief an Gottfried schreiben?"

„Worüber?"

„Einerlei! Könnten Sie ihm einen Brief von mir überbringen?"
„Ja. Aber wovon würde er handeln?" fragte er nervös.
„Ich schreibe ihn sofort", sagte sie und setzte sich an den Tisch.
Die Zeilen waren charakteristisch für sie.

„Gottfried! Ich flehe Dich von ganzem Herzen an,
alle die Aussagen, die Du bisher gemacht hast, zu widerrufen.
Damit änderst Du Dein Schicksal. Ich weiß, daß ich verurteilt
werde, aber es besteht kein Grund, warum auch Du verurteilt
werden solltest. Denke an unser Kind! Sobald Du diesen Brief
erhältst, mußt Du dem Gerichtshof die Wahrheit gestehen. Ich bin
überzeugt, die Jury wird Dir glauben. Ich befehle Dir, es zu tun.
                                                        Therese."

Sie reichte von Breitenwyl den Brief; er las ihn durch und steckte
ihn in die Brusttasche.
„Wenn er Ihnen gehorcht", sagte er, „wird sein Schritt Sensation
erregen. Niemand kann die möglichen Folgen voraussehen."
Therese sah ihn an, Tränen in den Augen. „Wissen Sie", bemerkte
sie plötzlich, halb lächelnd, halb weinend, „ich werde heute nacht
glücklich sein, weil ich eine wirkliche Hoffnung habe."
„Er bekommt Ihren Brief heute abend", sagte von Breitenwyl. „Sie
sind ein wunderbarer Mensch. Jammerschade, daß Sie Ihren Mann
ermordet haben!"
Therese, die an seine Art, Dinge zu sagen, ziemlich gewöhnt war,
und den tiefern Sinn seiner Worte zu lesen verstand, bewunderte
im geheimen seinen Charakter. Sie haschte nach seiner Hand und
küßte sie impulsiv.

Obwyl wimmelte von überhitzten Gerüchten. Die
Spannung der Gerichtsverhandlung hatte manchen Kopf um die
Fassung gebracht.
Irgend etwas ginge schief bei dieser Verhandlung, sagten etliche
Leute; man werde eine Überraschung erleben. Andre wieder er-
klärten, die Verteidigung sei nicht richtig geführt worden. Die
Angeklagten seien Narren gewesen, sich einen Mann von Breiten-

wyls Charakter auszusuchen. Er glaube, eine tüchtige alte Berner Jury foppen zu können! Dieser Springinsfeld, ohne jede Erfahrung! Er habe diesen Fall übernommen, um seinen politischen Ehrgeiz zu sättigen; er wolle der Öffentlichkeit zeigen, was Trumpf sei; er glaube an die Zukunft des Sozialismus und möchte gern Karriere machen in der Politik. Ah, diesmal werde er in seinem eignen Kessel geschmort werden, dieser von Breitenwyl! Aber da habe man die Sache: reiche Leute halten stets zusammen. Eine fabelhafte Summe sei diesem verdrehten Professor Langbein bezahlt worden... Nie noch hatte eine Frau das Sinnen und Trachten der Männer so aufgepeitscht, wie Therese zu dieser Stunde, und wenn Schönheit einen Mord sühnen könnte, dann wäre sie allerdings in jener Nacht ein freier, ein erlöster Mensch gewesen.

Aus einer schläfrigen, sommerlichlangen Dämmerung erwachte Obwyl in einen herrlichen Morgen. Ein dünner, blauer Nebel schimmerte über dem tiefgrünen See, und die scharfzackigen Berge des Oberlandes standen in lilafarbene Dünste gehüllt. Tausende von Augen, sowie ihre Lider sich öffneten, schweiften zum Burghügel hinauf.

Von Breitenwyl trat am frühen Morgen in Thereses Zelle. Sie war bereits auf, in einem braunen Taftkleid, das Anton Jakob ihr auf seiner Reise nach Plombières in Mülhausen gekauft hatte. Sie trug einen großen, mit Rosen verzierten Strohhut. Blaßblaue Schatten lagen um ihre Augen; ihr stolzer Nacken war leicht gebeugt. Sobald sie von Breitenwyl erblickte, richtete sie sich zu ihrer vollen Höhe auf und heftete ihre Augen auf ihn mit dem starren Blick einer gefangenen Löwin.

„Hier ist Gottfrieds Antwort", sagte er und reichte ihr einen kleinen, bauschigen Umschlag.

Und er sah, als sie das Kuvert nahm, daß ihre weiße, durchscheinende Hand, geschmückt mit dem schönen Smaragdring, zu zittern begann.

„Was muß das für ein langer Brief sein!" sagte sie, und ein freudiges Lächeln zeigte sich in den Winkeln ihres Mundes. Sie riß eine Ecke des Umschlages ab, schob den Zeigefinger in das Loch und schlitzte den Brief auf. Drin lagen – die Schnitzel ihres eignen Briefes. Von Breitenwyl betrachtete traurig die kleinen Fetzen, die wie bleiches, totes Laub aus ihrer Hand auf den Steinboden flatterten.

„Das ist eine unmißverständliche Antwort", sagte Therese trocken und begann, in der Zelle auf und ab zu gehen. „Dummer Gottfried! Dummer, lieber Gottfried!"

Sie setzte sich auf ihr Bett und weinte. Still weinte sie vor sich hin, aber ihre Seele krümmte sich in Qualen.

„Wenn du nur wüßtest! Ich will dich frei sehen, befreit! Ich will nicht, daß du bist wie ich!"

Von Breitenwyl wandte sich ab. Dann fragte er, ob er sich eine Zigarette anzünden dürfe. Sie nickte stumm.

„Ja, natürlich, warum nicht?"

Ihr Schluchzen schnitt ihm in die Seele. Er konnte den Anblick kaum ertragen, wie diese innerlichen Krämpfe ihren weißen Hals und ihre Schultern durchzuckten.

„Wie töricht ich bin!" sagte sie schließlich mit erstickter Stimme.

„Wie spät?"

„Acht Uhr."

„Wann geht es los?"

„Um neun."

Sie erhob sich.

„Drehen Sie sich einen Augenblick um, bitte."

Während er durchs Gitterfenster hinaussah, wusch sie sich mit einem Flanelltuch das Gesicht. Als sie fertig war, griff von Breitenwyl plötzlich nach ihren beiden Händen und hielt sie fest. Sie wich nicht zurück. Ja, mit einem frohen Gefühl betrachtete sie sein kräftiges, rosiges Gesicht, seine hellblauen Augen mit den schmalen roten Rändern, sein kurzes blondes Haar. Er war ernst und sehr bewegt.

„Therese", sagte er, „ich will jetzt zu Ihnen sprechen, als ob Sie meine eigene Schwester wären, die durch ein Mißgeschick oder einen Possenstreich des Schicksals ins Gefängnis geraten ist. Ich denke nicht an mich selbst und meinen Ruf als Advokat. Ich denke an Sie. Ich glaube, das heißt, ich weiß es, daß Sie Ihren Mann ermordet haben. Mord ist Mord. Kein Anwalt auf der Welt könnte es anders nennen, sofern er nicht etwa die Macht besitzt, die Toten ins Leben zurückzurufen. Therese, es gibt durchaus nichts, was Sie retten könnte. Man wird Sie schuldig sprechen." Seine Stimme versank in ein Gemurmel. „Niemand kann Sie retten. Aber Gottfried könnte noch gerettet werden, und ich will versuchen, ihn zu retten, weil ich an seine Unschuld glaube. Um dies zu tun, o Therese, muß ich heute – so weh es mir tut! – selber eifrigst mithelfen, Sie in Grund und Boden zu verdammen. Mein Renommee mag zum Teufel gehen, aber was kümmert es mich! – Zu diesem Entschluß bin ich seit gestern abend gelangt."

Er ließ ihre Hände los, berührte ihre Wange mit einer nervösen, hastigen, schmeichelnden Gebärde, die gleichsam bezeugen sollte, daß er sie eigentlich nicht berühren dürfe. Therese setzte sich wieder auf ihren Schemel.

„Breitenwyl!" sagte sie mit heiserer Stimme. „Ich bewundere Sie, Sie sind ein Mann nach meinem Herzen."

„Therese" – er war kaum imstande, zu sprechen –, „das ist alles. Jetzt muß ich Sie verlassen."

Er durfte keine Minute länger bei ihr bleiben; er wußte, daß er sonst eine unverzeihliche Dummheit begehen würde. Rasch öffnete er die Tür, gab der Wärterin, die auf dem Korridor umherlungerte, ein Zeichen und verschwand. Therese hörte, wie die schwere Tür ihrer Zelle wieder verschlossen wurde. Ihr Körper straffte sich.

„Jetzt bin ich ganz und gar allein!" sagte sie und starrte die gegenüberliegende Mauer an, als sehne sie sich danach, daß ein Geist erscheine, um ihr Gesellschaft zu leisten.

Entgegen der allgemeinen Erwartung dauerte die Anklagerede des Staatsanwalts nur sehr kurze Zeit, eine knappe Stunde. Ohne Zweifel wußte Gutenberg, daß er den Boden sehr sorgfältig bestellt und den Samen bedächtig ausgesät hatte, so daß keine Fehlernte möglich war; er brauchte nur die Früchte zu sammeln.

Die Verteidigung, sagte er, sei in der Absicht geführt worden, zu beweisen, daß die Angeklagten den Mord in einem Augenblick leidenschaftlicher Erregung, also in sogenannter Unzurechnungsfähigkeit begangen hätten. Dies bedeute eigentlich, daß die Natur an ihrer Stelle den Mord begangen habe. Die arme Natur habe man als Sündenbock herbeigezerrt, um die Angeklagten zu entsühnen. Die Jury habe einen hervorragenden Wissenschaftler gehört, der seine Kenntnisse über das Wesen der Neurose in populärer Form zum besten gab. Man habe der Jury erzählt, daß die Neurose die Ursache des ganzen Unheils sei. Man habe hier erzählt, daß Müller und Frau Müller nur die Werkzeuge im Dienst höherer Gewalten seien. Unglücklicherweise aber bleibe das Resultat bestehen: Anton Jakob Müller, ein hervorragender, würdiger Mann, ein Mann von unbeflecktem Charakter, sei in qualvoller Weise in die andre Welt befördert worden. Leider sei es nicht möglich, die Natur für all die Verbrechen zu bestrafen, die sie veranlasse, folglich müsse man sich an die Individuen halten, die als die Werkzeuge der Natur gelten wollen und von ihnen Rechenschaft verlangen, warum sie der Natur so brav gedient hätten.

Die Wissenschaft, besonders die Wissenschaft der Psychologie, könne wohl für jedes Verbrechen eine Entschuldigung finden. Aber eine verbrecherische Handlung als den Ausfluß moralischer Besinnungslosigkeit hinzustellen, sei ein Trugschluß. Selbst wenn es sich so verhalten würde, sei die moralische Besinnungslosigkeit eine sehr gefährliche Sache, sobald man an den Schutz der Gesellschaft zu denken habe, und deshalb gäbe es in unsrer zivilisierten Welt gewisse sichere Orte, wo diese gefährlichen Gehilfen der Natur allmählich ihr moralisches Bewußtsein zurückgewinnen können, ohne jede Bedrohung ihrer Mitmenschen, die ein einfaches und vernünftiges Leben führen. Gutenberg sprach mit bitterem Hohn. Er brannte darauf, aller Welt die Ungeheuerlichkeit des Verbrechens klarzumachen.

„Haben die Angeklagten auch nur die leiseste Spur von Reue gezeigt?" rief er aus. „Nein! Kein einziges Wort haben wir gehört, das uns die Ansicht gestatten würde, daß ihre Tat ihnen leid tue. Aber ich nehme an, die Unfähigkeit, menschliche Gefühle zu zeigen, ist ein Bestandteil der Neurose. Nun wollen wir die Tatsachen noch einmal durchdenken: Sie sind zu Hause in Gam am Abend des fünfzehnten September. Anton Jakob Müller befindet sich im Bärenwirtshaus. Er schickt den Knaben Fritzli zu Frau

Müller, mit der Aufforderung, in den ‚Bären' zu kommen und an dem Festessen der Scharfschützen teilzunehmen. Aber Frau Müller fühlt sich nicht wohl. Sie befand sich, wie uns die Köchin berichtete, in Gottfrieds Zimmer. Und den Knaben entließ sie mit dem Bescheid, Herr Gottfried sei sehr beschäftigt. – Ja, sie waren beide beschäftigt! Sie sagten sich: ‚Heute ist die Nacht gekommen! Wir wollen ein für allemal den störenden alten Mann loswerden. Ja, wir wollen es tun, solange noch unsre Seelen und unsre Körper heiß sind von Leidenschaft und Neurose. Wir wollen jetzt einen Plan ersinnen! Aha! Das Lebersalz! In einer solchen Nacht wie heute muß Anton Jakob viel essen und trinken. Wo ist das Arsenik? Hier! Prächtig! Wir wollen eine kleine Dosis in die Flasche füllen. Wer von uns beiden soll es tun?'

Meine Herren Geschworenen, es ist für uns ganz unwesentlich, welcher der beiden Angeklagten das Arsenik in das Fläschchen getan hat. – Nachher wurden sie von dem alten Mann, der nach Hause kam, bei ihrem Tête-à-tête erwischt. Das geben sie beide zu. Zum erstenmal hatte sie den Mut, ihm die Stirn zu bieten. Wir wissen aus ihren eigenen Aussagen, daß eine heftige Szene stattfand. Anton Jakob war wütend, zweifellos. Zweifellos hat er sie bedroht. Zweifellos wußte er bereits, daß er seiner jungen Frau nicht mehr vertrauen dürfe. Was kümmerte es die beiden? Die Flasche wartete auf ihn . . . Nach einiger Zeit geht er zu Bett. Er leidet an Verdauungsbeschwerden, und da er sich an die Anweisungen des Arztes erinnert, nimmt er eine Dosis von dem Lebersalz. Um sechs Uhr morgens stürzt Gottfried Müller angstvoll zum Hause hinaus. Er müsse einen Doktor holen. Warum? Weil es nicht natürlich aussehen würde, wenn man es unterlassen wollte, einen Doktor zu holen. Es würde verdächtig aussehen, wenn sie den alten Mann eines geheimnisvollen Todes sterben ließen. So sagt er also zu Röthlisberger, er sei die ganze Nacht mit Frau Müller aufgewesen und habe seinen Vater gepflegt. Ja, ohne Zweifel haben sie den alten Mann gepflegt! Um zehn Uhr starb er. Ein überarbeiteter, ahnungsloser Arzt erscheint auf dem Schauplatz. Frau Müllers Neurose ist so akut geworden, daß er sich ihrer annehmen muß. Er tröstet sie, er bemitleidet sie. Arme liebe Frau! Ihr Mann ist tot. Er hat sich überessen. Herzschlag als Folge der Anstrengung!"

Gutenberg hielt eine Sekunde lang inne. Dann fuhr er fort, während er zu Professor Langbein hinübersah:

„Die Jury hat gesehen, daß das Gedächtnis der Angeklagten äußerst genau arbeitet, daß es nicht im geringsten getrübt ist, wie man es bei Leuten erwarten könnte, die in einem Anfall von Geistesstörung oder, nach den Ausführungen des gelehrten Psychiaters und Irrenarztes Professor Langbein, während einer akuten Neurose ein Verbrechen begangen haben. Seit Müller und Frau Müller sich in den Händen des Gesetzes befinden, haben beide sich aus Leibeskräften bemüht, die Schuld des Komplizen zu bemänteln, die Justiz zu verwirren und Heroismus zu mimen. Das alles hat jetzt ein Ende erreicht. Wir wissen, daß sie trotz all ihrer Zerrüttung eine würdige Außenseite bewahrt haben. In ihren Briefen paradieren jene großartigen Gefühle, die man mit einer so angenehmen Erscheinung wie Frau Müllers bereitwilligst zu verbinden pflegt. Aber wir haben in ihre Seelen hineingesehen: eine grauenhafte Mischung aus Größe und Niedertracht, aus edlen Leidenschaften und tiefer Bosheit. Ja, Niedertracht und Bosheit werden für ewige Zeiten als die führenden Eigenschaften der Angeklagten hervorstechen. Ich glaube, meine Herren Geschworenen, Sie brauchen die in der Verhandlung aufgeworfene Modefrage, die Frage der Verantwortlichkeit, nicht in Betracht zu ziehen. Darüber ist schon mehr als genug debattiert worden, von berufener und unberufener Seite. Diese abgekartete Komödie beginnt altmodisch zu werden. Sie sind nicht hier, um einen Fall von Hysterie, sondern um eine Mordtat zu untersuchen!" Gutenberg erhob seine Stimme. „Eine Mordtat, einfach und ohne viel Umschweife! Infolgedessen muß auch das Urteil einfach sein. Und keine mildernden Umstände! Mord wird in unsrem Land mit lebenslänglicher Zwangsarbeit bestraft! Das wissen Sie, meine Herren Geschworenen!"

Seine Stimme wurde leise; plötzlich schien er bewegt, und er machte eine Pause. Ja, Gutenberg war bewegt. Und mit ihm der ganze Gerichtssaal.

„Gnade?" sagte er plötzlich, als richte er die Frage an sich selbst; dann sah er die Geschworenen an, und ein seltsames Leuchten trat in seine finstren Augen. „Gnade? An Gnade wollen wir später einmal denken, wenn sie mit den Jahren gelernt haben, was moralische Verantwortlichkeit und was Betätigung des freien Willens bedeutet. Heute haben wir nichts andres zu berücksichtigen als unsre Pflicht!"

Gutenberg setzte sich nieder. Inmitten eines tiefen Schweigens ordnete er sämtliche Papiere auf seinem Tisch und schob sie seinem Gehilfen hinüber. Dann verschränkte er die Arme und blickte von Breitenwyl fest in die Augen.

Sophie erstickte ein Schluchzen, das immer wieder in ihre Kehle stieg, und ihre Knie zitterten. Sie lehnte sich hilfesuchend an Felix an. Ihre Seele loderte in heißen Flammen. Ihre Hände, von schwarzen Handschuhen bedeckt, lagen gefaltet in ihrem Schoß. – Lieber Gott! Steh Breitenwyl bei, betete sie stumm. O Gott! Ich hätte nichts dagegen, wenn man sie gemeinsam fortreisen und irgendwo ein neues Leben beginnen ließe! – Ihre Augen hingen an den beiden Gesichtern, die nicht allzu weit von ihr entfernt waren: Gottfrieds Züge, feierlich entrückt; Thereses Züge, kalt und versteinert, das Gesicht einer Frau, die ihre Leidensfähigkeit überschritten hatte und deren Seele erstorben schien. Doch die Gefühle in Thereses Herzen straften ihre Miene Lügen. Es war, als woge in ihrem Innern ein tosendes Meer auf und ab. Sie hatte Gutenbergs Stimme wie aus weiter Ferne vernommen; dann aber ging alles verloren in dem Aufruhr, der ihre Brust durchwühlte. Es war ihr zumute wie einem Menschen in den Schauern des Todes, wie einem Ertrinkenden. Phantastische Visionen verdrängten das Denken. Mechanisch betrachteten ihre Augen die kleine Wanduhr über den Köpfen der Richter; das kurze Pendel schwang sehr hastig hin und her. Sie faßte Gottfrieds Hand hinter den Gitterstäben der Bank. Verzweifelt blieben die Hände ineinander verkrampft, und ihre spitzen Nägel schnitten in sein Fleisch. Von Zeit zu Zeit fühlte sie, wie ein Beben durch seinen Körper lief. Aber mit keinem Blick sah er sie an. Und obwohl sie sich in einer so elenden Lage befand, obwohl ihr das Wasser bis an den Hals ging, fühlte sie unwillkürlich, wie immer wieder ein heißer Schauer der Liebe ihr Herz überschlich. Sie wollte ein paar Worte zu ihm sagen. Sie brachte es nicht fertig. Jetzt fiel ihr ein, was sie einmal zu ihm gesagt hatte: „Wenn ich jemals zusammenbreche, dann stürze ich wie ein Baum im Sturm!"

Und er hatte geantwortet: „Wenn dieser Baum stürzt, werde ich ihm einen Gefährten geben, der mit ihm stürzt."

Hier hatte sich ihre Prophezeiung erfüllt. Beide lagen sie zu Boden. Seite an Seite.

Von Breitenwyl erhob sich.

„Der Staatsanwalt hat seine Sache gut gemacht", sagte er. „Der Fall wurde für ihn vortrefflich vorbereitet. Aber, juridisch gesprochen: sämtliche zutage geförderten Tatsachen gründen sich ausschließlich auf die Aussagen der beiden Angeklagten. Wenn sie etwa alles, was sie bisher gestanden haben, widerrufen würden, und wenn jeder von ihnen seine Unschuld beteuern wollte – ich weiß nicht, ob alsdann die Verhandlung nicht noch einmal von vorn beginnen müßte. Die Grundlage dieser Verhandlung ruht also auf den freiwilligen Eingeständnissen Müllers und Frau Müllers. Das darf niemand vergessen."

Er wandte sich unmittelbar an die Jury.

„Meine Herren", sagte er, „verzeihen Sie mir, wenn ich Ihre Zeit in Anspruch nehme. Sie haben bereits eine anstrengende Arbeit hinter sich, aber ich bin überzeugt, Sie wünschen von ganzem Herzen, jede Einzelheit völlig geklärt zu sehen. Für den Augenblick also bitte ich Sie, nicht über irgendwelche Menschen zu Gericht zu sitzen, sondern mit frischem Sinn diese beiden Leute auf der Armesünderbank zu betrachten. Versetzen Sie sich in ihren Seelenzustand und hören Sie mich an."

Von Breitenwyl, dem Therese und Gottfried so viele persönliche Aufklärungen gegeben hatten, entwarf von ihrer Liebesbeziehung ein offensichtlich wahrheitsgetreues Bild. Die Zuhörer fühlten, daß er aus tiefstem Herzen sprach; er entlockte ihnen ehrliche Tränen, und der Mann aus Beatenberg saß geisterbleich auf der Geschworenenbank, während seine weitaufgerissenen Augen Therese fast leibhaftig verzehrten. Nun plädierte von Breitenwyl mit hitzigem Nachdruck für Gottfrieds Unschuld.

„Alle Probleme der Welt bewegten seinen Geist", sagte er, „und als ihn diese Betörung überwältigte, unterlag sein Geist den mächtigen Gefühlen. Er bemühte sich mehrere Male, sich selbst zu bemeistern. Es war nicht eine Frage von Tagen, Monaten, sondern Jahren: Wir haben sogar gesehen, wie er seine Blicke zum Himmel erhob, um seiner Liebe zu einer Frau zu entrinnen. Und unablässig sagte er zu sich selbst: ‚Ich weiß, daß sie mich liebt, ich weiß, daß Gott uns füreinander geschaffen hat, aber es darf nicht sein! Diese Liebe muß geopfert werden!' Wenn es Müller gelungen wäre, sich seiner Liebe durch einen Selbstmord zu opfern, so würden wir für ihn jene sentimentale Achtung empfinden, wie wir sie all den unglücklichen Romanhelden widmen, die mit ihrer Liebe zugrunde gehen. Ja, allerdings, wir könnten sogar geneigt sein, in ihm ein tugendhaftes Wesen zu sehen, einen Menschen, um den man trauern und den man insgeheim bewundern muß. Aber, wie Sie wissen, er wurde durch einen Freund am Selbstmord gehindert. Wie intensiv der Wille, seine Leidenschaft zu bezähmen, in Gottfried Müller wurde, ersehen wir aus einigen Eintragungen in seinem Tagebuch. Dieses Tagebuch wurde natürlich von der Anklage nicht herangezogen. Ich werde nur eine Stelle vorlesen, die Müller im Mai des verhängnisvollen Jahres geschrieben hat: ‚Oft bete ich zu Gott, daß mir irgendein schrecklicher Unglücksfall zustoßen möge, damit jenes Teil von mir, das männlich ist, gänzlich zerstört würde und nichts übrigbliebe als das Leben, das in dem Geist und der Seele besteht. Dann würde ich zu der Theologie zurückkehren und ein idealer Gottesmann werden.'

Sind diese Zeilen von einem Menschen geschrieben, der späterhin behilflich war, seinen eigenen Vater zu vergiften? Meine Herren! Wer könnte, wenn er bei Sinnen ist, auf diese absurde Vermutung kommen? Es ist die Handschrift eines Mannes, der nach Heiligkeit strebt. Es gemahnt uns an den heiligen Antonius."

Von Breitenwyl schob eine längere Pause ein, um seinen letzten Worten Zeit zu lassen, sich in die Gemüter der Geschworenen einzuprägen. Dann fuhr er fort: „Neben Anton Jakobs Bett stand ein kleines Tischchen und auf diesem Tischchen eine Flasche Lebersalz. Es wäre interessant, zu wissen, wann er die vorletzte Dosis genommen hat, vor der letzten und tödlichen Dosis. Das kann natürlich niemand sagen. Und nun wollen wir sehen, wie das Arsenik in diese Flasche kam.

Müller hat sich das Gift in Basel gekauft. Dann, nach einem erfolglosen Versuch Müllers, es selbst zu nehmen, wanderte es mit ihm in einer Brieftasche jahrelang umher und gelangte schließlich mit ihm nach Gam. Wir besitzen Frau Müllers erste Aussage, daß Müller ihr eines Tages erzählt habe, er trage etwas bei sich, was ihn in jedem Augenblick von den Qualen des Lebens befreien könne. Nun, eines Tages findet Frau Müller seinen Rock über einem Stuhle hängen. Ihre weibliche Neugier veranlaßt sie, die Taschen zu durchsuchen. Sie findet ein kleines Päckchen mit weißlichem Pulver; sie ist klug genug, in diesem Pulver ein Gift zu vermuten; sie behält es; sie beginnt, in ihrem Lexikon das Kapitel über Gifte zu studieren. Als Müller einige Zeit später seinen Verlust entdeckt, sagte sie ihm, daß sie das Gift genommen und weggeworfen habe. Müller glaubt ihr. Nie wieder befragt er sie nach dieser Sache. Was aber ging in Frau Müllers Seele vor?

Ihr Leben ist unerträglich geworden. Auf der einen Seite steht ihr Gatte, ein Mann in mittleren Jahren, den sie geheiratet hatte, als sie fast noch ein Kind war. Dreiunddreißig Jahre war er älter als sie, ein herrischer, launischer, despotischer, stolzer und unberechenbarer Mensch mit beträchtlichen Tugenden, aber weder kultiviert noch umgänglich. Wir haben Frau Müllers Geständnis gegenüber Professor Langbein: ‚Ich habe meinem Mann nur äußerlich angehört. Ich ließ mich wie eine Maschine von ihm lieben. Seine animalische Begierde wirkte niemals anders auf mich als unangenehm. Mein ganzes Leben lang hatte ich nie das Gefühl, daß ich Anton Jakob gehöre. Wenn er zu mir kam, dann suchte ich mir stets vorzustellen, daß ich mich Gottfried hingebe. Ich konnte nicht anders. Diese Selbsttäuschung ekelte mich an. Es kam ein Tag, da ich die Annäherungen meines Mannes zu verabscheuen begann. Ich haßte ihn körperlich. Und nachdem ich entdeckt hatte, daß ich von ihm schwanger sei, konnte ich nicht mehr ertragen, daß er mein Zimmer betrat.‘

Meine Herren! Für manche unter uns ist der Gedanke an körperlichen Zwang empörend. Wir wissen, daß sie gerade damals ihrer Liebe für Gottfried Müller zur Beute gefallen war. Ich glaube nicht, daß wir in diesem Punkt der Aussage Müllers viel Beachtung zu schenken brauchen. In seinem Bemühen, Frau Müller zu schützen, tat er das einzig Anständige, was ein Liebhaber tun kann. Aber wir müssen Frau Müllers Geständnis an Professor Langbein in Betracht ziehen. Sowie sie einmal das Arsenik besaß, wurde sie von der

Versuchung gepackt, es zu benützen, sich aus einer Lage zu befreien, die von Tag zu Tag unerträglicher wurde. Und sie beschäftigte sich nur noch mit dem einzigen Gedanken: wann und wie dieser Ausgang zu erzwingen sei. Ich bitte Sie, gerade in diesem Punkt Professor Langbeins Gutachten sorgfältig zu erwägen. Inzwischen nehmen die Ereignisse ihren Gang. Das Leben auf dem Gamhof wird immer komplizierter. Die Annäherungen des Mannes, dessen Liebe sie nicht ertragen kann, werden immer dringlicher, und schließlich handelt sie. Sie handelt wie ein Automat.

‚Ich wußte‘, sagte sie zu Professor Langbein, ‚daß ich etwas Nie-wieder-Gutzumachendes tue, aber es ließ sich nicht mehr ändern. Hätte er in jener Nacht das Gift nicht genommen, so hätte ich's selber nehmen müssen.‘ Nun – das Nie-wieder-Gutzumachende ist geschehen. Niemand außer ihr selbst weiß, wie es geschah. Die Flasche steht da und wartet. Sie wartet nach den Angaben Frau Müllers zwei Tage lang.

Dann ist sie endlich ein freier Mensch.

Nach einiger Zeit legt sie Gottfried ein Geständnis ab. Er ist erstaunt, entsetzt, aber er verzeiht ihr. Warum verzeiht er ihr? Weil er sich selbst anklagt und die Schuld auf seine Schultern nimmt. Er sagt sich, daß sie unbewußt unter seinem Einfluß gehandelt habe, daß ohne ihn dieses Verbrechen nie geschehen wäre.

Alle diese Ereignisse haben unter abnormen Umständen stattgefunden; sie wurden herbeigeführt von Menschen, deren Gemüter sich nicht in normalem Zustand befanden. Mit der Zeit jedoch fanden sich diese Herzen wieder in ihren normalen Zustand zurück. Das Ergebnis sehen Sie vor sich, meine Herren: zwei Menschen, die einander lieben, sind bereit, die Folgen ihrer Leidenschaft herauszufordern.‘‘

Nach einer kurzen Pause rief er mit schallender Stimme: „Meine Herren! Ich glaube, daß Frau Müller die Wahrheit gesprochen hat. Ich schenke Müllers Aussagen keine Beachtung!‘‘

Der Vorsitzende blickte beunruhigt auf.

„Aber – aber‘‘, sagte er tonlos, „führen Sie nicht für beide die Verteidigung?‘‘

„Herr Vorsitzender!‘‘ erwiderte von Breitenwyl. „Meine erste Pflicht ist, den Unschuldigen zu verteidigen!‘‘

Eine lange Pause, ein langes Schweigen folgte.

Jedermann sah Therese an. Ihre Wangen überzogen sich mit einer jähen Röte. Ganz leise kräuselten sich die Winkel ihres Mundes. Gottfried zog seine Hand zurück, bedeckte sein Gesicht, und ein lautes Schluchzen entrang sich seiner Kehle. Von Breitenwyl stand mit gespreizten Beinen da.

„Meine Herren Geschworenen!" sagte er nachdrücklich. „Wenn Sie auch nur eine Sekunde lang an der Schuld Müllers zweifeln, müssen Sie diesen Zweifel zu seinen Gunsten entscheiden lassen! Das ist Ihre Pflicht. Müller und Frau Müller sind nicht die einzigen, die hier vor Gericht stehen. Sie und ich, jedes Mitglied der menschlichen Gesellschaft, wir alle stehen heute vor Gericht. Erwägen Sie die Umstände! Erwägen Sie die Mächte der Leidenschaft! Erwägen Sie das Zeugnis der Wissenschaft! Erwägen Sie Ihre eigenen Gefühle! Dann", er senkte die Stimme, „erwägen Sie: Wenn eine Buße folgen muß, werden auch die Verwandten und all die Menschen, die Sie lieben, zu büßen, unschuldig zu büßen haben.

Meine Herren Geschworenen, möge jenes gütige Licht Sie geleiten, das in jedem einzelnen von uns leuchtet. Erweisen Sie sich als gerechte Menschen und Christen."

Von Breitenwyl setzte sich nieder. Die Weiße der Wände schien sich in seinem Gesicht zu spiegeln. Seine Augen waren feucht.

Gutenberg gab eine kurze Replik. Er sagte, er sei froh, daß die Verhandlung endlich ein Ende genommen habe. Die beiden Angeklagten würden nie behaupten können, daß man ihren Fall nicht gründlich und erschöpfend behandelt habe. Im übrigen seien von der Verteidigung keinerlei neue Tatsachen vorgebracht worden. Er stelle den Antrag, die beiden Angeklagten zu lebenslänglicher Zwangsarbeit zu verurteilen.

Der Vorsitzende fragte die Angeklagten, ob sie irgend etwas hinzuzufügen hätten.

Gottfried saß niedergeschmettert auf seiner Bank und schüttelte den Kopf.

Therese blieb völlig reglos. Von Breitenwyl sah sie an.

„Ich habe nichts zu sagen", flüsterte sie.

„Wir haben nichts hinzuzufügen!" sagte von Breitenwyl.

Der Vorsitzende schloß die Verhandlung. Den Geschworenen wurden drei Fragen zur Beantwortung vorgelegt:

I. Ist a) Therese Müller und b) Gottfried Sixtus Müller des Mordes schuldig?

II. Wenn a) schuldig und b) nicht schuldig befunden wird, ist b) der Mittäterschaft schuldig?

III. Bestehen mildernde Umstände zugunsten a) Therese Müllers, b) Gottfried Sixtus Müllers?

Die Geschworenen marschierten Mann für Mann aus dem Gerichtssaal. Die Prozeßakten wurden ihnen nachgetragen.

Es war elf Uhr.

Die meisten Leute blieben in dem Gerichtssaal sitzen, um auf das Verdikt der Jury zu warten. Gottfried und Therese wurden von den Polizisten hinausgeführt. Gottfried warf seiner Schwester einen langen, zögernden Blick zu, und sie erhob unwillkürlich beide Arme nach ihm. Es war wie ein letztes Lebewohl.

Die Glocke schlug zwölf. Dann eins. Noch immer kein Verdikt. Die Richter setzten sich zu ihrem Mittagsmahl und plauderten mit kalter Gelassenheit über juristische Fragen und das allgemeine Bild des Prozesses. Ein Gerücht lief durch die Korridore und den Hof. Es hieß, die Geschworenen seien nicht imstande, sich zu einigen. Therese verbrachte eine Stunde in ihrer Zelle, dann wurde sie in den Vorraum zurückgeführt. Sie war überrascht, dort Gottfried und von Breitenwyl zu finden. Ferner waren zwei Polizeiunteroffiziere zugegen, in prunkvoller Uniform mit Epauletten, Säbeln, Revolvern und großen, über die Brust geschlungenen Pfeifenschnüren; sie ergänzten das theatralische Moment des Prozesses. Therese setzte sich wehen Herzens auf eine Bank. Ihre Augen ruhten schwer auf Gottfried, und er erwiderte ihren Blick mit stummer Hingabe. Von Breitenwyl sprach flüsternd auf einen der Polizisten ein, aber der Mann des Gesetzes schüttelte den Kopf und sagte: „Verboten!" Von Breitenwyl ließ nicht locker, aber der Polizist wollte nicht nachgeben. Schließlich wurde von Breitenwyl streitsüchtig.

„Sie haben kein Recht, meine Klienten wie Verbrecher zu behandeln!" sagte er laut. „Sie sind noch nicht verurteilt."

„Unser Befehl, Herr Doktor."

„Der Teufel hole Ihre Befehle! Zehn Minuten, das ist alles, was ich verlange. Ja, wenn auch nur fünf Minuten! Vielleicht haben sie einander Wichtiges zu sagen."

„Wer weiß, ob sie sich nicht etwas antun würden?"

„Unsinn! Dazu hätten sie schon längst Zeit gefunden. Vorwärts, seien sie vernünftig. Sie dürfen diese Menschen noch nicht wie Verbrecher behandeln."

Der Berner Wachtmeister winkte seinen Gefährten und der Wärterin, mit ihm den Raum zu verlassen. Die Tür blieb offen, Breitenwyl ging an die Tür, drehte dem Zimmer den Rücken zu und blickte in den steinernen Korridor hinaus, Gottfried und Therese rührten sich nicht; sie starrten einander von ferne an, und eine ganze Welt schien trennend zwischen ihnen zu liegen. Ein feuchtes Schimmern hing wie Morgentau an ihren dunklen Wimpern. Plötzlich zeigte sich ein verlorenes Lächeln in ihren Mundwinkeln.

„Liebster Gottfried!" flüsterte sie. „Du bist die ganze Zeit so töricht gewesen! Oh, warum hast du dich nicht bemüht loszukommen?"

„Eines Tages", sagte er, „wirst du mich vielleicht verstehen."

Sie neigte den Kopf.

„Ich verstehe dich!" rief sie, und ihre Schultern zuckten hoch. Krampfhaft biß sie sich auf die Unterlippe. „Und hast du nie an das Buebli gedacht?" fragte sie mit zitternder Stimme. „Nein, was sage ich! Was sage ich!" Sie schluckte einigemal und blickte auf. Lächelnd, unter Tränen fuhr sie hastig fort: „Komm, setz dich eine Minute neben mich, komm! Ich will mit dir sprechen!" Sie rückte ein wenig zur Seite, als wolle sie ihm Platz machen.

Er erhob sich, schleppte sich zu ihr und setzte sich nieder. Sie nahm sogleich sein hageres, farbloses Gesicht zwischen die Hände.

„Wenn du frei bist, schick mir von Zeit zu Zeit ein Bild von unsrem Buebli! Gelt? – Aber du darfst ihm nie von mir erzählen. Nie!"

„Frei? Ich? Ich?" murmelte er. „Nie! Ich komme ja mit dir!"

Ohne es zu wollen, fand sie Trost in seinen Worten.

„Gottfried", bat sie, „umarme mich jetzt. Nur ein einziges Mal! Laß mich für eine Sekunde alles vergessen! Rasch! Rasch!"

Sie beugte sich zu ihm, und mit einem Schauder drückte er sie an die Brust. Er fühlte, wie mager sie war, wie abgezehrt. Aber Begeisterung glühte in ihrer Umarmung. Sie sah ihm aus dichter Nähe in seine trüben, hoffnungslosen Augen. „Liebling", sagte sie und öffnete ihre runden Augen, die leise schmerzten, weil sie nah in die seinen starrten, „ich will, ich will, daß du mich völlig vergißt!"

Er beugte sich über sie und gab ihr einen langen Kuß. Dann schwor er mit zitternden Lippen, daß er ihr allezeit treu bleiben werde, daß er sie ewig lieben werde, komme, was da wolle.

„Du darfst nicht! Unsinn! Dummer Bueb!" flüsterte sie und umklammerte ihn mit rasender Glut.

Dennoch fühlten sie, daß sie nicht länger einander gehörten. Unablässig peitschte das schreckliche Wissen um die Dinge, die noch kommen sollten, ihre blutenden Herzen.

Plötzlich richtete er sich auf. Er hielt ihre Hand in beiden Händen.

„Theresli!" sagte er. „Wohin ich auch gehe, ich nehme einen Trost mit mir, der unendlich größer ist als alle irdische Liebe: eine Liebe, die vom Himmel kommt. Und ich werde beten, daß sie auch zu dir kommen möge." Er richtete seine Blicke auf sie. „Ich habe Gott gefunden", sagte er, „und Gott verzeiht. Ich habe jetzt kein andres Verlangen mehr, als mit ihm allein zu sein."

Ihr Gesicht wurde schneeweiß. Sie entzog ihm ihre Hand, schloß die Augen und lehnte den Kopf gegen die Mauer. Es war, als überschleiche sie langsam der Tod. Gott hatte ihr Gottfried entrissen! Alles umsonst! Alles umsonst!

„Armer Gottfried!" hauchte sie wie ein Mensch, der den Geist aufgibt. Die Liebe, die sekundenlang ihre Seele durchtobt hatte wie ein heißer Wind aus dem Süden, gefror jählings zu eisiger, unfruchtbarer Bitterkeit. Ihr alter Feind, Gott, hatte ihn im letzten Augenblick zu sich gerissen. Sie war verzehrt von ihrer Liebe; er schwatzte von Gott!

Als von Breitenwyl und die Polizisten das Zimmer betraten, fanden sie Gottfried und Therese Seite an Seite, wie sie erwartet hatten. Gottfried stützte die Ellbogen auf die Knie und das Kinn auf die Fingerknöchel. Er blickte finster zu Boden. Therese lehnte sich zurück, die Augen geschlossen, den Kopf an die Wand gelehnt; ihre Arme stemmten sich steif gegen die Bank; ihre Hände waren gespreizt, weiß und schön und schrecklich.

Ein wenig später wurden sie an ihre Plätze in den Gerichtssaal geführt. Bald darauf sahen sie die Richter eintreten. Alles saß erwartungsvoll da, und endlich öffnete sich eine Tür. Totenstille trat ein, als lege sich eine unsichtbare Hand auf die Lippen der Leute. Die Geschworenen erschienen und reihten sich in ihre Bänke.

Gottfried und Therese erhoben sich. Die Polizisten und die Wärterin standen dicht hinter ihnen und lauerten auf jede ihrer Bewegungen.

Der Vorsitzende blickte zu der Jury hinüber, und sobald sich die Geschworenen niedergesetzt hatten, forderte er den Obmann auf, dem Gerichtshof das Verdikt zu verkünden. Der Kolonialwarengrossist aus Interlaken erhob sich schwerfällig. Er hielt ein kleines Stückchen Papier in seinen Händen und legte es vor sich hin. Dann drückte er die rechte Hand ans Herz und sagte mit bebender Stimme:

„Bei meiner Ehre und meinem Gewissen, vor Gott und allen Menschen, der Wahrspruch der Jury lautet:

Antwort auf die Frage Nummer eins a) und b): Ja!
Antwort auf die Frage Nummer drei a) und b): Ja!“

Ein paar Sekunden stand er erschrocken da; er schien allmählich die furchtbare Bedeutung seiner Worte voll zu erfassen. Dann setzte er sich nieder und wischte sich die Stirn mit einem großen Taschentuch.

Gutenberg erhob sich sofort und beantragte, daß entsprechend dem Verdikt der Jury beide Angeklagten zu zwanzigjährigem Zuchthaus, verbunden mit Zwangsarbeit, zu verurteilen seien. Die Richter verließen den Saal, um ihr Urteil vorzubereiten.

Sehr bald kehrten sie zurück. Das Urteil wurde verkündigt. Gemäß dem Wahrspruch der Jury wurden verurteilt: Therese Müller und Gottfried Müller, schuldig des Mordes an Anton Jakob Müller, zu zwanzigjährigem Zuchthaus, verbunden mit Zwangsarbeit.

Während der Urteilsspruch verlesen wurde, sank Thereses Kopf langsam herab. „Gottfried ist unschuldig!“ murmelte sie, aber ihre Stimme hatte allen Klang verloren. Fast keiner hörte sie.

Gottfried stand reglos da. Abgesehen von einer nervösen, zittrigen Gebärde – er hob den einen Arm und strich sich das Haar langsam aus der Stirne – zeigte er nicht die leiseste Erregung.

Die Verurteilten wurden sogleich hinausgeführt, ohne daß sie imstande waren, auch nur ein einziges Wort miteinander zu wechseln, und mit einem kurzen, letzten, brennenden Blick traten sie ihren zwanzigjährigen Leidensweg an, jeder nach einer andren Richtung.

Der Mann aus Beatenberg war auf seiner Bank in Ohnmacht gefallen.

Und die Glocken von Obwyl begannen zu läuten . . .

EPILOG

Eines der östlichen Täler der Schweiz müssen wir nun aufsuchen, eine Stätte, die hoch in den Graubündner Bergen verloren ist und dem gewöhnlichen Touristen unbekannt bleibt. Dort, in einer Falte des Tales zwischen dem felsigen Tatzen zweier Bergriesen, nistet ein Dorf: ein Häufchen dickwandiger Häuser mit schwarzen, sonnverbrannten Holzdächern, die mit Steinen aus dem Windbach beschwert sind. Zuweilen stürzen sich die hitzigen Föhnwinde auf diese menschlichen Behausungen. Sie bringen Regengüsse und schmelzen das Eis des Winters. Im Herbst, wenn die kristallene Stille des bunten Aufruhrs wenige Wochen gedauert hat, springen jählings die Winde aus Nordwesten herein. Allmählich schwellen sie zu mächtigen Stürmen an, und schließlich bringen sie den großen Schneefall. Er endet mit dem Jahr. Im neuen Jahr öffnet sich das Märchenland, ein weißes, endloses Schneeparadies. Ein bitterkalter blauer Himmel breitet sich zu Häupten aus. Dann stehen die großen Bergmassive in schimmernden Umrissen da, wie mit einem scharfen Messer aus dem Weltall geschnitten. Dieses Tal müssen wir besuchen. Die heitere Einfachheit seiner weichen, mit winzigen Blumen besäten Wiesen, der Gebirgsbach, der die roten, blauen, grünen und rosigen Kiesel in seinem Bette vergrößert, sie bemächtigen sich unsrer Sinne und befreien uns von den nutzlos lästigen Gedanken, die uns in der schmutzigen, dicken Luft des Unterlandes beherrschen.

Und wenn wir auf einem Stein sitzen und gierig die dünne, berauschende Luft einatmen, schwimmt unser Kopf, unsre Augen füllen sich mit Tränen, denn wir sind nicht gewöhnt an diese kühne, scharfe Höhe. Wir beginnen, uns über uns selbst zu verwundern; verblüfft starren wir in die Klarheit, die uns umgibt, und ein tiefes Staunen durchzieht unsere Brust. Wir haben nie gewußt, daß alles in der Welt, alles in uns und rings um uns, so schlicht und selbstverständlich erscheinen könne. Es ist, als ob ein Funke aus der Himmelsbläue, aus dem Unbekannten zu uns herabspränge.

Für unsre Pilgerfahrt in dieses weltvergessene Tal haben wir einen Junitag gewählt. Dicht vor uns gehen zwei Leute. Der eine sieht

aus wie ein Geistlicher; ein kleiner Mann mit großem Kopf. Er
trägt einen langen schwarzen Mantel und genagelte Schuhe, einen
Rucksack und einen Stock. An seiner Seite schreitet ein hochgewachsener Jüngling, in rauhes Tuch gekleidet. Wenn wir sein
Gesicht sorgfältig betrachten, glauben wir die Züge eines Menschen
zu erkennen, den wir vor zwanzig Jahren gekannt, sehr gut gekannt und vielleicht sogar geliebt haben. Unverkennbare Schönheit spricht aus seinem Gesicht. Aber um seine Augen, um seinen
wohlgeformten Mund lauert ein trauriger, unglücklicher Ausdruck, der ihm ein für seine Jahre ungewöhnlich ernstes Aussehen
verleiht.

Unverdrossen wandern der ältliche Pfarrer und der Jüngling bergauf. Ab und zu wechseln sie ein paar Worte. Alltägliche, unwich-
tige Dinge sagen sie zueinander, wie zwei Menschen, die einander
so gut kennen, daß jedes Gespräch seine Wichtigkeit zu verlieren
pflegt.

„Jetzt sind wir schon drei Stunden unterwegs."

„Ja."

„Ob das Dorf bald in Sicht kommt?"

„Ja, das möchte ich auch wissen."

„Der Weg wird steiler."

Von Zeit zu Zeit zieht der Pfarrer eine Karte hervor. Sie bleiben
stehen. Er nennt dem Jüngling die Namen der kahlen Berggipfel.
jetzt führt der Pfad in steilem Zickzack bergauf. Zu ihrer Linken
stürzt sich der Bergstrom in die Tiefe, ein regenbogenfarbener,
glitzernder Sprühregen überstäubt sie und macht ihren Weg
schlüpfrig und gefährlich.

„Bald sind wir dort", mutmaßte der Geistliche.

„Ja, hoffentlich", sagt der Jüngling.

Jetzt öffnet sich vor ihnen ein grünes Plateau. Sie erblicken das
Häufchen der Häuser, die wie ganz kleine Festungen aussehen;
dicke, graue Mauern mit tiefgefügten Fenstern, dunkle Scheunen,
ein stämmiger kleiner Kirchturm. Ein versteinertes Bergnest!

„Wo ist ihr Haus?" fragt der Jüngling verwundert.

„Es steht außerhalb des Dorfes, gehörte im Mittelalter einem
Planta oder Salis, weiß nicht genau."

Sie gehen weiter.

„Hast du Angst, ihnen zu begegnen?" fragte der Pfarrer.

„Nein! Nein!" ruft der junge Mann, und er streckt begeistert beide Arme nach dem Dörfchen aus. Sein Begleiter brummt zufrieden.

Jawohl, denkt er, er ist reif und fähig, diese Prüfung auf sich zu nehmen. Ich habe ihn richtig erzogen. Endlich habe ich meine Dankesschuld abgetragen. Endlich! Ach! Ich liebe ihn wie meine eigenen Kinder. In jedem Glück ist ein Tropfen Bitterkeit.

„Wohin wir auch gehen", sagte er zu dem jungen Mann, „überall spüren wir den Finger des Allmächtigen."

Stumm gehen sie weiter und erreichen das Dorf. Sie begegnen einem Mann mit wildem braunem Bart, der ein kleines Kind mit hellblonden, fast weißen Haaren an der Hand führt. Sie richten ein paar Fragen an ihn. Er versteht kein Wort von ihrem Dialekt. Dann begegnen sie einem Mann, dessen Rücken die Jahre und die schweren Lasten gekrümmt haben. Verwundert starrt er sie an; er legt die Hand an das Ohr, schüttelt den Kopf, und auch er kann ihre Frage nicht beantworten.

„Komm! Wir suchen uns selber das Haus", sagt der Geistliche.

Sie durchschreiten die steingepflasterte, erstaunlich schmale und gewundene Dorfstraße. Uralte Mauern säumen sie ein. Hier und dort begegnen sie den stummen und ernsten Blicken der Bewohner.

Sie gelangen zu einem sprudelnden Brunnen.

Ein altes, schloßähnliches Gebäude kommt in Sicht. Ein romanischer Torweg. Kleine, tiefe Fenster mit geschnitzten Rahmen. Unter dem Giebel sind kürzlich restaurierte Verzierungen sichtbar; der Zugang ist mit großen, grauen Granitplatten gepflastert.

Die zwei Wanderer bleiben einen Augenblick stehen.

„Das! Das muß es sein!" sagt der junge Mann.

„Jawohl, hier müssen sie wohnen!" bestätigt der Geistliche. Er lächelt den Jüngling an: „Nun, hast du nicht im letzten Augenblicke doch etwas Angst?"

Der Jüngling verneint, aber ein Zittern hat ihn gepackt. Man merkt es an seiner Stimme.

„Und jetzt", sagt der Geistliche, „bevor wir hineingehen, muß ich dir noch einiges sagen. Ja! Hier leben sie, deine Eltern. Warte,

warte nur! Laß mich einige Dinge erklären, die du noch nicht weißt. Ihr Rechtsanwalt, ein aufrechter und ernster Mann, heute in hoher Stellung, kurz, ein Mann von großem Wert, hat dieses alte Gebäude zufällig entdeckt, als er vor etlichen Jahren von jener eisbedeckten Zinne herabstieg. Während ihres Aufenthalts im Gefängnis hat von Breitenwyl sie nie vergessen – und, wie ich wohl sagen darf, auch ich habe sie nie vergessen. Das weißt du, und ich will es nicht wiederholen. Von Breitenwyl also war es, der hier ein Heim für sie schuf, wie sie es brauchte. Er war es, der mit bewundernswürdiger Selbstlosigkeit ihr Vermögen verwaltete. Sie leben jetzt als reiche Leute in diesem Haus! Sehr reiche Leute!"

„Mich kümmert kein Rappen ihres Vermögens", erklärt der Jüngling.

„Du sprichst übereilt. Was ihnen gehört, wird eines Tages dir gehören. So ist es schriftlich festgelegt; das Dokument befindet sich in den Händen ihres Anwalts. Ah! Ich habe reiflich nachgedacht, bevor ich dich auf diese Pilgerfahrt mitnahm. Was haben wir beide hier zu suchen? Ist es unsre Aufgabe, Zutritt zu suchen in das Leben zweier Menschen, die ohne bürgerliche Rechte sind, die unsagbar gesündigt haben, die ein Verbrechen aneinanderknüpft? Wohl dürfen wir so fragen! Wo bleiben meine Grundsätze, wenn ich das Verbrechen verabscheue und dennoch den Verbrecher aufsuche? Nein, nein! Warum diese Tränen? Habe ich dich nicht gewarnt, bevor ich dich hierherbrachte? Noch ist es Zeit umzukehren. Wollen wir gehen und lieber nicht versuchen, uns aufzudrängen?"

„Ich fürchte mich nicht vor ihnen", sagt der Jüngling. „Vergessen wir nie: sie haben gebüßt! – Laßt uns eintreten." Sie gehen zum Portal und läuten eine große Glocke. Lange stehen sie da und warten. Dann öffnet sich leise die Tür. Auf der Schwelle erscheint eine Frau, groß, mager, blaß, mit dunklen Brauen. Sie trägt ein mattblaues Kleid und eine weiße Schürze. Ihre Augen, die ein bißchen schielen, heften sich fest auf die beiden Besucher. Ihr Blick birgt eine Besessenheit, eine unheilbare Lebensangst. Er ist wie der Blick einer Seele, die zu leben nicht fähig ist. Kein Lächeln kommt auf ihre Lippen. – „Tagwohl, Herr Pfarrer!" Und sie streckt ihm rasch eine magere, schmale Hand entgegen.

„Ja, das ist Lucia!" ruft der Geistliche überrascht. „Ich habe sie im Gefängnis von Hindelbank getroffen", erklärt er dem jungen Mann. „Vor Jahren! Vor Jahren! – So, Sie sind jetzt hier?" fragt er die Frau.

„Jawohl, Herr Pfarrer. Ich bin bei Therese, und Annemarie ist auch da."

„Wie kommt das?"

„Therese hat ihr Versprechen gehalten. Sie sagte, sie würde sich um uns kümmern, sobald wir herauskommen. Ich wurde fünf Jahre früher frei als sie, und seither bin ich auf dem graden Wege geblieben. Therese hat ihr Versprechen gehalten."

„Ist Frau Müller zu Hause?" fragte der Geistliche.

Der junge Mann starrte stumm vor sich hin, und eine seltsame Welt gleitet durch seinen Sinn. Es bebt in ihm. „Frau Müller! Therese! Meine Mutter!" Und ein Gefühl furchtbarer Süße überströmt ihn.

Und Lucia, die Frau, die den Tod eines Kindes auf ihrem Gewissen hat, scheint plötzlich eine wunderliche Ähnlichkeit an dem Jüngling zu erkennen; sie wirft die Arme hoch und verschwindet ins Haus, atemlos und erschüttert.

„Therese!" schreit sie die Treppe hinauf, während die beiden Besucher den hohen, steingepflasterten Korridor betreten. Eine ältere Frau tritt aus einem Zimmer zu ebener Erde. Sie ist stämmig, dick, bleich, fast leblos: Annemarie.

Der Geistliche erinnert sich nicht mehr an sie; aber es ist ihm, als entdecke er in ihren dunklen Augen, die in einem für ewig gebleichten Antlitz unselig aus tiefen Höhlen starren, eine quälende Vision des Gefängnisses von Hindelbank.

Annemarie schluchzt leise auf. Dann spricht sie mit der brüchigen und bitteren Stimme einer alten Frau: „Herrjesses, Gott und Vater! Das ist ihr Bueb!" Sie steht wie angewurzelt da. „Wie ähnlich! Wie ähnlich!"

Lucia kehrt zurück.

„Sie ist in der großen Stube!" sagt sie. „Wollt ihr beide mitkommen?"

Sie steigen drei Stufen hinauf. Ihre Nagelschuhe hinterlassen Spuren auf einem schönen Perserteppich. Lucia öffnet eine Tür.

Ein saalartiger Raum liegt vor ihnen. Im Kamin brennt ein großes Feuer; seine Lichter funkeln auf schönen Stühlen, alten Tischen und Schränken, auf den Goldrahmen alter Meister. Der Jüngling schiebt den Geistlichen vor sich her. Am andern Ende des Saales sehen sie eine Frau, die sich soeben aus einem florentinischen Stuhl erhebt, mit ruhiger Gebärde ein Buch beiseite legt und in bemeistertem Erstaunen dasteht.

Zwei Augen blicken groß und flammend, ignorieren den Geistlichen, heften sich forschend auf den Jüngling. So steht sie da, ihre Brust wogt. Ein Seitenlicht fällt auf ihre Züge, ihr dunkles Kleid und ihren Schmuck. Der Jüngling sammelt Mut. Er nähert sich ihr. Er sieht sie mit neugierigen Augen an und lächelt. Sie streckt ihre Hand aus, die er sogleich ergreift. Fast streng zieht sie ihre Hand zurück.

„Komm", sagt sie mit tiefer, müder Stimme, „setz dich nieder."

Der Geistliche erklärt, er wolle mit Gottfried sprechen.

„Er ist in seiner Werkstatt. Lucia, führe den Herrn Pfarrer!" sagt die strenge Dame.

Lucia führt den Pfarrer durch die gewölbten Korridore. Dann steigen sie eine kurze Wendeltreppe hinunter und gelangen an eine Tür. Lucia öffnet, und sie blicken in einen großen Raum, in dem tiefe Stille herrscht. Mitten unter zahllosen Bretterstößen, umgeben von seltenen Hölzern, einer Hobelbank, großen Wandbrettern, die beladen sind mit Tischlerwerkzeugen, allerhand Messern, Hobeln, Bohrern und Feilen, Töpfen voll Terpentin, Firnis, Bienenwachs und Leim, sitzt zusammengekauert ein Mann mit kahlem Kopf. Eifrig vornübergebeugt, schnitzt er an einem dunklen Holzklotz.

„Tag, Gottfried!" ruft der Geistliche aus.

Der Mann fährt zusammen und steht auf. Er dreht sich um und wischt sich die Hände an einer groben Schürze ab. Einen Augenblick steht er wie in Habachtstellung da, wie ein Automat. Dann lächelt er, traurig, aber mit unendlicher Güte.

„Tag, Theo!" sagt er. Und weder Furcht noch Überraschung ist in seiner Stimme. Mit ausgestreckten Händen begrüßt er seinen alten Freund.

„Jaja", sagt Theo, „zwei Jahre ist es her, seit ich dich zum letztenmal gesehen habe. Jeden Tag danke ich Gott, daß alles vorüber ist."

Einen Augenblick sieht Gottfried geistesabwesend vor sich hin, dann lächelt er und fragt mit hoher, dünner Stimme: „Du bleibst ein paar Tage? Es würde uns beide freuen."

„Ich fürchte, ich kann nicht sehr lange bleiben. Aber bist du jetzt glücklich?"

„Eh! Zufrieden!" seufzt Gottfried. „Ich wünsche mir kein besseres Leben."

Theo sieht seinem Freund tief in die Augen. Er schüttelt den Kopf. Er kann es kaum glauben. Es ist derselbe Mann, ja, der Sträfling, den er in Thorberg besucht hat. Es ist der Sträfling Gottfried Sixtus, völlig unverändert.

„Was tust du jetzt?" fragt er freundlich.

„Ich schnitze wieder ein Kruzifix, nach einer Zeichnung von Dürer. Komm näher und sieh es dir an!"

Theo folgt ihm. Gottfried setzt sich nieder und fährt in seiner Arbeit fort.

„All meine Geschicklichkeit", sagt er, „verdanke ich unsrem freundlichen Direktor in Thorberg. Ein echter Mensch! Nach den ersten zehn Jahren verschaffte er mir die Gelegenheit, dergleichen zu lernen. Sieh nur, wie geschickt ich geworden bin. Die Frucht der Geduld, des Eifers und der Einsamkeit."

„Wie geht deine Rehabilitation vonstatten?" fragt Theo.

„Hm! Ich weiß es nicht. Was bedeutet mir die bürgerliche Ehre? Vor Gott sind wir alle gleich, und da gibt es keine Ausnahmen."

Er nimmt ein feines Instrument und fährt fort, an der Hand des Erlösers zu schnitzen. „Wir werden nie wieder diese Frömmigkeit erreichen, wie sie zu Dürers Zeiten die Künstler beseelte", sagte er. „Sieh dir diese Zeichnung an und vergleiche sie mit der Hand, die ich schnitze. Es ist durchaus nicht dasselbe. Meine Hand kommt ganz verkrümmt heraus. Ich werde von vorne beginnen müssen."

Seine blasse Stirn runzelt sich, seine grauen Augenbrauen sinken herab, sein dürrer, sehniger Hals strafft sich. Dies ist der Mann, der gebüßt hat. Dieser schwache und milde, dieser blasse, seltsam abgehärmte Mensch ist der Liebhaber Thereses? Theo sitzt neben ihm. Ab und zu sprechen sie ein paar Worte. Theo schüttelt mitleidig den Kopf. Er versinkt in tiefes Nachdenken. Der Abend kommt. Lucia öffnet die Tür.

„Der Herr Pfarrer soll jetzt heraufkommen und Tee trinken. Und Herr Müller auch, sagt Therese."

Mechanisch erhebt sich Gottfried. Er wäscht sich die Hände und legt seine Schürze ab. Sie gehen die Treppe hinauf, und alle sechs versammeln sich in einer großen Stube. Auf einem breiten runden Tisch steht ein schönes Silberservice, reizende Porzellantassen, Brot in einem silbernen Korb, Honig in einem kleinen goldenen Krug und Butter auf geschliffenen Glastellern. Annemarie und Lucia, Therese und Amadeus, Theo und Gottfried setzen sich nieder.

„So, so, ja, ja! Da sind wir alle! Da sind wir alle! Sonderbar! Fast nicht zu glauben!" Stumm essen sie. Der Sohn betrachtet mit scheuen Blicken seinen Vater, der wortlos hinter einem gewöhnlichen Topf voll Milch sitzt und einen großen Aluminiumlöffel benützt. Er wirkt in ihrem Kreise wie ein Dienstknecht und zerschneidet mit einem Taschenmesser ein Stück Brot in kleine Brocken. Noch bevor die andern fertig sind, steht er auf und geht, ohne zu sprechen, in seine Werkstatt zurück.

Der Herr Pfarrer wird in ein Zimmer im ersten Stock geführt, das man eilig für ihn zurechtgemacht hat. Auf einem Bücherbrett findet er einen Stoß wissenschaftlicher Werke. Er sucht sich einen Band heraus, verläßt das Haus, wandert ein Stückchen die Wiese hinauf und setzt sich nieder, um zu lesen. Gottfried Amadeus will nicht von der Seite seiner Mutter weichen. Sie hat etwas Eigenwilliges und fast Majestätisches, eine Haltung, die ihn bezaubert, die ihn mit Stolz erfüllt. Ihr kurzes, sorgfältig geschnittenes und gewelltes Haar, tiefbraun, von silbernen Fäden durchzogen, das ihren Kopf wie eine naturgegebene Krone schmückt, läßt sie fast wie eine Frau aus seiner eigenen Generation erscheinen. Das Gefängnisleben hat diesen stolzen und immer noch schönen Nacken nicht gebeugt. Aber ihr Gesicht ist bleich geworden. Jeder Muskel zu einer heiteren Melancholie geordnet. Der Mund voll und reif; aus seinen Winkeln laufen zwei kurze strenge Falten nach abwärts. Ihre Augen, riesengroß, von unermeßlichem Lebenswillen erfüllt. Sie scheinen außerstande, je wieder aufzuleuchten, und wirken hypnotisch.

„Du hättest nicht zu mir kommen sollen!" sagt sie zu ihm. Es ist kein Vorwurf, es ist eine kalte Feststellung. Das Ergebnis tiefen, widerwilligen Grübelns. Er versteht sie. Er verletzt sie durch seine Gegenwart. Aber er muß sie verletzen; denn er muß seine Mutter kennenlernen.

„Mutter", sagt er mit gequälter Stimme, „ich brauche deine Liebe."

Sie sieht ihn fast entgeistert an. „Ich bin für dich eine Fremde."

„Aber ich will dich kennenlernen."

„Wie sollte das möglich sein, Bueb?"

„Und doch! Doch!"

Steif, verlegen sitzt er da. Sie mustert ihn, ihr Blick beginnt bei seinem Kopf und wandert langsam seine Silhouette bis zu den Stiefeln hinab.

„Wechsle deine Schuhe", sagt sie. „Das Haus ist voller Teppiche, und ich will nicht, daß Lucia und Annemarie unnötige Arbeit bekommen. Sie verdienen ihre Ruhe."

„Gern tu' ich alles, was du sagst, Mutter", antwortet er, und sogleich zieht er seine Stiefel aus und trägt sie aus dem Zimmer.

Er kehrt zurück und setzt sich neben sie. Seine Augen versenken sich in die ihren.

„Erzähle mir von dir", sagt sie kalten Tones.

„O Mutter", sagt er, „wie kann ich erzählen, wenn ich sehe, wie sehr dir meine Anwesenheit weh tut."

„Weh tun? Mir kann nichts mehr weh tun. Es interessiert mich, von deinem Leben zu hören."

Er erzählt ihr die Geschichte eines einfachen Lebens. Zehn Jahre hat er in Bern gewohnt. Er pflegte Leonide „Mutter" zu nennen, bis er sechzehn war und Leonide starb. Er war auch in Gam gewesen. Ja, er kennt jedermann in Gam, die ganze jüngere Generation.

„Wer hat dir erzählt, daß ich deine Mutter sei?" fragt sie. Amadeus wird verlegen unter ihrem Blick.

„Ich erfuhr es an meinem siebzehnten Geburtstag. Damals lebte ich im Pfarrhaus von Lützikon, bei dem Herrn Pfarrer Straub und seiner Familie, seinen zwei Töchtern und seinem Sohn. Die Frau Pfarrer starb vor einigen Jahren. Man hat mich immer wie einen

Sohn der Familie behandelt. Alles, was ich bin und habe, all mein Denken und Wissen verdanke ich diesem edelmütigen Mann. Und er hat mir die Geschichte meiner Vergangenheit erzählt. O Mutter, ich weiß alles, alles! Ich bin alt genug, um zu verstehen. Ich weiß, wie ihr beide, du und Vater, gelitten habt. Gibt es keine Möglichkeit, dies alles wiedergutzumachen?"

„Fürchtest du dich nicht, von deinen Freunden und Gefährten bespuckt zu werden, wenn du zugibst, daß ich – ich – deine Mutter bin?"

Amadeus nimmt die Hände seiner Mutter in die seinen und küßt sie.

„Nicht meine Mutter ist im Gefängnis gewesen", sagt er.

„Ja, du hast recht!" erwidert sie. „Die Liebende in mir, sie mußte büßen, nicht die Mutter. Das ist wahr."

Die bittere Falte spielt um ihren Mund. Beunruhigt sieht er sie an.

„Oft wollte ich dich in Hindelbank besuchen", sagt er, „aber man ließ mich nicht. Man sagte mir, daß es dich quälen würde. Und so habe ich dich nie gesehen. Aber des Nachts, jede Nacht, wenn ich im Bett lag, dachte ich an dich. Ich wartete auf den Tag, der dir die Freiheit bringt. Ich hätte dich am Tor von Hindelbank erwartet, aber es wurde mir nicht erlaubt. Man sagte mir, ich dürfe dich nicht eher sehen, als bis du in deinem neuen Leben eingerichtet wärest. Ich habe ein Jahr lang gewartet. Etwas in meinem Innern hat unablässig nach dir gerufen. Jetzt aber bin ich da! Ich gehöre dir!" Er schlingt seine Arme um Thereses Hals und küßt sie leidenschaftlich.

„Tu es nicht", sagt sie, „es ist töricht."

Ihre eiskalten Worte jagen ihm die Tränen in die Augen; in grenzenloser Verwirrung verläßt er hastig den Raum.

Sie bleibt reglos sitzen. Kann sie überhaupt noch fühlen? Hat sie ihre Fähigkeit, zu fühlen, verloren? Nein, sie fühlt, daß sie das Opfer eines schrecklichen Unglücks ist. Es ist ihr zumute, als könne sie nie mehr wie eine Mutter lieben. Ihre Strafe hat sich tief in ihre Seele eingegraben, ihre Strafe scheint alles Menschliche in ihr ertötet zu haben. Es ist ihr zumute, als sei sie umringt von eisigen Wällen. Das Abendbrot verstreicht in derselben seltsamen, stummen Weise. Vier der Tischgäste essen von silbernen Tellern, benützen silberne Messer und Gabeln, trinken ein paar Tropfen köstlichen Bordeaux aus geschliffenen Gläsern. Nur Gottfried hat seinen Aluminiumteller und benützt sein Taschenmesser. Er ißt Brot mit Käse. Seine Demütigung, seine Buße, sein Martyrium ist ihm in Fleisch und Blut übergegangen. Sein Wille ist auf eine ewige Fortdauer des Leides gerichtet. Seine Seele ist ergeben und duldsam. „Möge jeder sein eigenes Leben leben, ohne Einmischung, ohne Störung." So lautet sein fester Entschluß, und Therese kennt ihn.

Lucia und Annemarie gehen zu Bett. Theo zieht sich zurück. Amadeus sitzt am Fenster seines Zimmers und blickt hinaus in das einsame Tal, in die nackte Felswüste, in den Himmel. In seinem Herzen herrscht keine Verwirrung mehr. Er ist nicht mißvergnügt, nicht enttäuscht. Nein, nun sitzt er da und blickt genauso aus dem Fenster, wie es einst seiner Mutter Gewohnheit war – vor vielen, vielen Jahren.

Unten brennen acht Kerzen in hohen, silbernen Leuchtern. Therese sitzt an der einen Seite des Tisches, Gottfried an der andern.

„Theresli!" sagt er mit stiller Freude. „Er wird Geistlicher."

„Ja!"

„Er fängt besser an als ich!"

„Ja!"

Dann folgt ein langes Schweigen.

„Ah, wollte Gott! Wollte Gott!" seufzt er schwer.

Sie erhebt sich und geht im Zimmer auf und ab. Tausend Dinge möchte sie sagen, und sie kann es nicht. Das Leben ist so ganz anders als in früheren Tagen. Die unwägbaren Kräfte der Natur haben eine Schranke zwischen sie und diesen Mann gesetzt, der ihr Leben so verhängnisvoll beeinflußt hat. Soll sie sprechen? Soll sie schweigen? Weder dies noch jenes. Sie beginnt ein Selbstgespräch, erzählt vom Leben, vom öden Leben.

Sie wiederholt laut, was ihr jahrelang eingehämmert worden war: „Die eisernen Gitter an den Fenstern, die versperrten Türen, die Farbe deines Kleides, das alles zeigt dir, mein Kind, daß du deine Ehre und deine Freiheit verloren hast. Gott wollte nicht, daß du deine Freiheit mißbrauchst und Sünden und Verbrechen begehst. Gott! Gott! Gott!" Ihre Stimme klingt bitter, und sie fährt fort:

„Und deshalb hat er sie dir genommen. Bis hierher! Nicht weiter! So hat er es befohlen! Du bist im Gefängnis, um dein Verbrechen zu sühnen, und Sühne ist schmerzvoll. Aber du wirst finden, daß sie den guten Willen gebiert. Du mußt lernen, deine Leidenschaften zu beherrschen. Du mußt deine schlechten Gewohnheiten abstreifen." Noch bitterer wird die Stimme.

„Du mußt getrennt bleiben von allem, was du liebst. Du mußt dein Fleisch und Blut vertrocknen fühlen, bis du endgültig bereust und glauben willst, daß Gott dich gerichtet habe. Du mußt dich auf ein ewiges Leben vorbereiten!"

Sie hält inne und kehrt zu Gottfried zurück; sie legt eine Hand auf seine Schulter. „Dein Sohn glaubt an Gott", sagt sie.

„Besser an etwas, als nichts zu glauben", entgegnete er sanft. Jählings setzt sie sich nieder und starrt ihn an; und dann beginnt sie wild zu lachen, bis es sie am ganzen Körper schüttelt.

Diese Szene hat sich schon des öfteren ereignet. Es scheint, als hätte das Gefängnisleben die Seelen dieser beiden Menschen geheimnisvoll zerrüttet. Obgleich sie wieder eng verbunden sind, ist ein Element verblieben, das beide rätselhaft macht – selbst füreinander. Das Alter, das schleichende Alter verwandelt sie. Die unauslöschlichen Brandmale der Strafe, der Zeit und der Einsamkeit haften an ihnen. Beide wissen es. Aber ihre Fähigkeit lebendigen Fühlens scheint fast erloschen zu sein. Sind sie nur mehr die leeren Hülsen menschlicher Geschöpfe? „Komm zu Bett", sagt sie nach einiger Zeit. Sie gehen die Treppe hinauf. Sie reichen sich die Hand und küssen einander wie Automaten. Jeder Laut im Hause erstirbt ...

Amadeus steht bei Tagesanbruch auf. Er klettert in den Felsen der Nachbarschaft umher. Er blickt hinab auf das sonnenüberflutete Tal, auf das Dorf, die weiße Kirche, das mittelalterliche Gebäude, wo seine einsiedlerischen Eltern Anker geworfen haben, wo Lucia und Annemarie unter ihrem Schutz ein Obdach gefunden haben. Wie seltsam von seiner Mutter, Sträflingen Quartier zu geben, sich von einer Mörderin und einer Diebin bedienen zu lassen! Wie völlig verwirrend, ihren Haushalt, ihren Reichtum zu sehen; stumm mit ihnen um den Tisch zu sitzen und aus silbernen Tellern zu essen!

Amadeus beschließt, heute morgen seinen Vater in der Werkstatt zu besuchen. Seinen Vater! Was für ein sonderbarer Mensch! Wie ein Geist bewegte er sich gestern abend, nicht wie ein Mensch. Amadeus sieht den Kühen zu. Sie kommen aus dem schmalen Dorfeingang getrottet, kleine, graubraune Tiere mit krummen Hörnern, und sie gehen an den Quellbrunnen trinken. Eine Peitsche knallt. Die Glocken beginnen zu läuten. Frühmorgenmesse! Die Leute hier oben sind wahrschafte Katholiken. Amadeus geht ins Haus zurück. Er begegnet Lucia, die aus der Kirche kommt. Er sieht seinen Vater, wie er durch eine Seitentür das Haus verläßt, die Arme auf dem Rücken verschränkt; wie er die einsame, gewundene Straße entlang schreitet, der Paßhöhe zu, von wo man steil in eines der norditalienischen Täler hinabsteigt. Er sieht seines Vaters Gestalt vor dem hellblauen Himmel verschwinden. Oben im Stock bemerkt Amadeus seinen Beschützer, der am Fenster steht und sich rasiert. Plötzlich packt ihn die Begier nach dem Antlitz seiner Mutter. Wo ist sie? Soll er versuchen, sie zu finden? Wo ist ihr Zimmer? Eine seltsame Scheu überkommt ihn, gepaart mit einer Süßigkeit, die ihn fast erschreckt.

„Ich bleibe hier, bis sie mich liebt", sagt er zu sich selbst.

Ein wenig später erzählt er dem Pfarrer von seinem Entschluß. Theodor Straub scheint nicht erfreut. Was? Amadeus soll mehrere Tage, vielleicht sogar Wochen hierbleiben? Amadeus täte besser, sagt Theo, morgen mit ihm nach Lützikon zurückzukehren. Er kann seinen Besuch ein andermal wiederholen. Der Jüngling fühlt sich schmerzlich betroffen. Nein, er kann seine Mutter nicht verlassen, nicht jetzt; nicht, bevor er sie ein wenig kennengelernt hat. Der Pfarrer sieht ihn sonderbar an. Er muß am nächsten Tag abreisen und will Gottfried Amadeus mitnehmen.

„Denk reiflich nach, mein Junge", sagt er, „bevor du dich entschließt."

Amadeus ist entschlossen. Er gedenkt noch ein paar Tage zu bleiben. Und er teilt es seiner Mutter mit.

„Nein", sagt sie, „du mußt gehen!"

Irgend etwas erwacht in Therese. Es ist wie berstendes Eis im Frühling. „Mein Amadeus", sagt sie, „ich glaube ernstlich, daß du keinen Nutzen davonträgst, wenn du noch länger hierbleibst.

Wir sind entlassene Sträflinge, ehrlose Menschen, deren Namen man mit einem Schauder ausspricht. Wir genießen nicht einmal mehr den Schutz der Gefängnismauern. Du mußt ohne uns deinen Weg durchs Leben machen. Und wir müssen den unsern allein gehen."

Tränen treten in Amadeus' Augen.

„Mutter", fragt er, „hast du je an mich gedacht, als du in Hindelbank warst?"

Da nimmt sie plötzlich sein Gesicht in ihre Hände und schüttelt ihn.

„Bueb, Bueb!" sagt sie fast ungestüm. „Du stellst zu viele Fragen!" Sie zieht sein Gesicht an ihre Lippen und küßt ihn; ein Zittern überläuft sie.

„Geh, geh!" ruft sie.

Aber Amadeus bleibt.

Am folgenden Tag ist sein Herz geteilt; er hat zu viele Pflichten. Er sollte seinem Beschützer seine Dankbarkeit zeigen und mit ihm nach Lützikon zurückreisen; er sollte schon deshalb reisen, weil seine Mutter ihm befohlen hat zu gehen. Sie will ihn nicht bei sich haben, sie hat es gesagt. Dann aber – da ist sein eigenes Herz, das ihm zu gehen verbietet. Eine Liebe und ein Mitleid, wie er sie noch nie gekannt hat, haben sich seiner bemächtigt. Eine süße Sehnsucht wühlt ihn unbezähmbar bis in die tiefsten Tiefen seines Herzens auf. Allen trotzt er, nur nicht sich selbst. Der Pfarrer hat ihn noch nie so eigenwillig, so halsstarrig gesehen. „Amadeus", sagt er, „überlege nur! Sie wollen dich nicht hier haben! Du bist ihnen im Weg! Wenn sie auch deine Eltern sind, sie sind nicht verheiratet. Eigentlich wäre es besser gewesen, ich hätte dir nie ihr Geheimnis enthüllt." „Ich kann sie nicht verlassen! Noch nicht!" ruft Amadeus. „In diesem Falle also – bleib! Aber vergiß nicht meine Worte!" sagt Theodor Straub kalt, und innerlich zittert er um das Wohl Amadeus'. Seines Amadeus! Des jungen Menschen, den er aufgezogen hat! Unsagbarer Schaden könnte ihm von seiner Mutter geschehen. Sogar sie weiß es. Und deshalb will sie, daß er abreise. Amadeus läßt sich nicht bewegen; er bleibt zurück. Der Pfarrer verabschiedet sich allein. „Ich bleibe eine Woche", sagt Amadeus.

„Wir wollen sehen, wir wollen sehen!"

Sonderbare und einsame Tage kommen für Amadeus. Er durchforscht die Umgebung. Er geht aus und ein durch die Türen des Hauses. Er sieht die gebleichten, hohläugigen Gesichter Lucias und Annemaries. Zuweilen sitzt er in seines Vaters Werkstatt. Dort lernt er einen Menschen kennen, der wie eine unglückliche Maschine arbeitet, seltsame Fragen an ihn richtet und sich doch um die Antwort nicht zu kümmern scheint.

Therese bleibt ernst und finster, aber sie lebt für Amadeus, und es ist für sie ein Zustand von seltsamer Neuheit, unbegreifbarer Fremdheit. Mit verstohlenen Blicken verfolgt sie die Bewegungen des jungen Fremden im Hause.

„Ist er mein Sohn?" fragt sie Gottfried eines Abends. „Unglaublich! Ein so großer Bursche ist aus dem Kindchen geworden, das ich in Leonides Armen zurückließ? Kaum zu glauben. All diese Jahre hindurch habe ich geträumt – geträumt von einem kleinen Kind! Ja! Ich wußte, daß er aufwuchs, aber ich konnte ihn immer nur als Kind vor mir sehen. Ja, als ich in Hindelbank war, pflegte ich von der Möglichkeit zu träumen, mein Kind wiederzusehen. Ah, was für ein Trost! Jetzt aber, da er im Hause ist, da ist mir zumute, als sei mein Herz erfroren, als könnte ich seinen Anblick nicht ertragen. Bitter ist alles in mir. Bitter! Bitter!" Therese fiebert nach einer Tröstung. Ein Schauder packt sie; Tränen füllen ihre Augen.

Eines Tages kommt Amadeus aus dem Dorf und trägt ein Paket, das er von dem kleinen Postamt abgeholt hat. Er nimmt es in sein Zimmer hinauf und öffnet es. An diesem Abend versammeln sich wieder alle um den Tisch. Amadeus setzt sich neben seine Mutter. Er fühlt sich jetzt ganz zu Hause; unter dem Tisch ergreift er die Hand seiner Mutter und drückt sie, und ein glückliches Leuchten liegt auf seinem Gesicht.

„Heute abend", sagt er, „werde ich euch alle überraschen."

Vier Augenpaare heften sich erwartungsvoll auf ihn.

Was wird es sein? Etwas wie die Weihnachten in Thorberg? Wie die Weihnachten in Hindelbank? Die Zellentüren aufgeschlossen; freier Spaziergang im Hof; ein Baum mit angezündeten Kerzen; Kuchen und Kaffee und Orangen an Stelle von Roßfleisch, Brot und Brei? Das Harmonium spielt? Und sogar die Wärter lächeln einmal!

„Überraschung?" rufen Lucia und Annemarie mit aufgesperrten Mündern.

„Eh ja!" sagt Amadeus. „Eines fehlt noch immer in diesem glücklichen Heim: Musik und Gesang!"

Therese lächelt. Grübchen zeigen sich auf ihren Wangen. Sowie Lucia den Tisch abgeräumt und Annemarie die Krumen weggekehrt hat, läuft Amadeus die Treppe hinauf und kehrt eilig mit einer Gitarre zurück.

Und er stimmt sie, steht neben fünf hohen Wachskerzen, die in einem altertümlichen Leuchter brennen. Die andern setzen sich nieder, Gottfried und Therese Seite an Seite auf einer alten, geschnitzten Truhe, die früher einmal in Gam gestanden hat.

Amadeus setzt sich, schlägt ein Bein über das andre, blickt von Gesicht zu Gesicht, lächelt, glüht vor Jugend, die noch kein Laster befleckt. Unbeschattet ist seine schöne Stirn. Jetzt ruhen seine Augen auf dem Antlitz seiner Mutter. Er zupft eine Saite und dann eine zweite. Volle harfenähnliche Töne dringen in die vier Seelen ein, die die Menschheit zerschmettern wollte. Mit klarer und sicherer Stimme beginnt er zu singen, während sein Vater nachdenklich dasitzt, und Therese, zurückgelehnt, erfüllt von bebender Überraschung, ihren Bueb anstarrt:

> *Und wüßten's die Blumen, die kleinen,*
> *wie tief verwundet mein Herz,*
> *sie würden mit mir weinen,*
> *zu heilen meinen Schmerz.*

> *Und wüßten's die Nachtigallen,*
> *wie ich so traurig und krank,*
> *sie ließen fröhlich erschallen*
> *erquickenden Gesang.*

> *Und wüßten sie mein Wehe,*
> *die goldnen Sternelein,*
> *sie kämen aus ihrer Höhe*
> *und sprächen Trost mir ein.*

Amadeus hält inne. Er hat die Worte vergessen.

„Bitte, nicht aufhören!" sagt Therese.

„Aber ich habe die Worte vergessen."

„Spiel, spiel!" ruft sie heftig.

Amadeus beginnt wieder zu spielen.

Sie taumelt in eine neue Welt. Neue Gefühle beginnen sie jählings zu ängstigen. Was ist das für ein Erwachen? Was spielt der Junge jetzt? Therese folgt mit ihrem Kopf dem Rhythmus. Ihre Seele beginnt zu wandern, ihre Seele fliegt aus dem Fenster. Sie besucht kühle, einsame Täler, schreitet auf Stein und Felsen, sitzt an tosenden Bächen, blickt in schäumend grüne Gewässer, wandert über sonnglühende Ebenen, ruht im Schatten einer weinumwachsenen Pergola, wo große blaue Trauben durch das silbrige Laubwerk glühen. Es ist überwältigend; es ist die Jugend, das begeistert pulsende Blut. Kehrt ihr das Leben zurück? Das Leben, das teure, herrliche Leben, während sie glaubte, daß es tot sei und vertrocknet. Plötzlich steht sie auf und verläßt die andern. Sie eilt die Treppe hinauf und schließt sich in ihr Zimmer ein. Tränen, ungewohnte Tränen füllen ihre Augen. „O Gott, o Gott!" weint sie. „Ja, ich glaube, ich kenne mich selber noch nicht!" Die Zukunft ängstigt sie fast. Atemlos lauschend steht sie da. Unten geht die Musik weiter – eine andre Melodie jetzt – ein Choral, „Nun danket alle Gott!" –

„Das hat Gottfried angeordnet!" sagt Therese zu sich selbst. „Jetzt singen sie alle mit – Herrjesses! Wie oft habe ich diese Hymne in Hindelbank gehört? Selbst die Ungläubigen haben sie manchmal mitgesungen. Ich selber kenne sie auswendig." Sie flüsterte zu sich selbst: „Ich hab' sie auch einmal auf der Alp gehört..."

Der Choral ist zu Ende. Jemand kommt die Treppe herauf, jemand klopft an die Tür...

„Mutter! Liebste Mutter! Komm herunter! Oh, komm doch und sei mit uns! Es freut uns alle sehr!" –

Therese öffnet ihrem Bueb die Tür. „Kind! Kind!"

John Knittel wurde als Sohn eines Schweizer Missionars in der indischen Stadt Dharnar geboren. Nachdem er vom Gymnasium in Basel verwiesen worden war, da er den Baseler Münsterturm von außen erklettert hatte, wurde er Handelslehrling und reiste 1910 nach England. Er betätigte sich als Bankbeamter, Filmhändler und Theaterleiter und siedelte schließlich für lange Jahre nach Kairo über. Seit 1939 lebt er in Maienfeld im Schweizer Kanton Graubünden. In Ägypten gründete er ein Institut für orientalische Psychologie und entwickelte einen großen Plan zur Erziehung der analphabetischen Bevölkerung. Zwischen Europa und dem Orient spielen auch die meisten seiner Romane, die sich eine große Leserschaft erwarben. In Deutschland wurde John Knittel vor allem durch sein 1928 entstandenes Werk „Therese Etienne" bekannt.